DE CANDIDE
A ATALA

750

HISTOIRE DE LA LITTÉRATURE FRANÇAISE

publiée sous la direction de

J. CALVET

doyen honoraire de la Faculté libre des lettres de Paris

De Candide à Atala

par

Henri BERTHAUT

Agrégé de Lettres
Professeur honoraire
à la Faculté libre des Lettres de Paris

del DUCA
2, rue des Italiens, Paris

Ce volume a été publié avec la collaboration de
RÉMI CEILLIER, Docteur ès Sciences Naturelles
(*Buffon*).

AVANT-PROPOS

La seconde moitié du XVIIIe siècle ou, sans trop presser les dates, la période qui s'étend de la publication de *Candide* à l'apparition d'*Atala* est l'une des plus importantes de notre histoire littéraire. Non certes par la valeur intrinsèque des œuvres, car, si l'on fait exception pour Rousseau, Bernardin de Saint-Pierre, Diderot, Chénier et Beaumarchais, la production de ces quelque cinquante années ne s'élève guère au-dessus du médiocre. Voltaire lui-même, malgré l'étonnante vitalité de son génie, qui apparaît encore dans quelques épîtres ou satires, dans quelques contes et dans son incomparable *Correspondance*, ne donne trop souvent que des preuves d'un talent faiblissant. Mais cette période a exercé une influence capitale sur les destinées de la France et de la pensée française. Poursuivant la tâche du demi-siècle précédent, elle la conduit à sa conclusion logique. En politique, elle consomme la ruine d'un état de choses quasi millénaire et jette les fondements d'un monde nouveau. En littérature, elle abandonne progressivement les grands principes d'art édictés par Boileau, sème ou développe les germes qui s'épanouiront dans le romantisme. Elle accomplit ainsi ou prépare une double révolution, dans l'Etat et dans les lettres. La première, servie par les circonstances, éclatera avant que le siècle s'achève; la seconde, qui se heurte à différents obstacles — timidité du goût, renouveau partiel du classicisme — ne triomphera qu'une fois passées les trente premières années du XIXe siècle. Quelque inégaux que soient les résultats, on ne saurait s'y tromper : les sources et les principes sont les mêmes, les efforts convergent. De part et d'autre un afflux de tendances et d'idées étrangères vient grossir le courant indigène. De part et d'autre il s'agit de rejeter les anciennes disciplines, de libérer l'individu d'entraves jugées artificielles, de rendre au citoyen comme à l'artiste ses franchises originelles. La littérature se met au service des idées de réforme, et tous les chefs-d'œuvre de cette période sont consacrés aux grands problèmes de l'Etat, de la vie sociale, de l'éducation. Inversement l'individualisme politique réagit sur l'activité purement littéraire, et l'on sait quelles étroites affinités unissent Révolution et Romantisme.

Epoque de transition, elle a, comme toutes ses pareilles, ce qu'on peut appeler sa date climatérique : celle où le destin, quelque temps hésitant, fixe le cours des événements. Cette date est l'année 1759, et c'est l'une des raisons qui expliquent la division adoptée dans cette *Histoire de la Littérature* pour le XVIIIe siècle. L'année où Voltaire publie *Candide* ne marque pas seulement un moment décisif dans l'évolution intellectuelle et morale du philosophe. C'est à cette heure que se rompt l'équilibre entre les forces antagonistes de tradition et de nouveauté, et que la balance commence à pencher en faveur de ces dernières. L'*Encyclopédie* a beau être officiellement supprimée, cette année même, par arrêt du conseil du Roi, elle triomphera dans la bagarre de 1760 et continuera son travail de sape, grâce à de hauts et puissants protecteurs, qui lui assureront la tolérance tacite de l'autorité. La guerre à la « superstition » et aux « abus » se fera même plus âpre, plus implacable par suite des rancunes accumulées et de l'espoir du triomphe entrevu. C'est l'heure aussi où Rousseau, qui vient de rompre avec les philosophes, ses amis de la veille, se retire définitivement dans une ombrageuse solitude et met la dernière main à ses grands ouvrages qui vont changer l'atmosphère morale du pays. C'est l'heure enfin où Voltaire s'installe à Ferney et y dresse, face à Versailles, sa royauté intellectuelle, saluée chaque jour par un nombre sans cesse accru de courtisans. L'*Encyclopédie* achevée, Voltaire et Rousseau une fois morts, quinze ans ne s'écouleront pas avant que se produise le plus formidable bouleversement politique et moral qui, depuis la Renaissance, ait changé la face de l'Europe.

CHAPITRE PREMIER

VERS LA RÉVOLUTION

Causes   Ce bouleversement a des causes multiples et
politiques.   diverses, qui, déjà actives dans la période précédente, jouent maintenant avec une vigueur accrue. Il en est d'abord
de politiques et de sociales. La « bonne machine » mise au point
par Louis XIV, mais déréglée par la Régence, ne fonctionne plus
avec la régularité d'autrefois. Quelques améliorations suffiraient à
l'adapter aux nécessités de l'heure, mais c'est ce que ne savent pas
faire ceux qui lui impriment le mouvement. Le XVIIIe siècle voit
s'accomplir dans la vie des peuples des transformations de conséquence incalculable. Le développement du grand commerce, de la
grande industrie, du capitalisme, l'élévation de la bourgeoisie, l'accession continue des paysans à la propriété, posent des problèmes
économiques et sociaux, que l'on ne peut résoudre dans le cadre
du régime existant. L'anachronisme des institutions féodales se
heurte aux exigences du monde moderne qui se crée.

Il faudrait, pour réaliser les réformes nécessaires et briser les oppositions, une autorité incontestée, une tête lucide, une main ferme.
La lucidité ne manquera pas à nos rois, mais leur pouvoir sera discuté, et leur énergie tardive ou éphémère. Intelligent certes, beau,
brave comme tous les Bourbons, beaucoup plus sensible que le prétendent des ragots suspects, Louis XV a été mal préparé au pouvoir
par la longue enfance où Fleury l'a laissé vieillir. Sensuel et dévot
tout ensemble — mélange moins rare qu'on ne croit, — il oscille
sans cesse de la crainte de l'enfer à l'attrait des terrestres délices.
Divisé contre lui-même et plein d'une défiance de soi qui paralyse sa volonté, rongé par un ennui perpétuel qui développe en lui
une indolence apathique, il est affligé par surcroît de la timidité
bourbonienne, dont, pas plus que Louis XIV lui-même, il ne peut
se défaire : de là cette conduite équivoque, cette duplicité, dont

le renvoi de Choiseul et le « secret du Roi » sont les témoignages
les plus caractéristiques. Il revendique hautainement les prérogatives
de son rang, mais il laisse tomber l'autorité en des mains que souvent il méprise. Il veut lutter contre les atteintes à son pouvoir,
mais il hésite entre la répression et la douceur, sacrifie les Jésuites
aux philosophes, les philosophes au Parlement, espérant par ce jeu
de balance neutraliser ses adversaires, alors qu'il en accroît l'audace. Il pourrait par quelques réformes utiles se concilier les philosophes, qui ne sont point du tout ses ennemis, mais il les dédaigne,
les brime ou les poursuit. Contre les princes et les nobles frondeurs
qui, sous le spécieux prétexte de défendre le bien public, cachent
leurs visées ambitieuses et leurs desseins réactionnaires, il se contente
d'une guerre d'épigrammes ou de l'exil dans leurs terres. Seul le
Parlement sera, mais trop tard, l'objet de ses rigueurs. Irrité de la
prétention que celui-ci affiche de représenter la nation et de la
fronde larvée à laquelle il se livre, Louis XV, devant le danger
pressant, se décide à le supprimer et à faire sa « Révolution » (le
mot est de l'époque), en recourant au Triumvirat. Hélas ! il
aurait besoin d'une dizaine d'années pour réorganiser, suivant son
plan audacieux, l'administration et la justice : il ne disposera que
de trois. L'opinion, déjà excitée par le renversement des alliances et
les désastres qui l'ont suivi, se cabre contre ce que trop de gens intéressés lui montrent comme une abominable tyrannie. Quand le Roi
meurt, des cris de haine saluent le cadavre du « Bien-Aimé », et les
libelles, en tourbillon de tempête, s'amoncellent sur son cercueil.

La joie renaît avec le nouveau règne. Un grand espoir se lève et
l'amour du Roi flambe plus ardent que jamais dans les cœurs. Que
n'attend-on point des deux jeunes gens qui ceignent à leur tour la
couronne ! Mais la succession est lourde, et Louis XVI l'aggrave par
ses généreuses imprudences. Intelligent lui aussi, et d'un bon sens
robuste, mais sans prestige physique, scrupuleux jusqu'à l'indé-
cision, et d'une débonnaireté qui le rend le jouet de son entourage,
il est en outre imbu des théories féneloniennes qu'il tient de son
père et de son propre choix : n'a-t-il pas imprimé lui-même vingt-
huit *Maximes* tirées des *Directions sur la conduite des Rois* ? Et il
n'accède qu'avec crainte au trône redouté. Dès le début, il se lie
les mains en rendant sa confiance aux princes et en rétablissant les
Parlements. Erreur insigne, qui livre la royauté à ses ennemis et va
creuser le fossé qui la sépare déjà de la nation.

Les privilégiés ont désormais la haute main sur le gouvernement,
et leur influence est aussi pernicieuse pour le Roi que pour le pays.
Les uns, têtes frivoles, augmentent les abus dont ils vivent. En
vain le prestige de la naissance pâlit et la valeur personnelle s'oppose
au nom hérité : ils n'ont à la bouche que leur sang et leur rang.
Jamais leurs prétentions n'ont été aussi arrogantes, leurs querelles
aussi vaines, leurs gaspillages aussi grands. On dirait qu'ils prennent
plaisir à soulever contre eux les roturiers, et singulièrement cette

bourgeoisie honnête, active, économe, dont le travail enrichit le pays et qui, consciente des services qu'elle rend, brûle d'impatience de faire reconnaître ses droits. Elle possède l'argent, fruit de son labeur et de son activité, et elle brigue dans la société la place éminente qu'elle estime déjà digne de son rôle. Or voilà que, par une folle décision, en 1788, la noblesse lui signifie qu'elle ne pourra plus, comme par le passé, prendre place dans ses rangs. Le peuple lui-même, qui accède de plus en plus à la propriété, éprouve le désir plus ou moins conscient de voir relever sa condition et diminuer la distance qui le sépare des « oisifs » qu'il nourrit.

D'autres nobles cependant se montrent plus perspicaces. Le désir d'égalité dont la masse est travaillée ne leur échappe pas. Ils affichent un beau zèle pour les réformes et montrent la plus vive sollicitude à l'égard de ces inférieurs qu'au fond d'eux-mêmes ils méprisent. Souci du bien public ? Oui, sans doute, en partie, mais surtout, calcul. Ils songent à retourner contre la royauté la tactique dont celle-ci s'est servie pour les soumettre, ils caressent le rêve d'étayer leur autorité reconquise de la force grandissante du Tiers. Tandis que Provence et Orléans cabalent et joueraient volontiers les Guillaume d'Orange, ils songent, eux, à quelque *Grande Charte,* qui lierait le monarque et ne lui laisserait que les apparences du pouvoir, dont ils auraient la réalité. Illusion flatteuse, qu'en moins de deux ans la Révolution se chargea de dissiper.

Louis XVI n'est pas sans voir le péril et les moyens de le conjurer. Il sent que la royauté doit prendre l'initiative des réformes, et il tente de le faire. Mais il a le cerveau brouillé des rêveries aristocratiques de Fénelon : les droits des nobles et des parlementaires lui semblent aussi sacrés que les siens. C'est cette idée qui paralyse ses bonnes intentions, bien plus que sa faiblesse de caractère, effet pour une part de ses principes, ou que sa condescendance envers la Reine, comme le prétendent ceux qui le travestissent en une sorte de Chrysale couronné. Il paiera de sa couronne et de sa tête la faute d'avoir été inférieur à sa mission et d'avoir transgressé les principes constamment appliqués par ses prédécesseurs : tenir la bride aux grands, fonder le trône sur l'attachement des peuples.

Et, tandis qu'en France la royauté décline et que s'usent les institutions, l'Angleterre offre en modèle son gouvernement, où se réalise cette fameuse « balance des pouvoirs » qui hante tant de cervelles françaises. Terre de liberté, terre d'égalité devant la loi, terre de tolérance (mais sur tous ces points les catholiques anglais auraient leur mot à dire), terre où le commerçant et le poète valent le noble lord, elle apparaît comme une Mecque politique, où tout Français « qui pense » se croit tenu d'aller faire un pèlerinage rituel. Son prestige vient en partie de ses succès, en partie de l'instrument qu'elle a forgé, dont elle joue à merveille : la Maçonnerie. Aussi, devant l'échec cuisant de la Guerre d'Amérique et la reconstitution menaçante de la Marine française, ripostera-t-elle de façon terrible, en favorisant, en soudoyant même, la Révolution.

De leur côté, les Etats-Unis donnent au monde, et particulièrement à la France, à qui ils doivent pour une bonne part leur indépendance, l'exemple d'un peuple qui s'affranchit de l'oppression et qui fonde son régime sur la raison et sur le droit.

Causes morales.   Aux causes politiques et sociales s'ajoutent des causes morales.

On ne connaît que trop les mœurs dissolues de cette époque, et l'on sait que longtemps cette immoralité s'est étalée là où elle est le plus en vue, sur le trône. Parc aux cerfs, favorites et passades jettent sur Louis XV un discrédit qui rejaillit sur l'institution monarchique. L'Eglise n'échappe pas non plus à la gangrène. Comment s'en étonner, alors que le sacerdoce est devenu une carrière, qu'abbayes et bénéfices sont aux mains du pouvoir ? On tourne alors contre la religion ce qui n'est que faiblesse humaine; un bas anticléricalisme se développe, qui n'a plus rien de commun avec les facéties gaillardes du Moyen Age, mais qui prend pour armes la violence et l'ordure. Faut-il parler de la noblesse, où l'on voit trop de ménages désunis et trop de grandes dames qui tiennent pour une offense personnelle ou une insulte à leur rang la faveur d'une Poisson ou d'une Bécu ? Comment, avec de telles mœurs, ne pas rejeter la contrainte religieuse, ne pas prêter l'oreille aux doctrines de facilité ?

Une autre cause, plus profonde, est le besoin de changement, l'appétit de liberté, qui s'emparent des âmes. On est las de ces longs règnes qui perpétuent la monotonie d'une autorité invariable, las de cette religion qui discipline tout l'être et, par ses dogmes, ferme toute échappée à la curiosité inquiète, las de cette vie mondaine qui tourne à l'automatisme et fait peser le joug de ses devoirs et de ses conventions. Certes l'esprit n'abdique point. Pas plus qu'aux grandes réceptions, ce monde raffiné ne renonce à la causerie où il excelle; il prend toujours le même plaisir à ces saillies, à ces épigrammes, à ces madrigaux, arts mineurs de l'intelligence française, où se dépense tant de piquante ingéniosité : c'est l'époque où un tout petit mot peut encore assurer la fortune d'un Talleyrand. Mais l'esprit ne règne plus en monarque absolu, les facultés affectives restreignent ses droits.

Les âmes se sentent des exigences et des aspirations nouvelles. On s'évade de mille manières d'une vie trop uniforme. On se réfugie dans la solitude pour y rêver et s'y livrer à la mélancolie. On découvre la nature, on s'intéresse à la campagne, à la vie rustique; on se prend à aimer la montagne, la mer, les pays lointains, dont Rousseau, Ramond et Bernardin révèlent les beautés et le charme. On s'engoue de l'étranger, et de ses mœurs d'une si piquante originalité. L'anglomanie sévit : le thé, les jardins anglais, les courses s'implantent chez nous; on recherche le « confort », dont jouissent les libres insulaires; un peu plus tard, on « s'habille à la Franklin », en même temps que l'on « raisonne à la Washington ». On s'évade aussi dans le temps, et l'impatience d'échapper au morne aujourd'hui entre pour une part dans la vogue du Moyen Age et de l'Antiquité. Poussant encore plus loin, l'imagination demande au mysticisme — même le plus bas — les moyens de se satisfaire. Ce siècle raisonneur est d'une crédulité désarmante : aventuriers, nécromants, charlatans de toute sorte, un Saint-Germain, un Cagliostro, un Mesmer, parviennent à une fortune inouïe. On bafoue le culte ancestral, mais l'on se soumet ponctuellement aux rites de la Maçonnerie.

On est sensible aussi, et l'on se sait gré de l'être, comme d'une preuve de sa propre bonté. Pleurer devient une volupté : on pleure de joie, de tendresse, de douleur, d'enthousiasme, de dépit. Point de mouvement de l'âme qui ne se traduise par des pleurs. Le sentiment peut atteindre un rare degré de violence : on meurt d'amour comme la comtesse d'Egmont; on se pâme comme le beau Lauzun. On sent le besoin d'une existence moins frivole, plus morale, plus vertueuse, c'est-à-dire plus altruiste. On aime son prochain, et l'on s'ingénie à traduire cet amour par de touchants divertissements ou par des libéralités : c'est l'époque des Fêtes de la jeunesse, de la vieillesse, etc.; c'est l'époque de Montyon. Cet altruisme est si large que les objets banals d'affection — famille, dynastie, concitoyens — ne lui suffisent plus. Il déborde au-delà des frontières, et l'idée de patrie s'affaiblit : un mois à peine après le désastreux traité de Paris, Favart fait acclamer une pièce où il célèbre l'amitié éternelle de l'Angleterre et de la France. Nombreux sont ceux qui veulent être, suivant le mot de Marivaux, « l'Homme de toute nation », ou, comme s'intitulera le marquis de Mirabeau, « l'Ami des hommes » : cosmopolitisme et humanitarisme servent d'alibis rêvés à ces cœurs désaxés.

Ainsi se crée le climat moral d'une Révolution qui, élargissant son dessein primitif, la lutte pour l'affranchissement de l'individu, se transforme en croisade pour la libération de l'univers.

Causes intellectuelles. Mais ces différentes causes, pour agissantes qu'elles étaient, n'auraient produit, à elles seules, qu'une Fronde victorieuse et des modifications dans le train ordinaire de la vie. Elles n'auraient point amené la Révolution, si des causes intellectuelles ne s'y étaient jointes : ce sont les idées qui ont tout subverti. Ces idées, à vrai dire, n'ont ni la même origine, ni la même nature; il leur arrive même de s'opposer. Dans le torrent des tendances qui battent l'Ancien Régime, des courants se forment, des remous se produisent. Aux dissensions qui déchirent les défenseurs de la tradition correspond, dans le camp adverse, une division des forces, qui prend l'allure d'une hostilité ouverte. Si Jésuites et

Jansénistes continuent leur lutte séculaire, si le Parlement se dresse
contre la Royauté, la « coterie holbachique » mène la vie dure à
Rousseau. Unis pour détruire, les ennemis de l'état de choses établi
n'emploient pas les mêmes armes, ne s'entendent point sur l'effort
constructif. Les uns, les Encyclopédistes, ont recours à la Raison,
les autres à l'instinct. Les premiers s'accommoderaient d'une monarchie laïcisée; à défaut de l'impossible démocratie, Rousseau est partisan d'une aristocratie élective ou encore d'un despote. Dans le
camp encyclopédique même, quelle divergence de principes sur
des points capitaux ! Voltaire est déiste, d'Alembert sceptique,
Diderot et d'Holbach athées. Mais, d'une part, ces divergences ne
sont point capables de compromettre le résultat, tant est avancée la
décomposition du régime combattu; et d'autre part, Voltaire et
Rousseau disparus, les deux courants s'unifient, submergeant tout
de leurs flux conjugués.

Les rationalistes. Trois mots résument la doctrine des Encyclopédistes et de leurs disciples, les « philosophes »
proprement dits, et ces mots sont : Raison, Science, Progrès. Cette
devise traduit l'influence combinée du rationalisme cartésien et du
sensualisme anglais.

La Raison. A Descartes ils empruntent le principe de l'évidence, seul critérium de vérité, mais ils se séparent
de lui sur deux points très importants. Comme Bayle et comme
Fontenelle, ils étendent la juridiction de la raison à des domaines
que Descartes lui avait soigneusement interdits : la religion, la
morale, la politique. Comme les sensualistes anglais, ils rejettent les
idées innées et s'en tiennent aux idées acquises.

La raison n'est plus pour eux cette faculté supérieure émanant
de Dieu qui assure ses démarches. C'est, en psychologie, la faculté
d'élaborer la sensation, de systématiser et de rendre intelligible le
donné de l'expérience. Il suit de là que tout ce qui dépasse les sens
et les principes tirés de leurs constatations doit être tenu pour nul
et non avenu. On admet Dieu, parce qu'on le démontre, mais la
Révélation, le mystère, le miracle, le surnaturel, ne sont qu'inventions d'un clergé cupide et dominateur. En politique, la Raison
est la claire notion d'un certain nombre d'attributs spécifiques de
l'homme. La nature nous crée tous libres et égaux en droits. Dès
lors toute institution qui méconnaît ces caractères est radicalement
viciée : le droit divin, l'absolutisme, l'inégalité sont des offenses à
la nature et, comme telles, condamnables.

C'est à Locke que nos philosophes empruntent leurs idées. Mais,
logiciens intrépides, ils transforment en théorie universellement
valable ce qui n'est chez le modèle qu'un expédient d'apologiste.
Préoccupé de légitimer l'usurpation de Guillaume d'Orange et ne
pouvant s'appuyer sur le droit divin que les Stuarts représentent,

Locke recourt au « droit humain » et donne pour bases à l'Etat les idées de contrat et d'autorité populaire. Il part du fait — l'accord passé entre le nouveau Roi et le Parlement — pour s'élever à la théorie. Nos philosophes suivent la marche inverse : ils prétendent soumettre les faits à la doctrine. D'un côté, utilitarisme bien anglais; de l'autre, logique bien française.

Cependant, la critique du pouvoir est, chez eux, moins violente et moins radicale que celle de la religion. Non qu'ils craignent des ennuis : on court des risques plus grands à combattre le catholicisme, et ces risques, ils les ont affrontés. Mais ils subissent, comme tous les Français, ce que Jaurès a appelé le « charme séculaire de la royauté », et, quelque audacieux qu'ils soient, ce n'est pas sans le tremblement dont parlait Montesquieu qu'ils portent les mains sur un régime patiné par dix siècles d'histoire. La monarchie n'est point d'ailleurs à leurs yeux aussi radicalement mauvaise que la religion, et certains d'entre eux se contenteraient d'un monarque absolu, pourvu qu'il fût philosophe, d'un despote qui supprimerait les abus criants, séparerait son trône de l'autel et ferait sentir son bras à l'Eglise, au lieu de le lui prêter pour de sanglantes besognes. Et puis, leur connaissance des sciences expérimentales, leur esprit pratique, leur dédain de la foule les mettent en garde contre les systèmes et les conséquences extrêmes de leurs principes. La république ne leur semble possible que dans les petits Etats; au surplus, l'histoire tumultueuse des démocraties n'engage guère à adopter ce régime. Enfin ils jugent opportun de sérier les efforts et de dissocier leurs ennemis pour les abattre à tour de rôle : la religion ruinée, la monarchie, qui s'appuie à elle, s'écroulera.

La morale, elle aussi, se déduit rationnellement de l'idée *a priori* qu'ils se font de l'homme. Croyant en sa bonté originelle, ils réhabilitent les passions et condamnent l'ascétisme : la seule règle est de suivre la nature; la seule vertu est de faire du bien.

La Science. — La confiance sans limites que les philosophes placent dans la Raison se légitime à leurs yeux par le développement incessant de la science et des arts mécaniques, consécutif à l'affranchissement de la raison, qu'ont opéré, un siècle auparavant, les Galilée, les Bacon, les Descartes et les Pascal. Le XVIIIe siècle continue avec enthousiasme l'œuvre de son devancier. Tous se mettent à la tâche, hommes de lettres aussi bien que savants. On connaît les travaux scientifiques de Voltaire; Rousseau étudie les mathématiques; Diderot porte en maint canton de la science sa curiosité inlassable et sa fougueuse activité.

Faut-il pour autant estimer à cet égard le XVIIIe siècle supérieur au précédent ? Il ne le semble pas, à envisager philosophiquement la question. De ce point de vue, c'est le XVIIe siècle qui est le plus grand siècle scientifique, car c'est à lui que revient la gloire d'avoir trouvé et ouvert les voies menant à la vérité. Analyse, synthèse,

méthode expérimentale sont des conquêtes du XVII° siècle, auxquelles
s'attachent impérissablement les noms de Descartes, de Bacon, de
Galilée, de Torricelli, de Pascal. Le XVIII° n'a fait que reprendre les
instruments forgés depuis cent ans et, profitant des acquisitions et
des erreurs des premiers artisans, corriger des opinions aventureuses,
des « rêveries », étendre sans cesse son champ d'investigation. Et
sa quête a été singulièrement heureuse. Unissant la patiente observation du réel au goût des larges systèmes, il a fait de sensationnelles
découvertes, émis des hypothèses fécondes, indiqué des directions
où le siècle suivant s'est fructueusement engagé. Mathématiques, sciences expérimentales, sciences naturelles sont également
à l'honneur. On capte des forces nouvelles, vapeur et électricité,
on libère l'homme de la pesanteur par l'aérostation, la chimie se
crée. Cette succession de triomphes sur la nature gonfle les cœurs
d'une joie orgueilleuse, dont l'*Encyclopédie* reste la massive expression.

On conçoit que, suscitant un tel enthousiasme, la science ait
créé des illusions sur sa valeur et sur sa portée. Elle change de caractère. Elle n'est plus seulement un exercice spéculatif, un effort
méthodique pour expliquer le monde, un ensemble de connaissances
coordonnées. Elle devient une méthode générale et un agent de
prosélytisme. « L'univers, dit d'Alembert, est une seule et même
vérité. » La méthode expérimentale a heureusement prouvé son
efficacité dans les sciences de la nature : elle doit être le seul procédé
pour accéder à la vérité. « C'est à la physique et à l'expérience,
prononce d'Holbach, que l'homme doit recourir dans toutes ses
recherches. » Les sciences morales prolongent les sciences physiques,
deviennent comme les branches les plus hautes du tronc scientifique, d'où elles sortent naturellement. Par suite, comme les autres,
elles doivent reposer sur l'observation des faits. Le sensible, le
tangible sont seuls objets de science : tout ce qui les dépasse n'est
que chimère; il doit et peut y être ramené. Pas de construction
idéologique qui résiste, si elle ne repose sur ces assises : Diderot
fonde ainsi la philosophie sur l'étude de la matière et de son évolution; Helvétius édifie ou prétend édifier une morale expérimentale;
l'histoire se plie aux méthodes de stricte recherche et d'objectivité.

Ainsi comprise, la science n'est pas seulement la rivale de la
Religion, elle est elle-même une religion. La confiance en la raison
humaine devient une foi; la valeur absolue de la science, un dogme.
L'un des plus graves problèmes que l'intelligence ait agités, depuis
les Sophistes de l'ancienne Grèce jusqu'à Spencer, H. Poincaré et
Bergson, le problème de la relativité de nos connaissances, n'effleure
pas la pensée de la plupart de ces soi-disant philosophes. Que la
science nous fournisse une interprétation véritable ou une représentation approchée et commode des choses, voilà ce que peu se
demandent. Ils sont presque tous des dogmatistes à leur manière,
et plus voisins de Descartes qu'ils ne se l'imaginent : la raison,

DE MALESHERBES,
ancien Ministre et Secrétaire d'État

Portrait de MALESHERBES
Magistrat — Directeur de la librairie

immuable et universelle, est infaillible, et la Science, sa fille, participe de cette infaillibilité. Alors, sûrs de détenir la vérité, ils se transforment en croyants aussi fanatiques, aussi intolérants que les plus stricts de leurs adversaires. Leur prosélytisme prend l'allure d'une croisade antireligieuse, où ils opposent dogmes à dogmes, *credo* à *credo* : contre la Révélation ils dressent l'évidence rationnelle, contre le finalisme la causalité, contre le surnaturel l'universel mécanisme et le déterminisme des lois.

Il semblerait qu'en vertu de leurs principes ces empiristes convaincus dussent, en politique, prendre une vue concrète des choses. Les chefs du chœur s'y efforcent bien, mais sans y parvenir, et leurs disciples versent dans l'irréalisme et dans l'*a priori*. Renonçant à la méthode expérimentale, ils usent de la déduction mathématique, ils partent de postulats, dont ils tirent rigoureusement les conséquences. Leur politique n'en porte pas moins certains des caractères essentiels de la science. Comme la science dépouille les phénomènes de leurs attributs particuliers et ne s'intéresse qu'aux rapports, leur politique traitera de l'homme en soi et ne s'occupera que de la loi abstraite. Comme la science tend vers l'unification des connaissances, elle tend vers l'unification des pays et même de l'univers. A l'état théologique, où le Roi représente Dieu, succède, en politique, l'état métaphysique, où la vie des peuples est commandée par de vagues et mornes abstractions.

Ses titres à revendiquer le pouvoir trop longtemps usurpé par la Religion, la science ne cesse d'en augmenter le nombre. Lentement elle gagne sur le terrain où la foi se croyait maîtresse incontestée. Elle montre dans les miracles d'antan de simples phénomènes, dissipe les ombres, restreint la part du mystère. Comment logiquement douter qu'elle ne parvienne un jour à percer tous les voiles, à découvrir l'axiome primordial, auquel se relie la chaîne serrée des conséquences ? C'est affaire de méthode et de temps. La méthode, la science la possède; le temps, l'humanité en disposera : car, si l'homme meurt, l'humanité, elle, ne meurt pas. L'immortalité dont ils dépouillent l'individu, les philosophes la transfèrent à l'espèce. Ce qu'un siècle n'aura fait qu'ébaucher, le suivant l'achèvera. D'effort en effort, de découverte en découverte, les générations successives marcheront d'un pas de plus en plus sûr vers la vérité que l'Homme finira par atteindre.

Le Progrès.   Le progrès, voilà en effet le troisième terme de la devise, le mot magique qui charme alors les esprits et dont la force incantatoire n'est pas encore épuisée de nos jours. Chose singulière, ni l'article *Progrès* ni l'article *Perfectibilité* ne se trouvent dans l'*Encyclopédie*, mais qui nierait que ces idées animent ses lourds volumes, ainsi que toute l'œuvre des philosophes ? Et le progrès, pour eux, ne se borne pas à cette lente ascension vers le Vrai. Toutes les activités de l'homme sont solidaires; à l'élargissement de ses connaissances correspond une amélioration graduelle et de sa nature et de sa condition : plus il sait, meilleur il est, mieux il vit. L'histoire le prouve de façon indéniable : la civilisation s'est développée au fur et à mesure que l'ignorance reculait devant les « lumières ». Ce que l'homme a fait garantit ce qu'il peut faire. Indéfiniment perfectible, avec le temps et grâce à la science, il réalisera pleinement sa nature et goûtera enfin sur cette terre la félicité parfaite pour laquelle il est né. Progrès intellectuel, progrès matériel, progrès moral se tiennent étroitement ou, mieux, se confondent. Imbus de ces idées et comme possédés par elles, les philosophes se muent en prophètes, les froids rationalistes en visionnaires. Et c'est à cet état de transe, à cette exaltation proprement mystique qu'est dû l'acharnement qu'ils mettent à détruire ce qui existe. Les yeux fixés sur leur « Jérusalem future » (le mot est de Garat dans ses *Mémoires sur M. Suard*), ils abattent avec rage tout ce qui s'oppose à son édification. Théorie de la déchéance, vie de l'au-delà, ascétisme, institutions protectrices de l'humaine faiblesse, foyers de haute spiritualité, rien n'échappe à leurs coups furieux de néophytes : la vérité peut-elle pactiser avec l'erreur et l'avenir se fonder sans la ruine du passé ?

Tel est le programme des rationalistes, où l'orgueil humain s'affirme avec un éclat jusqu'alors inconnu. Par une contradiction frappante, leur doctrine, qui réintègre l'homme dans l'ensemble de la nature et le rabaisse à n'être plus qu'un rouage de la machine cosmique, est aussi celle qui l'exalte le plus et le transforme en une sorte de dieu en devenir.

Raison, Science, Humanité forment bien la nouvelle trinité. Ces trois déesses vont désormais siéger dans l'empyrée philosophique, hiératiquement dressées au-dessus d'un monde en convulsions. Ce que valent ces idées, il n'est point encore temps de l'apprécier. Mais l'on peut voir déjà quelle mutilation de la pensée elles opèrent en faisant d'elle un simple laboratoire de sensations, quel mépris elles témoignent pour les exigences les plus fortes, les aspirations les plus nobles de l'homme, et l'on comprend quelles protestations elles ont soulevées et soulèvent encore chez ceux pour qui l'homme est autre chose qu'un agrégat d'atomes et qu'une machine à jouir.

Les intuitivistes.   Les protestations s'élèvent naturellement du côté des défenseurs de l'orthodoxie et de l'autorité monarchique. Mais, outre qu'ils manquent souvent de talent, ils ne quittent guère le terrain de la tradition et ne répondent que rarement au besoin passionné de nouveauté, à la curiosité avide de l'époque. Aussi n'ont-ils aucune influence sur les âmes qui, détachées du catholicisme, ne peuvent cependant pas admettre la sécheresse logique et les négations désespérantes des philosophes. Ni le cœur, ni l'imagination ne trouvent leur compte au mécanisme et au déterminisme des incrédules. Qu'on leur ferme le ciel au nom

d'un millénarisme hypothétique leur semble une plaisanterie amère.
Que leur importe la félicité des hommes à venir ? Ce qu'ils réclament,
c'est que leur sort, à eux, soit pris en considération, c'est qu'à leur
soif d'absolu et d'amour on prodigue la liqueur de consolation et
de rêve. Et c'est précisément ce que vont leur offrir les intuitivistes, qui combattent et le dogmatisme de l'Eglise et le rationalisme
des philosophes.

Rousseau est le plus illustre et le plus entraînant de ces champions de l'intuition. Sa position offre ceci de particulier qu'ennemi
des philosophes, il ne laisse pas de se rattacher à eux par certains
côtés. Voici les points de contact. Comme eux, il pose la bonté
de la nature; comme eux, il réclame pour l'homme le libre exercice de ses droits imprescriptibles; comme eux, il abhorre le catholicisme, il hait les clergés autoritaires, il repousse toute religion
positive, il nie le miracle et le surnaturel. Et voici les différences.
Il s'affirme adversaire de la science et du progrès; il perce le sophisme
qui consiste à confondre le progrès matériel et le progrès moral; il
replace l'âge d'or au berceau de l'humanité et demande qu'on
revienne, dans la mesure du possible, à l'état de nature. Il se défie
de la raison, soutient que l'évidence rationnelle est un fondement
ruineux de la vérité, et il la dépossède de sa primauté au profit de
l'évidence sentimentale, au bénéfice du cœur. Il admet que l'ordre
universel prouve l'existence de Dieu, mais aussi et surtout, à l'exemple
de Pascal et de Fénelon, il affirme que « Dieu est sensible au cœur »;
aucun raisonnement ne saurait prévaloir contre ce sens interne,
qui perçoit l'ineffable Présence. Il prend donc en main la cause de
Dieu, il va même plus loin : il élève très haut la personne du Christ
et voit « un Dieu » dans le fils de Marie, que l'impiété philosophique
couvre d'abjects outrages. Il rouvre ainsi les cieux à sa manière; il
incline de nouveau les âmes aux effusions extatiques, aux attitudes
d'adoration, aux gestes de prière; il réhabilite le christianisme, dont
la morale est si haute et l'esprit si conforme à celui de l'état de
nature. Sa religion très large — M. Lanson la qualifie avec raison
de protestantisme libéral — séduit ceux de ses contemporains
qu'anime une égale aversion pour le rationalisme étriqué des Encyclopédistes et pour le magistère doctrinal de l'Eglise.

Les illuminés.   Si Rousseau fait de nouveau jaillir les sources du
                    sentiment religieux, d'autres viennent donner satis-
faction aux besoins de l'imagination et contenter le goût du mystère, si répandu en ce siècle raisonneur. Ce sont ces curieux
personnages que l'on désigne sous le terme générique d'« illuminés »,
bien qu'il faille distinguer parmi eux, par des nuances souvent subtiles,
il est vrai, les illuminés, les mystiques, les inspirés et les théosophes.
Leurs théories composites empruntent à Pythagore et à Platon, aux
mystiques du Moyen Age et à Pascal, à Bœhme et à Mme Guyon.

Leurs maîtres sont Martinès de Pasqually, Saint-Martin, Lavater, Swedenborg.

Assez indifférents en politique, ils se montrent surtout préoccupés du problème religieux. Leur but est de rendre au surnaturel, nié par les philosophes, la place éminente à laquelle il a droit dans notre monde ombré de mystère : ils veulent relier l'homme à l'invisible, rétablir sa communauté avec Dieu, mais en dehors de toute Eglise établie. Un seul moyen s'offre pour cela : la révélation personnelle, l'intuition directe, qui permet de saisir la réalité profonde de l'Etre. Cette illumination avidement désirée s'acquiert par l'ascétisme et par l'initiation : aussi quel foisonnement, à côté des loges maçonniques, où l'illuminisme d'ailleurs pénètre peu ou prou, de clubs, de confréries, de sociétés secrètes ! Quels rites propres à frapper les esprits par leurs lugubres accessoires et leur symbolisme hermétique !

Tout cela déjà est à contre-fil de l'esprit philosophique. Il en est de même des idées, des convictions, des sentiments sur lesquels toutes les sectes se montrent d'accord : croyance à l'origine divine de l'homme, à sa déchéance, à sa réhabilitation future; possibilité de communiquer avec l'au-delà; symbolisme de l'Ecriture; venue de l'Esprit; vénération du Christ et de la Vierge, etc. Il en est de même encore de ces affirmations tranchantes où l'intelligence est délibérément sacrifiée au cœur, comme celle-ci, de Swedenborg : « Le rationnel est nul sans l'affection. » A lire les écrits de certains illuminés, on croirait par instants avoir affaire à des ouvrages de pure orthodoxie, si brusquement une divagation, une échappée visionnaire, une invective anticatholique ne venait corriger l'impression.

Car, si déférents qu'ils se montrent pour Jésus, pour sa Mère, pour le christianisme et même pour certaines hautes figures du catholicisme, ils ne peuvent se plier ni au dogme, ni à la hiérarchie; leur mystique protestante fait de l'âme individuelle le réceptacle possible de la Révélation. On comprend que cette double attitude leur vaille d'être attaqués à la fois par les rationalistes et par les orthodoxes. Mais il leur reste un vaste public, celui que forment ces hommes et ces femmes, si nombreux à l'époque, « déracinés non du sol, mais de la tradition ancestrale », qui « regrettent l'équilibre perdu » et qui, sur les traces du premier initiateur rencontré, reviennent « à la Bible et à la foi, mais pas à la foi romaine » (A. Viatte). Autant que l'orgueil philosophique, cette déviation du sens religieux porte au catholicisme des coups terribles, en mobilisant contre lui ces forces instinctives de l'imagination et du cœur, si puissantes sur les faibles humains.

CHAPITRE II

L'ENCYCLOPÉDIE

En 1750, dans ses *Mémoires*, le marquis d'Argenson écrivait :

> Notre espoir est dans le progrès de la raison universelle. Le monde était enfant, il se sèvre, il se perfectionne. La barbarie se dissipe, et les vices qui en proviennent disparaissent.

Lorsqu'il traçait ces lignes pleines d'assurance, d'Argenson ne se reportait pas seulement à l'œuvre déjà accomplie dans les trente premières années du règne de Louis XV; il songeait à celle qu'était précisément en train de réaliser une « compagnie de gens de lettres et de savants » et qu'il avait accepté de patronner, à l'*Encyclopédie*. L'*Encyclopédie* est la grande entreprise du XVIIIᵉ siècle. Elle est comme le confluent de tous les courants d'idées nouvelles qui se sont formés dans la première moitié du siècle et qui ont été précédemment étudiés [1]; elle unit les efforts jusque-là dispersés des ennemis du régime; elle provoque une bataille sévère entre les principes traditionnels et les forces révolutionnaires, et son triomphe dans cette lutte décisive prépare le bouleversement de l'état de choses existant. Primitivement, elle n'est rien moins qu'une œuvre de combat, et le libraire Le Breton qui la lance vise seulement à un succès d'argent. Ce sont Diderot et d'Alembert qui, devenus directeurs de l'entreprise, lui imprimèrent ce caractère polémique et la transformèrent en machine de guerre contre les idées et les institutions séculaires du pays. Pour bien comprendre ce que fut cette lutte, et pour apprécier à leur valeur exacte les efforts des assaillants, il importe de connaître d'abord les obstacles qui se dressaient devant eux.

---

1. A. CHÉREL, *De Télémaque à Candide*, pp. 378-386.

I. — SITUATION LÉGALE DES HOMMES DE LETTRES.

Théoriquement, la liberté d'écrire n'existe pas, et le pouvoir dispose par la censure d'une autorité discrétionnaire sur tout ce qui s'imprime.

La censure. C'est en 1515 que le concile de Latran pose pour la première fois le principe, valable pour toute la catholicité, de l'approbation des livres. En France, dès 1520, les ouvrages de religion doivent être approuvés par la Faculté de théologie. Successivement, en 1535, les livres de médecine, puis, en 1542, tous les livres sans exception sont obligatoirement soumis, suivant leur matière, à l'examen des docteurs des diverses Facultés. Jaloux de ces prérogatives, le pouvoir royal ne tarde pas à disputer à la Sorbonne la censure des imprimés, et, dès 1566, par l'ordonnance de Moulins (art. 78), Charles IX défend d'imprimer ou de faire imprimer quelque livre que ce soit sans son autorisation et des lettres de privilège expédiées sous le grand scel. La Sorbonne proteste contre cette prétention, et l'affaiblissement de la monarchie par les guerres de religion favorise sa résistance.

Mais, en 1623, profitant des divisions provoquées entre censeurs gallicans et ultramontains par l'approbation des livres présentés à leur visa, Louis XIII crée les premiers censeurs royaux, au nombre de quatre. La Faculté de théologie fait alors de vives remontrances au chancelier et obtient la démission de ces censeurs (1er décembre 1626). Victoire éphémère, car, dès l'année suivante, Louis XIII affirme plus nettement que jamais son droit d'examiner tous les livres, et, en 1629, il rend une ordonnance établissant pour les livres de *doctrine* de nouveaux censeurs, qui ne sont plus permanents, mais nommés par le Chancelier pour chaque manuscrit. La concession est faible; aussi Faculté et évêques mènent-ils une guerre sourde contre le pouvoir. La Royauté s'en préoccupe si peu qu'en 1648, le chancelier Séguier profite du désaccord qui oppose les docteurs jansénistes et molinistes, pour rétablir les censeurs permanents et contraindre les évêques eux-mêmes à demander un privilège pour leurs propres ouvrages. Dès lors la situation se stabilise. Seule, compte pour l'administration l'approbation des censeurs royaux. A partir de ce moment, la Sorbonne n'approuvera plus, mais elle saisira avec empressement les occasions de condamner les livres approuvés par les censeurs.

Ce sont les dispositions arrêtées par Séguier qui subsisteront sans altération jusqu'à la fin de l'Ancien Régime. Les règlements ultérieurs maintiendront les prohibitions précédemment édictées et ne feront qu'apporter les modifications de détail nécessitées par le développement même de la librairie.

Rôle des censeurs. Les censeurs ont pour unique mission d'examiner si, dans les ouvrages qu'on leur soumet, il ne se trouve rien de contraire à la religion, au gouvernement et aux mœurs.

Ils lisent les manuscrits, les paraphent page par page, ainsi que les renvois et les notes, corrigent et retranchent, car ils ont leurs passions, leurs intérêts, leurs partis pris comme tous les hommes, et ils sont timorés, sans cesse alertés par telle expression, telle allusion qui peut déplaire à un personnage en place ou à un corps constitué et devenir pour eux une source d'ennuis. Cela fait, ils apposent la formule d'approbation, mais, à partir du 12 avril 1765, ils sont tenus de rédiger un rapport étendu sur les ouvrages examinés, où ils fixent le régime sous lequel ces derniers paraîtront. Ils communiquent ensuite manuscrits et rapports au lieutenant de police. Ils prononcent seuls leur sentence et ne doivent de comptes qu'au Directeur de la librairie.

Leur nombre et leur tâche. Leur nombre n'a cessé d'augmenter pendant tout le XVIIIᵉ siècle. En 1760, d'après l'*Almanach royal*, il y en a 13 pour la théologie, 13 pour la jurisprudence, 18 pour l'histoire naturelle. En 1789, ils sont 178. Le soin même que l'on apporte à les classifier indique que la compétence n'était pas sans jouer un certain rôle dans leur désignation, et il est de fait que presque tous possèdent l'un des diplômes délivrés par les quatre Facultés et correspondant à leur spécialité; mais ce choix, à vrai dire, les trois quarts du temps, était plutôt malheureux, si l'on en croit Diderot, dans sa *Lettre sur le commerce de la librairie.* En principe toutefois, le Chancelier désigne qui il lui plaît, ce qui n'empêche pas les auteurs de demander et d'obtenir le plus souvent le censeur qu'ils désirent; ils peuvent en outre, mais le fait est rare, appeler du jugement d'un censeur à celui d'un autre.

La tâche des censeurs est loin d'être une sinécure, si l'on songe que, sur les registres de la Chancellerie, Brunetière a relevé, du 24 décembre 1750 au 1ᵉʳ octobre 1768, 4.480 demandes de privilège et M. Pellisson 2.062 demandes de permission tacite pour une période d'un peu plus de six ans (du 1ᵉʳ novembre 1772 au 29 décembre 1778). Et pour quelle rémunération ! 600 francs sous Louis XIV, ramenés à 400 au XVIIIᵉ siècle; encore tous ne touchent-ils pas ces maigres honoraires. Il est concevable que, dans de telles conditions, sans le vouloir, ils n'aient pas toujours apporté le zèle le plus scrupuleux à leurs fonctions, qu'ils aient commis des bévues, causé des scandales, et que leurs sévérités aient suscité les protestations des écrivains dont elles blessaient l'amour-propre et lésaient l'intérêt. Tout le XVIIIᵉ siècle retenti de ces criailleries des auteurs, souvent des plus illustres, Bayle, Diderot, Voltaire, Condorcet, Mercier, Brissot. L'opinion publique s'émeut à son tour et vilipende lès censeurs, mais ils ne disparaîtront qu'à la Révolution : condamnés implicitement par l'article VIII de la *Déclaration des*

Droits de l'homme, ils sont définitivement supprimés par la Constitution du 14 septembre 1795, qui pose le principe de la liberté de la presse.

Privilège.   Les livres, une fois imprimés, circulent sous le régime du privilège ou de la permission.

Le *privilège* est à la fois une caution morale et une sauvegarde matérielle. Le Roi, qui le signe, se porte garant auprès du lecteur que le volume débité ne contient rien d'offensant pour la religion, la monarchie et la morale. Il assure en outre à l'éditeur, auquel l'auteur cède le plus souvent son droit de propriété, la possession légitime, à l'exclusion de tout autre, du volume en question et le protège contre toute contrefaçon. C'est cet aspect commercial qui fait de Diderot, si attaché à la liberté d'écrire, un champion décidé du privilège; dans la *Lettre* que nous avons citée, il conclut un long examen de la question du privilège en demandant

que les lois établies successivement depuis des siècles en connaissance de cause... soient à jamais raffermies.

Sans doute, ce droit est-il révocable, comme on le verra précisément pour l'*Encyclopédie*. Mais il faut pour cela qu'il y ait scandale, et la mesure n'est prise qu'après une longue et minutieuse procédure, et par décision du Conseil du Roi.

Permission   La *permission tacite*, elle, n'offre aucune garantie.
tacite.   C'est une simple tolérance accordée par les censeurs pour les ouvrages jugés plus ou moins dangereux. Elle est délivrée par les « magistrats de grande police », qui la reprennent lorsque des protestations s'élèvent contre la circulation du volume. On ne s'étonnera point que Diderot s'en montre chaleureux partisan et conseille au Directeur de la librairie de Sartine d'en accorder le plus grand nombre possible, même aux ouvrages les plus subversifs. Sans doute, le magistrat prête la main à

une infraction de la loi générale, qui défend de rien publier sans approbation expresse et sans autorité,

et à une attaque contre les institutions qu'il est chargé de préserver. Mais il se réserve ainsi une sorte de contrôle sur l'ouvrage lui-même, car il peut exiger de l'auteur qui sollicite la permission des adoucissements à son texte. D'ailleurs son refus n'empêcherait nullement l'impression de cet ouvrage à l'étranger, d'où perte pour le commerce français, ni sa diffusion dans le royaume, car l'appât du gain est plus fort que toute convention, d'où le ridicule jeté sur l'autorité ainsi méprisée. Bien plus, sa rigueur n'aboutirait qu'à un « éclat » publicitaire, qui achalanderait l'ouvrage et en ferait monter le prix pour l'unique profit des contrebandiers. De fait, même

avant Diderot, le pouvoir s'était rendu compte de la valeur de ces
arguments, et très nombreux sont les ouvrages qui, bien qu'hostiles au régime, n'en ont pas moins circulé en France, grâce à ce
compromis entre la loi et les mœurs.

Tolérance. Outre le privilège et la permission tacite, il existe
encore un troisième mode de diffusion : la *tolérance.*

La tolérance s'exerce en faveur des publications sortant des presses
étrangères. Il suffit pour cela que le débitant se conforme au règlement de 1723, d'après lequel ces livres ou brochures ne peuvent
entrer en France que par dix villes seulement (Paris, Rouen, Nantes,
Bordeaux, Marseille, Lyon, Strasbourg, Metz, Amiens et Lille), doivent circuler avec un « acquit-à-caution » et, dès leur entrée à
Paris, être remis à la chambre syndicale, où ils sont soumis à la visite
des syndics et adjoints. D'autre part, si l'auteur est français, l'ouvrage doit être anonyme, sous peine d'être interdit et même brûlé,
au cas où il serait jugé séditieux.

Sanctions Ces dispositions, théoriquement si rigides, sont
contre sanctionnées par une série de pénalités, dont la
les personnes. sévérité s'échelonne de la mort à la simple brûlure de l'ouvrage condamné.

L'ordonnance du 10 septembre 1563 condamne à la « confisca-
tion de corps et de biens », celle de mai 1616 à la mort, les
imprimeurs et libraires qui publient des écrits « diffamatoires,
injurieux et scandaleux ». Plus clément, l'arrêt du 10 mai 1724 se
contente de les condamner, pour la première fois, au bannissement
à temps hors du ressort du Parlement où ils seront jugés; et, en cas
de récidive, au bannissement à perpétuité « hors du royaume ».
Mais il étend aux écrivains les pénalités qui jusque-là visaient les
seuls éditeurs. Le 16 avril 1757, sous le coup de l'émotion causée
par l'attentat de Damiens, on revient à des mesures plus rigoureuses,
et c'est de la *peine capitale* que la déclaration de cette date rend
passibles les délinquants. On ne cite toutefois qu'un seul cas où la
terrible menace ait été suivie d'effet : celui du malheureux Moriceau de la Motte, huissier des requêtes de l'hôtel, exécuté en place
de Grève, le 6 septembre 1758, pour avoir composé des placards
séditieux.

C'est que l'adoucissement des mœurs ne permet plus d'appliquer
les lois portées à une époque de rudesse. L'exécution de Moriceau
a soulevé dans les esprits cultivés et dans le public des protestations
trop violentes pour que d'autres la suivent. La répression la plus
dure se borne alors à la peine des *galères* et de la *flétrissure sur
l'épaule* (abbé de Capmartin et La Martelière, en 1757), à l'expo-
sition au *carcan* et au *bannissement perpétuel* (Caveyrac, en 1764).

Encore s'arrange-t-on pour que la punition ne soit pas effective, mais prononcée par contumace.

La *prison* est le châtiment le plus commun pour les auteurs d'ouvrages scandaleux, séditieux ou diffamatoires. Le Roi dispose d'un bon nombre de maisons d'arrêt, où s'expient les écarts de plume et les audaces de pensée, comme la Bastille, Vincennes, le Fort-l'Evêque, etc. Assurément, la détention n'a généralement rien d'horrifiant, et les témoignages amusés de Morellet et de Marmontel, qui tâtèrent des prisons royales, font justice des déclamations partiales des révolutionnaires et des romantiques. Mais au début l'isolement est complet, et ce n'est qu'à partir de six semaines environ que la situation des prisonniers s'améliore, qu'ils peuvent lire, écrire, se promener dans le préau, recevoir des visites, voire se rendre en ville, sur parole, à condition de réintégrer le soir leur chambre. Au Mont Saint-Michel, en revanche, les conditions sont épouvantables et les condamnés, enfermés dans la cage, sorte de caveau creusé dans le roc et fermé de barreaux, meurent parfois, comme Victor de la Castagne, en 1746, dans le désespoir et la folie furieuse. L'*exil*, soit à l'intérieur, soit hors du royaume, moins pratiqué que la prison, n'en est pas pour autant exceptionnel. On sait que Voltaire y fut condamné, après son second emprisonnement à la Bastille. Dans la seconde moitié du XVIIIᵉ siècle, Morellet, en 1760, le marquis de Mirabeau, en 1761, sont exilés à l'intérieur, Caveyrac (1764) et Raynal (1786) au-delà des frontières.

Sanctions contre les ouvrages. A ces sanctions contre les personnes s'ajoutent celles qui frappent les ouvrages. Elles consistent dans la *suppression* et dans la *brûlure*.

La suppression se borne à saisir et à mettre au pilon le livre incriminé. La brûlure est une cérémonie imposante, que le Parlement a imaginée pour donner plus d'éclat à la condamnation d'un ouvrage : un exemplaire du livre est jeté au feu, au pied du grand escalier du Palais, par l'exécuteur des hautes œuvres. La peine est plus symbolique que réelle et, comme on la multiplie, elle aboutit à un résultat diamétralement opposé à celui que l'on recherche : Voltaire, toujours goguenard, écrit, dès 1756 :

Une censure de ces messieurs (le Parlement) fait seulement acheter un livre. Les libraires devraient les payer pour faire brûler tout ce qu'on imprime.

Et Diderot enchérit à son tour :

Je vois que la proscription, plus elle est sévère, plus elle hausse le prix du livre, plus elle excite la curiosité de le lire, plus il est acheté, plus il est lu.
Et combien la condamnation n'en a-t-elle pas fait connaître que leur médiocrité condamnait à l'oubli ? Combien de fois le libraire et l'auteur d'un ouvrage privilégié, s'ils l'avaient osé, n'auraient-ils pas dit

aux magistrats de la grande police : « Messieurs, de grâce, un petit
arrêt qui me condamne à être lacéré et brûlé au bas de votre grand
escalier » ? Quand on crie la sentence d'un livre, les ouvriers de l'imprimerie disent : « Bon, encore une édition ! » (*Lettre sur le commerce
de la librairie.*)

Situation des deux partis.	En résumé, le pouvoir a théoriquement la haute main sur toutes les productions de l'esprit; rien ne peut s'imprimer ni se débiter sans sa per-

mission, et il dispose des moyens les plus redoutables pour réprimer
toute atteinte aux principes fondamentaux de l'Etat. Mais il répugne à user des armes qu'il possède, il n'y recourt que sous la pression
de l'opinion, ou sur une intervention du Parlement ou du Clergé.
L'explication d'une telle attitude réside dans le caractère des deux
monarques : tous deux sont profondément humains et n'ont aucun
goût pour les solutions de force; tous deux, s'ils ont la claire vision
des dangers que court la monarchie, sont également faibles et s'en
remettent à leurs ministres du soin de la protéger contre ses ennemis. Or, ces ministres subissent l'influence des tendances réforma-
trices de l'époque; ils se rendent compte que les mœurs ont changé
et les esprits évolué depuis le xvi° siècle, qu'au surplus l'épée ou
la hart, le carcan, la prison et le pilori sont inopérants contre cette
chose immatérielle qu'est l'idée, que rien n'en saurait arrêter la
diffusion et que, suivant la pittoresque expression de Diderot, on
pourra border les frontières de soldats, les armer de baïonnettes
pour repousser tous les livres dangereux qui se présenteront, ces
livres

passeront entre leurs jambes et sauteront par-dessus leurs têtes.

Aussi les ministres sont-ils amenés à se montrer libéraux, plus
libéraux même qu'il ne siérait en certaines circonstances, et l'on
ne doit pas s'étonner, si l'on n'est pas dupe des mots et si l'on
n'ignore pas les mille entraves qui gênaient dans son action le prétendu absolutisme royal, de relever dans une lettre de l'abbé Galiani,
écrite au lendemain de la mort de Louis XV, cet éloge de la conduite du pouvoir à l'égard des écrivains :

Dites-nous ce qui arrivera aux gens de lettres, cela me touche de
bien près. Le règne de Louis XV sera le plus mémorable à la postérité.
Lorsqu'on compare la cruauté de la persécution de Port-Royal à la
douceur de la persécution des Encyclopédistes, on voit la différence
des règnes, des mœurs et du cœur des deux Rois... On ne rencontrera
de longtemps un règne pareil nulle part.

Les philosophes profitent de la situation délicate des ministres,
pris entre les devoirs de leur charge et la nécessité des concessions
indispensables. Ils ont souvent en eux, et notamment au moment
le plus critique, des hommes dévoués à leurs intérêts; ils disposent

de protecteurs influents; ils sont assurés de la sympathie passionnée d'une portion sans cesse grandissante de l'opinion publique : on comprend que, dans des conditions aussi favorables, ils gagnent le combat contre ce qu'ils se sont juré de détruire.

Malesherbes directeur de la librairie (1750-1763).

Parmi ces protecteurs de la philosophie, le premier rang revient sans conteste à Malesherbes, directeur de la librairie de 1750 à 1763.

La *Direction de la librairie* n'est pas un « ministère de la littérature », comme l'écrit Voltaire à Malesherbes, mais un organe administratif, dépendant de la Chancellerie, auquel ressortissent toutes les affaires concernant la corporation des libraires et imprimeurs. Le Directeur tient la main à l'application des règlements en vigueur, surveille la qualité du travail typographique, propose au Chancelier l'octroi des permissions et des privilèges, met enfin la police en mouvement, en cas d'une infraction quelconque. Son rôle, longtemps obscur, prend soudain une importance et un relief considérables, lorsque débute la campagne concertée des philosophes. Preuve en est l'état du personnel en 1777 : outre le Directeur, on y relève un secrétaire général, 14 inspecteurs, 141 censeurs, et des expéditionnaires en conséquence.

Placé par son père, le chancelier Lamoignon, à la Direction de la librairie, Malesherbes aborde ses fonctions avec des principes et un plan d'action nettement arrêtés. Ses *Mémoires sur la librairie* et son *Mémoire sur la liberté de la presse,* composés pour le Dauphin, qui lui a demandé un exposé de ses idées, nous renseignent sans obscurité aucune à ce sujet. Il est partisan de la liberté d'écrire, à condition qu'elle ne dégénère pas en abus, et il veut en permettre l'exercice aux auteurs. Il s'efforce donc de tenir la balance égale entre les Encyclopédistes et leurs adversaires, mais son impartialité n'est point telle qu'il ne montre, dans la majorité des cas, ses préférences intimes pour les philosophes, et ceux-ci en prennent avantage pour le harceler de leurs exigences indiscrètes et le pousser à réprimer l'insolente prétention de ceux qui les critiquent. Il ne cède pas toujours, mais il fait assez pour mériter cet éloge de Grimm :

Si la liberté de penser a fait quelque progrès en France, elle le doit surtout à la sagesse adroite de son administration.

Cette conduite de Malesherbes a été très diversement jugée. Exalté par les amis de la Révolution, Malesherbes est sévèrement condamné par les partisans des idées traditionnelles. Selon ces derniers, il a fait de ses fonctions le plus détestable abus en favorisant les ennemis déclarés de la monarchie et de la religion. Si dure que soit l'accusation, elle nous semble, en soi, méritée. Si l'on ne juge pas Malesherbes d'après nos idées et par rapport à nos institutions,

on doit admettre le bien-fondé de la plainte véhémente élevée contre
lui. Mais, si l'on veut être équitable, il faut lui reconnaître des
circonstances atténuantes. Au moment où il entre en fonctions,
il a trente ans à peine, et l'on sait l'attrait qu'exercent sur les jeunes
gens les idées nouvelles. Parlementaire, il éprouve l'aversion traditionnelle des gens de robe à l'égard des Jésuites, que tout le monde
soupçonne d'inspirer la campagne contre les philosophes. Comme
d'Aguesseau, comme son père Lamoignon, il répugne à suspendre
cette vaste publication où des intérêts considérables sont engagés.
Il peut même, sur le plan politique tout au moins, alléguer pour
sa défense les tentatives d'un Machault, l'attitude de Louis XV :
quand le pouvoir sent le besoin de se réformer, ne peut-on se croire
autorisé à protéger ceux qui lui en indiquent les moyens ? Quand
le Roi lui-même n'est pas résolument hostile aux philosophes, peut-
on se montrer plus intransigeant que lui ?

En tout état de cause, semble-t-il, on ne peut pas, dans le jugement qu'on porte sur lui, ne pas tenir compte à Malesherbes de ses
intentions généreuses, de sa chevaleresque défense de Louis XVI,
et de sa mort sur l'échafaud, dans l'amère désillusion d'un noble
rêve évanoui.

II. — HISTOIRE DE LA PUBLICATION.

La Cyclopædia
de Chambers.
L'*Encyclopédie* est, sous la forme d'un dictionnaire, un vaste répertoire des connaissances humaines. Ni l'idée, ni la forme, ni le nom n'en
appartiennent en propre aux éditeurs. Si la chose est restée inconnue de l'Antiquité (bien qu'une partie de l'œuvre d'Aristote, les
Questions naturelles de Sénèque, l'ouvrage de Celse, l'*Histoire naturelle* de Pline s'inspirent en quelque façon du même principe), dès
le Moyen Age, les *Sommes* et les *Miroirs*, puis les *Trésors* du XVIe siècle expriment cette tendance éternelle de l'homme à faire le relevé
de ses acquisitions actuelles, afin de mieux préparer les découvertes
de l'avenir. Au XVIIe siècle, les dictionnaires de Moreri, de Th. Corneille, de Bayle, de l'Académie rassemblent, sous une forme destinée
à une grande fortune, les renseignements touchant quelques branches
séparées de la connaissance. Le XVIIIe siècle, si féru de vulgarisation
scientifique, se devait de donner le modèle d'une œuvre qui embras-
sât l'ensemble du savoir humain.

Le premier qui s'avise de l'idée est un juif anglais, Ephraïm
Chambers, qui dédie au Roi et publie en 1728, à Londres, une *Cyclopaedia or Universal Dictionary of arts and sciences*, en 2 volumes
in-folio. Chambers était né à Kendal, dans le Westmoreland, à la fin
du XVIIe siècle. Il était fabricant de mappemondes, lorsqu'il conçut
l'idée de sa *Cyclopaedia*. Abandonnant son métier, il consacra dès
lors toute son activité à la réalisation de son œuvre, fruit d'un
labeur prodigieux. Il mourut le 15 mai 1740.

Succédant au *Lexicon technicum* de John Harris (1704; deux vol. in-folio), l'ouvrage de Chambers présentait une incontestable originalité. La *Cyclopaedia* était d'abord plus complète que le *Lexicon* : aux matières contenues dans ce dernier Chambers avait ajouté la théologie, la métaphysique, la morale, la politique, la logique, la grammaire, la rhétorique, la poésie. En revanche l'histoire, la biographie, la généalogie, la géographie, la chronologie n'y étaient étudiées que du point de vue technique. Seconde nouveauté : Chambers établissait entre les différentes matières les relations qui les unissaient. Enfin, une *Préface* s'efforçait de donner une classification des connaissances humaines.

Chambers fut élu membre de la Société Royale, mais son ouvrage ne connut point dès l'abord le succès triomphal que l'avenir lui réservait. Il fallut pour cela que la Franc-Maçonnerie le patronnât, voyant en lui un moyen particulièrement efficace de propagande en faveur de ses principes utilitaires et « libertins » : Chambers, en effet, y adoptait une attitude assez agressive dans les questions politiques et religieuses. Il semble que le mouvement soit parti de France. Le 21 mars 1737, Ramsay (ô Fénelon !), Grand Orateur de l'Orient, prononce un discours renfermant une allusion très nette à la *Cyclopaedia* :

Tout Maçon doit contribuer par sa protection, par sa libéralité ou par son travail à un vaste travail auquel nulle académie ne peut suffire. Tous les Grands-Maîtres, en Allemagne, en Angleterre, en Italie, et par l'Europe exhortent tous les savants et tous les artistes de la confraternité de s'unir pour former les matériaux d'un Dictionnaire Universel des arts libéraux et de toutes les sciences utiles, la théologie, la politique seules exceptées. On a déjà commencé l'ouvrage à Londres, mais par la réunion de nos confrères on pourra le porter à la perfection dans peu d'années. On y expliquera non seulement le mot technique et son étymologie, mais on donnera encore l'histoire de la science et de l'art, ses grands principes et la manière d'y travailler. De cette façon on réunira les lumières de toutes les nations dans un ouvrage qui sera comme un magasin général de tout ce qu'il y a de beau, de grand, de lumineux, de solide et d'utile dans toutes les sciences naturelles et dans tous les arts nobles. Cet ouvrage augmentera dans chaque siècle selon l'augmentation des lumières. C'est ainsi qu'on répandra une noble émulation avec le goût des belles-lettres et des beaux-arts dans toute l'Europe.

Ramsay, comme on le voit, ne recommande point la *Cyclopaedia* : il presse seulement les Maçons de concourir à son perfectionnement; dans l'ouvrage qu'il projette ne doivent figurer ni la théologie, ni la politique. C'est que Ramsay caresse le dessein d'obtenir la protection du Roi pour la Franc-Maçonnerie française, et, la veille même du jour où il doit le prononcer, il soumet son discours au cardinal Fleury, ministre de Louis XV : or, il sait combien celui-ci est chatouilleux sur les questions de cet ordre.

Sa tentative échoue, mais son discours lance la *Cyclopaedia*. En

1738, Chambers en donne une seconde édition, contenant une centaine de retouches et de corrections. Dès lors c'est le triomphe; les éditions se suivent à un rythme rapide : de 1739 à 1752, on n'en compte pas moins de cinq à Londres et une à Dublin. En 1753, paraissent deux volumes de *Suppléments*. En 1778, Rees refond l'œuvre de Chambers, en l'augmentant de 4.400 articles nouveaux et en l'ornant de 159 planches, et cette refonte sera trois fois rééditée avant la fin du siècle.

En bons patriotes insulaires, les Maçons anglais ont estimé que la meilleure manière de répondre à l'appel de Ramsay était encore de répandre l'ouvrage d'un Anglais, tel quel, puisque, grâce à Dieu, ils habitent une terre de liberté où l'on a le droit de raisonner et de déraisonner sur tout. En bons anglomanes, nos Maçons vont tenter de s'entendre avec Chambers, pour une édition conforme aux vues de leur orateur. C'est du moins ce qu'il nous paraît ressortir du détail suivant : Chambers vient en France en 1739, et plusieurs propositions favorables lui sont faites pour y publier une édition dédiée à Louis XV. Chambers les rejette. Devant son refus, les Maçons français reprennent le projet de Ramsay. En 1741, ils établissent

le plan d'une souscription de dix louis par tête, offerte à tous les F.·. M. de l'Europe, évalués à trois mille, et dont le produit serait d'abord employé à l'impression d'un *Dictionnaire Universel* en français, qui devait comprendre les quatre arts libéraux, ainsi que les sciences historiques.

Certains d'entre eux, toutefois, maintenant que Chambers est mort, ne désespèrent pas de tirer parti de sa *Cyclopaedia*, et, de fait, c'est de cette œuvre d'un juif anglais et, sinon Maçon, du moins patronné par la Maçonnerie, que l'*Encyclopédie* va sortir.

Premiers essais.   C'est au début de 1745 qu'un libraire-imprimeur de Paris fort connu, André-François Le Breton, accepta la proposition que lui firent un gentilhomme anglais, Mills, et un savant allemand, Godefroy Sellius, d'éditer une traduction, qu'ils ont brochée en deux ans, de la *Cyclopaedia*. Franc-Maçon et homme d'affaires plus qu'avisé, Le Breton saisit cette occasion qui s'offre de réaliser le vœu de la Maçonnerie et de servir ses intérêts. Il fait les démarches habituelles, obtient un privilège (25 fév. 1745), organise une vente par souscription et lance un prospectus : le public répond à l'appel. Mills exige alors une avance de fonds sur ses droits. Le Breton fait la sourde oreille : protestations, menaces de l'Anglais, rixe où Mills a le dessous, procès. Le chancelier d'Aguesseau évoque l'affaire à lui, — décision qui surprend pour un procès privé et qui laisse entrevoir de mystérieuses interventions. Le 8 août, le Conseil d'Etat annule le contrat qui lie les deux plaignants et retire le privilège. Quant à Sellius, il a disparu.

L'abbé   Le Breton se met alors en quête d'un nouveau
de Malves.   traducteur et croit le trouver dans la personne
de l'abbé de Gua de Malves (1713-1785). Membre de l'Académie
des sciences, professeur de philosophie au Collège de France, plein
d'idées et de vastes projets, l'abbé estime qu'il y a mieux à faire
qu'une simple traduction : il faut élargir l'entreprise, développer,
ajouter. Malheureusement, abbé de Saint-Pierre au petit pied, de
Malves a la marotte de l'économie politique et prétend déverser
dans le dictionnaire ses théories originales. D'autre part, son activité
brouillonne se disperse sur les objets les plus variés. Il néglige peu
à peu son rôle; la mésentente se met entre libraire et traducteur, et
bientôt une séparation à l'amiable intervient. Le Breton ne perd pas
courage pour autant, mais, assagi par cette double déconvenue, il
sent la nécessité d'avoir un associé pour supporter le poids d'une
affaire aussi fertile en surprises. Il prend avec lui un confrère,
Claude Briasson, et tous deux intéressent à leur projet deux autres
libraires : Laurent Durand et Michel-Antoine David. Le 18 octobre 1745, l'acte d'association est signé et, le 21 janvier 1746, un
nouveau privilège est accordé à l'entreprise.

Diderot   Reste à trouver un successeur à l'abbé défail-
directeur de   lant. Briasson, Durand et David ont justement
l'Encyclo-   alors à leurs gages un jeune écrivain d'une tren-
pédie;   taine d'années, Denis Diderot, qui vient de tra-
sa détention   duire pour eux, en collaboration avec Eidoux et
à Vincennes.   Toussaint, le *Dictionnaire de Médecine* de Robert
James, et dont ils apprécient également la puissance de travail et
les modestes prétentions. Ils le présentent à Le Breton, qui trouve
enfin en lui l'homme rêvé, laborieux, peu exigeant, aussi intelligent
que dévoué. On l'engage, mais, pour prévenir le retour d'incidents
fâcheux, on lui propose un traitement annuel de 1.200 livres. Diderot
accepte : non seulement il a sa vie matérielle assurée, mais il va
pouvoir, à sa guise, croit-il, jeter dans le public toutes les idées
dont son cerveau bouillonne. Incontinent, avec cette éloquence
passionnée qui lui est propre, il dit ce qu'il veut faire : reprendre,
en l'amplifiant encore, le plan de l'abbé de Malves et réaliser une
œuvre grandiose, digne par ses principes et son étendue du siècle
de lumières où l'humanité a le bonheur de vivre. Le Breton est
séduit, mais, toujours prudent, tient à prendre ses sécurités du côté
du pouvoir. D'Aguesseau, informé par lui de ses nouveaux desseins,
fait venir Diderot, s'entretient avec lui et, au dire de Malesherbes,
« enchanté de quelques traits de génie qui éclatent dans la conversation », manifeste sa sympathie pour l'œuvre projetée et nomme
lui-même les censeurs, qu'il choisit avec soin pour leur compétence.
Diderot se rend compte que l'intérêt même de l'entreprise exige
qu'elle ait à sa tête un personnage à qui ses titres confèrent une
indéniable autorité. N'en ayant aucune, il se tourne vers d'Alembert.

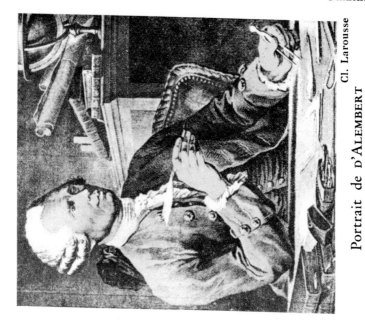

Cl. Larousse

Portrait de D'ALEMBERT

Cl. Giraudon

Portrait de DIDEROT

Celui-ci, que son *Traité de Dynamique* a déjà rendu célèbre, est en outre très répandu dans les salons et les milieux intellectuels : il fera bénéficier l'œuvre projetée de son génie, de l'éclat de son nom et de ses relations influentes. D'Alembert accepte avec empressement de diriger la partie mathématique et se met à son tour en campagne. Voltaire, Montesquieu, Buffon promettent leur concours; Rousseau se charge des articles de musique; les collaborations affluent : prêtres, savants, lettrés, philosophes, grammairiens, spécialistes ou amateurs éclairés, offrent à l'envi leurs lumières, et Mme Geoffrin se tient prête à fournir l'aide pécuniaire en cas de besoin.

Trois ans s'écoulent dans une fièvre joyeuse de labeur, quand, brusquement, une désagréable surprise vient consterner les libraires : le 24 juillet 1749, Diderot, soupçonné d'être l'auteur de la *Lettre sur les aveugles à l'usage de ceux qui voient*, est arrêté et conduit à Vincennes. Atterré par ce coup qui menace de compromettre l'entreprise, Le Breton multiplie les démarches, tandis que Diderot adresse supplique sur supplique au comte d'Argenson et au lieutenant de police Berryer. Le pouvoir adoucit la condition du prisonnier, qui peut d'abord, tout en restant captif, exercer ses fonctions de directeur. Bientôt, sur une nouvelle tentative des éditeurs que seconde le président Hénault, Diderot finit par sortir de prison, le 3 novembre. Sa détention a duré cent deux jours.

L'Encyclopédie paraît. Pour rattraper le temps perdu, il se remet avec acharnement à la besogne, compose, relit ou met au point les articles du premier volume, soumet le manuscrit aux censeurs et obtient de M. Tamponnet, docteur et ancien syndic de la Faculté de théologie de Paris, l'approbation désirée, affirmant que dans le livre ne se trouve « rien de contraire à la saine doctrine ». Les libraires arrêtent alors le mode de publication. L'ouvrage comprendra au moins dix volumes *in-folio,* dont deux pour les planches; le chiffre du tirage est fixé à 4.250 exemplaires. Deux volumes paraîtront chaque année; le prix total sera de 280 livres pour les souscripteurs, et de 372 pour les autres acquéreurs.

Pendant qu'on imprime, Diderot lance, en octobre 1750, le *Prospectus,* où il indique le but, le plan et la méthode de l'ouvrage annoncé. Et la lutte commence. Critiqué, fort courtoisement d'ailleurs, par les *Mémoires de Trévoux,* journal des Jésuites, Diderot répond par ses deux *Lettres au R. P. Berthier, Jésuite,* où il met, dit l'abbé Raynal, « toute l'éloquence, le feu et le sel dont il est capable ». Les répliques, de fait, obtiennent un vif succès, et cette publicité inattendue active si bien les souscriptions que les libraires se voient dans l'heureuse obligation d'en distribuer de nouvelles. Le premier volume, contenant la lettre A, sort enfin des presses, le 1ᵉʳ juillet 1751; le texte en est précédé du fameux *Discours préliminaire* de d'Alembert.

3

De part et d'autre on prend alors position. Les philosophes exultent.
Voltaire, dans son *Siècle de Louis XIV*, salue le début de « cet
ouvrage immense et immortel ». Rousseau s'enorgueillit d'y collaborer. Mais les Jésuites, de novembre 1751 à mars 1752, ne lui
consacrent pas moins de sept articles, où, tout en rendant hommage
à l'œuvre et à l'effort, ils accumulent les reproches de plagiat,
d'erreur, d'omission; ils y expriment aussi leurs craintes sur les
tendances subversives de l'ouvrage que leur clairvoyance découvre
sous les prudences de l'exposé. Libelles et épigrammes se mettent
alors de la partie. Les *Réflexions d'un Franciscain*, des R. P. Fruchet
et Geoffroy, attaquent vivement Diderot. Seul ou à peu près, le
Journal des Savants distribue équitablement l'éloge et le blâme.

L'*affaire*   Somme toute, Diderot n'a pas lieu d'être mécon-
de Prades.   tent. Les critiques ne l'émeuvent point outre
mesure : ne connaît-il pas mieux que tout autre les imperfections
de l'ouvrage ? La curiosité du public est excitée au plus haut point;
le nombre des souscripteurs augmente sans cesse; l'avenir se montre
plein de promesses. Confiance illusoire : un gros orage va éclater,
soulevé par l'un des collaborateurs de l'*Encyclopédie*, l'abbé de
Prades.

Le 18 novembre 1751, l'abbé soutient en Sorbonne, dans une
séance de douze heures, une thèse pour le doctorat en théologie,
laquelle porte pour dédicace : *A la Jérusalem céleste*. L'ouvrage
a reçu les approbations ordinaires du président de thèse, du syndic
de la Faculté et du grand-maître des études. Décision que seule
peut expliquer, de la part de ces hauts dignitaires de Sorbonne, une
négligence, d'ailleurs étrange, car de Prades était connu pour être
le collaborateur de l'*Encyclopédie* et l'ami de philosophes notoires,
comme Toussaint et Diderot, à qui, dit-on, il aurait communiqué
sa thèse. Tout se passe très bien. La thèse est applaudie et son auteur
reçu à l'unanimité. Mais, quatre jours après, quelqu'un s'avise de
l'examiner de plus près et y découvre des propositions pernicieuses
et tendant à l'athéisme, telles que l'origine sensualiste des idées, des
doutes sur la spiritualité de l'âme et surtout un rapprochement
sacrilège entre les miracles du Christ et ceux d'Esculape. On lit,
en effet, dans la thèse de l'abbé cette phrase surprenante et bien
faite pour choquer les croyants les plus tolérants :

Ergo omnes morborum curationes a Christo peractæ, si seorsim
sumuntur a prophetiis, quæ in eas aliquid divini refundunt, æquivoca
sunt miracula, utpote illarum habent vultum et habitum in aliquibus
curationes ab Aesculapio factæ.

La Faculté de théologie se réunit en décembre, examine la thèse
et, le 25 janvier 1752, par 92 voix contre 54, vote la condamnation.
De Prades est en outre exclu de la Sorbonne et rayé de la licence.
Le 27, dans une séance générale et extraordinaire, la sentence est

confirmée. Deux jours après, l'archevêque de Paris, le pieux et charitable Mgr de Beaumont, lance un mandement contre la thèse, blâmant

l'indécence du style, l'obscurité affectée des expressions, une multitude de termes choquants et indignes de la sainteté des matières que l'on traite,

et reprenant

une suite de principes pernicieux, puisés dans des sources empoisonnées, un enchaînement de conséquences dangereuses, quelquefois claires, d'autres ambiguës, des maximes hardies exprimées sans précaution, sans ménagement, un plan d'incrédulité réfléchie combiné, soutenu, une infinité de traits qui décèlent et annoncent l'irréligion.

Suit un exposé détaillé des erreurs relevées, et le document épiscopal se termine par une condamnation formelle de la thèse, comme

contenant plusieurs propositions respectivement fausses, captieuses, offensives des oreilles pieuses, scandaleuses, téméraires, propres à troubler l'ordre et la tranquillité publique, destructeurs de la Religion surnaturelle, contraires à l'autorité des Livres saints, dérogeantes à la certitude et à la divinité des miracles de Jésus-Christ, favorables à l'impiété des philosophes matérialistes, impies, blasphématoires, erronées et hérétiques.

En même temps, Mgr de Beaumont interdit l'abbé et obtient contre lui une lettre de cachet pour le renvoyer dans le diocèse de Montauban, auquel il appartient. L'abbé Yvon, ami de de Prades et collaborateur comme lui de l'*Encyclopédie*, est englobé dans la même disgrâce. L'évêque de Montauban lance à son tour un mandement aussi sévère. L'Eglise de France fait alors trêve à ses déplorables querelles et s'unit un moment. Les Jansénistes, à leur tour, interviennent contre les ennemis de la religion. L'évêque d'Auxerre, Mgr de Caylus, et les journalistes des *Nouvelles Ecclésiastiques* condamnent ou critiquent avec la même véhémence les Encyclopédistes. L'opinion s'émeut; l'incident fait le sujet de toutes les conversations, les uns exaltant la clairvoyance des pasteurs, les autres accusant les Jésuites de vouloir mettre la main sur l'entreprise, qui menace de faire concurrence à leur *Dictionnaire de Trévoux*.

Cependant, à la cour, les ennemis de l'*Encyclopédie* ne restent pas non plus inactifs. Ils ont à leur tête un personnage puissant, l'ancien évêque de Mirepoix, Boyer, qui détient la feuille des bénéfices. Boyer intervient auprès du Roi, mais Louis XV le renvoie à Lamoignon, lequel l'adresse à son fils Malesherbes, Directeur de la librairie. Dans un dessein de conciliation, Malesherbes propose à Boyer de soumettre tous les articles sans exception du nouveau *Dictionnaire* aux théologiens qu'il lui plaira de désigner : Boyer nomme les abbés Tamponnet, Millet et Cotterel, « qui étaient ceux en qui il avait le plus de confiance ». Tout semble arrangé, lorsque, vraisemblablement par ordre supérieur, Malesherbes ordonne de procéder à une saisie de l'ouvrage incriminé. Les officiers de la Chambre syndicale de la librairie, qui comptent parmi eux Michel David, s'y refusent. Alors Malesherbes se transporte solennellement, le 21 janvier 1752, chez Le Breton, muni d'une lettre de cachet pour saisir tous les manuscrits originaux du *Dictionnaire* et les planches de gravures. Mais il a eu soin de prévenir Diderot et de lui offrir, pour abriter les papiers litigieux, une pièce attenant à son propre cabinet : la perquisition n'est plus dès lors qu'une comédie, où il ne répugne pas à compromettre la dignité de sa charge. Quelques jours après, le 22 ou le 23 janvier, selon Barbier, le second volume paraît.

Le parti antiphilosophique, soutenu par une campagne de presse du *Journal de Trévoux* et des *Nouvelles Ecclésiastiques,* redouble alors d'efforts et, le 7 février, le Conseil du Roi suspend la publication de l'*Encyclopédie.* Le Parlement est à son tour saisi de l'affaire. Le vieux syndic de Sorbonne, Dugard, menacé de poursuites, n'échappe au péril qu'en se rétractant. Quant à la thèse, elle est condamnée, le 11 février 1752, sur réquisitoire de Lefebvre d'Ormesson; le même jugement en décrète l'auteur de prise de corps. L'abbé de Prades, qui s'est réfugié dans une terre du marquis d'Argenson, ne se sentant plus en sécurité, s'enfuit à Berlin. Voltaire s'y trouve alors et le recommande à Frédéric II qui en fait son lecteur. Ajoutons, à son honneur, qu'il ne fut pas longtemps à être saisi de remords. Le 5 avril 1754, il publie une rétractation formelle de ses erreurs, où il proteste

qu'il n'avait pas assez d'une vie pour pleurer sa conduite passée, et pour remercier Dieu de la grâce qu'il lui avait faite de lui inspirer le repentir de sa faute.

Il put revenir en France, où il obtint même un bénéfice.

Diderot, un moment abattu, reprend vite confiance : la saisie n'a atteint que quelques volumes du tome II, encore en magasin; le nombre des souscripteurs augmente; il sait d'ailleurs que de hautes influences s'emploient en faveur de l'entreprise. Malesherbes, d'abord, réorganise la publication et décide que les épreuves porteront à chaque page la signature des censeurs délégués. Le marquis d'Argenson, de son côté, fait valoir en haut lieu que le privilège accordé au libraire n'a pas été rapporté, que par suite l'interdiction ne vaut rien, puisque le privilège est une loi supérieure. Mais l'influence décisive est celle de Mme de Pompadour. Bien des raisons expliquent cette attitude de la favorite : elle hait les Jésuites, elle aime les philosophes qui la flattent, et leur morale accommodante n'est certes point pour lui déplaire. Elle s'entremet donc en leur faveur, et de la manière la plus habile. Elle fait remarquer au Roi et aux ministres que le privilège octroyé au libraire garantit également les souscripteurs : il faudra donc rendre l'argent. En outre, chassée de France,

l'*Encyclopédie* renaîtra ailleurs; déjà Voltaire propose avec insistance de la continuer à Berlin : va-t-on faire perdre au pays et
la gloire et les revenus d'une œuvre aussi belle ? Le pouvoir se
laisse convaincre et, dès le mois de mars 1752, fait solliciter Diderot
de se remettre à l'ouvrage. Diderot exulte : n'est-ce pas lui donner
la victoire ? Mais d'Alembert se montre moins chaud : blessé dans
son orgueil d'intellectuel, troublé dans son goût du repos, il résiste
longtemps — six mois — après lesquels, devant « l'empressement
extraordinaire du public », il se décide à reprendre sa collaboration.
Et les deux directeurs, à nouveau associés, se donnent le malin
plaisir d'ajouter à la confusion de leurs adversaires, en publiant sous
l'anonymat, en octobre, l'*Apologie de l'abbé de Prades*. Ne pouvant
nier que la thèse reproduit certaines de leurs doctrines, ils consacrent
leur brochure à la défendre très habilement. Ils feignent d'ignorer
les véritables ennemis de leur œuvre, les Jésuites, et s'en prennent
aux Jansénistes, qui, en révolte contre l'Eglise, sont assez peu qualifiés pour s'en instituer les défenseurs. Sur le fond du débat, les
apologistes montrent la même adresse. Loin de contester les droits
de la foi et de l'autorité religieuse dans leur domaine, ils imposent
hautement à l'écrivain de les respecter, mais ils revendiquent les
droits de la raison et de la science dans leur domaine propre et,
non contents d'en proclamer la complète autonomie, ils en affirment
l'infaillibilité.

Accalmie.   Un an après, en novembre 1753, le troisième
                   volume voit le jour. En tête se trouve un *Aver-*
tissement des éditeurs que d'Alembert a rédigé. C'est une sorte de
manifeste où, sous le calme apparent du ton, percent le ressentiment,
le dédain et l'orgueil du triomphe. Le philosophe rappelle les « tracasseries » subies par l'ouvrage, déclare la volonté des éditeurs de
rester fidèles à l'esprit philosophique, mais aussi respectueux de la
religion pour l'essentiel, et termine en mettant l'entreprise « sous
la protection de la nation ». Phénomène nouveau et déjà révolutionnaire : la nation est opposée au pouvoir et dressée, s'il le faut,
contre lui. Dans l'ensemble pourtant la déclaration a les apparences
d'une sorte de traité, dont elle précise nettement les stipulations.
On sent que d'Alembert tient à marquer l'avantage obtenu.
    La lutte de presse d'ailleurs, pour être moins vive, n'en continue
pas moins. Les ennemis de l'*Encyclopédie* ont fait une recrue de
valeur, le journaliste Fréron, qui lance, en 1754, sa fameuse *Année
Littéraire* et ne va cesser jusqu'à sa mort de harceler ses adversaires
de ses pointes ironiques. Mais les consolations et les encouragements
ne manquent pas aux philosophes. Ils voient d'abord avec plaisir
leurs ennemis, naguère unis, Jansénistes et Jésuites, reprendre de
plus belle leurs chamailleries. Malesherbes leur continue sa protection efficace. De nouveaux collaborateurs offrent leurs connaissances
et leur zèle, et, parmi eux, Voltaire, qui, libéré de sa servitude

berlinoise, va pendant cinq ans lutter à leurs côtés. Le nombre des souscripteurs monte à 3.000 en 1754, et, à la fin de cette même année, d'Alembert est élu membre de l'Académie française. Les volumes se succèdent à une cadence rapide : le tome IV paraît en 1754, le tome V en septembre 1755, le tome VI au début de 1756. C'est au milieu de ce succès grandissant qu'un nouvel orage éclate, dont la violence exceptionnelle menace de tout emporter.

Suppression de l'Encyclopédie. En janvier 1757, l'attentat de Damiens rallie tous les amis de la monarchie, qui accusent les philosophes de semer des principes séditieux. Jésuites et Jansénistes, que diverses fractions de l'opinion publique veulent rendre complices du meurtrier, se rapprochent de nouveau et répondent aux attaques de la manière la plus efficace, par une contre-offensive. Quelques mois plus tard, la défaite de Rosbach excite les esprits contre les philosophes qui ne cachent point leur admiration pour Frédéric II et entretiennent des relations suivies avec lui. Les pamphlets reprennent leur vol, certains assez plats comme les *Petites lettres sur de grands philosophes*, de Palissot, d'autres, au contraire, pleins de fantaisie ingénieuse et de sel comme l'*Avis utile*, et le *Nouveau Mémoire pour servir à l'histoire des Cacouacs*, de l'avocat Jean-Nicolas Moreau. Les philosophes haussent les épaules ou se parent du terme injurieux, tels les « Gueux » des Flandres, comme d'un titre de gloire, et le tome VII de l'*Encyclopédie* connaît, en novembre 1757, un succès plus vif encore. Mais, comme il s'arrête avec la lettre G, les éditeurs préviennent les souscripteurs que le nombre des volumes sera augmenté (comment faire tenir les autres lettres dans les trois volumes qui restent du nombre primitivement fixé ?) et que le prix des nouveaux sera de 24 livres. Bien loin de se dérober, le public montre un empressement accru et le nombre des souscripteurs atteint 4.000.

Ce tome VII, si recherché, va cependant fournir une nouvelle arme aux ennemis de l'*Encyclopédie.* Il contient en effet l'article *Genève*, signé d'Alembert. Or, dans cet article, la ville de Calvin est présentée comme une république parfaite, n'était qu'il lui manque un théâtre. Premier résultat : Rousseau voit dans cette réserve une tentative pour corrompre sa patrie, et il rompt ostentatoirement avec ses amis de la veille par sa célèbre *Lettre sur les Spectacles*. Dans son article, d'Alembert félicite aussi les pasteurs de Genève, modèles des clergés du monde, d'être rationalistes et de ne pas croire aux dogmes qu'ils enseignent. Les pasteurs bondissent sous le compliment, où ils voient un outrage, exigent une rétractation, et, comme le Roi de France est l'un des protecteurs de la petite république de Genève, l'affaire prend une importance politique qui agace le pouvoir. D'Alembert, fatigué des criailleries qui recommencent, et, au fond, un peu penaud de sa bévue, renonce alors à ses fonctions de directeur; il se bornera par la suite à fournir des articles. Duclos et Marmontel quittent à leur tour l'*Encyclopédie*. Voltaire cesse de collaborer, mais fait proposer à Diderot de terminer l'ouvrage à Lausanne. Diderot refuse dans une belle lettre (19 février 1758), où il affirme son indomptable résolution de ne pas trahir la confiance des souscripteurs et de mener à terme l'entreprise.

Mais à la désertion de ses compagnons de lutte s'ajoute bientôt la maladresse d'un autre ami : Helvétius fait paraître son livre *De l'Esprit*, dont le matérialisme agressif heurte même les philosophes. L'ouvrage est supprimé le 10 août, et les antiphilosophes, heureux de l'aubaine, exploitent le scandale, insistant sur ce point que l'*Esprit* ne fait que développer les doctrines de l'*Encyclopédie*. Diderot, seul, ulcéré, mais non abattu, fait face à l'orage. Courage inutile : Abraham Chaumeix lance ses *Préjugés légitimes contre l'Encyclopédie*, huit volumes qui paraissent en quatre mois et qui, dédiés aux magistrats, réunissent des textes tirés de l'ouvrage et très propres à former les bases et les attendus d'un jugement de condamnation. Devant l'émotion générale, le pouvoir décide de prendre des mesures. Le Parlement se réunit, le 23 janvier 1759, pour entendre le réquisitoire du procureur général Omer de Fleury, dont la documentation est empruntée pour une large part à l'œuvre de Chaumeix. L'affaire est mise en délibéré : quinze jours après, le 6 février 1759, le Parlement rend son arrêt, ordonnant simplement de faire réviser les sept volumes parus par une commission de personnages compétents.

Cette décision mécontente tout le monde : les philosophes qui en dénoncent l'illégalité, puisqu'ils ont des censeurs nommés par le Roi, et leurs ennemis qui s'indignent de sa douceur. Le Conseil du Roi intervient à son tour et, le 8 mars 1759, révoque le privilège. Les libraires protestent, représentant le tort causé ainsi aux souscripteurs. Le Conseil, en réponse, rend un nouvel arrêt, le 21 juillet, lequel condamne les libraires à restituer 72 livres à chacun des souscripteurs pour les trois volumes non parus. Détail symptomatique de l'état de l'opinion : personne ne se fait rembourser. Encouragé par cette attitude du public, Diderot résout de publier les planches et de défalquer sur le prix de ces planches les 72 livres d'indemnité. On ouvre à cet effet une souscription, qui obtient le plus vif succès, tant on est sûr que l'*Encyclopédie*, d'une manière ou d'une autre, ne peut manquer d'être achevée.

Et de fait, alors que tout semble perdu, alors que le pape Clément VIII lui-même, dans son bref *Ut primum*, du 3 septembre 1759, condamne solennellement l'entreprise, on s'ingénie en sous main à procurer l'achèvement de l'ouvrage. Voici le détour ingénieux dont on s'avise. Les volumes restant à paraître seront imprimés à Paris, mais porteront la firme de Fauche, libraire à Neuchâtel; ils ne seront point distribués à Paris, ni à Versailles, sauf exception pour le Roi, la Pompadour et les grands personnages; envoyés d'abord en province par gros ballots, pour laisser supposer qu'ils sont entrés en fraude, on les réacheminera clandestinement vers Paris et les destinataires. Cet arrangement avait pour complices, sinon pour auteurs, Malesherbes et de Sartine, le nouveau lieutenant de police, qui succédera, en 1763, à Malesherbes comme Directeur de la librairie.

L'année 1760. Rassuré, Diderot se remet à la besogne avec une ardeur renouvelée, cependant qu'autour de lui, de ses collaborateurs et de son œuvre, le déchaînement des passions monte à son paroxysme. Le conflit d'idées fait place aux personnalités. Le 2 mai 1760, le Théâtre-Français donne la première représentation des *Philosophes*, comédie en cinq actes et en vers, de Palissot, où les philosophes, Diderot et Rousseau en tête, sont malignement critiqués et tournés en ridicule. Grande indignation dans le camp encyclopédiste; diatribes et pamphlets pleuvent sur l'auteur. Palissot se défend en attaquant de nouveau; l'abbé Morellet réplique par sa *Vision de Ch. Palissot;* mais, comme sa brochure fait allusion à la princesse de Robecq, maîtresse du premier ministre Choiseul et ennemie déclarée des philosophes, Morellet fait connaissance avec la Bastille. Huit jours après cette première tumultueuse, Lefranc de Pompignan déchaîne une nouvelle tempête. Le 10 mai, prenant séance à l'Académie, il insère dans son discours d'usage une violente diatribe contre les philosophes. Fatale imprudence : les *Quand*, les *Si*, les *Pourquoi*, la *Vanité* de Voltaire s'abattent comme grêle sur l'orateur académique, qui tente un moment de faire front, et rentre bientôt dans le silence. Et voici la contre-attaque. Voltaire fait représenter à son tour au Théâtre-Français son drame de l'*Ecossaise*, où, sous le nom de *Wasp* (Frelon), il accable d'invectives et d'outrages son ennemi personnel Fréron. Le journaliste veut riposter, mais ses traits les plus heureux sont supprimés par Malesherbes : libéralisme philosophique !

Fin de la publication. Cependant Diderot juge plus prudent et aussi plus digne de lui de ne point intervenir dans cet échange d'insultes. D'ailleurs il a hâte de profiter des bonnes dispositions toujours chancelantes du pouvoir et, suivant son amusante expression, il « encyclopédise à tour de bras ». En 1762, il a la satisfaction de voir supprimer par le Parlement janséniste la Compagnie de Jésus; l'ennemi le plus implacable de son œuvre est terrassé. En 1764, en revanche, il suffoque de colère en constatant que Le Breton, fort peu désireux de nouvelles algarades, a fait « arranger » par des scribes à sa solde un certain nombre d'articles qui lui avaient paru compromettants. Il saute sur sa plume et envoie au trop prudent libraire une lettre indignée :

Voilà donc ce qui résulte de vingt-cinq ans de travaux, de peines, de dépenses, de dangers, de mortifications de toute espèce ! Un inepte, un ostrogoth détruit tout en un moment : je parle de votre boucher, de celui à qui vous avez remis le soin de nous démembrer... Quand on est sans énergie, sans vertu, sans courage, il faut se rendre justice et laisser à d'autres les entreprises périlleuses.

Une explication orageuse s'ensuit, qui n'aboutit à rien. Mais Briasson et Mme Le Breton s'interposent; Diderot, qui a menacé de tout laisser là, finit par s'adoucir et, tout en gardant rancune à Le Breton, se remet à la tâche. Aussi bien est-elle presque entièrement terminée. Dix mois après l'incident, le 18 août 1765, il écrit :

Votre ouvrage serait fini sans une nouvelle bêtise de l'imprimeur qui avait oublié, dans un coin, une portion d'un manuscrit. J'en ai, je crois, pour le reste de la semaine, après laquelle je m'écrierai : Terre ! Terre !

En janvier 1766, les derniers volumes, dont le nombre a été porté à dix, et cinq volumes de planches sont distribués aux souscripteurs avec une autorisation spéciale de M. de Sartine. Piquante revanche pour Diderot : Le Breton est mis pour huit jours à la Bastille (avril 1766), pour s'être montré trop pressé de toucher son argent et avoir expédié leurs exemplaires, sans autorisation, à quelques personnes de la cour. Six volumes supplémentaires de planches parurent en 1772.

L'ouvrage, dont la publication n'avait pas pris moins de vingt et un ans (1751-1772), contenait donc dix-sept volumes de texte et onze volumes de planches. Cette œuvre massive fut en outre grossie, en 1777, de cinq volumes de *Suppléments*, auxquels Diderot ne collabora pas, et, en 1780, de deux volumes de tables, composés par Panckouke et Rey. Une deuxième édition, commencée dès 1768 par Panckouke, fut interdite par ordre supérieur en 1770. Mais il en parut des refontes à l'étranger : à Genève (1777), à Lausanne (1778), et à Yverdun (1778-1780). Des contrefaçons en furent publiées à l'étranger : à Genève (28 volumes, 1758-1771), à Lucques (28 volumes, 1758-1771), à Livourne (33 volumes, 1770). L'*Encyclopédie* fut donc un gros succès de librairie : les éditeurs, dit-on, ne gagnèrent pas moins de 3.500.000 francs.

Par le récit qui précède, on voit combien se trompent les critiques qui maintenant encore accusent le pouvoir royal d'avoir persécuté l'*Encyclopédie*. Certes l'entreprise a connu des traverses : suspendue, puis théoriquement supprimée, elle a été conduite au milieu de réelles difficultés. Nul ne songe à diminuer l'effort, le courage et, à certains moments, la belle crânerie de Diderot. Mais que l'on veuille bien reconnaître en revanche que, par son orientation générale, par son esprit, l'*Encyclopédie* s'attaquait aux fondements du régime établi, heurtait des croyances et des sentiments respectables, très vivaces dans une large partie de l'opinion. Si le zèle de certains défenseurs de la religion et de la royauté fut parfois fâcheusement entaché de préoccupations matérielles, on ne saurait sans une pro-

fonde injustice l'attribuer à de seuls motifs d'intérêt. Tout l'appareil employé contre les philosophes ne peut non plus faire impression
que sur des esprits prévenus. Qu'advint-il en effet de tous ces viru-
lents réquisitoires, de ces condamnations solennelles, de ces décrets
de prise de corps ? Ce ne furent que vains simulacres, satisfactions
ostentatoires données aux ennemis de l'*Encyclopédie*. Les faits
prouvent que favorite, ministres, police ont protégé l'œuvre de
subversion : sans cette complicité agissante du pouvoir, jamais les
philosophes n'eussent triomphé des obstacles qu'ils dressaient eux-
mêmes sur leurs pas.

III. — LES COLLABORATEURS DE L'*Encyclopédie*.

D'après son titre même, l'*Encyclopédie* est l'œuvre d'une société
de gens de lettres. On ne doit pas se représenter cette société comme
une équipe d'ouvriers, recrutés une fois pour toutes et œuvrant passi-
vement sur un plan invariable. C'est une société qui change d'aspect
et de personnel (peu des collaborateurs primitifs travaillèrent aux
derniers volumes) et dont les membres gardent une certaine indépendance dans l'accomplissement de la tâche assignée.

Le nombre de ces collaborateurs est assez élevé, une soixantaine
environ. Ils appartiennent aux classes, aux professions, aux provinces les plus diverses. A côté du comte de Tressan, du comte
d'Hérouville de Claye, du chevalier de Jaucourt, qui représentent
la noblesse d'épée, on trouve des parlementaires, comme Turgot, le
président de Brosses ou d'Argenville, maître des comptes et conseiller
du Roi; des prêtres, comme les abbés Yvon, Mallet, de Prades,
Morellet; des médecins et des chirurgiens : Tarin, Louis, Malouin,
Quesnay, Barthez, Bordeu, Tronchin; des savants, des professeurs, des grammairiens, des artisans, voire des financiers comme
Necker et le fermier général Dupin, sans parler naturellement
des littérateurs de tout ordre, dont les uns sont destinés à la notoriété ou à la gloire, mais dont les autres ne sortent un moment de
la nuit équitable que pour s'y replonger. La capitale y est représentée
par Voltaire, d'Alembert, Toussaint, etc., la Franche-Comté par
Diderot, la Normandie par Blondel, le Maine par l'abbé Yvon, la
Bourgogne par Daubenton, la Gascogne par l'abbé de Prades, la
Lorraine par Louis, la Provence par Eidous, etc. : « Il semble que
la France tout entière s'efforce à fondre dans cette œuvre immense
les caractères particuliers de ses différentes provinces. » (Jos. Le
Gros.) L'étranger lui-même fournit des ouvriers à l'équipe : Rousseau
et Necker viennent de Suisse; Grimm est Bavarois, d'Holbach Badois.
Troupe bigarrée de volontaires, qui marchent d'un même cœur.

Le tableau suivant, qui est loin d'être complet, fera connaître
du moins les principaux collaborateurs et la répartition du travail :

Philosophie et morale : Diderot, Voltaire, Condillac, Helvétius.

Théologie : abbés Mallet, Yvon, de Prades, Morellet.

Mathématiques et Physique générale : d'Alembert.

Anatomie, Physiologie et Médecine : Tarin, Louis, Malouin, Le Monnier, Barthez, Bordeu, Tronchin.

Histoire naturelle : Daubenton, le collaborateur de Buffon.

Chimie : d'Holbach.

Géographie : Belin.

Droit : Boucher d'Argis.

Lettres : Voltaire, Marmontel, Duclos.

Grammaire : Dumarsais, Beauzée.

Musique : J.-J. Rousseau.

Economie politique : Quesnay, Turgot, Necker, etc.

Montesquieu et Buffon. On est surpris de ne relever dans cette liste ni le nom de Montesquieu, ni celui de Buffon, deux des écrivains les plus illustres du XVIII⁰ siècle. C'est que leur collaboration s'est bornée à fournir un seul article. Cette réserve paraît un peu étonnante de la part d'un écrivain comme Montesquieu, dont on connaît la formation scientifique et dont l'œuvre rejoignait sur tant de points celle de l'*Encyclopédie*. Sa mort, survenue en 1755, au début de la publication, ne saurait l'expliquer : la matière ne manquait point à son activité. Mais il détestait le tapage, la polémique, les « histoires ». L'année même où paraissait le *Prospectus*, il avait eu à batailler pour défendre son *Esprit des Lois*. Epuisé par son long effort, soucieux de tranquillité et de repos, il n'entendait point sacrifier les plaisirs comptés que la vie lui réservait encore aux ennuis d'une collaboration trop active à une œuvre dont la destinée s'annonçait comme tumultueuse. Flatté de la mention élogieuse que d'Alembert avait faite de lui dans son *Discours préliminaire*, il répondit courtoisement à la demande de collaboration :

qu'il lui serait glorieux d'être introduit dans le beau palais de l'*Encyclopédie*.

Mais il n'en refusa pas moins d'écrire les articles *Démocratie* et *Despotisme*, qu'on lui proposait et dont il sentait le danger. Il accepta l'article *Goût*, mais le traita d'une manière fort brève et assez médiocre.

Buffon fut, lui aussi, sollicité de collaborer : le succès des premiers volumes de son *Histoire Naturelle* le désignait pour traiter de la science où il venait de se révéler un maître. Il refusa d'abord, puis, en 1753, promit l'article *Nature*, qu'il donna en 1765. Très fier, il répugnait à l'embrigadement; soucieux de calme, il voulait rester à l'écart de la lutte. D'ailleurs religieux et croyant, il était effrayé par les négations de quelques philosophes; ami de l'ordre, il blâmait l'œuvre subversive à laquelle on voulait qu'il prît part; sincèrement tolérant, il reprochait leur trop réelle intolérance à

des hommes qui avaient sans cesse à la bouche ou sous la plume
le mot de tolérance. On lui fit payer par les sarcasmes son abstention
réprobative, et l'on pilla ses œuvres.

Il ne saurait être question de consacrer à tous les collaborateurs
précités une notice, si courte soit-elle. Il a du reste déjà été parlé
de Condillac et d'Helvétius, et nous aurons nous-mêmes à traiter,
chemin faisant, de quelques autres. Aussi bien le Dictionnaire est-il
avant tout l'œuvre de trois hommes : Diderot, d'Alembert, et le
chevalier de Jaucourt, dont nous allons résumer l'activité d'encyclopédistes.

Diderot. Diderot est le directeur et la cheville ouvrière
de l'entreprise. Il est admirablement préparé à ce
rôle par sa curiosité insatiable, sa largeur d'esprit, son aptitude à
tout comprendre, sa prodigieuse fécondité d'idées. A cette merveilleuse organisation intellectuelle il joint une conviction passionnée, qui lui inspire les mots, les accents propres à stimuler les
ardeurs, à ranimer les courages, un désintéressement absolu, un
dévouement à toute épreuve. Sa tâche à l'*Encyclopédie* revêt une
double forme. Il est d'abord directeur, et en cette qualité il choisit
les collaborateurs, distribue la besogne entre eux, révise leurs articles,
suggère, retouche, taille ou développe; il est en outre — et ce n'est
point la partie la moins délicate de son rôle — chargé des rapports
avec les éditeurs et avec le pouvoir.

Il collabore aussi personnellement. Il écrit le *Prospectus*, et plus
de douze cents articles jaillissent de sa plume intarissable. Il s'est
réservé toute une partie de l'œuvre, la technique des métiers. Fils
de coutelier, il se croit qualifié pour traiter des « arts mécaniques »,
et il ne se fie à personne pour en traiter. Il apporte à cette tâche
une conscience et un soin auxquels d'Alembert a rendu un bel
hommage dans son *Discours préliminaire* :

... Il est l'auteur de la plus grande partie de cette *Encyclopédie*, la
plus étendue, la plus importante, la plus désirée du public, et, si j'ose
dire, la plus difficile à remplir : la description des arts. M. Diderot
l'a faite sur des mémoires qui lui ont été fournis par des ouvriers ou
par des amateurs ou sur les connaissances qu'il a été puiser lui-même
chez les ouvriers, ou enfin sur des métiers qu'il s'est donné la peine
de voir, et dont quelquefois il a fait construire des modèles pour les
étudier plus à son aise.

Mais cela ne suffit pas à l'activité bouillonnante de Diderot.
Outre ces articles techniques, il en écrit une foule d'autres sur la
philosophie, la morale, l'esthétique, etc., dont certains ont l'ampleur
d'un petit traité et sont comme des manifestes de la secte (*Autorité, Aristotélisme, Encyclopédie, Epicurisme, Immortalité, Philosophie,* etc.). Il réalise vraiment sa propre définition du philosophe,
auquel il a donné comme devise le mot fameux du Chrémès de
Térence : « Rien d'humain ne m'est étranger. »

D'Alembert. La vie de l'illustre géomètre débute comme un roman. Fils naturel de Mme de Tencin et du chevalier Destouches, il est exposé, à sa naissance, le 16 novembre 1717, sur les marches de l'église de Saint-Jean-le-Rond, porté aux Enfants-Trouvés, où il est baptisé et reçoit le nom de Jean Lerond. Réclamé par un prête-nom de son père, il est mis en nourrice chez la femme d'un vitrier, Mme Rousseau, qui l'élève avec la tendresse d'une mère et qu'il entourera toujours de la plus vive et de la plus reconnaissante affection. Il entre en pension à l'âge de quatre ans, et, cinq ans plus tard, à la mort de son père, il hérite une rente viagère de 1.200 livres. En 1727, sa famille paternelle, qui ne le perdit jamais de vue, le fait entrer comme boursier au collège Mazarin, sous le nom de *d'Arenberg*, qu'il transformera par la suite en *d'Alembert*. Il se montre élève brillant, bon latiniste et bon helléniste, prend ses grades, est reçu avocat, se tourne un moment vers la médecine, mais un goût invincible le porte vers les mathématiques, et il finit par se consacrer exclusivement à la « géométrie adorée ». A vingt-cinq ans, il est élu à l'Académie des Sciences, comme adjoint dans la section d'astronomie, et l'année suivante (1743), il publie son *Traité de Dynamique*, qui le met au rang des grands géomètres de l'époque.

Lauréat de l'Académie de Berlin en 1744, il entre en rapports avec Frédéric II, qui tentera vainement, un peu plus tard, de l'attirer auprès de lui, en lui offrant la présidence de l'Académie. En 1749, il publie ses *Recherches sur la précession des équinoxes*, ouvrage qui, d'après M. J. Bertrand, « suffirait à le rendre immortel ». Il est déjà depuis trois ans l'associé de Diderot pour l'*Encyclopédie*, et c'est à elle qu'il va, pendant une dizaine d'années, consacrer la plus grande partie de son activité.

On a vu plus haut dans quelles circonstances et pour quelles raisons il cesse de partager avec Diderot la direction de l'ouvrage. Et pourtant, il n'a pas à se plaindre de la destinée : il entre à l'Académie française en 1754; il est recherché dans le monde pour son esprit, sa gaieté, son talent de mime; il est le grand homme des salons de Mme du Deffand, puis de Mlle de Lespinasse; il est élu membre de l'Académie de Bologne sur le désir du pape Benoît XIV, cajolé par Frédéric II, pensionné de l'Académie des Sciences avec un traitement de 1.200 livres, membre associé de l'Académie de Stockholm. Mais toutes ces satisfactions ne compensent point les blessures d'amour-propre que lui font les attaques contre l'*Encyclopédie*. Il continue pourtant sa collaboration au Dictionnaire et dépense son humeur combative à l'Académie où il joue un rôle prépondérant : il en est le grand électeur, il redonne du lustre aux séances de la Compagnie par des lectures où foisonnent les allusions épigrammatiques aux événements actuels.

En 1761, il publie ses *Eléments de philosophie;* l'année suivante, il décline l'offre que lui fait Catherine II de diriger l'éducation de son fils, avec une pension de 100.000 livres. Son élection, en 1773, au secrétariat perpétuel de l'Académie française marque à la fois l'apogée et le terme de son bonheur. Trois ans après, la mort lui enlève Mlle de Lespinasse, pour qui il éprouvait un attachement si fort qu'il n'avait pas craint de rompre pour la suivre avec sa bienfaitrice, Mme du Deffand. A cette douleur s'ajoute, en 1778, le chagrin de perdre deux de ses meilleurs amis, Milord Maréchal et Voltaire. En même temps ses lectures sont moins bien accueillies et il a le dépit d'être contraint d'y renoncer. Il vieillit, tenaillé par la gravelle, n'ayant pour consolation que le travail et la conversation, et il meurt le 29 octobre 1783, après avoir courtoisement refusé les secours spirituels que le curé de sa paroisse lui offrait.

Mathématicien illustre, d'Alembert a eu aussi la coquetterie d'être un écrivain, mais ses tentatives sont généralement restées bien au-dessous de ses prétentions. Ses *Eléments de philosophie*, où il traite de méthodologie scientifique, sont le digne pendant du *Discours préliminaire* par leur style ferme, substantiel, à la fois vif et brillant. Ses *Mélanges de littérature*, en revanche, ne s'élèvent pas dans l'ensemble au-dessus du médiocre. Son incompétence en matière littéraire s'y étale comme à plaisir, et ses morceaux sur la poésie et sur l'ode, où il reprend à son compte les théories antipoétiques de La Motte-Houdard et de Marivaux, soulevèrent à l'époque de furieuses clameurs. Sa *Destruction des Jésuites en France* n'est qu'un pamphlet semé de bons mots et de facéties, qui semble tiré du chapitre du *Siècle de Louis XIV* où Voltaire traite des questions religieuses. Il offre pourtant l'intérêt de nous indiquer la position des Encyclopédistes à l'égard de l'illustre société : d'Alembert y regrette l'hostilité marquée des Jésuites contre les philosophes, qui étaient tout prêts à s'allier avec eux pour abattre la tyrannie janséniste. En se privant de leur secours, ils se sont exposés seuls aux attaques des philosophes, et ils ont été vaincus. Cette lutte des deux partis chrétiens a permis aux philosophes de mettre en lumière la vanité des querelles religieuses et les dangers qu'elle fait courir à l'autorité royale et à la paix publique :

Toute société religieuse et remuante mérite que l'Etat en soit purgé; c'est un crime pour elle que d'être redoutable.

Sa *Correspondance* avec Voltaire, publiée sur son ordre formel, devait, dans sa pensée, servir sa gloire d'écrivain et de philosophe. D'Alembert a manifestement soigné ces lettres pour n'être pas trop inférieur à son illustre correspondant. Sans doute trop souvent la plaisanterie y est laborieuse ou lourde, la scatologie à froid les dépare, le style en est généralement tendu par l'apprêt. Mais elles ont parfois du piquant, de l'ingéniosité. Elles nous révèlent en outre le caractère susceptible et vindicatif de l'auteur et son violent anticléricalisme. C'est là qu'il faut chercher la véritable pensée de d'Alembert, et non dans les *Eléments de philosophie*, où il s'applique pour la galerie à se montrer orthodoxe. Affranchi de toute contrainte, il s'y livre à sa haine rageuse contre le clergé, la « prêtraille », comme il écrit élégamment. Au début, il donne à Voltaire des conseils de prudence, mais, quand la lutte se fait plus âpre, il est le premier à l'exciter. Le sage « Protagoras » devient alors Bertrand, et Voltaire Raton. Les deux compères se partagent les rôles : Bertrand, toujours prudent, envoie à Raton des colis de marrons — entendez des sujets d'articles ou de libelles — que celui-ci fait cuire à la flamme de son bois sec et pétillant, retire, sans même se brûler les manchettes, et réexpédie bien à point à Paris, par l'intermédiaire de gens en place, ainsi qu'il sied en cette époque d'affreux despotisme. Ce qui choque d'Alembert, ce n'est point la religion elle-même, c'est l'autorité publique dont le clergé dispose, le droit qu'il a de réprimer l'impiété, non seulement au nom du ciel, mais même au nom de la société. Car il n'est pas athée, comme on le prétend souvent. Au témoignage de La Harpe, qui l'a très bien connu,

il était sceptique en tout, les mathématiques exceptées.
Il n'aurait pas plus prononcé qu'il n'y avait point de religion qu'il n'aurait prononcé qu'il y a un Dieu : seulement il trouvait plus de probabilité au théisme, et moins à la révélation; de là son indifférence pour les divers partis qui divisaient sur ces objets la littérature et la société. Il y tolérait en ce genre toutes les opinions, et c'est ce qui lui rendait *odieuse et insupportable l'arrogance intolérable des athées.* (*Lycée,* édit. Costes, 1813, t. XIV, p. 109.)

Secrétaire perpétuel de l'Académie, d'Alembert a enfin écrit 78 *Eloges*, pour lesquels il a manifestement pris Fontenelle comme modèle. Mais, s'il s'efforce d'atteindre à sa finesse spirituelle et à reproduire ses agréments, il reste bien loin de lui pour la précision lumineuse et l'élégance. Il recherche trop le trait, la concision énigmatique et le tour brillant, il y affecte trop le ton épigrammatique et persifleur. L'élévation occasionnelle de la pensée, le bonheur de certaines expressions ne compensent point ce que le style présente, au témoignage de Grimm, « de plat, de commun et de recherché ». Grand esprit en mathématiques, esprit fort en philosophie, d'Alembert s'est trop souvent, en littérature, rabaissé à n'être qu'un bel esprit.

En tant que collaborateur de l'*Encyclopédie*, d'Alembert, outre ses fonctions de Directeur pour les Sciences, a assumé la tâche de traiter les questions mathématiques, composé le *Discours préliminaire* que nous résumons ci-dessous, écrit plusieurs articles sur des sujets divers, notamment les articles *Collège*, où il critique l'enseignement universitaire de son temps, et l'article *Genève*, dont nous avons parlé plus haut.

De Jaucourt   Le chevalier Louis de Jaucourt est comme la
(1704-1779).   réplique en grisaille de Diderot : même curiosité
intellectuelle, mêmes connaissances multiples, même dévouement
enthousiaste, que rien ne refroidit. C'est le second rêvé, l'aide indispensable, sur qui l'on peut compter à tout moment, toujours prêt
à suppléer aux défaillances, à brocher un article impromptu, jamais
plus heureux que lorsqu'on a recours à lui. Depuis le second volume
jusqu'au dernier, il est constamment à la tâche, écrivant, souvent
avec talent, sur les questions les plus diverses : politique, histoire,
sciences physiques et naturelles. Et avec cela d'un désintéressement
supérieur peut-être à celui de Diderot : celui-ci ne s'enrichit guère
à l'*Encyclopédie*, Jaucourt s'y ruine, et, en vrai philosophe, se défait
sans acrimonie de sa maison de Paris, que Le Breton rachète. D'ailleurs honnête, pieux, brave homme qui croit faire œuvre méritoire
en collaborant à l'*Encyclopédie*. « Jaucourt, dit Voltaire, a écrit
les trois quarts du *Dictionnaire*. »

Il y a là sans doute quelque exagération, mais le mot traduit bien
l'énorme somme de labeur fournie par ce travailleur acharné, modeste et, compte tenu de son étrange illusion, très sympathique.

IV. — But de l'*Encyclopédie*.

Encyclopédie ou *Dictionnaire raisonné des sciences et des arts*.
Ce titre et ce sous-titre indiquent déjà avec netteté le but et le
caractère de l'ouvrage : il s'agit d'une œuvre qui embrasse toutes
les connaissances humaines et les présente de manière méthodique,
en les rattachant à des principes arrêtés et en précisant les rapports
qui les lient. Cette matière, ce but, cette méthode ont été exposés
dans le plus grand détail par Diderot dans son *Prospectus* et l'article
Encyclopédie, et par d'Alembert dans son *Discours préliminaire* que
nous allons brièvement résumer.

Le   Lancé en 1750 par Diderot, le *Prospectus* est mieux
Prospectus.   qu'une simple annonce de la publication projetée :
par l'importance et par le ton, il prend un peu l'allure d'un manifeste.
L'*Encyclopédie* se propose comme but d'offrir à tous le moyen
de s'instruire et d'instruire les autres dans toutes les branches du
savoir humain. Elle contiendra un tableau général et historique des
connaissances, dont elle s'applique à mettre en lumière les relations
et à fixer les principes : elle aura ainsi une utilité philosophique qui,
sans parler d'une documentation plus abondante et plus précise, lui
assurera une indéniable supériorité sur ses devancières. Elle partira
d'un ordre généalogique des sciences, inspiré en grande partie de
F. Bacon. Composée par des spécialistes dont la compétence est
reconnue, elle fournira sur chaque point des indications étendues

et précises, dans un style propre à chaque objet et à chaque collaborateur, mais avant tout net et clair.

Puisant à toutes les sources d'information dont ils disposent —
bibliothèques publiques et privées, manuscrits inédits, travaux personnels, — ses auteurs indiqueront pour chacune des questions relatives aux sciences et aux arts libéraux l'état actuel où elle se trouve,
en apportant à leur exposé et à la discussion des idées divergentes
le maximum de précision et d'impartialité. Quant aux arts mécaniques, jusque-là si dédaignés ou si faiblement traités, ils seront
l'objet d'une attention spéciale : grâce à de longues enquêtes, on a
pu réunir et l'on transmettra tous les renseignements utiles sur les
matériaux, leurs transformations, leurs utilisations, les machines et
les outils qui les plient à l'usage de l'homme. De très nombreuses
planches (plus de 600), alors que l'ouvrage de Chambers n'en offre
que 30, permettront au lecteur de se rendre compte par lui-même
des différentes techniques.

Sans doute un ouvrage aussi original ne sera pas et ne pourra
pas être parfait. Tel quel, il offrira de très grands avantages à tous
les hommes studieux et concourra pour sa part au progrès de
l'humanité.

Le Discours   « Reçu de toute l'Europe avec les plus grands
préliminaire.   éloges », au témoignage de d'Alembert, le *Prospectus* fut bientôt éclipsé par le *Discours préliminaire*, qui ouvrait
le premier volume de l'*Encyclopédie* (1751). On y vit avec raison,
à l'époque, le manifeste de l'école philosophique; l'œuvre marquait
l'avènement d'un esprit et d'un monde nouveaux. Le *Discours* se
divise en deux grandes parties, la première comprenant une genèse
et une classification des sciences, la seconde une histoire du progrès
des sciences du XVIe au XVIIIe siècle.

Trois noms dominent le *Discours* : Bacon, Locke, Newton; trois
idées l'alimentent : origine sensualiste de la connaissance, unité de
la science, progrès.

Convaincu que l'Univers n'est qu'une seule et même vérité,
d'Alembert pose en principe qu'il existe un ordre et un enchaînement des connaissances humaines. La tâche du philosophe est de
trouver les anneaux de cette chaîne. Deux méthodes s'offrent à lui
pour cela : la méthode *historique*, qui tente de raconter comment
les sciences sont nées chronologiquement, et la méthode *logique*, qui
s'efforce d'établir entre elles des rapports rationnels. Disciple de
Locke, d'Alembert voit dans la sensation le fait essentiel et primitif, qui domine toute l'histoire de l'humanité. Nous sentons d'abord
notre existence, puis notre corps et les autres corps, et cette dernière
sensation crée le langage, qui donne aux hommes le moyen d'entrer
en communication entre eux. D'où fondation de la société, qui permet aux hommes de s'entraider de leurs lumières. A ce moment,
l'égoïsme individuel déchaîne des luttes pour la possession des objets

4

indispensables à la vie. Le fort triomphe du faible, mais celui-ci a
le sentiment d'être frustré de ce qui lui revient : ainsi naît la notion
du juste et de l'injuste,

de la loi naturelle... source des premières lois que les hommes ont dû
former.

Et, comme ils sont doués de réflexion, ils sont naturellement amenés
à examiner le principe qui a pu les leur suggérer : ils découvrent
l'existence de l'âme spirituelle, et, par voie de conséquence, s'élèvent
à la contemplation « d'une Intelligence toute-puissante », dont ils
dépendent entièrement et à laquelle ils doivent un culte.

Cependant la nécessité de pourvoir à des besoins qui se multiplient sans cesse les ramène aux préoccupations matérielles. Le premier de ces besoins est celui de se conserver et de se défendre :
ils trouvent donc d'abord l'agriculture et la médecine, qui contiennent en germe la physique et la chimie. Outre la réflexion,
l'homme possède un mobile puissant d'investigation, son avidité
de connaître. C'est cette curiosité qui le pousse, en dehors de
toute utilité immédiate, à étudier les propriétés des corps et lui
fait inventer successivement la géométrie, les mathématiques, la
physique rationnelle, la mécanique et l'astronomie. Instruit de la
puissance des idées et de leur utilité, il cherche à ce moment l'art
de les susciter, de les combiner, de les exprimer et de les communiquer : de là l'origine de la logique, de la grammaire et de l'éloquence. La curiosité et l'amour-propre lui inspirent le désir de
vivre non seulement dans le présent, mais encore dans le passé et
dans l'avenir : il crée l'histoire, qui donne naissance à la chronologie,
à la géographie et à la politique. Enfin, l'imagination qu'il a reçue
naturellement en partage le rend capable d'autres connaissances
réfléchies. Ce sont celles qui ont trait à l'imitation de la nature
et qui se groupent sous le terme général de Beaux-Arts : peinture,
sculpture, architecture, poésie, musique. Leur objet principal est
l'agrément. Et c'est ainsi que les sciences et les arts retournent
pour ainsi dire à leur point de départ : issus de la sensation, ils
n'ont pour but que de prévenir ou de guérir le mal et de procurer
le bien; le sensualisme aboutit à l'hédonisme.

D'Alembert trace ensuite une classification logique des sciences,
pour en dresser l'arbre généalogique. Ici encore deux méthodes
s'offrent pour y parvenir : classer les sciences d'après leur objet
ou d'après les facultés qu'elles mettent en jeu. C'est la seconde qu'il
choisit. Reprenant, en la modifiant légèrement, la classification de
Bacon, d'Alembert distingue dans l'homme trois facultés : mémoire,
raison, imagination, auxquelles se rattachent respectivement l'histoire, la philosophie et les beaux-arts. Chacune de ces branches se
divise en plusieurs rameaux, suivant qu'elles s'appliquent aux êtres
matériels ou spirituels (d'Alembert combine ainsi les deux critères).

L'histoire se scinde en histoire sacrée et civile; la philosophie en théologie, psychologie et morale, sciences; les beaux-arts en poésie, roman, arts plastiques, architecture et musique. La seconde partie du *Discours* contient une histoire sommaire des sciences et des arts depuis la Renaissance jusqu'au XVIII° siècle. Si d'Alembert choisit ce point de départ, c'est qu'il ne voit dans le Moyen Age qu'une époque de barbarie, où les circonstances ont étouffé les efforts de génies isolés. Il montre comment à l'érudition, qui apparaît la première, ont succédé les belles-lettres, puis la philosophie. Il passe ensuite en revue les grands esprits auxquels on doit la régénération des idées et la restauration des sciences. Plein d'admiration pour F. Bacon, « génie sublime », à qui pourtant il reproche quelque timidité, « trop de ménagement ou de déférence pour le goût dominant de son siècle » féru de scolastique, il se montre plus réservé sur Descartes, qu'il apprécie fort comme savant et à qui il fait honneur d'avoir ouvert la route aux gens du XVIII° siècle, mais dont il prise peu la philosophie. Il célèbre sur le mode dithyrambique Newton, génie tout ensemble étendu, juste et profond, qui réunit l'audace à la sagesse. Il fait de Leibniz un éloge mitigé de réserves. Il paie à Fontenelle et à Buffon leur juste tribut de louanges, exalte Voltaire, « ce génie rare », en quelques lignes enthousiastes, loue Montesquieu, aussi bon citoyen que grand philosophe. Il signale enfin l'effort de son temps pour promouvoir les connaissances, exprime sa joie des progrès accomplis par les sciences et son espoir dans ceux qu'elles doivent réaliser. Et ce lui est une occasion de décocher à Rousseau une épigramme pour son récent *Discours* contre les sciences et les arts, un peu inattendu de la part « d'un homme de mérite », collaborateur de l'*Encyclopédie*.

Au cours de son exposé historique, d'Alembert a été amené à parler des arts mécaniques, et c'est avec une visible complaisance qu'il traite ce sujet, d'où le *Dictionnaire* tirera une partie de son originalité. Sans flatterie démagogique, poussé plutôt par l'admiration de leur utilité sociale, il relève ces productions de l'ingéniosité humaine de l'injuste discrédit où elles sont tenues depuis trop longtemps. Il déplore que

les noms de ces bienfaiteurs du genre humain soient presque tous inconnus.

Et pourtant,

c'est peut-être chez les artisans qu'il faut aller chercher les preuves les plus admirables de la sagacité de l'esprit, de sa patience et de ses ressources.

Plus loin, parlant de

certaines machines si compliquées... qu'il est difficile que l'invention en soit due à plus d'un homme, il va jusqu'à placer

ce génie rare... à côté du petit nombre d'esprits créateurs qui nous
ont ouvert dans les sciences des routes nouvelles.

Phrases significatives, où se traduisent à la fois l'utilitarisme foncier et les tendances égalitaires du siècle.

Le *Discours préliminaire* reçut des éloges retentissants : Voltaire
le met au-dessus du *Discours de la Méthode;* Beccaria, Condorcet le
célèbrent à l'envi. La postérité a bien rabattu de cet enthousiasme,
et des critiques compétents sont allés jusqu'à lui refuser toute originalité, toute valeur instructive. Il est de fait qu'on relève dans le
Discours trop d'omissions regrettables et des jugements sommaires
ou injustes, mais ce qu'on est plutôt en droit de lui reprocher, c'est
l'abus de l'esprit de système. Il est fâcheux pour un philosophe, qui
prétend restaurer les droits de la science positive et s'appuyer sur
les faits, de recourir à des hypothèses invérifiables et de donner
pour le réel un roman ingénieux. Il est fâcheux de trop sacrifier à
l'esprit géométrique, de poser des principes non démontrés et d'en
tirer de rigoureuses conséquences. Les notions sur lesquelles d'Alembert s'appuie pour expliquer la genèse de nos connaissances — sensation, unité de la science, progrès — soulèvent les plus sérieuses
objections. Il est purement arbitraire de prétendre déceler la source
première du savoir humain, alors que nous ignorons le système entier
de nos connaissances et les relations que supportent ses parties.
Comment, en outre, les tirer toutes de la sensation ? D'Alembert,
lui-même, n'infirme-t-il pas sa thèse en fondant la physique sur le
« besoin de curiosité sans emploi » ? Il est fort discutable aussi que
l'univers soit « un fait unique et une grande vérité ». C'est une
vue de l'esprit, que ne justifie aucune donnée expérimentale : la
science actuelle tend même de plus en plus à substituer dans l'univers au continu le discontinu. D'Alembert, enfin, est victime du
goût de tout son siècle pour les périodes et les âges : il lui faut
découvrir des successions là où l'observation impartiale relève des
simultanéités tenant à la nature de l'esprit humain : l'homme, à
toutes les époques, se sert concurremment des facultés qu'il possède.
La classification des sciences n'est pas exempte non plus de contradictions et d'erreurs. Il est abusif de rattacher exclusivement les
productions de l'esprit à telle ou telle faculté. La plupart des sciences
relèvent à la fois de la mémoire, de la raison et de l'imagination.
D'Alembert sent si bien l'insuffisance de sa méthode qu'il l'abandonne en cours de route et classe les sciences par leur objet : Dieu,
l'homme, la nature. On sait d'ailleurs que la médiocre valeur scientifique de cette classification l'a fait depuis longtemps abandonner.

Malgré toutes ces réserves, le *Discours* ne manque pas de solides
qualités : l'ample matière est traitée avec aisance et netteté; l'expression est claire, sobre, nombreuse; l'étoffe sévère du style s'agrémente

même parfois d'ornements, trouvailles de mots ou comparaisons frappantes. En outre, si ses constructions idéologiques ont des fondements ruineux, il vaut mieux encore comme acte et comme document. On y trouve, faite avec une tranquille assurance, l'affirmation d'un esprit et de principes nouveaux : détruire le passé et fonder l'avenir sur les seules bases de l'expérience et de la raison. Quand il n'aurait que ce mérite, le *Discours* serait digne de prendre place à côté des livres qui marquent les étapes du développement de l'esprit humain.

L'article Encyclopédie. Cet article, composé par Diderot, complète en quelque sorte le *Discours préliminaire*, dont, au jugement de Brunetière, il précise le véritable sens. Ecrit après la première suspension de l'*Encyclopédie*, il nous livre l'opinion des philosophes sur leur œuvre, au moment où ils ont déjà pu se rendre compte des imperfections de l'entreprise, des difficultés auxquelles elle se heurte, des espoirs qui lui restent permis.

Diderot commence par répliquer aux incrédules, qui niaient la possibilité d'achever une œuvre de ce genre, en leur opposant un texte de Bacon :

Tout est possible qui est fait par des hommes qualifiés, par une société, avec le concours du temps et les ressources de beaucoup de personnes.

Impossible pour un homme ou pour une société spécialisée, comme une Académie, la Sorbonne, dont la compétence est forcément limitée, elle peut être exécutée

par une société de gens de lettres... liés seulement par l'intérêt général du genre humain et par un sentiment de bienveillance réciproque.

Mais à deux conditions : il faut que le gouvernement ne s'en mêle pas et borne son rôle à en favoriser l'exécution; il faut faire vite, car tout change et se transforme. Après une longue digression sur la langue, Diderot en vient à l'ordre général adopté,

rapportant nos différentes connaissances aux diverses facultés de notre âme,

puis à la disproportion qui existe entre les différentes parties de l'ouvrage. Avec une apparente candeur, relevée de piquante bonhomie, il confesse les déconvenues qu'il a essuyées :

Ici nous sommes boursouflés et d'un volume exorbitant : là maigres, petits, mesquins et décharnés. Dans un endroit, nous ressemblons à des squelettes; dans un autre, nous avons un air hydropique; nous sommes alternativement nains et géants, colosses et pygmées; droits, bien faits et proportionnés; bossus, boiteux et contrefaits. Ajoutez à toutes ces bizarreries celle d'un discours tantôt abstrait, obscur ou recherché, plus souvent négligé, traînant et lâche.

Bref, conclut-il :

Il n'y a peut-être aucune sorte de faute que nous n'ayons commise.

Mais sa belle assurance ne le quitte pas : tout cela se corrigera avec le temps. Il justifie ensuite l'ordre suivi dans chacun des articles et arrive à la méthode des renvois, empruntée à Bayle et largement appliquée dans l'*Encyclopédie*. Il en distingue trois sortes : les renvois de choses, de mots, d'analogie ou de similitude. Les seconds servent à expliquer certains termes techniques; les renvois d'analogie peuvent mettre sur la voie de découvertes et d'améliorations. Les plus importants, à ses yeux, sont les premiers, les renvois de choses. Ils projettent, en effet, de la lumière sur les objets et leurs liaisons plus ou moins étroites avec d'autres. Mais ils peuvent aussi, par opposition, attaquer, ébranler, renverser secrètement

quelques opinions ridicules qu'on n'oserait insulter directement. Il y aurait, ajoute-t-il, un grand art et un avantage infini dans ces derniers renvois. L'ouvrage entier en recevrait une force interne et une utilité secrète, dont les effets sourds seraient nécessairement sensibles avec le temps. Toutes les fois par exemple qu'un préjugé national mériterait du respect, il faudrait à son article particulier l'exposer respectueusement et avec tout son cortège de vraisemblance et de séduction, mais renverser l'édifice de fange, dissiper un vain amas de poussière en renvoyant aux articles où des principes solides servent de base aux vérités opposées. Cette manière de détromper les hommes opère très promptement sur les bons esprits, et elle opère infailliblement et sans aucune fâcheuse conséquence, secrètement et sans éclat, sur tous les esprits. C'est l'art de déduire tacitement les conséquences les plus fortes. Si ces renvois de confirmation et de réfutation sont prévus de loin et préparés avec adresse, ils donneront à une Encyclopédie le caractère que doit avoir un bon dictionnaire : ce caractère est de changer la façon commune de penser.

En vérité, il fallait que Diderot fût bien sûr d'une efficace protection pour oser, après une première suspension de l'ouvrage, se livrer à d'aussi audacieuses affirmations. Mais que dire de ce pouvoir qui, en les avalisant par la main de ses censeurs, admettait d'être berné publiquement ? — Diderot continue sa confession en reconnaissant les bévues grossières qui se sont glissées dans plusieurs articles, se livre, à son habitude, à plusieurs digressions et termine par une tirade grandiloquente et confuse, dans laquelle il énumère de nouveau les difficultés de l'œuvre et ses bienfaits et proclame sa fierté de l'avoir entreprise, en même temps que sa confiance dans l'avenir pour la mener à bien et son espoir d'immortalité.

V. — LA DOCTRINE ENCYCLOPÉDIQUE.

« Changer la façon commune de penser », comme se le proposaient Diderot et ses aides, n'est possible qu'autant qu'on offre à l'esprit d'autres idées, d'autres principes : on ne détruit que ce que l'on remplace. Quelles idées, quels principes, et d'un mot quelle doctrine les Encyclopédistes voulaient-ils substituer à ceux qu'ils combattaient aussi résolument ?

Avant de le rechercher, il convient d'abord de poser et de résoudre ces deux questions : y a-t-il une doctrine encyclopédique ? dans quelle mesure s'exprime-t-elle dans le *Dictionnaire* ? C'est qu'en effet les contradictions, les divergences de vues sur les points de haute importance y abondent, et il n'en pouvait être autrement, vu le nombre et la variété des collaborateurs, la diversité de leur formation, la différence de leurs principes personnels. Les emprunts, les démarquages auxquels ils se livrent trop souvent, enlèvent beaucoup d'originalité à leur exposé. Cependant ces défauts ne sont point tels qu'on ne puisse relever dans l'ouvrage un ensemble de tendances communes, une orientation générale qui permettent d'affirmer l'existence d'un système lié de principes, d'une doctrine. Avec quelle netteté cette doctrine s'exprime-t-elle ? Si l'on songe aux réserves imposées par la prudence, aux adoucissements exigés par Malesherbes, aux mutilations commandées par Le Breton, aux subterfuges auxquels les auteurs ont recours, au principe même, accepté par d'Alembert et Diderot, de la double doctrine, — la doctrine exotérique pour la masse, et la doctrine ésotérique pour les initiés, « les frères », — on peut craindre que les philosophes n'aient déguisé à l'excès leur pensée et que, par suite, il ne soit très difficile, sinon impossible de la saisir. Mais les condamnations essuyées par l'ouvrage, les extraits que ses adversaires livraient à l'indignation publique restreignent singulièrement la portée de l'objection, et l'on est fondé à prétendre que le *Dictionnaire* contient, au moins dans ses grandes lignes, l'essentiel des théories encyclopédistes. Il reste simplement que, pour les juger, il y faut adjoindre et les écrits particuliers où les auteurs, livrés à eux-mêmes et ne craignant plus de compromettre le succès de l'entreprise, ont exposé leurs idées avec plus de liberté et de franchise, et les ouvrages de leurs successeurs qui ont tiré rigoureusement les conséquences de leurs principes [1].

1° *Théories fondamentales.*

Les philosophes ont l'ambition de fournir une explication rationnelle des choses, en se fondant uniquement sur les faits. Mais leur méthode est avant tout psychologique, et leur doctrine repose sur une théorie de la nature humaine. Théorie fort composite, d'ailleurs, où se mêlent des éléments empruntés à Descartes, à Locke et à Leibniz. Ces empiristes ne se soumettent pas aux faits : ils s'en

1. Nous devons beaucoup pour cet exposé à l'ouvrage si complet et si objectif de M. R. HUBERT, *Les sciences sociales dans l'Encyclopédie*, 1923.

servent comme d'étais à des postulats. Ces postulats sont la continuité des êtres vivants, l'unité de l'espèce humaine, l'identité de
constitution de tous les individus, la rationalité de l'univers.

L'Homme. L'homme est un animal, qu'une différence de
degré, et non de nature, sépare seule des autres
êtres vivants. Quelque diversité qu'il présente dans le temps et dans
l'espace, il est partout et toujours identique à lui-même. Pas plus
que l'animal, il ne possède d'idées innées, mais il a sur lui l'avantage
immense de transformer en idées les données de la sensation, d'asso-
cier ces idées, de les grouper, grâce à sa raison, qui n'est que la
pénétration en lui de la raison des choses : la science est possible,
parce qu'il existe un ordre universel que l'homme dégage par l'expérience.
Centre de sensations, l'homme est, en outre, un système de tendances. Comme sa démarche intellectuelle, son activité pratique
ignore les idées innées : à la source de chacun de ses actes, il y a
l'abandon à une pente, la recherche d'un plaisir. La vie en commun
développe en lui à la fois l'égoïsme, qui l'oppose à ses semblables
pour la satisfaction de ses besoins, et la sympathie, qui le pousse
à se chérir en autrui; seules, les circonstances font triompher l'une
ou l'autre disposition. Les philosophes se divisent sur la liberté
morale : les abbés, de Jaucourt et Diderot à l'occasion la défendent;
Diderot, le plus souvent, et les autres Encyclopédistes la nient :
simple anneau dans la chaîne des êtres, l'homme est soumis, comme
le reste de la création, au déterminisme universel.

La Société. Sur l'origine de la société, les théories varient.
L'abbé Mallet voit en elle une institution divine.
D'autres, tel Boucher d'Argis, en font une extension du groupe
familial, ou l'expliquent soit par un instinct de sociabilité (de Jaucourt), soit par l'intérêt personnel (d'Alembert, Boulanger), qui
pousse les hommes à s'unir pour conserver leur vie ou concilier
leurs intérêts. D'autres enfin (Diderot) lui donnent pour origine le
contrat, mais un contrat très différent de celui qu'imagine Rousseau :
il n'est pas fondé sur la nature morale, mais sur les penchants sensibles de l'homme; il n'est pas valable pour tout le genre humain,
mais diffère suivant les circonstances; il n'est pas conclu entre
égaux, mais consacre l'inégalité des puissants et des faibles; il n'est
pas un moyen de se rapprocher d'un état de nature idyllique, mais
un expédient, imaginé à la longue, pour échapper aux malheurs de
la dispersion primitive. Quoi qu'il en soit de ces divergences, tous
les Encyclopédistes s'accordent sur les caractères communs que présente la société : elle tire sa source d'inclinations naturelles; elle a
pour but de procurer le bonheur de l'individu. Sensualisme, utilitarisme, hédonisme se trouvent dans cette théorie sociale, comme
dans la théorie de la nature humaine.

La Religion. Cette triple tendance anime encore les théories encyclopédistes sur la religion, si l'on néglige, bien entendu, les articles orthodoxes, paravent des audaces doctrinales. L'origine du fait religieux doit être cherchée dans les besoins ou les sentiments les plus élémentaires de l'homme. Sentant sa dépendance à l'égard de la nature, plein d'admiration ou de crainte pour les phénomènes dont il était le témoin, désireux aussi de les expliquer, l'homme primitif les a divinisés eux-mêmes ou y a vu les effets de puissances supérieures. Pour se concilier ces êtres mystérieux, il leur a rendu un culte, s'est plié à des gestes rituels : offrandes, prières, sacrifices. Cette tendance spontanée de l'homme isolé s'est précisée avec l'établissement de la société. La religion a paru aussi utile pour les groupements que pour les individus, et c'est cette vue qui a donné naissance aux dogmes de l'immortalité et du jugement d'outre-tombe, ainsi qu'aux principes moraux qui en découlent, freins puissants de la malignité humaine, agents de paix sociale. Cette conception utilitaire de la religion a eu de graves conséquences. Dans la plupart des sociétés, il s'est formé une caste de personnes qui se sont instituées les interprètes de la divinité, les gardiennes des croyances et des rites. Le culte et le dogme se sont alors compliqués et déformés. En outre les prêtres, que le respect populaire entourait, ont abusé de leur situation privilégiée pour mettre l'imposture au service de leur ambition : ils se sont joués de la crédulité humaine, ont assis leur empire sur les âmes, se sont arrogé ou asservi le pouvoir politique. Produit du fanatisme et du mensonge, la religion n'en a pas moins, dans une certaine mesure, concouru au bien public, en maintenant les mœurs, en faisant même parfois progresser la science, grâce aux connaissances auxquelles le clergé était parvenu, et dont il conservait jalousement le secret.

L'Etat. Unis sur le problème religieux, les Encyclopédistes le demeurent sur les caractères et la fonction de l'Etat, mais ils se partagent à nouveau sur la question de ses origines.

L'Etat, prononce Diderot, est

une société par laquelle une multitude d'hommes sont unis ensemble, sous la dépendance d'un souverain, pour jouir par sa protection et par ses soins de la sûreté et du bonheur qui manquent dans l'état de nature. (Art. *Etat*.)

Jaucourt définit le gouvernement :

la manière dont la souveraineté s'exerce dans l'Etat...

Tout Etat digne de ce nom repose sur les lois fondamentales, civiles et politiques, lesquelles, dit encore Jaucourt, à la suite de Montesquieu :

ne doivent être que les divers cas particuliers où s'applique la raison humaine, en tant qu'elle gouverne tous les peuples de la terre.

L'Etat peut prendre diverses formes suivant la nature du « Souverain », les Encyclopédistes entendant ce mot au sens large de pouvoir exécutif. Disciples de Montesquieu, ils reconnaissent quatre formes de gouvernement : despotisme, monarchie, aristocratie, démocratie. Comme lui, ils établissent une sorte de lien nécessaire entre les différents régimes et les conditions générales des peuples : grandeur du territoire, climat, population, caractère, mœurs, etc. Comme lui, ils admettent que la loi de l'évolution amène des changements dans les institutions politiques.

Mais ils divergent d'opinion, lorsqu'il s'agit d'assigner à l'Etat son origine. Sur ce point, l'*Encyclopédie* développe parallèlement trois thèses principales, qui d'ailleurs se combinent le plus généralement : la thèse historique de Boulanger, la thèse patriarcale de Boucher d'Argis, la thèse contractuelle de Diderot. Suivant le premier, l'humanité est passée par stades successifs de la théocratie à la dictature des héros, au despotisme asiatique, à la démocratie, pour s'installer enfin dans les monarchies,

seules capables de remplir l'objet de la science du gouvernement, qui est de maintenir les hommes en société et de faire le bonheur du monde. (Art. *Œconomie politique*.)

Pour Boucher d'Argis, l'autorité royale n'est que l'extension au groupe social, par développement progressif, de l'autorité du père sur ses enfants. (Art. *Loi*.) Diderot enfin, qui ne nie point du reste le rôle de la violence dans l'établissement de la puissance politique, lui donne surtout comme origine des stipulations contractuelles variant suivant les régimes. Le contrat en effet n'implique point par lui-même la forme démocratique de l'Etat : il existe aussi, exprès ou tacite, dans les monarchies électives ou héréditaires. En voici les principes et les articles principaux :

Aucun homme n'a reçu de la nature le droit de commander aux autres...
Le prince tient de ses sujets mêmes l'autorité qu'il a sur eux, et cette autorité est formée par les lois de la nature et de l'Etat...
Le gouvernement, quoique héréditaire dans une famille et mis entre les mains d'un seul, n'est pas un bien particulier, mais un bien public, qui par conséquent ne peut jamais être enlevé au peuple, à qui seul il appartient essentiellement et en pleine propriété...
Ce n'est pas l'Etat qui appartient au prince, c'est le prince qui appartient à l'Etat, mais il appartient au prince de gouverner dans l'Etat, puisque l'Etat l'a choisi pour cela, qu'il s'est engagé envers les peuples à l'administration des affaires et que ceux-ci de leur côté se sont engagés à lui obéir conformément aux lois...
La nation est en droit de maintenir envers et contre tout le contrat qu'elle a fait, aucune puissance ne peut le changer; et quand il n'a plus lieu, elle rentre dans le droit et dans la pleine liberté d'en passer un nouveau avec qui et comme il lui plaît... (Art. *Autorité politique*.)

La Morale. Malgré l'importance extrême qu'il avait à leurs yeux, le problème moral, tel que le résolvent les Encyclopédistes, peut se résumer en quelques mots, tant ils se sont plu à le simplifier. L'homme est créé pour le bonheur, mais il ne peut atteindre son propre bonheur qu'en procurant le bonheur aux autres. La moralité individuelle consiste donc à se réaliser aussi pleinement que possible : toutefois, on ne le peut vraiment qu'en respectant le droit qu'autrui possède à son propre développement, bien plus, en favorisant, si besoin en est, ce développement. Epicurisme et bienfaisance, tels sont les devoirs fondamentaux de l'homme. Est moral tout ce qui se réfère à cette double règle; immoral, tout ce qui la viole.

La Civilisation. A la lumière de ces principes, les Encyclopédistes *Le Progrès.* exposent l'histoire de l'humanité, qui n'est qu'une suite de conquêtes sur l'ignorance et sur le mal. A l'origine, les hommes vivaient à l'état de nature; ils ont senti le besoin de se grouper et ils ont fondé la société qui, unissant les efforts, a merveilleusement accru les résultats. L'utilité, la curiosité, le hasard, le climat, la religion même dans certains cas, sont les seules influences qui ont agi sur l'avancement des sciences et le développement de la civilisation. Nul besoin de recourir à l'intervention de Dieu et de la Providence ou de croire au rôle de peuples élus : la religion naturelle est antérieure à la constitution de la foi hébraïque; le langage, les sciences, la philosophie ne sont pas d'origine divine; le peuple juif, inférieur, grossier, superstitieux, n'est pas le centre de l'histoire humaine et n'a pas eu de mission surnaturelle. Il n'est pas non plus de « miracle grec » : les Hellènes n'ont fait que profiter (admirablement, il est vrai) des lumières que leur ont léguées les peuples antérieurs. Les peuples et les générations se sont transmis les connaissances dans un mouvement continu, que seul a interrompu le Moyen Age. Mais, à la renaissance des disciplines antiques, la marche conquérante de l'esprit humain a repris. La science tend graduellement à l'unité; toutefois rien ne permet d'assurer qu'elle y parvienne : elle reste relative. Le progrès moral n'a point accompagné le progrès intellectuel : c'est que, suivant Diderot :

Quoique l'état de l'espèce humaine soit dans une vicissitude perpétuelle, sa bonté et sa méchanceté sont les mêmes, son bonheur et son malheur circonscrits par des limites qu'elle ne peut franchir. (Art. *Hobbes*; cf. l'*Avertissement* du t. VIII.)

La bonté originelle de l'homme est fort discutable et la théorie du « bon sauvage » démentie par les faits les mieux constatés. Mais l'on peut toutefois espérer que les lumières, en changeant les conditions de son existence, donneront à l'homme les moyens d'arriver à l'état de bonheur le plus haut auquel il puisse atteindre.

2° Les applications pratiques.

Ce bonheur, les Encyclopédistes entendent y contribuer pour une large part, et, pour cela, ils s'attaquent aux obstacles qui en barrent la route, aux idées régnantes et aux institutions établies, qui représentent à leurs yeux l'erreur et le mal. Cette attitude agressive découle logiquement de leur position doctrinale. Rationalistes, ils ne peuvent admettre les dogmes de l'Eglise; partisans du contrat et de la dévolution du pouvoir à la nation, ils récusent le droit divin; théoriciens du développement individuel, ils s'opposent aux principes d'autorité et de contrainte sur lesquels est fondé le régime. Ruiner ou tout au moins rabaisser l'Eglise, réformer le gouvernement et les abus qu'il tolère, telle est la double tâche à laquelle ils consacrent leurs efforts.

Opposition   C'est à l'Eglise qu'ils portent, le plus souvent de
à l'Eglise.   sournoise manière, les coups les plus vigoureux.
Pour abattre cet édifice de superstition, d'obscurantisme et d'intolérance, ils s'appliquent à saper les bases théologiques et historiques sur lesquelles il est assis. Révélation, création du monde, origine divine de l'âme, rôle du peuple juif, miracles, sont tour à tour l'objet de leur critique corrosive. Le catholicisme est une religion comme les autres, qui peut, comme les autres, rendre de réels services, mais qui doit, comme les autres, être soumise aux critères de la raison et de l'utilité sociale. Le législateur serait bien mal avisé, qui se priverait de l'aide puissante que la religion peut lui fournir :

Ceux qui regardent la religion comme un ressort inutile dans les Etats connaissent bien peu la force de son influence sur les esprits... (Art. *Christianisme*, de DIDEROT.)

Mais il convient de la reléguer à sa place : c'est une servante, non une reine. Quant au clergé, il ne lui faut rien laisser de sa prééminence usurpée. Il doit être plié à l'autorité supérieure de la loi et dépouillé de ses privilèges — biens de mainmorte, bénéfices, immunités, etc. — qui ont engendré tant de monstrueux abus. Il faut surtout lui ravir le droit qu'il s'arroge de contrôler la pensée et de mettre en mouvement contre elle le bras séculier : l'Etat doit être séparé de l'Eglise et le prêtre du magistrat :

Son droit (*du souverain*) expire où règne celui de la conscience; ces deux juridictions doivent toujours être séparées, elles ne peuvent empiéter l'une sur l'autre, qu'il n'en résulte des maux infinis.
En effet le salut des âmes n'est confié au magistrat ni par la loi révélée, ni par la loi naturelle, ni par le droit politique... La religion se persuade et ne se commande pas.
Règle générale : respectez inviolablement les droits de la conscience dans tout ce qui ne trouble point la société. Les erreurs spéculatives sont indifférentes à l'Etat... (Art. *Tolérance*, de ROMILLI LE FILS.)

Ainsi la religion est affaire purement privée; la liberté de penser est de droit strict; la tolérance s'impose à tout Etat normalement constitué.

Opposition à l'Absolutisme. Les Encyclopédistes se montrent bien moins agressifs sur le terrain politique. Ennemis déclarés du despotisme, qu'ils distinguent avec juste raison de la tyrannie, possible sous tous les régimes, ils ne sont partisans ni de la démocratie ni de l'aristocratie.

Ils reconnaissent d'heureuses réussites démocratiques, comme celle de Genève, mais ils trouvent bien des désavantages au régime pris en lui-même : son idéal égalitaire est une utopie; la démocratie est fatale aux grands Etats, et seuls les petits peuvent s'en accommoder; elle manque de stabilité et recèle en elle-même un germe de dissolution :

Si une république est petite, elle peut être bientôt détruite par une force étrangère; si elle est grande, elle se détruit par un vice intérieur. (Art. *République fédérative*, de DIDEROT.)

Certains même, comme Boulanger (Art. *Œconomie politique*), n'ont pas assez de sévérité pour elle : c'est un gouvernement

ridicule et pernicieux, qui repose sur des croyances aussi absurdes que celles qui fondent la tyrannie... et qui partout, comme le montre l'histoire, aboutit au despotisme.

L'aristocratie, que quelques-uns d'entre eux rattachent à la démocratie, leur est très sympathique, mais il leur semble qu'elle ne convient qu'à des Etats de forme particulière, où dominent les armes ou le négoce.

Tout compte fait, la monarchie est encore, à leurs yeux, le meilleur régime, car elle convient à la grandeur d'un pays comme la France, et elle tire de l'unité et de la transmission héréditaire du pouvoir une souplesse et une rapidité d'action, une stabilité supérieures à celles de toutes les autres formes de gouvernement. La monarchie absolue, où le Roi exerce le pouvoir sans contrôle, mais en se soumettant aux lois constitutives, a l'adhésion de Boulanger (*l. c.*) :

Un Etat politique où le trône du monarque qui représente l'unité a pour fondement les lois de la société sur laquelle il règne, doit être le plus sage et le plus heureux de tous. Les principes d'un tel gouvernement sont pris dans la nature de l'homme et de la planète qu'il habite...

Les autres Encyclopédistes ont, en général, le même idéal politique que leur maître Montesquieu, la *monarchie tempérée*, dont l'Angleterre offre le type et où l'autorité royale est contrebalancée par des classes intermédiaires (la noblesse) et par des corps constitués (Parlements, Assemblées ou Etats des représentants de la nation) :

> La monarchie limitée héréditaire paraît être la meilleure forme de monarchie, parce qu'indépendamment de sa stabilité, le corps législatif y est composé de deux parties, dont l'une enchaîne l'autre par leur faculté mutuelle d'empêcher; et toutes les deux sont liées par la puissance exécutrice qui l'est elle-même par la législation. (Art. *Monarchie limitée,* de DE JAUCOURT.)

L'insistance qu'ils mettent à parler des lois constitutives, leur admiration pour la monarchie anglaise expliquent l'attitude des Encyclopédistes à l'égard de la royauté établie. Ils y voient une monarchie d'un type particulier, ni complètement absolue, ni tempérée. Mais sa tendance, depuis Louis XIV, la porte vers un absolutisme grandissant. Aussi jugent-ils nécessaire de la rappeler au respect de ses principes originels. La monarchie capétienne, héritière de la monarchie franque, est essentiellement fondée sur l'accord constant du souverain et des sujets. Elle repose sur le contrat passé entre Hugues Capet, lorsqu'il ceignit la couronne, et les nobles, qui représentaient alors la nation. L'accroissement du pouvoir royal au détriment de la noblesse n'a en rien diminué la validité de ce contrat : la nation conserve ses droits, et elle peut toujours les faire valoir par la bouche de ses représentants. Quels sont ces représentants ? Les Parlements et la Noblesse, dit plus ou moins nettement Boucher d'Argis. Pour de Jaucourt et Diderot, ces deux corps ont trop perdu de leur antique puissance pour assumer encore ce rôle. Le problème est donc de trouver le corps social qui parlera au nom du pays. Mais cette représentation est de nécessité absolue, si l'on veut faire renaître l'esprit de liberté, traditionnel en France, et tel qu'il existait encore du temps de Henri IV.

La lutte contre les abus. Les philosophes ne se sont donc pas désintéressés, comme on le dit trop souvent, de la liberté politique. Mais il est vrai qu'ils s'en sont beaucoup moins préoccupés que des droits imprescriptibles que l'homme tient de sa nature et qui assurent sa dignité. Mille abus, à l'époque, restreignent ou suppriment l'exercice de ces droits : les Encyclopédistes s'élèvent contre ces abus et s'emploient à les détruire.

Sur le *plan civil et politique,* ils revendiquent la liberté individuelle et ses corollaires : la liberté de pensée et la liberté de la presse, que mettent trop souvent en péril l'arbitraire du Roi, le caprice des gens bien en cour ou la volonté de parents tyranniques. Ils reconnaissent le bien-fondé de certains privilèges, mais protestent contre leur multiplication, source d'iniquités sociales et fiscales. Ils posent en principe l'égalité des citoyens devant la loi. Ils s'indignent de survivances barbares, qui déshonorent l'humanité, et demandent l'abolition de la torture et de certains supplices atroces comme la roue, l'écartèlement. Ils réclament la proportionnalité des délits et des peines, la restriction de la peine de mort, la diminution de la criminalité par l'instruction largement diffusée dans le peuple. Ils fulminent contre la guerre, « maladie convulsive et violente », faite pour des ambitions personnelles de princes ou de rois, qui « ne paie pas », mais qui au contraire affaiblit et bouleverse la vie nationale, épuise les finances et

ne sert qu'à cimenter l'édifice chimérique de la gloire du conquérant et de ses guerriers turbulents. (Art. *Liberté civile, Privilèges*, de DIDEROT; *Crime*, de DE JAUCOURT; *Paix*, de DIDEROT.)

Même zèle réformateur sur le *terrain économique et social*. Loin d'imposer des entraves à la production par le maintien d'institutions anachroniques, l'Etat doit la favoriser de toutes les manières. L'agriculture, par son importance, réclame sa particulière vigilance. Il lui faut donc améliorer le sort de ceux qui s'y livrent, et par suite restreindre les corvées, réduire les impôts, réglementer la levée de la milice et l'exercice du droit de chasse : les ombres de Henri IV et de Sully se profilent sur cet exposé de justes revendications. Chose singulière de la part d'écrivains qui montrent tant de faveur aux arts mécaniques, les Encyclopédistes ne touchent que superficiellement à la question industrielle. Ils se bornent à protester contre la tyrannie des maîtrises et à demander l'allégement des impôts, la diminution du nombre des fêtes chômées, l'octroi des gratifications aux artisans « qui auront poussé le plus loin le mérite de leurs ouvrages ». Quant au commerce, ils en réclament le développement par la suppression des douanes intérieures et la liberté d'exportation. (Art. *Laboureur*, de DIDEROT; *Culture des terres*, de FORBONNAIS; *Grains*, de QUESNAY; *Métiers*, de DIDEROT; *Industrie*, de DE JAUCOURT; *Commerce*, de FORBONNAIS.)

On se doute qu'ils ne se montrent point favorables à l'organisation financière, ce point faible de la monarchie d'Ancien Régime. Ils lancent de vives critiques contre la lourdeur et la mauvaise répartition des impôts, contre les exemptions plus ou moins justifiées dont jouissent les privilégiés, contre la Ferme Générale, qui enrichit un petit nombre de particuliers sans bénéfice pour le trésor. L'impôt doit être une contribution volontaire, que chaque particulier paie pour fournir aux chefs de la communauté les moyens de la maintenir dans la jouissance de ses biens propres. L'impôt personnel, la taille, est le plus mauvais, parce qu'il est arbitraire, et « plus conforme à la servitude que tout autre »; l'impôt sur les terres est juste; l'impôt indirect ou « de consommation » est le meilleur, parce qu'il se prélève insensiblement. L'impôt doit être proportionnel aux fonctions contributives de chacun et servir uniquement aux besoins de la nation : sa perception exige une comptabilité bien en règle.

Il semble que les inégalités sociales, si marquées sous l'Ancien Régime, auraient dû provoquer chez les Encyclopédistes des protestations enflammées contre une aussi inique répartition des richesses. Il n'en est pas ainsi, et leurs idées sur ce point sont des plus modérées. Ils combattent les théoriciens de la monarchie absolue, qui font du Roi le propriétaire de tous les biens de ses sujets. Ils se prononcent nettement pour la propriété individuelle et la richesse acquise. Le luxe trouve certes chez eux des adversaires, comme Boulanger, mais celui-ci le condamne pour des raisons uniquement économiques, et non morales ou sociales (Art. *Vingtième*). Saint-Lambert en prend la défense avec beaucoup de pondération et de mesure. Sans méconnaître les fortes objections que l'on peut faire à la théorie de Mandeville et de Millon, il pense que le luxe est capable de contribuer à la force d'une nation, à condition qu'il soit bien dirigé : effréné, il épuise les campagnes et crée de monstrueuses inégalités; modéré, il est pour l'Etat une source de richesses et un soutien : d'où le devoir pour celui-ci de ne pas seconder, par la cession de privilèges exclusifs ou par les fermes, l'établissement de fortunes scandaleuses. (Art. *Luxe.*) Les Encyclopédistes ne sont donc pas plus communistes qu'ils ne sont républicains. Sans doute les articles de Diderot renferment çà et là des phrases qui semblent prêter à l'opinion contraire :

Le législateur devra changer l'esprit de propriété en celui de communauté...
L'esprit de communauté, répandu dans le tout, fortifie, lie et vivifie le tout...

Mais ces affirmations signifient simplement qu'il faut assurer dans l'Etat la prédominance de l'intérêt général sur les intérêts particuliers.
De même, il ne faut pas prendre au pied de la lettre son éloge des Péruviens, dont les lois établissent

la communauté des biens, affaiblissant l'esprit de propriété, source de tous les vices.

C'est là procédé de polémique, rêve que l'on oppose à l'état de choses actuel et dont on sait parfaitement bien qu'il est irréalisable « hors de l'état de nature ». La vraie pensée de Diderot, du moins dans l'*Encyclopédie*, est que la propriété privée est légitime, bien mieux, qu'elle est l'une des causes du pacte politique :

C'est la propriété qui fait le citoyen,

déclare-t-il à l'article *Représentants*. C'est elle qui fonde le droit de suffrage : tout homme qui possède est intéressé à l'administration de l'Etat et, comme tel, habilité à y prendre part. Communiste peut-être de désir, Diderot est en pratique un bourgeois censitaire. Ce résumé des principales questions étudiées permet de distinguer ce que renferme d'exact et d'erroné l'opinion courante sur l'*Encyclopédie*. Il est vrai que l'entreprise est animée d'un esprit résolument antispiritualiste, anticlérical, antichrétien, et l'orthodoxie de certaines pages ne saurait faire illusion à ce sujet : tous les partisans des Encyclopédistes le reconnaissent pour les en féliciter ou pour le regretter. Il est vrai qu'ils mènent une guerre serrée contre les abus. Il est vrai que les principes dont ils se réclament tendent à une refonte totale du pouvoir et de la société. Cependant, sur ce dernier point, on leur prête trop souvent des idées qu'ils n'ont point eues. S'ils sont hostiles au droit divin, à l'arbitraire, aux inégalités sociales ou fiscales, ils ne se déclarent ni pour le « bon tyran », ni pour la démocratie, ni pour le nivellement. Autorité fondée sur le consentement des sujets, pouvoir royal limité par la représentation nationale, liberté civile, liberté politique, liberté religieuse, égalité devant la loi, limitation extrême des privilèges et du droit de propriété, assiette de l'impôt sur les choses, non sur les personnes, liberté économique, telles sont les grandes lignes de leur programme. Qu'on attribue le fait à la contrainte, à la timidité ou à l'esprit pratique, peu importe : ils ne sauraient passer pour des théoriciens du socialisme ou de la république. Mais leurs principes sont gros de conséquences que leurs disciples s'empresseront de tirer.

VI. — Valeur de l'*Encyclopédie*.

Et maintenant, que vaut ce fameux *Dictionnaire*, dont le XVIII° siècle s'est tant enorgueilli ? Etant donné ses dimensions et les talents fort inégaux de ses collaborateurs, il ne pouvait être parfait. Diderot, comme nous l'avons vu, ne s'en dissimulait point les défauts. Aussi n'a-t-il pas été surpris des critiques qu'amis et adversaires faisaient pleuvoir sur lui.

Plagiats. L'un des griefs les mieux fondés est celui de plagiat. Les Encyclopédistes démarquent avec aussi peu de vergogne Buffon et Montesquieu que les écrivains moins connus.

En général, c'est un plagiat, un brigandage perpétuel, et souvent ils volent les auteurs les plus obscurs. J'ai trouvé des pages entières copiées, par exemple, de l'*Histoire du ciel*, de PLUCHE. On peut appeler cela *voler le tronc des pauvres*. (GRIMM, *Correspondance*, 28 oct. 1754.)

Déjà le *Journal de Trévoux* avait pris un malin plaisir à déceler les emprunts abusifs dont se rendaient coupables les rédacteurs du *Dictionnaire*, d'autant que ceux-ci s'inspiraient parfois de trop

près du *Dictionnaire de Trévoux,* comme par exemple pour l'article
Avocats. Et, avec une courtoisie malicieuse, il ajoutait :

> Des guillemets ou une citation bien articulée satisferaient à cet égard
> tous les lecteurs. Ceci au reste n'est qu'une vue générale que nous insi-
> nuons pour la perfection de cet ouvrage, dont l'édition d'ailleurs est
> belle et bien entendue. (Oct. 1751, tome V.)

Dispro-   Autre reproche non moins grave : le manque de
portions.   proportions. Il est singulier que, ayant pour but
de mettre la science à la portée des esprits cultivés, les directeurs
aient autant négligé ce point. Trop souvent il n'existe aucun rapport entre la longueur des articles et l'importance de l'objet traité :
ainsi, pour ne donner qu'un exemple, l'article *Allemands* est expédié en vingt lignes, mais *Corderie* occupe quatorze pages. Diderot
reconnaît la chose avec bonne humeur, et compare lui-même l'œuvre qu'il dirige « au monstre de l'*Art poétique,* ou même à quelque chose de plus hideux ». (Art. *Encyclopédie.*) La facétie est
piquante, mais il eût mieux fait de fixer l'étendue de chaque article
et surtout de ne point prêcher d'exemple, en encombrant les siens
de digressions et de déclamations déplacées, comme l'apostrophe à
Rousseau, dont Voltaire s'est tant gaussé. (*Même article.*)

Incohérences.   Ajoutez que ce dictionnaire « raisonné » est en
                    réalité l'œuvre la plus incohérente et la plus
chaotique qui soit :

> Il n'y a pas beaucoup d'ouvrages qui prêtent plus le flanc à la cri-
> tique que l'*Encyclopédie*... Cela ressemble assez à la confusion des lan-
> gues dans la tour de Babel.
> On y lit le blanc et le noir sur la même matière, dans la même page,
> sous deux plumes différentes. (GRIMM.)

Certaines de ces contradictions, qui portent sur des sujets particulièrement délicats, s'expliquent soit par la nécessité de ne pas
heurter de front l'opinion, soit par l'audace croissante des philosophes. On n'est pas étonné, par exemple, de voir l'article *Raison*
ou l'article *Religion,* qui proclament la supériorité de la raison
sur la révélation, ruiner l'article *Chaos,* qui est bien antérieur et
où Diderot affirme solennellement qu'

> il ne faut dans aucun système de physique contredire les vérités pri-
> mordiales de la religion que la *Genèse* nous enseigne.

D'autre part, le système des renvois n'a été, de l'aveu même de
Diderot, emprunté à Bayle et appliqué que pour contrebalancer les
affirmations orthodoxes ou les éloges complaisamment étalés dans les
articles délicats. Mais sur des sujets moins brûlants, comme celui des
origines de la société française ou celui du luxe, les théories irré-

ductibles s'affrontent : la thèse romaniste s'oppose à la thèse germaniste, l'utilité du luxe à sa nocivité. Le parti pris d'objectivité sceptique surprend à tout le moins dans un ouvrage qui se fait gloire d'offrir un « système lié » de connaissances.

Erreurs et   On est encore plus fâché d'y rencontrer tant
bizarreries.   d'erreurs et de bizarreries. Parmi les erreurs, il en est qui tiennent à l'état de la science à cette époque, et l'on serait mal venu de les critiquer. Mais il en est d'autres qui sont des erreurs en soi, ou tout au moins des bévues grossières. Diderot traduit ἀπό, par *dessous*, et il fait des *îles Arginuses* une ville de Grèce. L'*Asope* est donné pour un fleuve d'Asie, en Morée (!), *Melanchthon* pour la ville natale du réformateur protestant, etc. Fruit de la hâte, étourderie, dira-t-on : je le sais et je ne dramatise pas les choses. Mais pourquoi perdre son temps à rédiger ces articles extravagants comme *Aco*, qui se termine par une pirouette, et *Cartes*, où les quatre couleurs du jeu de cartes représent les quatre états de la société : le cœur, les gens d'Eglise ou le chœur (!) ; le pique, les gens de guerre; le trèfle, les laboureurs; et le carreau, les bourgeois, parce que leurs maisons sont carrelées ? Ces gentillesses n'ajoutent rien à la valeur du *Dictionnaire*.

Défaut   Œuvre de vulgarisation, l'*Encyclopédie* n'est donc
de méthode.   pas sans défauts. Œuvre de science, elle prête aussi à la critique par sa méthode et par son esprit. Ses auteurs, disciples de Bacon, se devaient d'appliquer scrupuleusement la méthode expérimentale : ils sont loin de l'avoir fait. Ils en ont bien suivi le premier principe et ils ont rassemblé une masse prodigieuse de faits de toute nature. Mais ces faits, ils ne les ont pas toujours bien compris, faute d'avoir banni les *idola* qui offusquent ou déforment la réalité. D'une part, ils étudient trop souvent les faits avec le désir passionné d'y trouver la confirmation de leurs idées préconçues, et d'autre part, ils n'ont pas complètement renoncé aux formes de pensée qu'ils tenaient de leur éducation première : de là une incapacité foncière à comprendre les choses qui heurtent leur système et de graves erreurs d'interprétation sur des points capitaux. Convaincus par exemple que le culte est né du fanatisme et de l'imposture, ou bien ils ne saisissent point la signification de pratiques rituelles et de coutumes primitives sur lesquelles ils sont fort bien informés, ou bien ils en donnent des explications puérilement ingénieuses ou simplement ridicules : « Ni les exemples, nombreux cependant, d'institutions matriarcales, de mariages par groupes, d'interdictions d'union conjugale, ni la consécration des vierges aux divinités, ni la couvade, ni les mesures prises par certains peuples pour tâcher de vaincre la stérilité des femmes, ni la polygamie, ni la polyandrie, bref aucun des faits d'après lesquels la science sociale moderne a renouvelé la théorie des origines fami-

liales, n'a retenu leur attention... Ils n'ont vu dans ces faits que des
déviations anormales de l'institution primitive, d'immorales coutumes dues à la sottise des hommes, à la superstition, et, le plus
souvent, à l'imposture des prêtres. » (R. HUBERT, l, c., p. 282.)

D'un autre côté, gardant du passé plus de choses qu'ils ne croient,
ils étudient certains problèmes et les résolvent d'une manière où se
décèle la survivance des dogmes appris dans leur enfance : ainsi
c'est la Bible qui inspire leurs théories sur l'unité de l'espèce humaine,
sur l'existence d'une religion naturelle et d'un culte primitif, etc.
Aussi les philosophes comme Comte et Renouvier se montrent-ils
sévères pour leurs doctrines, où le premier ne voit que les « derniers
efforts d'une métaphysique périmée », et le second, que « l'expression
superficielle d'un empirisme inconsistant ».

Partialité.   A ce défaut de méthode s'ajoute une haine antireligieuse, des préventions anticléricales, qui s'expriment par les moyens les plus variés. Le plus innocent en apparence, mais en réalité le plus perfide, consiste à rédiger sur les
problèmes religieux les plus ardus des articles d'une orthodoxie rigoureuse, si rigoureuse même que les difficultés du dogme, ainsi mises
en lumière, jettent le trouble dans les âmes inquiètes. (Art. *Eucha-
ristie.*)

Lorsque au contraire il s'agit d'une vérité pour ainsi dire sensible,
comme l'existence de Dieu, on répartit entre plusieurs articles le
faisceau des preuves, de manière à en affaiblir l'efficacité. On insinue encore dans des articles inoffensifs, que le censeur vraisemblablement sautera, quelques grains de la bonne semence. Au mot
Agnus Scythicus, on traite d'une plante imaginaire, dont l'existence
est affirmée par de nombreux voyageurs, et c'est un biais pour se
livrer à la critique de l'autorité et des témoignages. Diderot consacre une demi-colonne à *Aius Locutius,* pour pouvoir revendiquer
en faveur des philosophes la liberté de tout dire, à condition qu'ils
s'expriment dans une langue savante, le *latin,* inaccessible à la masse.
C'est à un détour de l'article *Junon* que l'on met sur le même pied
et qu'on ramène aux mêmes causes humaines le culte de la déesse et

les excès d'adoration, où des chrétiens sont tombés envers les *Saints*
et la Vierge Marie, tant en Angleterre qu'ailleurs.

On use enfin de la fameuse *méthode des renvois,* sur laquelle
nous avons vu Diderot s'expliquer. Ou bien on accumule les objections aux dogmes, et l'on en renvoie la réfutation à un article qui
ne la contient pas; ou bien, aux articles qui en traitent, on se montre
plein de déférence pour tel ou tel ordre, telle ou telle institution,
et l'on adresse négligemment le lecteur à un article *Cordeliers,* plein
de respect pour cet ordre qui :

se distingue singulièrement aujourd'hui par le savoir, les mœurs et
la réputation.

Mais cet article même renvoie au mot *Capuchon*, où s'exprime
le plus méprisant jugement pour le Scotisme auquel l'ordre est attaché, et aussi à l'article *Chimie*, où l'on rappelle les poursuites dont
le Cordelier Roger Bacon fut l'objet de la part de ses supérieurs.
Que ces procédés obliques aient été inspirés par les circonstances,
nul ne le conteste; mais on peut se demander jusqu'à quel point une
œuvre aussi partiale a droit au titre de scientifique.

Mérites. L'*Encyclopédie* n'en possède pas moins une valeur
qu'il serait vain de nier. Non qu'elle puisse encore
de nos jours servir d'instrument de travail : Diderot ne prétendait
pas fixer la science, mais faire le point de son avancement. C'est
tout juste si de ces dix-sept in-folios on tirerait la matière utile de
quelques petits volumes.

Elle vaut surtout comme document. Elle est le plus vaste essai
de synthèse que l'on eût encore tenté. Nullement originale par son
fond, qu'elle emprunte de toutes mains, elle l'est par son esprit
laïc, positif, hostile à la religion et aux institutions qui s'en inspirent. Elle veut libérer la science de toute entrave religieuse, en faire
plus qu'un ensemble de connaissances, une méthode qui se soumettra
toutes les disciplines. Eminemment représentative des tendances de
l'époque, elle prépare de plus l'avenir. Elle fonde le culte de la
science, de la raison, du progrès, bref de toutes les idoles que le
XIXᵉ siècle a tant adorées et qui, aujourd'hui encore, conservent
tant de dévots. Elle exerce en outre une influence sociale considérable. Par l'intérêt qu'elle porte aux questions économiques, elle
développe dans la bourgeoisie la conscience de son utilité et de sa
force; par la place qu'elle accorde aux arts mécaniques, elle fait
de l'ouvrier l'un des agents principaux de la civilisation matérielle
qu'elle préconise; elle le relève de sa condition méprisée, le réhabilite, lui fait entrevoir l'éminente dignité de son rôle. Elle clôt le
règne de la naissance; elle ouvre celui de l'or et du muscle. La bourgeoisie, la première, bénéficiera de son action, et ce sera 89. Mais,
si les institutions et les mœurs retardent quelque temps l'ascension
définitive du « manœuvre », elles ne l'empêcheront pas. L'*Encyclopédie* a semé en lui les germes d'un ombrageux orgueil et d'âpres
revendications. L'ardent climat du XIXᵉ siècle fera lever la moisson :
l'ouvrier manuel proclamera sa prééminence dans un monde où
règne la machine; du rang d'égal, que lui assignaient les philosophes,
il s'élèvera à celui de maître, et fera valoir ses droits au gouvernement de l'univers.

Succès de En dépit, mais en partie à cause de ses imperfec-
l'Encyclo- tions, l'*Encyclopédie* connut un très vif succès.
pédie. Dans une page célèbre, Voltaire a traduit l'en-
chantement de ses contemporains. On était heureux d'avoir sous
la main un répertoire complet de toutes les connaissances et d'y

pouvoir trouver à volonté le renseignement utile. Aussi ne faut-il
point s'étonner si l'on relève, parmi les acquéreurs du *Dictionnaire*,
le nom de personnes dont l'hostilité de principe ne saurait faire
de doute. Le roi Louis XVI en achète un exemplaire. Le pieux duc
de Luynes, tout en faisant de sévères réserves sur « les principes
répandus de tous côtés dans cet ouvrage et tendant au déisme et
même au matérialisme », le déclare « d'une utilité infinie ». M. Mornet relate qu'« on en lit à haute voix des articles, le soir, chez
M. de la Lorée, petit gentilhomme angevin, qui est pieux », et il
nous donne aussi un intéressant détail sur la diffusion de l'*Encyclopédie* : dans les catalogues de cinq cents bibliothèques du temps,
qu'il a dépouillés, elle ne figure pas moins de quatre-vingt-deux
fois, chiffre élevé, si l'on songe à la grosseur et au prix de l'ouvrage.

Quels furent ses lecteurs ? Parmi eux on rencontre un peu de
tout : nobles de cour et grands parlementaires rêvant de Fronde,
fermiers généraux jouant aux mécènes, municipalités, étrangers aux
écoutes de la France, hobereaux, intendants, voire curés de campagne. Le nombre de ces derniers fut même assez considérable. Sans
être autant d'abbés Meslier, ils n'avaient qu'une foi chancelante et
les dissertations ou les insinuations des philosophes trouvaient dans
leurs âmes un facile écho. De plus, socialement et politiquement, ils
étaient opposés au haut clergé : la guerre aux abus flattait leurs
dispositions secrètes, éveillait en eux des espoirs et suscitait des
vœux où l'envie tenait parfois plus de place que la justice. Ce
furent eux ou plus tard leurs successeurs de même esprit qui rédi-
gèrent une bonne partie des cahiers du Tiers et accueillirent avec
enthousiasme la Révolution commençante : elle était pour eux
l'*Encyclopédie* en action. Mais la griserie dura peu; le schisme éclata,
et nombreux furent alors ceux qui revinrent à l'Evangile.

au sacerdoce, et son oncle Vigneron, chanoine de la cathédrale, désire lui laisser son titre et sa charge; mais, lorsqu'il mourra, en 1728, sa succession échappera à son neveu. Tonsuré le 22 août 1726, le jeune Denis traverse bientôt une crise de mysticisme, jeûnant, portant cilice, couchant sur la paille. Il veut devenir jésuite, mais son père s'oppose à ce qu'il prend justement pour une ardeur inconsidérée. Il tente alors de s'enfuir, et son père, de guerre lasse, le mène lui-même au collège Louis-le-Grand et s'attarde quinze jours à Paris, doutant de la constance du jeune homme. Pourtant celui-ci reste au collège, où, sous la direction du P. Porée, il fait de brillantes études. Le 2 septembre 1732, il est reçu maître ès arts à l'Université de Paris. Il a perdu la vocation et, quittant les Jésuites, il entre comme clerc chez le procureur (avoué) Clément de Ris.

La vie de bohème (1732-1741). Il n'y passe que deux ans : son exubérance de vie ne saurait s'accommoder d'un labeur aussi monotone. Il dit adieu aux sacs de procédure et se donne à l'étude avec la même fougue que jadis à la dévotion. Sciences, philosophie, belles-lettres, auteurs anciens, français, anglais et allemands, il porte vers tout et vers tous son avide curiosité; sa tête de Langrois tourne à tous les vents de l'esprit. Cependant il faut vivre. Or son père qui, lorsque Diderot est parti de chez Clément de Ris, l'a sommé de choisir entre le droit et la médecine, voyant que son fils ne se décide pour aucune profession stable, finit par lui couper les vivres. Alors commence pour Diderot une période sombre, où il pousse péniblement jour après jour, s'entêtant à ne pas céder, sautant sur toutes les occasions de se procurer quelque pécune, d'ailleurs aidé dans sa résistance par l'argent que sa mère lui envoie en cachette et que lui porte — en y ajoutant du sien — la vieille bonne Hélène Brûlé, femme au dévouement admirable, qui par trois fois fait à pied le voyage de Langres à Paris et retour. Il donne des leçons de mathématiques. Il broche six sermons à cinquante écus pièce pour un prédicateur dans l'embarras. On le voit un moment précepteur chez Randon de Massan, rue de Richelieu; mais trois mois de cette besogne astreignante épuisent sa bonne volonté et, malgré les efforts qu'on déploie pour le retenir, il passe la main. Quand la faim le tenaille, il corrige par d'ingénieuses rouerie la hargne maléfique du sort. Son procédé ne varie pas : il feint de vouloir entrer en religion et sollicite d'un supérieur de couvent les subsides qui lui permettront de vivre en attendant que sa vocation s'affirme. Il échoue une première fois chez les Chartreux. Mais il prend sa revanche avec le Carme déchaussé frère Ange — homme avisé pourtant — que séduisent sa mine et ses belles paroles et qui, ravi d'amener à son ordre une recrue de cette valeur, lui avance deux mille livres. On dirait d'un chapitre de Rabelais : Panurge et frère Ange. Mais quand, l'argent épuisé, il se présente à nouveau, les lèvres fleuries de promesses, le moine soupçonneux le renvoie déconfit. Entre-temps, lorsqu'il a le gousset garni, il s'arrache à ses livres, admire à la Régence les grands « pousseurs de bois », prodigue chez Procope ou chez Laurent en développements éloquents ou en fusées brillantes sa science fraîchement acquise. Il flâne aussi dans les boutiques des libraires, et il se montre particulièrement assidu chez Barbi, quai des Grands-Augustins, dont la fille Gabrielle — la future femme de Greuze — a le plus séduisant des minois. Il s'enflamme vite et noue avec elle une intrigue qu'il mène gaillardement.

Le mariage et les débuts dans les lettres (1741-1749). Mais ce n'est là encore qu'un feu de paille, après tant d'autres. L'amour approche, qui va quelque temps le fixer. En 1741, il croise une jeune fille dont la vue le bouleverse : c'est un émotif. Beau visage, yeux vifs et noirs, taille bien prise, allure preste, maintien honnête, que d'attraits réunis pour un être comme lui, épris d'art et, malgré les apparences, soucieux de moralité ! Il s'informe; il apprend son nom, son métier, son genre de vie : c'est une demoiselle Antoinette Champion, qui vit avec sa mère d'un petit commerce de dentelle et de lingerie. Elle a bien trois ans de plus que lui, mais qu'à cela ne tienne ! Il se fait recevoir, grâce à un subterfuge, et c'est un nouveau ravissement : dans le modeste logis, où flotte un frais parfum de lingerie fine, quelle atmosphère de gai labeur et de bonheur tranquille ! Décidément la fortune lui devient favorable : après le Greuze, le Chardin. L'auteur des *Salons* se souviendra plus tard pour ses jugements de ses amours de jeune homme. Il presse les choses, se fait aimer, triomphe, obtient le consentement de la mère. Il part pour Langres demander l'assentiment de son père, mais, toujours clairvoyant, le vieux coutelier refuse, met en garde par une lettre la jeune fille contre son garçon, qu'il fait même enfermer dans un couvent. Précautions inutiles : Antoinette attend, Denis s'évade, et le 6 novembre 1743, à minuit, tous deux se marient dans la petite église de Saint-Pierre-aux-Bœufs.

Pour subvenir aux frais du ménage, Diderot se met aux gages des libraires, qui l'emploient à des traductions. Une fille lui naît (août 1744); son bonheur familial semble assuré. Il n'en est rien. Sa femme est bonne épouse et bonne mère, mais trop pieuse à son gré et, par surcroît, peu intelligente et d'humeur acariâtre. Des heurts se produisent, qui insensiblement desserrent les liens qui les unissent. Diderot reprend peu à peu ses anciennes habitudes. Il fréquente à nouveau les cafés, renoue avec Rousseau, qu'il connaît depuis 1742 et qui revient de Venise, se fait un ami de Condillac, et tous les trois, chaque semaine, se retrouvent au *Panier fleuri*, devant une chère médiocre, qu'ils assaisonnent de leurs propos philosophiques. Chose plus grave : il devient l'amant de Mme de Puisieux, aventurière, écrivassière et dépensière, gonflant le bas bleu du produit de ses charmes. C'est pour elle qu'il broche en quatre jours les *Pensées philosophiques*, qui lui rapportent cinquante louis et qui sont brûlées le 7 juillet.

Sa situation cependant s'améliore : il est choisi pour diriger l'*Encyclopédie*, et les appointements attachés à ses fonctions sont les fort bien venus. Malgré la tâche écrasante qu'il vient d'assumer, il a encore le temps et la force d'écrire pour son compte. Coup sur coup, grâce à sa puissance de travail prodigieuse, il donne la *Promenade du sceptique*, saisie par la police, la *Suffisance de la religion naturelle*, les *Bijoux indiscrets*, qui se vendent très bien, l'*Oiseau bleu*, qu'il ne publie pas, des *Mémoires sur différents sujets de mathématiques*, enfin la fameuse *Lettre sur les aveugles*, qui provoque une descente de police, la saisie de l'ouvrage, l'arrestation de l'auteur et son emprisonnement à Vincennes (juillet 1749). Tenu d'abord au secret, abattu et furieux tour à tour, il voit au bout d'un mois le régime de la prison s'adoucir. Il passe du donjon au château; il reçoit des visites, s'entretient de l'*Encyclopédie* avec ses libraires, sort même, sur sa parole de réintégrer le soir son logement du château. Trois mois s'écoulent ainsi; le 3 novembre, on lui signifie qu'il est libre. A défaut d'autre avantage, sa réclusion involontaire lui vaut de rompre avec Mme de Puisieux, dont il aurait, dit-on, au cours d'une de ses sorties, surpris l'infidélité.

La vie ardente (1750-1772). A peine libéré, Diderot se remet au travail avec une ardeur que ses trois mois de détention ont comme exaspérée. En 1750, il publie le *Prospectus* de l'*Encyclopédie;* l'année suivante, paraît le premier volume. Nous avons dit plus haut les luttes qu'il lui faut soutenir, le labeur qu'il s'impose, les démarches qu'il doit faire, la ténacité et le courage qu'il déploie.

Si absorbante qu'elle soit, cette tâche ne lui suffit pas. En même temps que le premier tome de l'*Encyclopédie*, il donne au public sa *Lettre sur les sourds-muets*. Au plus fort de l'affaire de Prades, il intervient dans la querelle des Bouffons, qui met aux prises les partisans de la musique italienne et ceux de la musique française. A peine l'*Encyclopédie* recommence-t-elle à paraître qu'il lance comme un défi ses *Pensées sur l'interprétation de la nature* (1754). Un peu plus tard, il s'enthousiasme pour la scène et il compose le *Fils naturel* (1757) et le *Père de famille* (1758), sans parler des opuscules où il développe ses vues sur le théâtre. L'année même où la lutte philosophique est le plus ardente est celle où il écrit le mauvais roman de la *Religieuse*. Quelques années après, il accepte de faire pour la *Correspondance littéraire* de Grimm la critique des *Salons*, tout en se divertissant à tracer le portrait si vivant du *Neveu de Rameau*. Il écrit ou corrige maint ouvrage ou libelle de propagande antireligieuse.

Sa situation dans le monde des lettres lui impose des obligations.

Il est l'hôte attitré d'un de ses collaborateurs, le baron d'Holbach,
fastueux pédant, qui, deux fois par semaine, traite royalement les
philosophes dans son hôtel de la rue des Moulins et qui, l'été, les
reçoit dans son château de Grandval, près de Saint-Maur. Bien des
raisons étrangères à la tâche commune expliquent ces relations
étroites : gourmet et gourmand, Diderot fait largement honneur
à la chère plantureuse et raffinée qu'il savoure, et sa grosse gaieté
s'ébat à l'aise dans la licence extrême de propos et de manières qui
est d'usage chez le baron et dont il nous a laissé d'ahurissants exemples. Il fréquente aussi dans tous les salons où la philosophie est en
honneur : on le voit chez Mme Geoffrin, chez Mme du Deffand,
chez Mlle de Lespinasse, chez Mme d'Epinay, maîtresse de son ami
Grimm, même chez Mme Necker, quoique la pruderie de la dame
lui cause quelque gêne. Il rompt avec Rousseau, mais le remplace
par Grimm, Greuze et Falconet.

A ces devoirs mondains, à ces relations d'amitié, s'ajoutent les
affaires de famille. Après la mort de sa mère (19 oct. 1748), il se
réconcilie avec son père et se rend en 1754 à Langres, où il est
tendrement accueilli. Didier meurt à son retour (1759), et le philosophe fait un second voyage dans sa ville natale pour régler l'importante succession du défunt. Il revoit son jeune frère Didier-
Pierre, qui est resté fidèle aux traditions familiales, a reçu le sacerdoce et deviendra grand-vicaire de l'évêque-duc de Langres. Mais
caractères et idées sont trop dissemblables. Sans se heurter, ils se
sentent étrangers l'un à l'autre. Une tentative de rapprochement
interviendra encore plus tard, en 1770; elle échouera de même. Des
quatre enfants que sa femme lui a donnés, trois sont morts en
bas âge. Le quatrième, une fille, Marie-Angélique, née en 1754,
vive, intelligente, précoce, est l'objet de tous ses soins, et il dirige
lui-même son éducation avec l'audacieuse liberté qu'il apporte en
toutes choses. Mais sa constitution, pourtant robuste, subit le contre-
coup de cette fiévreuse existence. Il tombe malade à différentes
reprises : ce ne sont que de gros malaises et, l'alerte passée, il
reprend sa vie de surmenage et d'excès.

Le cœur, lui, conserve son impétueuse jeunesse; hélas ! ce n'est
plus au bénéfice de Nanette. Toujours revêche, Mme Diderot a de
plus maintenant des ennuis de santé qui l'enlaidissent. Le Chardin
tourne au Breughel, et, chez le philosophe, l'incompatibilité intellectuelle et morale se double d'aversion physique. En 1756, il fait
la connaissance de Louise-Juliette, dite *Sophie*, Volland, dont il
devient l'amant; la chose paraît indiscutable, malgré les chevaleresques dénégations de quelques érudits. C'est la femme de sa vie,
celle dont le nom est inséparable du sien. Le physique, à vrai dire,
n'a rien d'enchanteur : Sophie est âgée de trente-neuf ans; elle est
sèche, malingre, porte lunettes. Mais elle est philosophe, raisonnable,
sagement aimante, de bon conseil : c'est sa Mme du Châtelet,
mais elle n'a pas de Saint-Lambert. Aussi l'aime-t-il sincèrement,

cette tendre confidente, à qui il peut tout dire. Il l'aime, mais à sa guise, avec un singulier mélange de moralisme et d'impudeur, d'instinct fougueux et d'affection délicate, sans trop de fidélité. Il est encore engagé avec elle qu'une nouvelle flambée s'allume dans son cœur mal gardé : à près de soixante ans, il s'enflamme pour Mme de Meaux, qu'il poursuit de ses instances jusqu'à Bourbonne; mais la dame aime ailleurs, et Diderot se replie sur un cuisant échec.

D'incessants embarras d'argent compliquent encore sa vie déjà bien agitée. Pour augmenter ses revenus et pour doter sa fille qui grandit, Diderot prend un parti héroïque : il vendra sa bibliothèque. Une première négociation, conduite avec des Français, n'aboutit pas. C'est du Nord que vient le salut. A peine sur le trône, Catherine II, à qui d'Alembert a courtoisement refusé d'assumer la tâche de précepteur du grand-duc, son héritier, se retourne vers Diderot. Mais l'*Encyclopédie* n'est pas terminée, et Diderot décline à son tour cet honneur. Magnanime, la « Sémiramis du Nord », apprenant, en 1765, le projet du philosophe, se rend, pour quinze mille livres, acquéreur de la bibliothèque. A cette somme elle ajoute une pension de trois cents pistoles « pour les soins et les peines qu'il se donnera à former cette bibliothèque », car elle laisse à Diderot, sa vie durant, « la source de ses travaux et les compagnons de ses loisirs ». Peu de temps après, elle lui fait tenir une lettre de change de 25.000 livres, avance généreuse sur la pension qu'elle lui octroie. Diderot est riche et peut enfin connaître le luxe, qu'il condamne en théorie, mais goûte fort en pratique. En même temps qu'il achète des tableaux pour Catherine, il fait pour son propre compte d'importantes acquisitions. Il peut aussi — car il a bon cœur — faire la charité, et les pauvres ont leur part de sa récente opulence. Mais ce qui le rend le plus heureux, c'est qu'Angélique a sa dot : quand la jeune fille atteint ses dix-huit ans, il la marie à Caroillon de Vandeul, qui en a vingt-six (9 sept. 1772).

Le voyage en Russie et les dernières années (1772-1784). Ce n'est pas, on le conçoit, sans un grand déchirement que Diderot se sépare de sa fille bien-aimée, et son exubérance native fait retentir les échos de ses gémissements. Quelle vie pour lui dans le foyer déjà morose et maintenant attristé par le départ de l'enfant ! Il décide de se rendre en Russie pour remercier sa bienfaitrice. Il se met en route au début de l'été de 1773, passe par Bruxelles et La Haye, où il est trois mois l'hôte du prince Galitzine, étudiant le pays et commençant *Jacques le Fataliste*. Il arrive à Pétersbourg, malade et déprimé, mais l'accueil bienveillant de Catherine le ranime. Chaque jour elle le reçoit deux ou trois heures, l'après-midi, à l'Ermitage, et là ils agitent mille questions d'économie, d'administration, d'éducation, de politique extérieure, Catherine amusée et réticente, Diderot

enthousiaste et gesticulant si bien que l'impératrice interpose entre
eux un guéridon. Lorsqu'ils se quittent, enchantés l'un de l'autre,
Catherine lui donne une pelisse, un manchon et une bague qu'elle
a portée. Il est de retour à Paris, en septembre 1774.

Mais ce voyage de huit cents lieues a fatigué le philosophe. Son
enthousiasme tombe, et il n'aspire plus qu'au repos. Il se rapproche
de sa femme et vit dès lors en proie à un morne ennui qui s'accroît
avec l'âge. En février 1784, un premier crachement de sang, que
suit bientôt une attaque d'apoplexie, l'avertit de la mort prochaine :
il l'envisage froidement. Il se remet un moment, abandonne le
logement de la rue Taranne, où il habite depuis trente ans, pour un
hôtel rue de Richelieu, qu'il doit à la générosité de Catherine, et
c'est là qu'il meurt le 30 juillet, frappé à table comme son père, mais
dans quelles autres dispositions ! Il n'a survécu que quelques mois
à Sophie, morte le 22 février. Bien qu'il ait refusé toute rétractation, on lui fait des obsèques religieuses : son corps est descendu sous
les dalles de Saint-Roch, sa paroisse, dans la chapelle de la Vierge.
On ne l'y a pas retrouvé.

Son caractère. Le trait qui frappe avant tout chez Diderot, c'est
sa vitalité débordante : Diderot est un excessif. Il
pousse l'amour du travail jusqu'au surmenage, l'appétit de jouissances jusqu'au malaise physique, l'idée jusqu'au paradoxe, le sentiment jusqu'à la crise de larmes nerveuse, la jovialité jusqu'au cynisme
débraillé. Il y a en lui un dionysiaque effervescent, ivre sans cesse
des vapeurs montant de son âme où les passions fermentent. Peu
créateur, mais très intelligent, il a besoin d'un choc initial, lecture,
conversation, chose vue. Alors, sous le branle, son imagination
s'échauffe, enflamme l'idée, vivifie la réalité de son ardeur. Vagabond
de la pensée, il bat tous les chemins que ses rencontres lui ouvrent,
poussant droit devant lui, sans être arrêté ni gêné par aucune
audace. Dévot de la Nature, il en respecte les ordres, il en applique
les lois, d'autant plus empressé à le faire qu'il tient d'elle un tempérament fougueux. La sensualité l'obsède, mais, dans son cas, la
conviction raisonnée se mêle à l'impérieux désir, sans que l'on
puisse établir avec précision si c'est le sensualisme qui l'a mené à
la sensualité ou la sensualité au sensualisme. Il est égoïste, comme
toutes les personnalités puissantes, et malgré cela fait preuve à l'occasion d'une sensibilité débordante : ce robuste plébéien vibre, pleure
et se pâme comme une petite-maîtresse. Attitude que sert une
disposition physique, plutôt que sentiment profond : comment expliquer autrement ses brouilles avec ses amis, sa conduite si peu élégante après la mort de Rousseau ? C'est un mime excellent, et je
soupçonne qu'il n'a eu qu'à se regarder vivre pour composer son
Paradoxe sur le comédien.

Mais à côté de l'irrégulier, de l'enthousiaste, de l'intrépide raisonneur, il y a chez Diderot des tendances héritées qui se mêlent aux

instincts profonds. Il reste par certains côtés le fils du probe artisan dont il a éloquemment exalté les vertus. Il est bienfaisant — la seule vertu qui existe à ses yeux — il répand l'aumône, secourt de malheureux dévoyés qui le desservent. Il aime à conseiller, mais à vrai dire sans attendre qu'on le lui demande, car il ignore la discrétion et le tact. Il est laborieux. Il a le goût de l'observation, du fait, la haine des systèmes en l'air; il est vaguement préoccupé de morale. Il conserve même quelque attachement pour les traditions et il dira un jour très sérieusement : « Je suis bon Français, nullement frondeur. » Il est prudent aussi : il tient secrètes ses œuvres les plus salpêtrées, ne voulant point les désavouer, comme Voltaire, après l'impression. Bref, idéologue et réaliste, dissolu et féru de morale, ennemi du luxe et ami de ses aises, explosif et circonspect, il réunit les contrastes les plus vifs, dont le mélange forme une physionomie pas très sympathique, mais toujours attachante.

II. — LES IDÉES ET LE GÉNIE DE DIDEROT.

Ses idées métaphysiques. Si préoccupée qu'elle soit de réalisations pratiques, la philosophie du XVIIIᵉ siècle n'a pas été sans agiter les grands problèmes métaphysiques. S'attaquant à la religion, elle ne pouvait se contenter d'en nier l'enseignement; il lui fallait remplacer les dogmes qu'elle ruinait par d'autres explications du monde et de la vie. C'est ce que prouve entre autres l'œuvre philosophique de Diderot.

Ennemi du dogme, mais se heurtant au mystère du néant et dévoré du besoin de connaître, Diderot ne pouvait point ne pas rechercher la raison des choses et le secret de notre destinée. C'est un fait que, pendant toute sa vie, cet inconnu l'a hanté, et la suite de ses ouvrages n'est que l'évolution de sa pensée sur ce point. Au moment où il commence à écrire, Diderot a rompu avec les croyances de sa jeunesse, sur lesquelles il ne cessera de répandre le ridicule et l'injure. Il subit fortement l'influence de Lucrèce, de Montaigne, de Bayle, de Voltaire et des Anglais; il porte aux sciences, qu'elles soient mathématiques, expérimentales ou biologiques, un intérêt passionné, et ce sont les germes déposés en lui par ces études si diverses qui vont se développer et s'épanouir dans son œuvre. Au goût des faits il joint une fougue d'imagination qui l'emporte rapidement au-delà du réel, une rigueur de logique qui le pousse aux déductions intrépides, aux synthèses aventureuses.

Sa première œuvre est une traduction, assez libre, de l'*Essai sur le mérite et la vertu* de Shaftesbury (1745) : elle est dédiée à son frère, le futur prêtre, et ce détail suffit à montrer que Diderot la croit orthodoxe. Et pourtant! Il s'y fait gloire de « conduire le lecteur à la porte de nos temples », mais là, il l'abandonne avec désinvolture. Il prétend montrer que le bonheur dépend de la pra-

tique de la vertu et que celle-ci « est presque indivisiblement attachée à la connaissance de Dieu ». On notera le mot *presque*. En
réalité la morale qu'il expose est un combiné de Vauvenargues et
de Bayle : la religion et les mœurs ne sont pas indissolublement liées;
un athée peut être, comme Hobbes, un parfait honnête homme; en
revanche, leur croyance n'empêche pas les chrétiens de se mal
conduire; les passions sont bonnes; la vie a pour but le bonheur,
et les macérations ne sont qu'un lent suicide.

Les *Pensées philosophiques* (1746) reprennent la critique de l'ascétisme, mais en y mêlant d'autres attaques contre la religion, et
l'on comprend que l'ouvrage ait été brûlé le 7 juillet. Diderot s'y
affirme nettement déiste. Il conteste la valeur des preuves sur lesquelles s'appuie l'apologétique et s'en prend aux miracles, aux mar-
tyrs, à l'Ecriture. Il rejette la sombre idée que trop de chrétiens
se font de Dieu, tyran irritable, vindicatif et capricieux. Mais il
combat aussi les athées qui ne se rendent point au témoignage
irréfragable de la nature. Pourquoi faut-il qu'il leur prête des arguments de poids, qu'il reprendra plus tard lui-même, et qu'il semble
acquiescer au détachement superbe des sceptiques, qui se consolent
fort bien d'ignorer et l'origine du monde et le destin de l'homme ?
Il semble qu'il y ait déjà quelque flottement chez Diderot et que
sa foi en l'existence de Dieu ne soit point aussi solide qu'il le proclame.

Il l'affirme cependant encore dans les vingt-sept réflexions de la
Suffisance de la religion naturelle, ainsi que dans la *Promenade du
sceptique* (éditée seulement en 1830), allégorie laborieuse, où de
lourdes plaisanteries sur les choses saintes se mêlent à la critique
des deux Testaments et à l'éloge des philosophes. Le scepticisme
cette fois succède au déisme; certains propos même, que Diderot
prête à un spinoziste, révèlent l'attrait que le panthéisme naturaliste exerce déjà sur lui. Le pas décisif est franchi avec la *Lettre
sur les aveugles*, qui amène l'incarcération du philosophe (1749).
Les restes de spiritualisme que pouvaient contenir les ouvrages précédents ont disparu; Diderot a décidément rompu avec le déisme, et
il commence à ébaucher le système d'idées que viendront compléter
les *Pensées sur l'interprétation de la nature* (1754), le *Rêve de
d'Alembert* (1769) et les *Eléments de physiologie*, auxquels il
travaillera jusqu'à son dernier jour.

Ce système peut se résumer ainsi : Dieu n'est qu'un vain mot;
la réalité d'un Etre suprême, intelligent et bon, ne repose sur aucune
preuve expérimentale ou logique : la prétendue perfection de l'univers ne résiste pas à l'examen; l'existence de la douleur et du mal
infirme toute idée de Providence. Il n'y a et n'y a jamais eu qu'une
substance, la matière, douée de mouvement et de sensibilité. Au début
plongée dans le chaos, elle est sortie lentement du désordre sous le
seul effet des lois physiques, créant sans cesse des mondes non viables,
et rencontrant, après une infinité d'essais infructueux, la combinaison

destinée à durer : notre monde est une de ces réussites. Même processus pour les êtres qui peuplent le monde. Sans se lasser, la matière s'est livrée à d'innombrables essais, a produit des monstres, incapables de vivre et de se propager, avant qu'elle ne parvienne à former les êtres normaux, adaptés aux conditions d'existence qu'exige leur organisme :

Laissez-moi croire que, si nous remontions à la naissance des choses et des temps et que nous sentissions la matière se mouvoir et le chaos se débrouiller, nous rencontrerions une multitude d'êtres informes pour quelques êtres bien organisés... Je puis vous soutenir que les monstres se sont anéantis successivement; que toutes les combinaisons vicieuses de la matière ont disparu et qu'il n'est resté que celles où le mécanisme n'impliquait aucune contradiction importante et qui pouvaient subsister par elles-mêmes et se perpétuer. (*Lettre sur les aveugles.*)

Du plus humble au plus élevé, ces êtres sont tous d'essence identique : seule une vue bornée ou une illusion avantageuse nous les présente différents. La nature est une, et il est impossible de tracer entre les règnes une ligne rigide de démarcation :

Tous les êtres circulent les uns dans les autres, par conséquent toutes les espèces... tout est en un flux perpétuel. Tout animal est plus ou moins homme; tout minéral est plus ou moins une plante; toute plante est plus ou moins animal. Il n'y a rien de précis en nature. (*Rêve de d'Alembert.*)

La diversité que l'on remarque entre les règnes provient de ce que la sensibilité, propriété inhérente à la matière, reste inerte chez les minéraux, devient active dans la plante et dans l'animal. La diversité des formes est déterminée par des causes extérieures, en d'autres termes par l'adaptation au milieu, par l'habitude et par l'hérédité. Les espèces sont formées d'une infinité de molécules élémentaires, qui ont chacune sa vie propre, mais qui, par une sorte de *consensus* et par leur contiguïté, créent l'unité du sujet et sa conscience. L'homme, comme les autres animaux, est un agrégat de ces molécules, et les manifestations les plus hautes de son activité se ramènent toutes à des mouvements de la matière : l'intelligence est une question de neurones; la sensibilité, une affaire de diaphragme.

La destinée de ces êtres, quels qu'ils soient, est essentiellement précaire. Ils s'évanouissent après un temps plus ou moins long, mais ils ne cessent pas pour autant de vivre, car la vie et la mort ne sont que deux aspects d'une même réalité :

Vivant, j'agis et je réagis en molécules. Je ne meurs donc point? Non, sans doute, je ne meurs point en ce sens, ni moi ni quoi que ce soit. Naître, vivre et passer, c'est changer de formes, et qu'importe une forme ou une autre ? (*Ibid.*)

La nature ne se soucie pas des individus, mais des espèces. Et ces espèces qui ont eu un commencement sont appelées à disparaître ou plutôt à se transformer :

De même que dans les règnes animal et végétal, un individu commence, pour ainsi dire, s'accroît, dure, dépérit et passe, n'en serait-il pas de même des espèces entières ?

Il (l'homme) disparaîtra pour jamais de la nature ou plutôt il continuera d'y assister, mais sous une forme et avec des facultés tout autres que celles qu'on lui remarque dans cet instant de la nature. (*De l'interprétation de la nature*, Question LVIII.)

Le progrès est une chose éminemment relative : étant lié à la constitution, à la durée du monde et de l'homme, il ne saurait être d'aucune manière indéfini.

On fait grand mérite à Diderot de ses géniales « anticipations ». A vrai dire, et pour reprendre l'heureux mot de Sainte-Beuve sur La Fontaine, son originalité « réside beaucoup plus dans la manière que dans la matière ». Les éléments du matérialisme déterministe existaient bien avant lui.

Si l'on ne peut mettre sûrement Empédocle au nombre de ses sources, en revanche Lucrèce, qui était l'une de ses lectures favorites, lui fournissait, en même temps que les principes généraux de la doctrine, certaines vues particulièrement suggestives de la vie par l'action combinée de l'humus, de la chaleur et de l'eau; essais infructueux de la nature; constitution éphémère de mondes et d'êtres avortés. Chez les modernes, Bayle, qu'il lisait aussi avec passion, a dû, plutôt que Locke ou Voltaire, lui donner l'idée de la matière pensante. On trouve en effet à l'article *Lucrèce* (note F), ces lignes étonnantes :

« Il y a longtemps que je suis surpris que ni Epicure ni aucun de ses sectateurs n'aient pas considéré que les atomes qui forment un nez, deux yeux, plusieurs nerfs, un cerveau, n'ont rien de plus excellent que ceux qui forment une pierre, et qu'ainsi il est très absurde de supposer que tout assemblage d'atomes, qui n'est ni un homme ni une bête, est destitué de connaissance. Dès qu'on nie que l'âme de l'homme soit une substance distincte de la matière, on raisonne puérilement, si l'on ne suppose pas que tout l'Univers est animé et qu'il y a partout des êtres qui pensent. Dans cette supposition, les plantes, les pierres sont des substances pensantes. Il n'est pas nécessaire qu'elles sentent les couleurs, les sons, les odeurs, etc., mais il est nécessaire qu'elles aient d'autres connaissances. »

L'idée même du transformisme, déjà esquissée par Anaximène, avait été reprise par Benoît de Maillet dans son *Telliamed ou Entretiens d'un philosophe français*, lequel parut en 1748 et frappa les esprits par « la hardiesse des sentiments qu'on y a hasardés » (abbé Raynal). Cette conviction qu'êtres et choses, foncièrement identiques, forment une chaîne ininterrompue, Diderot l'affermissait en lui par la lecture de Buffon, dont l'*Histoire générale des animaux* commençait à paraître en 1749 et charmait ses loisirs forcés de prisonnier. Au tome II, il n'a pas dû lire sans un tressaillement cette simple petite phrase :

Entre les animaux et les minéraux le Créateur n'a pas mis de terme fixe.

Quant à l'ouvrage de Robinet, *De la Nature*, qui suscita une si vive curiosité dans le monde des Encyclopédistes et où se trouvent exprimées les idées fondamentales du système de Diderot — universalité de la vie, continuité des êtres, unité d'un prototype animal — il n'a guère pu qu'assurer la position métaphysique du philosophe, puisqu'il n'a paru que de 1763 à 1768 : or, dès 1754, les *Pensées sur l'interprétation de la nature* contiennent déjà un exposé assez net de la théorie transformiste.

L'originalité de Diderot tient surtout à sa vigueur de pensée, ainsi qu'à sa méthode. Les idées qu'il recueille dans ses lectures deviennent de merveilleux stimulants pour sa méditation : il les reprend, les développe, les pousse aux dernières conséquences, les unit par d'étroits rapports, et ce qui n'était qu'aperçu vague ou jeu flottant de l'esprit prend chez lui une netteté, une carrure inconnues, s'organise en système. Grand écrivain, il sait de plus trouver le mot, la formule, la comparaison frappante, le mouvement lyrique qui donnent à ses idées une densité, une couleur, une vie, où l'on reconnaît sa marque. D'autre part, ces hypothèses ne sont plus chez lui, comme chez ses devanciers, le produit de la pure raison : il les tire de l'observation des faits et les appuie sur les découvertes des savants. Attiré de bonne heure vers les sciences de la nature, il a suivi les leçons du chirurgien Verdier, admiré les pièces d'anatomie de Mlle Biheron, lu Buffon, Réaumur et Linné, vécu et conversé avec l'illustre médecin Bordeu. Tous les travaux des naturalistes marquants de l'époque lui sont passés sous les yeux : ceux de Needham, de Camper, de Fontana, ceux de Haller surtout, dont il lut deux fois, en en faisant des « extraits raisonnés », les *Elementa physiologiae* (1766). Ainsi sa cosmogonie repose sur des bases scientifiques que les matérialistes du XIXᵉ siècle ne feront qu'élargir : interdépendance des fonctions et des organes, influence de l'hérédité, concurrence vitale, sélection naturelle, éternité de la molécule, on peut dire que les principes érigés en dogmes par les Lamarck, les Darwin, les Taine et les Haeckel, se trouvent déjà au moins en germe dans Diderot.

Ses idées morales. Il semble paradoxal à première vue qu'un déterministe comme Diderot, qui ne voit dans l'activité de l'homme qu'un mécanisme fatal, ait une morale, puisque celle-ci ne peut exister sans liberté. Et pourtant, Diderot n'a jamais cessé de s'en préoccuper : il la glisse partout, en politique, en art, en littérature; le mot de vertu revient sous sa plume avec l'insistance d'une sorte d'obsession. Ce souci le domine au point qu'il s'attarde longtemps dans le déisme, parce qu'il ne voit pas d'autre support à la vie morale que la croyance en Dieu, la conviction qu'aucun de nos actes n'échappe à Ses regards. Ce n'est que plus tard qu'il s'en passera, quand il pensera que son système lui permet de concilier athéisme et vertu. Voici comment il y parvient.

Etre matériel, soumis comme tel au déterminisme universel, l'homme n'est pas libre : il obéit à des tendances invincibles qui le poussent vers ce qui lui est utile et agréable, le détournent de ce qui lui cause tort ou douleur. Mais l'homme représente dans la création la suprême évolution de la matière; il a des caractères spécifiques — sensibilité, raison — qui créent chez lui d'autres motifs d'action que la brute n'en possède. C'est une monstruosité de le montrer, comme le fait Helvétius, se déterminant uniquement pour des mobiles physiques, spécialement des mobiles voluptueux. Il est capable de désintéressement, d'enthousiasme, de renoncement, d'héroïsme; il est doué d'un instinct social, qui le pousse à se gêner pour autrui : c'est cette tendance à l'altruisme qui a créé les mœurs. Mais la religion et la civilisation ont corrompu, dévié ces inclinations naturelles si louables, produit l'ascétisme inhumain ou institué de ridicules conventions, la fidélité conjugale par exemple. La vraie morale supprime les tortures consenties, comme les usages imposés; elle restitue l'homme à lui-même et lui impose pour unique règle l'obéissance à la nature, la satisfaction des deux grandes tendances qui le meuvent : la recherche du plaisir et la bienfaisance. L'éducation, les lois, l'instruction établiront entre elles l'équilibre nécessaire.

On distingue aisément à quelles influences opposées Diderot obéit en traçant cette morale. Il cède à son amour de la vie, qui le pousse à exalter tous les plaisirs des sens, à condamner ce qui les restreint ou les règle. Il satisfait à son amour très vif de la société, car il ne faut pas s'y tromper : la belle homélie du Tahitien, célébrant les charmes de la vie sauvage, dans le *Supplément au voyage de Bougainville*, n'est qu'un argument de polémique : on se représente mal Diderot vivant sous la hutte, et charmant son dîner de pamplemousses du pépiement d'une Rarahu. Il n'a rien d'un Rousseau; il aime trop ses aises pour mépriser la civilisation, les jouissances et les douceurs qu'elle procure.

Il prête enfin l'oreille aux échos de la voix paternelle et en répète la leçon de sympathie agissante et de généreuse bonté. Est-il besoin de souligner combien est insuffisante cette morale laïque, aussi dépourvue d'obligation que de sanction ? Guyau ne fera que l'épurer et l'étendre : toutes les objections qu'on a faites à ce philosophe peuvent encore mieux s'adresser à Diderot. Pour n'en retenir qu'une, comment imposer la bienfaisance à l'égoïste ? L'exemple de sa famille, l'éducation ont préservé Diderot des conséquences extrêmes auxquelles son système, de son propre aveu, pouvait aboutir dans la pratique :

Il est (*écrit-il en effet*) une doctrine spéculative qui n'est ni pour la multitude ni pour la pratique et si, sans être faux, on n'écrit pas tout ce que l'on fait, sans être inconséquent on ne fait pas tout ce qu'on écrit.

Sa politique. Il eût mieux valu ne pas l'écrire et ne pas encourir le juste blâme de dévoyer des esprits trop logiques.

A s'en tenir aux articles de l'*Encyclopédie*, Diderot, comme on l'a vu, ne semble rien moins qu'un révolutionnaire avide d'une subversion de l'Etat et de la société. Hostile au droit divin, théoricien de l'autorité résidant dans la nation, partisan de la limitation des privilèges, il rêve d'une monarchie où les diverses activités de la nation seraient représentées auprès du souverain et limiteraient sa puissance en en contrôlant l'exercice. La propriété serait à la base de cette représentation. Mais jusqu'à quel point cette monarchie censitaire traduit-elle la pensée propre de Diderot ? C'est ce que l'on peut se demander, lorsqu'on lit certains passages du *Plan d'une université* ou ces *Principes de politique des souverains* jetés, au hasard de la lecture, dans les marges d'un Tacite. Diderot y apparaît singulièrement plus hardi, et l'on y entend comme le grondement précurseur de la Révolution.

On connaît ses vers des *Eleuthéromanes* ou *Furieux de la liberté* :

> La nature n'a fait ni serviteur ni maître,
> Je ne veux ni donner ni recevoir de lois;

et ces autres, plus fameux encore, où il cadence le souhait charitable du curé Meslier :

> ... ses mains ourdiraient les entrailles du prêtre,
> Au défaut d'un cordon pour étrangler les rois.

Pochade, disent les partisans de Diderot, propos de buveur échauffé. Ce sentimental aurait eu à ce point le « vin mauvais » ? Pourquoi ne pas lui appliquer plutôt le proverbe : *in vino veritas* ? ou, si l'on estime l'hypothèse trop sévère, pourquoi, tout en faisant la part de l'exagération, n'y pas voir l'expression outrée de sentiments sincères ? Ce n'était plus la chaleur communicative d'un banquet qui lui inspirait ses *Principes* : or le ton n'en est guère plus calme. Il trace du monarque type, si l'on peut dire, un portrait au bitume, celui-là même que feront de « Capet » les révolutionnaires frénétiques. Il pose ce principe :

> Un roi n'est ni père ni fils ni frère ni parent ni époux ni ami : qu'est-il donc ? Roi, même quand il dort.

Despote ombrageux, ennemi de toute supériorité, ayant la haine du peuple, entouré de courtisans qui le flattent et grugent la nation, avilissant la femme en élevant jusqu'au trône ses maîtresses, il mène une vie soupçonneuse et inquiète : son pouvoir incertain ne subsiste que par l'appui des « trognes armées ». Donnez comme parèdre à ce Bourbon-Tibère une Antoinette-Messaline, et vous aurez le ton du *Père Duchesne* ou de l'*Ami du peuple*.

Voilà, me semble-t-il, la vraie position de Diderot à l'égard de la monarchie. Il la hait pour de multiples raisons. Par idéologie d'abord : gorgé de Tacite et de Sénèque, il projette sur la réalité les souvenirs de ses lectures, habille à la romaine les gens de son époque, prend — en toute sécurité — les attitudes avantageuses d'un Thraséas ou d'un Priscus, dont il croit avoir l'âme. Le « saint enthousiasme de la liberté » l'enflamme et, à défaut de poignard, il affûte son style au luisant d'acier. Pour lui, comme pour Rousseau, il n'est pas de bon roi. Bien plus, s'il s'en présente par hasard, c'est une affreuse calamité :

Un premier despote juste, ferme et éclairé est un fléau; un second despote juste, ferme et éclairé est un fléau plus grand; un troisième, qui ressemblerait aux deux premiers, en faisant oublier aux peuples leur privilège, consommerait leur esclavage. (*Essai sur les règnes de Claude et de Néron.*)

Tout roi est un usurpateur, qui entreprend sur les droits sacrés du peuple et tarit en ce dernier la source des nobles et mâles vertus. C'est au peuple qu'appartient la souveraineté, car c'est lui qui, seul, comme l'atteste l'histoire, a le secret des innovations utiles à l'Etat : nouvelle similitude avec Rousseau. Diderot enfin hait la monarchie — et je ne sais point si ce n'est pas là la raison la plus forte — parce qu'elle se soumet au clergé. Sa haine du roi dérive de sa haine du prêtre; l'anticléricalisme est le puissant moteur de son anti-monarchisme. Poussant au noir le tableau que son époque lui présente, il écrit :

Qu'est-ce que le roi ? Si le prêtre osait répondre, il dirait : « C'est mon licteur. »

Il ne faut donc point se laisser prendre à la modération relative de ses articles de l'*Encyclopédie* : il ne pouvait s'y exprimer librement. Ses vrais sentiments s'étalent dans ses autres écrits. Diderot est l'un des plus authentiques inspirateurs du fanatisme de 1789. Qu'on ne dise point que ces œuvres n'ont point paru avant cette date. D'abord les *Principes* avaient été publiés en partie dans la *Correspondance secrète de Métra* (1776). Ensuite les *manuscrits* n'étaient-ils pas en la possession du fidèle et stupide Naigeon ou de tel autre affidé aussi sûr ? Enfin Diderot lui-même n'a guère dû s'abstenir, dans ses fulgurantes conversations, de développer les mêmes principes devant les « frères » — et sous une forme encore plus violente peut-être. On oublie trop souvent, je crois, l'influence de la tradition orale dans cette caricature d'Eglise qu'est la « secte holbachique ».

Ce qui aggrave le cas de Diderot, c'est qu'il tient par toutes les fibres de sa nature jouisseuse à cette société, où il s'est à la longue arrangé une place assez douillette. Il aime le luxe, la bonne chère, les cristaux, l'argenterie, les œuvres d'art. Il blâme la simplicité ostentatoire de Rousseau et se laisse dorloter par Catherine. Il ne croit ni à la bonté naturelle de l'homme ni au progrès fatal. Alors pourquoi ces invectives enflammées ? Il y a là un manque de sincérité ou, si l'on préfère, d'unité, qui choque étrangement. Encore s'il développait un plan de réformes. Mais sa pensée n'a que des éclairs, et des éclairs destructeurs. Il met le feu à l'édifice sans se préoccuper de reconstruire. Montesquieu et Rousseau ont un système ; Voltaire propose des aménagements pratiques. Chez Diderot, rien de tout cela. Il allume la mèche et s'en remet à l'avenir de se débrouiller dans les décombres. Des critiques, des jugements sévères, des déclamations, des effusions, oh ! certes, il n'en est pas ménager. Cherchez en revanche des suggestions précises de reconstruction, vous n'en trouverez pas — ou plutôt, si : le *Plan d'une université*, rédigé pour Catherine II, contient un programme d'études très détaillé, où les pédagogues modernes sont venus largement puiser.

Sa pédagogie. Convaincu que l'instruction affranchit et moralise et que l'école est la pierre angulaire d'un Etat libre, Diderot lui assigne les caractères et le rôle que voici. Elle doit être *gratuite et obligatoire* (il réclame même du pain pour les enfants des basses classes sociales). Elle doit être *scientifique,* car il faut armer l'élève pour la vie, le munir de notions pratiques, dont il aura quotidiennement à se servir, le mettre surtout en état d'opposer aux assertions du mensonge les certitudes des sciences exactes. Elle doit être *laïque* : point de prêtres, tyrans des âmes, ennemis jurés de la puissance séculière. Si toutefois l'on estime qu'ils sont utiles à la société, comme « gardiens des fous » et « obstacles à des erreurs possibles et monstrueuses », l'Etat doit les avoir bien en main, en les rabaissant au rôle de « stipendiés ». Gratuité, obligation, laïcité de l'enseignement, abaissement du prêtre, idolâtrie de l'Etat, on sait la fortune que l'avenir a réservée à de telles idées. Ce sont les seules que Diderot ait nettement formulées dans le domaine politique et social. Fut-ce un bien ? On en discute.

Le conteur. On ne quitte pas le philosophe ni le moraliste, lorsqu'on aborde les autres ouvrages de Diderot : dans la Contre-Eglise philosophique, il est de l'ordre des Frères Prêcheurs. « Former aux bonnes mœurs » l'esprit de ses contemporains est « son étude et sa philosophie ». Dramaturge, romancier, critique d'art, il est également assiégé de cette préoccupation. Renvoyant à un chapitre ultérieur l'examen de ses idées dramatiques et de son théâtre, nous ne traiterons ici que de ses romans et de ses *Salons.*

Si jamais création littéraire exprima la personnalité d'un écrivain, c'est bien celle de Diderot. On y trouve, en même temps que sa conception du monde et de la vie, les traits saillants de son caractère. Mêlés, confus, tumultueux, ses romans sont l'éclatante confirmation de sa thèse philosophique. Matérialistes, sensuels, altruistes, ils chantent un hymne constant à la jouissance et à la bonté. Chez Diderot, la création littéraire n'est qu'une forme particulière de la création de la nature; c'est le produit d'une force obscure, d'un instinct soumis à des lois impérieuses. De source purement physiologique, on ne forcerait pas trop les mots, je crois, en disant qu'elle est pour lui sécrétion du cerveau et contraction du diaphragme. Combinaisons d'idées et mouvements du cœur ont un caractère fatal. Et, de même que la nature produit indifféremment chênes et cèdres ou arbustes rabougris, de même l'artiste, au hasard de la réussite, crée platitudes ou merveilles : son œuvre est forcément inégale, mais on y sent courir les ondes frémissantes de la vie. L'inspiration est la condition primordiale de l'œuvre d'art, qui doit toujours en porter les caractères.

Matérialistes et sensuels, les romans de Diderot le sont et de fond et de forme. Il en est, comme les *Bijoux indiscrets,* dont il est impossible d'indiquer même le sujet. L'auteur y prétend imiter Crébillon fils, mais il le fait à peu près comme l'âne de la fable imite le petit chien. Le lecteur moderne, même le moins pudibond, s'y sent blessé dès l'abord et le poivre jeté à pleines mains rend bientôt la souffrance intolérable. Roman à clefs, dit-on; en tout cas, document stupéfiant sur la perversité de l'époque, les *Bijoux* seraient depuis longtemps relégués dans l'enfer des bibliothèques, si de temps à autre d'alertes croquis de mœurs, de piquants jugements sur tel écrivain contemporain, une vive critique de la tragédie, dont Lessing, de son propre aveu, s'est inspiré pour sa *Dramaturgie,* n'en venaient rompre la stercoraire monotonie. Si les *Bijoux indiscrets* sont le produit d'un délire érotique, la *Religieuse,* elle, est une pure infamie. Ce petit jeu de société — de la société plus que libre qui fréquentait chez d'Holbach — tendait à mystifier M. de Croixmare, qui avait pris en main la cause d'une jeune fille, contrainte par sa mère à prononcer ses vœux, et qui multipliait les démarches pour libérer sa protégée. Les lettres dont se compose le roman étaient censées écrites par la religieuse malgré elle à son protecteur, dont elles entretenaient l'ardeur charitable. Certains épisodes et, çà et là, le ton y sont du plus abject anticléricalisme : c'est du Léo Taxil supérieur, et c'est le châtiment de Diderot que l'on puisse accoler son nom à celui de l'auteur des basses besognes que l'on sait. La polissonnerie, la scatologie même lient aussi cette invraisemblable macédoine qu'est *Jacques le Fataliste,* où l'on voit un valet déluré, intelligent et érudit raconter à un maître maniaque ses bonnes fortunes. C'est une kermesse d'idées ivres, où le bon, l'exquis, le sublime même s'enlacent au grossier et au saugrenu. On pardonne

toutefois à Diderot et son récit décousu et sa propension invincible
au détail ordurier pour ces deux joyaux qu'il y a glissés : l'émouvante
histoire de Mme de la Pommeraye — dont Victor Hugo s'est peut-
être souvenu dans *Ruy Blas* — et l'admirable couplet lyrique : « Le
premier serment que se firent deux êtres de chair... », que Musset a
repris dans le *Souvenir*.

On se tromperait toutefois en ne voyant dans tout cela que le
fruit d'une imagination lubrique, hantée de formes et d'attitudes
voluptueuses. Ces ouvrages nous présentent une des faces de la
morale de Diderot et mettent en œuvre l'un des principes fondamentaux de sa doctrine : la soumission à la nature. L'autre face
— la face altruiste — apparaît dans tel petit conte, comme les
Amis de Bourbonne par exemple, où Diderot exalte en termes émouvants, malgré quelque sensibilité déclamatoire, les beautés de l'amitié,
ou comme l'*Entretien d'un père avec ses enfants*, où il dresse d'une
inoubliable manière la haute et noble figure de son père, arbitre
scrupuleux d'un cas de conscience délicat.

Ces tendances opposées se heurtent avec une force inégale dans
le prodigieux *Neveu de Rameau*, qui est bien le chef-d'œuvre incontestable de Diderot. Jamais ses dons merveilleux de conteur, son
génie de peintre réaliste, sa verve de discussion ne se sont mieux
montrés que dans cette fantaisie haute en couleur qu'emporte un
mouvement trépidant. Diderot y note une conversation qu'il a eue
avec le neveu du grand musicien Rameau, bohème débridé et cynique,
dont il charge d'ailleurs le portrait pour les besoins de la cause.
Car, malgré le titre ue *Satire* qu'il donne à son œuvre, Diderot a un
autre dessein que celui de peindre le raté ou de fustiger les ennemis
des philosophes et telles personnalités en vue de l'époque. Il veut
être moraliste et, se dédoublant en quelque sorte, il entrechoque
les aspirations hostiles où se partage sa nature. Le neveu, avec ses
propos impudents sur les « idiotismes moraux », sur l'abandon
au tempérament, sur la richesse et la jouissance, uniques buts de
la vie, représente le Diderot théoricien naturiste et poète de l'instinct. Mais le fils du coutelier apparaît dans les tirades souvent
éloquentes sur la vertu, le travail, la charité, dans les objections,
les critiques, les remarques pleines d'un mépris apitoyé. On peut
regretter seulement qu'il n'ait pas fait la part plus grande à ces
protestations d'un cœur où survit malgré tout l'influence ancestrale,
et l'on peut y voir, plutôt qu'une conviction profonde, comme
un réflexe d'effroi devant tant de déchéance morale, aboutissement
d'une doctrine trop consciencieusement appliquée.

Le critique   Les préoccupations philosophiques et moralistes
d'art.   animent encore l'esthétique de Diderot et elles y
sont si accusées qu'elles en ont fait oublier à certains critiques les
très réels mérites.

On sait dans quelles circonstances Diderot fut amené à rédiger ses *Salons*. Depuis 1737, les expositions de peinture, jusque-là intermittentes, devinrent régulières. Elles se tenaient dans le salon carré du Louvre — d'où leur nom de *Salons* — et furent d'abord annuelles, puis, à partir de 1751, biennales. C'était un événement « bien parisien », et l'on conçoit que, devant leur succès, Grimm ait tenu à les signaler dans la *Correspondance littéraire* qu'il rédigeait mensuellement pour la duchesse de Saxe-Gotha. Il eut alors recours à Diderot, qui en donna le compte rendu de 1759 à 1781, exception faite des Salons de 1773, 1777 et 1779.

Le succès de ces *Salons* fut tel que l'on a attribué à Diderot l'honneur d'avoir créé la critique d'art. Sur ce point encore, il convient de ramener son originalité à de plus strictes limites. Sans remonter à Platon, Aristote, saint Augustin ou Plotin, ni même aux traités du P. Albertis et de Léonard de Vinci sur la peinture, on rencontre, à partir du XVIIe siècle, un grand nombre d'ouvrages où se trouvent exposés des théories du beau et des jugements sur les chefs-d'œuvre des arts plastiques. Le peintre Dufresnoy donne en 1667 son poème *De arte graphica*, dont la vogue n'est arrêtée que par le poème latin que compose sur le même sujet, en 1736, le Jésuite de Marsy. Ch. Perrault consacre un poème à la louange de Le Brun (*Sur la peinture*, 1668), auquel Molière réplique par sa *Gloire du dôme du Val-de-Grâce* (1669), où il célèbre Mignard, son ami et le rival de Le Brun. Félibien écrit un *Entretien sur les vies et les ouvrages des plus excellents peintres anciens et modernes* (1666), puis une *Description des divers ouvrages de peinture faits pour le Roi* (1671). H. Testelin codifie les *Sentiments des plus habiles peintres sur la pratique de la peinture et de la sculpture* (1680), etc. Le peintre Roger de Piles consacre plusieurs opuscules à son art (*Conversations sur la connaissance de la peinture*, 1677; *Dissertations sur les ouvrages des plus fameux peintres*, 1681; *Abrégé de la vie des peintres*, 1699). De 1667 à 1682, l'Académie royale de peinture et de sculpture donne des conférences mensuelles, où ses membres traitent à tour de rôle d'une question générale ou d'une œuvre particulière. Fénelon compose deux *Dialogues des morts*, où il met en parallèle Parrhasius et Poussin (LII), puis Léonard de Vinci et Poussin (LIII), et l'on sait quels rapprochements pleins de finesse et de goût il établit dans sa *Lettre à l'Académie* entre la poésie et la peinture. Ch. Perrault, dans sa lutte en faveur des modernes, est amené par les besoins de sa thèse à apprécier longuement l'œuvre des artistes anciens et modernes (*Parallèles*). Au XVIIIe siècle, la critique d'art comparée, déjà en germe dans Fénelon, se développe, en même temps que se fonde une science nouvelle, l'*esthétique*, qui doit son nom à l'allemand Baumgarten (*Aesthetica*, 1748-1750). Dubos écrit ses *Réflexions sur la poésie et la peinture* (1719), le P. André son *Essai sur le beau* (1741), l'abbé Batteux ses *Beaux-arts réduits à un même principe* (1747). A l'étranger, le pasteur suisse de Crousaz compose un *Traité sur le beau* (1724) et le philosophe irlandais Hutcheson ses *Recherches sur l'origine des idées de beauté et de vertu* (1725, trad. en 1749). Dans ses *Réflexions critiques sur les différentes écoles de peinture* (1750), le marquis d'Argens met en parallèle les peintres français avec ceux des diverses écoles (Raphaël et Le Sueur, Michel-Ange et Le Brun, Rubens et Lemoyne, Téniers et Watteau, etc.). Et, jaloux du succès du P. de Marsy, un autre Jésuite, le P. Doissin, écrit à son tour un poème latin à la gloire de la sculpture (1752).

Diderot s'engageait donc sur un terrain déjà largement exploré. Il a fait cependant une œuvre très originale, parce qu'elle est très personnelle. Il apportait à sa nouvelle tâche un goût très vif de l'art, des yeux neufs, une absence totale de parti pris, la conscience, la vivacité d'impression, la faculté de compréhension, qui étaient innées en lui, mais une ignorance complète de la technique. Grimm le mit en rapports avec des artistes : Greuze, Chardin, Falconet notamment, et c'est dans leur commerce que Diderot s'initia peu à peu aux procédés et au vocabulaire des arts dont il traitait.

Brunetière fait très peu de cas de la critique d'art de Diderot : il reproche à l'auteur des *Salons* d'avoir parlé de peinture en littérateur, donné trop d'importance au sujet, philosophé et moralisé à tort et à travers, négligé la technique. C'est là un jugement vrai en partie, mais trop sévère. L'importance que les peintres du XVIII⁰ siècle attachaient au sujet, la nécessité de décrire à ses correspondants les toiles exposées, afin de les bien renseigner pour un achat éventuel, imposaient à Diderot ces comptes rendus très détaillés, où d'ailleurs, je le concède, il s'est souvent complu à l'excès. Mais il est loin d'avoir négligé la technique. Quant au reproche de philosopher et de moraliser, il surprend un peu sous la plume de l'admirateur de Taine, dont la *Philosophie de l'art* porte un titre suffisamment éloquent, et chez l'ennemi fougueux de la doctrine de l'art pour l'art.

A les lire sans prévention, les *Salons* de Diderot présentent, comme toutes ses autres œuvres, du médiocre et de l'excellent, de la diffusion et des intuitions de génie. Le médiocre, ce sont les digressions et les confidences déplacées, l'étalage d'une personnalité envahissante, qui déborde en invectives, en effusions, en prosopopées : Diderot abuse du *moi* et du vocatif. L'excellent, c'est l'exposé précis des principes éternels de l'art, certains aperçus étonnants, qui anticipent sur l'avenir, la bonne foi du critique, la justesse de la plupart de ses jugements.

Diderot, on s'en doute, n'a pas la rigueur déductive d'un Taine. Il est possible cependant de réduire en un système assez cohérent les idées générales dont il s'inspire. Pour lui, l'art est une imitation de la nature. Il peut tout peindre, car la nature n'est jamais négligée :

Quel que soit le sujet qu'elle représente à nos yeux, à quelque distance
qu'il soit placé, sous quelque aspect qu'il soit aperçu, il est, comme il
doit être, le résultat des causes dont il a éprouvé les actions.

Cette imitation ne peut être réalisée qu'en renonçant aux pratiques de l'école, à l'étude du modèle qui singe gauchement la
nature, à l'académicien qui formule des « règles qui tuent ». Il faut
se placer en face du réel et, pour apprendre à le voir, imiter les
Anciens, qui en ont péniblement, par de longs essais, dégagé le beau
idéal. L'art en effet n'est pas et ne peut pas être une copie exacte
de la nature; il y entre toujours un peu de mensonge. Mais cette
part du mensonge doit être limitée par le *possible* et par le *vraisem-*
blable :

Le vrai de la nature est la base du vraisemblable de l'art.

C'est cette « latitude sur laquelle les artistes se dispersent » qui
crée la diversité des manières, laquelle tient à la race, au siècle, au
génie individuel. Elle est assez grande pour qu'y prennent place
les productions les plus opposées, le sublime comme le grotesque. Toutefois, il ne faut jamais verser dans l'extravagance, comme les
Chinois, qui « s'abandonnent au délire de l'imagination » et produisent des bizarreries offensantes pour le goût. Le grand artiste
réunit deux qualités éminentes : il sait regarder la nature, c'est-
à-dire découvrir l'enchaînement des parties, saisir les altérations
que produisent dans la figure humaine l'âge, la fonction, la condition, observer la loi des contrastes et des intérêts, autrement dit
opposer harmonieusement les sentiments et les passions; il sait rendre
la nature naïvement — entendez : avec force et fidélité. Et, s'il
est grand artiste, c'est qu'il porte en lui l'idée de la « belle nature » :

Image intellectuelle qui n'est d'aucun siècle et d'aucun pays (*et qui*)
n'existe nulle part que dans la tête de l'homme de génie.

C'est aussi qu'il est un très habile exécutant. Il n'ignore rien
des procédés de son art. Il sait dessiner, cerner d'une ligne souple
et fidèle les objets et les êtres, reproduire sans aucune faute les
formes et les attitudes. Il est aussi coloriste, joue en virtuose de
la lumière et des ombres, des dégradés, des nuances, des oppositions
et des rappels de tons. Il a la touche libre et fière; il use à l'occasion
des empâtements, des dissonances et des tons dissociés, que l'œil
fond harmonieusement ou recompose à distance.

A cette imagination qui transforme le réel en beau esthétique
ou qui crée des êtres hors nature, mais vraisemblables, à cette
« grande facilité de faire », il joint enfin le sentiment, la pensée,
l'enseignement. Par un détail habilement jeté, par un « accessoire »
suggestif, quand ce n'est point par le sujet même de sa toile, il
éveille les émotions qu'il éprouvait lui-même en peignant, provoque
d'utiles réflexions sur les grands intérêts humains.

C'est l'âme qui fait les sites tristes,

dit déjà Diderot avant Amiel. L'art en outre n'est point une « pure
activité de jeu », comme Schiller l'enseignera bientôt. Il a une
fonction morale : il doit contribuer à susciter les nobles sentiments,
à faire aimer la vertu.

On ne saurait nier la largeur de cette théorie : elle reprend en
somme et applique à l'œuvre plastique les idées de Boileau sur la
poésie : nécessité du génie, imitation de la nature totale, imitation
originale des Anciens, beau idéal, composition logique, technique
sûre, moralité. Mais elle s'inspire d'une philosophie différente. Si
vérité égale beauté, c'est en vertu cette fois du déterminisme universel; si le beau idéal existe, ce n'est pas une idée innée, mais une
lente élaboration, un produit de l'évolution, loi de ce monde; si
l'art doit être moral, ce n'est point par esprit religieux, mais par
devoir social. Cette théorie est en outre plus accueillante : elle
embrasse toutes les conceptions du beau, justifie les formes d'art
les plus opposées. Elle est enfin plus dégagée sur le terrain technique :
Diderot pressent déjà les audaces d'un Géricault, d'un Delacroix
et de l'impressionnisme.

Il est facile après cela d'imaginer à quels artistes vont les sévérités et les préférences du critique. Il condamne avec fougue les
simples copistes, les académistes, les peintres désordonnés, maniérés,
sensuels ou polissons. Bien qu'il admire sa virtuosité de facture, il
accable Boucher pour sa composition incohérente, l'invraisemblance
et le libertinage de ses sujets. Il met au premier rang les puissants
génies — Raphaël, Poussin, Le Sueur, Le Corrège, les Carra-
che (?), etc. — qui, dans de vastes toiles, ont pu librement déployer
leurs dons exceptionnels de créateurs, de penseurs et d'exécutants.
Il exalte Greuze, dont l'imagerie douceâtre ou grandiloquente émeut
la sensibilité et vise à l'édification. Il aime les réalistes et les colo-
ristes qui, par le sortilège de leur art, magnifient les objets, les
êtres, les gestes les plus humbles. Un peu réservé sur Rubens, qui
abuse de l'allégorie, il est enthousiaste de Téniers, de Rembrandt,
de Chardin, dont il fait ressortir — fort congrûment, ma foi ! —
l'exceptionnelle valeur. Il est plein d'admiration pour un Hubert
Robert ou un Joseph Vernet, dont les paysages inclinent à la
mélancolie. Bref, ses *Salons,* comme ses autres ouvrages, portent
le triple caractère prédicant, réaliste et lyrique.

L'écrivain.   On ne saurait admettre sans réserve l'opinion courante, suivant laquelle Diderot est un écrivain de
primesaut, un improvisateur, un journaliste merveilleusement doué.
Certes, la verve chaleureuse, le mouvement tumultueux, la ligne
sinueuse et nonchalante de l'exposé ou du récit donnent bien en
effet cette impression de spontanéité jaillissante. Certains veulent
y voir l'effet de l'imitation délibérée de Richardson et de Sterne.

Possible, mais en partie seulement. Le style de Diderot s'accorde avec ses principes, avec la pente naturelle de son génie. Pour lui, la création littéraire n'est qu'une forme particulière des créations de la nature, le produit d'un instinct fatal, qui veut se satisfaire, et c'est pourquoi il lui arrive de préférer « l'esquisse » au « tableau », parce qu'elle porte mieux marqués les caractères essentiels de la vie. Il est en outre et avant tout un causeur, qui poursuit dans ses œuvres les conversations passionnées auxquelles il aime à se livrer dans le train de l'existence. Je suis très frappé pour ma part de la facilité avec laquelle il recourt au dialogue. C'est là sans doute un procédé commode pour opposer les idées entre lesquelles il hésite plus ou moins. Mais c'est encore, et bien plus, le mouvement d'une tendance impérieuse. L'exposé didactique n'est pas son fait; il est incapable de créer une œuvre ayant une forte unité, un développement logique, d'harmonieuses proportions : privé du dialogue, il est réduit à la pensée détachée, à la saillie, à la formule.

Mais ce laisser-aller capricieux ne doit point donner le change. Il y entre beaucoup plus de calcul qu'on ne le croirait au premier abord. Diderot est un artiste : il sait, il proclame lui-même qu'il n'est point de grande œuvre sans « un certain tempérament de raison et d'enthousiasme, de jugement et de verve ». Aussi adopte-t-il une méthode de travail qui lui semble ménager équitablement la part « de la chaleur et de la sagesse, de l'ivresse et du sang-froid ». Il élabore avec lenteur, tourne et retourne longtemps ses idées, écrit d'un premier jet, laisse reposer un moment son travail, puis le récrit de nouveau tout d'une traite et se livre enfin au polissage et aux retouches. Les remaniements ne lui coûtent pas : il refait jusqu'à trois fois certains de ses ouvrages. Leur décousu n'est donc point dû à une rédaction hâtive, à la chaleur désordonnée de l'improvisation : il est le fruit d'une imagination ardente, qu'une raison lucide guide vers un effet voulu.

L'effet n'est pas toujours heureux. Il y a bien du fatras dans cette production intensive, bien des scories dans ce métal en fusion. Sa grasse jovialité se complaît trop dans les obscénités, les crudités, les polissonneries; sa verve est souvent canaille, son ironie souvent pesante. A l'opposite, son emphase, sa grandiloquence, sa sensiblerie larmoyante provoquent l'agacement ou le sourire. On est lassé par l'exubérance touffue des développements, les méandres d'une pensée qui vague et divague, les impropriétés, les termes obscurs. Cette œuvre mêlée est comme un défi à la mesure, à la netteté, à la savante variété prescrites par Boileau, et l'on serait tenté d'appliquer à Diderot les plus dures décisions du critique, si notre goût n'était plus large — ou moins pur — si çà et là surtout ne resplendissaient des beautés qui défieront le temps. Il arrive souvent à Diderot de « rencontrer l'expression », comme eût dit La Bruyère, de couler l'idée dans une forme aux contours nets et brillants qui lui donne éclat et densité. Son émotion ne se traduit pas toujours par la déclamation et le flux lacrymal : elle sait être sobrement éloquente, d'une sensibilité contenue. Incapable de bâtir un roman, Diderot excelle dans le conte et la nouvelle, et je ne songe pas ici aux *Amis de Bourbonne* qui me paraissent surfaits, mais à ces anecdotes si vivantes, à ces petits chefs-d'œuvre de narration, dont il a parsemé ses romans, ses essais philosophiques, sa *Correspondance*, modèles dont Mérimée reproduira les mérites. C'est l'homme des choses vues et vécues, un réaliste à l'œil vif, au crayon agile, qui note et rend au naturel les choses et les êtres, saisit les attitudes, décompose les gestes sur un rythme de cinéma : son *Neveu de Rameau* est en ce genre une étonnante merveille. Ce luxe et cette précision dans le détail pittoresque, ce pointillisme méticuleux sont une nouveauté dans l'art français, qui s'oppose à la sobriété de nos grands classiques et fait le pont entre La Bruyère et Balzac.

Unissant comme toujours les extrêmes, ce réaliste est aussi un lyrique. Ses dons innés sont encore développés par sa doctrine. Il y a en effet quelque chose de bien propre à stimuler l'imagination et le cœur dans cette conception énergétique du monde, dans cette vision d'un univers en transformation perpétuelle, mêlant à chaque seconde les jeux conjugués de la naissance et de la mort. C'est l'une des sources de la poésie de Lucrèce. Disciple du grand pessimiste latin, Diderot retrouve l'accent de son maître pour chanter l'écoulement des choses, l'inanité des rêves humains, l'enlacement tenace de la verdure et des ruines. Comme dans un contrepoint savant, son lyrisme unit les thèmes antagonistes de la fécondité et de la destruction; l'hymne et la mélopée y fusionnent. On connaît — mais comment se refuser le plaisir de le transcrire ? — l'admirable couplet de *Jacques le Fataliste* :

Le premier serment que se firent deux êtres de chair, ce fut au pied d'un rocher qui tombait en poussière; ils attestèrent de leur constance un ciel qui n'est pas un instant le même; tout passait en eux et autour d'eux, et ils croyaient leurs cœurs affranchis de vicissitudes. O enfants, toujours enfants !

Cet autre est presque aussi beau :

Tout s'anéantit, tout périt, tout passe. Il n'y a que le monde qui reste. Il n'y a que le temps qui dure. Qu'il est vieux, le monde ! Je marche entre deux éternités. Qu'est-ce que mon existence éphémère en comparaison de celle de ce rocher qui s'affaisse, de ce vallon qui se creuse, de cette forêt qui chancelle, de ces masses suspendues au-dessus de ma tête et qui s'ébranlent ? Je vois le marbre des tombeaux tomber en poussière; et je ne veux pas mourir. Et j'envie un faible tissu de fibres et de chair à une loi générale qui s'exécute sur le bronze. Un torrent entraîne les nations les unes sur les autres au fond d'un abîme commun; moi seul, je prétends m'arrêter sur le bord et fendre le flot qui coule à mes côtés.

Citons enfin ces quelques lignes qui résument les meilleures qualités de Diderot écrivain, où lyrisme et réalisme sont étroitement fondus et dont le tour elliptique, les répétitions, la magique harmonie ont déjà un charme tout moderne :

Un vent violent qui souffle. Un voyageur qui porte son petit bagage sur le dos et qui passe; une femme courbée sous le poids de son enfant enveloppé dans des guenilles et qui passe; des hommes à cheval qui conversent le nez sous leur manteau et qui passent. Tout passe, l'homme et la demeure de l'homme.

En vérité, quelque sévère qu'on doive être pour les inégalités de son talent, ne peut-on pardonner beaucoup à l'auteur de semblables cadences ?

Victorieuse des attaques de Brunetière et de Faguet, la renommée de Diderot brille de nos jours d'un vif éclat. On reconnaît maintenant le rôle important qu'il a tenu dans les domaines intellectuel, politique et social. On se plaît à le considérer comme le véritable chef des philosophes dans l'assaut livré aux idées et aux institutions de l'Ancien Régime. Il avait sur Voltaire — dont il ne faut pas pour autant restreindre l'influence — l'avantage d'être à Paris, au centre du combat, qu'il menait par la parole plus encore que par la plume. Les idées qu'il lançait dans le cercle restreint de ses amis y déterminaient comme des ondes, qui allaient s'amplifiant et gagnant sans cesse de nouvelles surfaces de l'opinion. Ses causeries doublaient l'effet des brochures impies qui s'envolaient de Ferney ou quittaient pesamment l'officine de d'Holbach. Vraiment il est le héraut de la bourgeoisie révolutionnaire, l'ancêtre du radicalisme maçonnisant. On aime en outre à voir en lui l'auteur le plus représentatif du xviii⁰ siècle. Rationalisme empirique et naturalisme mystique, curiosité encyclopédique, amour de la société et du luxe, culture du vice et culte de la vertu, libéralisme et despotisme du nombre, réalisme et lyrisme, classicisme et romantisme, ratiocination et pâmoison — toutes ces idées, tous ces courants, toutes ces tendances divergentes de l'époque luttent aussi dans la production du philosophe. Le chaos de son œuvre est celui des esprits; son style tumultueux a le rythme des passions qui alors se déchaînent. On lui fait gloire enfin de ses géniales anticipations. Quelques restrictions que l'on doive apporter — comme je l'ai fait — sur ce point, il est incontestable qu'il a donné forme ou naissance à nombre d'idées appelées au plus brillant succès. En biologie, en morale, en pédagogie, en littérature, il a semé les vues d'avenir.
Il écrivait à Grimm :

Le temps finit toujours par prendre mon goût et mon avis. Ne riez pas : c'est moi qui anticipe sur l'avenir et qui sais sa pensée. (3 déc. 1765.)

Il se montrait bon prophète : le xix⁰ siècle a contracté à son égard une lourde dette, qu'il n'a pas toujours reconnue.
On exagère toutefois, et la réhabilitation tourne à l'idolâtrie,

lorsqu'on le place au-dessus d'un Voltaire et d'un Rousseau. Certes, Diderot a des parties de grand écrivain : le trait, la couleur, le mouvement, la vie surtout. Mais que son œuvre est déconcertante ! Encombrée de fatras, souillée d'ordures, elle est morte pour une très large part. A peine le cinquième s'en laisse-t-il lire encore : les *Lettres*, les *Salons*, *Jacques*, le *Neveu* et la menuaille charmante des contes, des nouvelles, des entretiens, etc. Mais ces morceaux de choix ne donnent jamais la satisfaction sans mélange qu'ils semblent toujours promettre. Et je ne songe plus ici à la scatologie, à l'enflure, à la déclamation, dont Diderot n'a jamais pu se défaire. Ecrivain d'humeur et trop confiant dans la force créatrice, absorbé par la rédaction de l'*Encyclopédie*, il n'a jamais pu ou voulu s'imposer les « contraintes nécessaires », canaliser et régler son inspiration, être en un mot cet « ingénieur » dont parle Paul Valéry et qui, en disciplinant, en raffinant la source jaillissante des idées, des sensations et des sentiments, en multiplie le rendement de force et de lumière.

Cl. Larousse

Couronnement du Buste de VOLTAIRE
(1778)

CHAPITRE IV

I. — La fin de la vie de Voltaire (1759-1778).

Lorsqu'il publie *Candide* (1759), Voltaire est, depuis un an, propriétaire de Ferney et de Tournay. Ce n'est pas de son plein gré qu'il a renoncé à vivre aux Délices, où il comptait enfin trouver l'indépendance et le repos. A peine était-il installé dans cette résidence, qu'il y montrait une activité indiscrète : ses efforts pour convertir au théâtre la vieille cité calviniste, sa propagande philosophique lui avaient valu plus d'un démêlé avec les magistrats de Genève, soucieux de maintenir la pureté traditionnelle de la foi et des mœurs. Il a donc fait l'acquisition de Ferney, en France, mais près de la frontière, qu'il peut franchir aisément en cas d'alerte : il est à deux lieues de Genève, où il a son médecin, Tronchin, qui prend soin de sa vieillesse valétudinaire. Il abat le vieux château, en construit un autre sur ses propres plans, et, les aménagements terminés, il vient s'installer dans son nouveau domaine, qu'il ne quittera plus que pour venir triompher quelques mois et mourir à Paris.

A cette époque, il a soixante-six ans, il souffre de maux variés, de fluxions sur les yeux, notamment, qui le reprennent chaque hiver, et le rendent presque aveugle. Et cependant ni l'âge ni les infirmités ne tempèrent son ardeur agissante. C'est prodige de le voir mener de front les multiples tâches qu'il assume, dans son désir parfois malencontreux, mais toujours sincère, de « faire un peu de bien ».

Seigneur de village, il prend son titre et son rôle au sérieux. Il exige les honneurs dus à son rang, se fait encenser à l'église, s'adresse du haut de la chaire à ses vassaux. Pis que cela : pour « donner l'exemple », il s'approche des sacrements, et cette pitrerie sacrilège lui vaut les sévères et justes admonestations de l'évêque d'Annecy.

Il fait démolir l'ancienne église, qui gêne sa perspective, et en fait rebâtir une, au fronton de laquelle s'étale l'orgueilleuse inscription : *Deo erexit Voltaire.* Cela, ce sont les côtés mesquins ou bas du M. Jourdain qui a réalisé son rêve. Il en est d'autres, heureusement, qui lui valent l'estime. Ce paquet de nerfs a une sensibilité d'écorché. A vivre au contact des humbles, il en ressent la pénible condition, et cela d'autant plus fortement que sa faiblesse physique et son train de vie lui en exagèrent la dureté. Il se penche sur leurs misères et se fait conscience d'en alléger le fardeau. Il soutient un long procès pour leur obtenir une exemption de dîmes; il leur fournit de l'argent, du bétail, du matériel; il dote et marie, créant par tous les moyens de l'aisance et du bonheur. Il ranime l'agriculture, fonde des usines d'horlogerie et de soieries, fait venir de Suisse la main-d'œuvre manquante, sollicite les gens en place en faveur de Ferney, écrit à de hauts personnages des sortes de circulaires pour vanter ses produits, obtient ainsi de fructueuses commandes, qu'il lui arrive de temps à autre — c'est le cas pour Catherine II — de satisfaire au-delà des désirs exprimés, car il compte bien qu'on lui soldera le prix de la marchandise en surplus. On ne reconnaît plus Ferney : le coin de terre misérable, où végétaient quelques dizaines d'humains, est devenu une ruche laborieuse et prospère.

Sa bienfaisance ne se limite pas aux bornes de son canton. Il secourt toutes les infortunes qu'on lui signale. Sur un mot du poète Lebrun, il héberge chez lui la petite-nièce de Corneille, lui fait donner une bonne éducation et la marie à un capitaine de dragons, propriétaire du voisinage, M. Dupuits; elle reçoit en dot le produit d'une souscription aux œuvres de Pierre Corneille, qu'il édite, en les enrichissant d'un commentaire souvent hargneux et injuste. Son geste sans doute n'est point dénué d'ostentation et de malice : il est heureux de faire ce que n'a pas fait de son vivant Fontenelle, parent de la jeune fille et, comme tel, tout désigné pour lui venir en aide. Mais on ne peut que louer sa conduite à l'égard de La Harpe, qu'il héberge longtemps, qui le dessert, et à qui il ne garde pas rancune. Il se constitue « l'avocat des gens mal jugés », suivant le mot piquant d'A. de Musset. Il intervient en faveur du protestant Jean Calas, roué à Toulouse, sous l'inculpation d'avoir tué son fils qui voulait se faire catholique (1762) : après trois ans d'efforts, il emporte la réhabilitation du supplicié, — que certains, de nos jours, comme M. Huc et l'avocat Mᵉ H. Robert, estiment justement condamné. Il lui faut cinq ans pour faire rendre justice aux Sirven, protestants de Castres, qu'on accuse d'avoir donné la mort à leur fille convertie au catholicisme, mais qui, plus heureux que Calas, se sont réfugiés à Genève et sont condamnés par contumace (1766-1771). Il stigmatise les juges du chevalier de la Barre, décapité à Abbeville pour ses fanfaronnades impies (1766), ceux de l'infortuné Lally-Tollendal, dont la réhabilitation lui procurera sa joie suprême (26 mai 1778), ceux des époux Montbailly, roués et brûlés vifs à Saint-Omer pour un prétendu parricide (1772), etc. Il apporte à sa tâche de redresseur de torts une passion et une ténacité incroyables : c'est que la plupart de ces erreurs judiciaires sont moins pour lui l'effet de l'infirmité humaine que l'œuvre de l'intolérance, et, si ses victoires flattent sa vanité, elles ont encore plus de prix à ses yeux, comme signes du progrès des lumières.

Promouvoir la raison dans tous les domaines, voilà en effet le bien qu'il veut avant tout procurer à son siècle. Les vingt dernières années de sa vie ne sont qu'une lutte contre les « préjugés et les abus », lutte où il est à la fois chef et exécutant. De sa retraite de Ferney, il seconde de tout son pouvoir la campagne des philosophes, expose la tactique à suivre, stimule les courages. Il combat aussi, mais prudemment, visière baissée : il est payé pour avoir peur des coups; il craint en outre que son nom étalé sur un livre n'éveille des défiances et n'en restreigne la diffusion. En vain se cache-t-il sous d'amusants pseudonymes; en vain désavoue-t-il effrontément les œuvres dont il inonde la France : on ne se méprend point sur leur auteur; on reconnaît vite sa griffe dans ces tracts, ces brochures, ces pamphlets, ces traités qui servent, suivant l'humeur ou les besoins du moment, soit à répandre les bons principes, soit à écraser l'adversaire. Et c'est dans la curiosité amusée que paraissent entre autres et tour à tour le *Sermon des cinquante* (1762), le *Traité de la Tolérance* (1764), le *Discours aux Welches* (1765), l'*Examen de milord Bolingbroke* (1767), et le *Dictionnaire philosophique*, au début petit in-8° de soixante-treize articles, qui se gonfle peu à peu jusqu'à former huit volumes. Point de trêve dans la lutte qu'il mène. Les succès remportés galvanisent son ardeur; l'année même de sa mort, il écrit le *Système vraisemblable* et la *Prière du curé de Frêne*. Et, comme il sait qu'il n'est plus sûr moyen de ruiner une doctrine que d'en déconsidérer les tenants, il crible de traits ceux qui ont contre lui défendu la tradition. Il ironise, goguenarde, bouffonne, gambadant, bien qu'« un pied dans le cercueil », comme un personnage de la comédie italienne. Mais sa batte d'Arlequin vaut une massue, et, de ses coups bien assénés, il terrasse les Berthier, les Coger, les Nonotte, les Patouillet. Quand l'adversaire est de taille, il puise dans le sac richement fourni des mensonges et des injures : ses calomnies discréditent Fréron, qui est un rude jouteur et dont le nom seul lui arrache des cris de rage. Procédés odieux, que rachète, en partie au moins, sa passion sincère du progrès social. Il est l'animateur de la campagne de réformes. Il propose sans relâche mille améliorations de détail, que son esprit pratique lui suggère et qui doivent introduire dans les institutions et les mœurs plus de liberté, plus de justice et plus d'humanité.

A la passion du bien il joint aussi le souci du beau, et le philosophe n'étouffe pas complètement en lui le littérateur. Sans doute fait-il servir le plus souvent le roman, la satire, l'épître, le poème, le drame, l'histoire à la propagande des idées et à la satisfaction de ses haines : l'*Homme aux quarante écus*, le *Pauvre diable*, l'*Epître à Boileau*, la *Guerre civile de Genève*, l'*Ecossaise*, les *Guèbres*, l'*Histoire du Parlement de Paris*, pour borner là l'énumération, en sont autant d'exemples. Mais il lui arrive de s'abstraire de ces vues pratiques et de faire, si l'on peut dire, de l'art pour l'art. Le théâtre surtout est l'objet de son culte désintéressé. A côté de tragédies d'actualité, il en charpente et en rime consciencieusement plusieurs, d'où tout dessein polémique est banni : le *Triumvirat, Sophonisbe,* les *Pélopides.* Peu importe que le « tripot » (c'est ainsi qu'il désigne le Théâtre-Français) lui fasse grise mine : il continue, pour le plaisir.

Sa merveilleuse vitalité suffit encore à d'autres tâches. Il administre de près sa fortune, digne d'un traitant, gagnée dans les « partis » et la brocante : il laissera à Mme Denis près de 100.000 livres de rente, 600.000 francs d'argent comptant et d'effets, plus la terre de Ferney, qui sera vendue 180.000 livres. Il s'ingère dans les dissensions qui travaillent Genève et tente de réconcilier les partis aux prises. Il écrit ou dicte en se jouant une vaste correspondance, la perle de son œuvre. Aidé de sa nièce, Mme Denis, il joue au châtelain fastueux, tient table ouverte, reçoit les hôtes les plus divers, du prince allemand ou russe à l'aventurier, héberge des gens de lettres. Il donne des représentations dramatiques, où il tient un rôle, tant que l'âge le lui permet. C'est dans cette fièvre d'action qu'il vieillit, roi de l'opinion, patriarche de la philosophie, pontife de la Contre-Eglise, car il lance ses encycliques et fulmine ses anathèmes.

Un regret toutefois le point : il invective contre les Welches, mais qu'il serait heureux de vivre parmi eux et de remplir ses fonctions de gentilhomme de la chambre ! Tous les hommages qui affluent vers lui, il les donnerait pour une rebuffade de Sa Majesté. A maintes reprises, il sonde son « héros », le maréchal de Richelieu, pour savoir si son vœu a chance d'être exaucé. Il y doit renoncer, tant que règne Louis XV — à qui d'ailleurs il ne garde pas rancune. Il attend même quatre ans que le nouveau monarque lui permette de revenir à Paris, mais, dès qu'il le peut, malgré l'âge, malgré la faiblesse, malgré l'hiver, il s'empresse d'accourir. On connaît les faits que la gravure, les Mémoires, mille ouvrages ont popularisés : les haltes triomphales du voyage (février 1778), l'installation chez M. de Villette, rue de Beaune, les défilés de visiteurs, l'empressement du peuple à voir « l'homme aux Calas », la théâtrale bénédiction donnée au petit-fils de Franklin, la réception pompeuse et grotesque à la Loge des *Neuf Sœurs*, et la sixième représentation d'*Irène*, qui prend l'aspect d'une véritable apothéose (30 mars).

C'est trop de fatigues et d'émotions à la fois. Déjà Voltaire, à son arrivée, a été pris d'un crachement de sang, et, dans la crainte d'être traité « comme un chien » après sa mort, s'il ne se réconcilie pas avec l'Eglise, il a accueilli le prêtre, signé une rétractation — assez vague — tout en sauvant la face, du côté des frères, par une déclaration écrite, où il affirme sa foi en Dieu et sa haine de la superstition. Ce n'a été qu'un mauvais moment. A peine remis, sourd aux conseils de Tronchin, qui le presse de repartir, il négocie l'achat d'une maison, dans le quartier de Richelieu, où il se propose de passer huit mois, les quatre autres étant réservés à Ferney. Mais il a trop surmené sa machine et il s'alite, le 11 mai, pour ne plus se relever. Il meurt, le 30 du même mois, sur les onze heures du soir. Les circonstances de sa mort restent controversées : l'abbé Gaultier vint, accompagné du curé de Saint-Sulpice, pour confesser le mourant, et il rapporte qu'ils n'auraient obtenu de lui que des paroles incohérentes. Grimm, La Harpe et d'Alembert prétendent qu'il les aurait repoussés en leur disant : « Laissez-moi mourir en paix ! » Il était huit heures, quand les deux prêtres quittèrent la rue de Beaune. Que s'est-il passé dans les trois heures qui ont précédé la fin ? D'après les philosophes, Voltaire se serait éteint doucement et tranquillement. Ses adversaires l'ont peint mourant dans des transports de rage, au milieu de scènes atroces. Sans prétendre à trancher le débat, on peut admettre que les probabilités sont en faveur de ces derniers : Tronchin leur fait écho dans sa lettre célèbre au pasteur Bossart, et d'Alembert lui-même reconnaît que Voltaire « parut regretter la vie ». La litote laisse rêveur.

Le clergé refusant l'inhumation en terre sainte, le corps du philosophe fut rapidement embaumé, et, sans être mis en bière, revêtu d'une robe de chambre, installé dans un carrosse à six chevaux et transporté à l'abbaye de Seillières, dont l'abbé Mignot, neveu du défunt, était abbé commendataire. C'est là qu'il reposa jusqu'au 9 mai 1791, date où le décret de l'Assemblée Constituante lui ouvrir les portes de l'église Sainte-Geneviève désaffectée et devenue *Panthéon*.

Mme Denis hérita l'énorme fortune après laquelle elle soupirait depuis longtemps et vendit Ferney au marquis de Villette (9 janvier 1779). Six ans après, celui-ci se défit du château (18 avril 1785), qui eut pour acquéreur J.-L. de Budé, citoyen de Genève, désireux de rentrer en possession d'une terre, bien de lointains ancêtres.

Son caractère.   On se plaît à voir dans Voltaire le représentant du génie français ou, comme le dit poétiquement Lamartine, la « médaille du pays ». Il y a du vrai dans ce jugement, mais il appelle aussi de sérieux correctifs. Voltaire, c'est certain, possède à un degré éminent quelques-uns des traits caractéristiques de notre peuple. Il en a l'insatiable curiosité intellectuelle, le goût de la raison et des idées claires, l'esprit frondeur, le penchant à railler ce qui le dépasse, l'envie niveleuse, le curieux mélange de

vanité nationale et de tendance à se déprécier, l'ingéniosité, la
goguenardise et le primesaut, la bonté de cœur, le culte de la justice, l'humanité. Mais il lui manque certaines des qualités — et ce
sont les meilleures — qu'on nous reconnaît généralement. C'est
un nerveux qui vibre exagérément et passe sans cesse la mesure.
Ses succès mondains le grisent et son impertinence lui attire avanie
sur avanie, ou bien, dans ses rapports avec les grands, lui, si délicat pourtant sur les synonymes, confond politesse et flatterie, respect
et platitude : rien de plus pénible que ses flagorneries à Richelieu;
devant Frédéric, ses clefs de chambellan lui courbent trop l'échine.
Il ne tolère ni supériorité, ni critique, rabaisse ses grands rivaux,
écrase qui ne l'admire pas « comme une brute ». Sa réelle générosité n'est ni totale ni toujours spontanée. Point de pitié ni même
de justice pour les suppôts de l'infâme; il les blesse, les abat, les
piétine avec une frénésie allègre : c'est la danse du scalp d'un
Huron gorgé d'eau-de-feu. A la source de ses bonnes œuvres on
décèle trop souvent l'ostentation, l'humilité pharisaïque, le syba-
ritisme égoïste; il mime la charité, fait le bien contre quelqu'un,
soulage parce qu'il peine à voir souffrir. Point de mouvement ins-
tinctif, mais une prudence avisée : il hésite avant d'intervenir pour
Calas et Mlle Corneille, et c'est le calcul qui déclenche l'enthousiasme. Il fait des largesses voyantes, mais discute à longueur de
journée pour le prix d'un méchant couteau, Jourdain et Harpagon
tour à tour. Il n'est pas brave : il ment, dément, renie ses ouvrages
pour prévenir d'hypothétiques ennuis. Il manque au plus haut point
de dignité : mauvais copiste de Marot, il tâche, en pleurant, de
faire rire, mais il tombe trop souvent dans une affligeante pitrerie; il exagère la gauloiserie, use avec excès des détails répugnants,
des termes orduriers. Enfin, dans ce jeu de fibres sans cesse tendues
et sonores, une seule reste à peu près atone, la fibre patriotique :
s'il s'émeut — de rares fois — aux désastres de nos armes, il se
gausse plutôt de nos pertes et de nos embarras, vilipende les *Welches*,
se proclame Suisse, écrit à Frédéric, après Rosbach, une lettre qui
le marque d'une honte ineffaçable. Un tel homme, la médaille du
pays ? Peut-être; mais alors bien écornée et rongée de vert-de-gris.

II. — LE PHILOSOPHE.

Caractères   L'œuvre de Voltaire porte trois caractères très
de l'œuvre   nets. Elle est d'abord universelle. Confiant dans la
de Voltaire.   merveilleuse souplesse de son esprit, mais présu-
mant trop de ses forces, Voltaire cultive tout le domaine de la
littérature : de la poésie légère à l'épopée, de la facétie au traité
métaphysique, il n'est pas de genre où il ne se soit exercé. L'ode
même, « qui veut du feu », tente son froid génie, et — surprise,
si rien pouvait étonner de lui ! — il compose pour un abbé dans

l'embarras un *Eloge de saint Louis*, qui sera débité dans la chapelle de Versailles. En second lieu, cette œuvre est intellectualiste : c'est celle d'un écrivain, chez qui la raison domine, habile au maniement des idées, mais froid à l'imaginer et, le registre de la colère excepté, de sensibilité assez calme. Enfin cette œuvre est pratique. Voltaire écrit pour agir, dans le double dessein de détruire les idées et les institutions qui le choquent et pour en prôner d'autres, dont il escompte « l'affranchissement » des esprits, l'amélioration de la société et des mœurs. Très rares sont les ouvrages où ne se glisse point quelque intention de polémique ou d'apostolat, et c'est pourquoi toute étude de Voltaire doit commencer par l'exposé de ses principes.

Ses œuvres philo- sophiques. Voltaire n'est point l'homme des gros traités : il doute de leur efficacité et croit obtenir plus de résultats par l'article, la brochure, le pamphlet. Sa philosophie est donc éparse dans une multitude d'écrits de toute nature et de tout style; l'essentiel en est contenu dans les *Lettres philosophiques* (1734), le *Traité de métaphysique* (1734), le *Traité de la tolérance* (1763) et surtout le *Dictionnaire philosophique* et ses annexes, qui forment en quelque sorte la *Somme* du voltairianisme.

Il faut dire quelques mots de ce dernier ouvrage, qui représente, avec les *Remarques sur Pascal*, retravaillées pendant cinquante ans, le dernier état de la pensée du philosophe sur les grands problèmes humains. Voltaire, comme on l'a vu, avait salué avec enthousiasme l'apparition de l'*Encyclopédie* et lui avait apporté une collaboration empressée. Il écrivit ainsi 43 articles de définition, de littérature, de philosophie, au besoin recourant à des travaux antérieurs (*Dictionnaire de Trévoux*, *Dictionnaire* de Moréri, *Synonymes français* de l'abbé Girard, *Histoire Romaine* et *Histoire Grecque* de Rollin, historiens modernes, archéologues, archivistes), ou bien utilisant la vaste documentation qu'il avait réunie pour son *Essai sur les mœurs*. Quand l'*Encyclopédie* fut supprimée, il offrit à Diderot de venir la continuer à Clèves ou à Lausanne. Le refus de ses suggestions lui causa quelque amertume et, comme d'Alembert, il se retira de l'entreprise. Au surplus, il ne croyait pas à la possibilité de la continuer efficacement en France et les dimensions de l'œuvre lui inspiraient une confiance mitigée dans son efficacité : il préférait les livres « portatifs » et peu coûteux, d'un maniement et d'une diffusion plus faciles. Il était outré aussi de la sérénité avec laquelle Diderot insérait les platitudes d'un Cahuzac, les puérilités et lieux communs d'un Desmarais ou le « galimatias » conformiste du théologien Yvon, et il ne se souciait pas de voir sa prose plus longtemps mêlée à celle de semblables tâcherons. Il eut alors l'idée de rédiger un dictionnaire, où il mènerait, pour son compte et à sa manière, la lutte interrompue : ce fut le *Dictionnaire philosophique portatif,* in-octavo de 344 pages, contenant 73 articles (1764). Sans cesse remanié et augmenté, il devint, en 1769, sous le titre de *la Raison par alphabet,* un ouvrage en deux volumes in-8°, de 384 et 343 pages, comprenant 118 articles; l'année suivante, une nouvelle édition portait le titre définitif, *Dictionnaire philosophique.* Cette même année 1770, Voltaire commençait la publication des *Questions sur l'Encyclopédie,* qu'il poursuivait pendant deux ans : elles font corps avec le *Dictionnaire philosophique,* de même que les *Mélanges* et *Nouveaux Mélanges,* qui renferment de très nombreux fragments de métaphysique et de morale.

1° *Ses idées métaphysiques.*

On a trop tendance à ne considérer dans Voltaire que l'ennemi de l'infâme et le pourfendeur des abus de son temps. C'est là certes la partie la plus bruyante de son rôle, mais à la tirer ainsi en lumière, on rejette injustement dans l'ombre les causes qui l'expliquent. Cette attitude pratique se fonde sur une métaphysique. Comme Diderot, Voltaire a été hanté par les hautes questions : Dieu, l'âme, la destinée, et il les a débattues jusqu'à son dernier souffle. Sa vie intellectuelle est un long drame, où sont aux prises un cœur épris de la lumière et un esprit qui la fuit. Bien que le mot *humilité* revienne sans cesse sous sa plume, Voltaire a l'orgueil de la raison, qu'il rapetisse d'ailleurs trop souvent au court bon sens; il rejette tout ce qui la heurte, et il erre, ballotté par un scepticisme anxieux, sur l'océan du mystère, attendant la « révélation » que l'Eglise prétend déjà mensongèrement posséder. Ces fluctuations d'une pensée inquiète ont inspiré à Faguet sa spirituelle boutade : *un chaos d'idées claires.* Le mot est joli, mais un peu injuste : il est au moins deux points sur lesquels Voltaire n'a jamais varié, l'existence de Dieu et les conclusions pratiques que l'on doit tirer de cette croyance.

Ses contradictions tiennent à deux causes. Les systèmes lui répugnent : il n'a pas assez de railleries contre tous ceux, métaphysiciens ou naturalistes, qui édifient de vastes synthèses et prétendent, à l'aide de principes invérifiés, reconstruire un monde dont la complexité échappe à l'unification. D'autre part, il est, comme tous les « frères », partisan de la double doctrine : il ajoute, pour la masse, aux conclusions que personnellement il adopte, des affirmations supplémentaires, qui ne sont pas toujours d'accord ni avec sa méthode, ni avec ses convictions.

A tout prendre, Voltaire est relativiste et agnostique. Toute connaissance nous vient des sens. L'esprit humain ne peut dépasser le phénoménal, atteindre l'être en soi. Il doit reconnaître ses bornes, ne point se lancer, à la suite de Descartes, en des spéculations hasardeuses, mais imiter les sages Anglais, Locke et Newton, s'en tenir au donné de l'expérience, et s'interdire toute recherche sur les objets qui la dépassent, laisser à Dieu « le règne des idées pures et des essences des choses », qu'Il s'est réservé.

Dieu. Mais ignorer n'est pas nier; c'est même donner aux affirmations, étayées de preuves sensibles, une force irréfragable. Voltaire affirme partout et toujours sa foi en Dieu, qu'il fonde métaphysiquement sur deux arguments tirés des faits : la contingence du monde et les causes finales. Tel que Newton le décrit expérimentalement, le monde n'a pas ce caractère de nécessité que lui imprime la conception cartésienne. Descartes en effet pose le plein absolu et tend ainsi à rendre la matière nécessairement existante : un pas de plus, et elle se substituera à Dieu. Ce pas, il ne l'a pas fait, mais Spinoza, son « disciple très égaré », est venu, qui n'a plus admis « d'autre Dieu que l'immensité des choses ». Newton, en prouvant l'existence du vide, a montré que la matière n'est pas nécessaire en soi et que le monde postule l'intervention d'un Dieu, libre créateur de toutes choses. Cet argument, on doit l'ajouter, a perdu parfois de sa valeur aux yeux de Voltaire, qui semble pencher lui-même vers le spinozisme. Mais son horreur de l'athéisme l'arrache au vertige, et il n'en proclame qu'avec plus de ferveur sa croyance en Dieu : si la création est un mystère, inclinons-nous, et que la foi supplée à la raison.

Les causes finales, en revanche, lui ont toujours paru un argument invincible. Cela peut paraître surprenant au lecteur de *Candide*, qui se rappelle le passage narquois où Pangloss parle gravement des nez « faits pour porter des lunettes » et des « jambes visiblement instituées pour être chaussées ». Mais ces plaisanteries portent sur l'abus ridicule que l'on fait de l'argument, et non sur l'argument lui-même. Le monde n'est pas un pur mécanisme, une série gratuite de causes et d'effets. « L'ordre qui est dans l'univers... la fin à laquelle chaque chose paraît se rapporter » révèlent des « desseins variés à l'infini », l'exécution d'un plan par un architecte ordonnateur :

> Quant à moi, plus j'y rêve et moins je puis songer
> Que cette horloge marche et n'ait pas d'horloger.

Cette finalité, Voltaire n'a jamais cessé de l'exposer et de la défendre. Des matérialistes comme Maupertuis et Diderot, se fondant sur le calcul des combinaisons, opposent que notre monde n'est qu'une combinaison heureuse parmi l'infinité des combinaisons qui ont pu se produire. Voltaire leur rétorque que le hasard ne saurait combiner des particules matérielles produisant des êtres intelligents : il y a là deux ordres de faits irréductibles; le nombre des chances est en faveur d'une Intelligence animatrice de l'univers. Tout ce qu'il concède, c'est que la finalité est plus ou moins apparente : il y a des effets immédiats produits par les causes finales, et des effets en très grand nombre, qui sont des produits éloignés de ces causes. (*Dict. Phil., Causes finales*, section III.)

Dieu donc existe, mais il faut se garder d'en vouloir préciser la nature et les attributs. Voltaire se refuse ici à suivre Newton, qui couronne sa physique d'une théologie. Dieu est inconnaissable; pour pouvoir en discuter, il nous faudrait pénétrer l'essence absolue des choses, et cela est interdit à notre infirmité. L'agnosticisme est la seule attitude logique pour qui ne se paie pas de mots.

C'est aussi la seule qui convienne devant le terrible problème du mal, qui semble accuser Dieu et amène trop de gens à nier son existence. On a vu, au volume précédent, comment Voltaire, optimiste dans sa jeunesse, avait été conduit au pessimisme. Plus il vieillit, plus l'expérience et la réflexion le convainquent que le monde est mauvais. Mais il ne veut pas renoncer aux certitudes que lui fournit la raison, appuyée sur les faits. Le mal est un désordre : comment le concilier avec l'harmonie universelle ? Bayle soutient que rationnellement, et si l'on écarte la révélation, on doit admettre l'existence de deux principes, l'un bon, l'autre mauvais, éternellement aux prises. Mais ce manichéisme offense la raison, qu'il prétend satisfaire : deux principes nécessaires ne se sauraient concevoir. L'optimisme de Leibniz présente d'autres difficultés : il est démenti par la vie; il est fondé sur un *a priori* indémontrable; il risque de développer une résignation fataliste et d'entraver ainsi le progrès humain. Le mieux est donc, ici encore, d'avouer son ignorance et de laisser la solution à Dieu.

L'âme.   Agnostique en théodicée, Voltaire l'est encore en ce qui touche le problème de l'âme. Non qu'il la tienne pour matérielle. Il souligne bien, dans les *Lettres Anglaises*, l'opinion de Locke, d'après laquelle Dieu a pu donner à la matière la faculté de penser. Mais il ne s'y rallie pas pour autant; il veut simplement montrer que, du point de vue rationnel, la matérialité de l'âme est aussi acceptable que sa spiritualité. De même, dans le *Dictionnaire philosophique*, il rappelle malignement « toutes les extravagances que cette pauvre âme humaine a imaginées sur elle-même »; il énumère les témoignages qui en contredisent la spiritualité et l'immortalité. Mais c'est là encore un artifice de méthode, pour aboutir à une nouvelle profession d'humilité :

Nous ne pouvons connaître à fond ni l'être étendu, ni l'être pensant, ou le mécanisme de la pensée. » (Art. *Ame.*)

Un Dieu et une âme également inconnaissables, tel est l'aboutissement de la spéculation voltairienne. Mais priver Dieu d'attributs et l'âme d'immortalité entraînerait de fâcheuses conséquences sur le terrain pratique. Un philosophe peut à la rigueur n'obéir qu'à la raison; mais les puissants, mais la masse que meuvent leurs passions, feraient de cette terre un coupe-gorge, s'ils ne craignaient point le jugement d'outre-tombe. Pour les nécessités de la vie sociale, Voltaire restitue donc à Dieu ses attributs traditionnels. Il en fait de nouveau le garant de la liberté humaine et la source de la loi morale, il lui redonne son rôle de juge rémunérateur et vengeur, et cela ne peut se comprendre sans la croyance en une autre vie :

> Si Dieu n'existait pas, il faudrait l'inventer.
> Que le sage l'annonce, et que les rois le craignent.
> Rois, si vous m'opprimez, si vos grandeurs dédaignent
> Les pleurs de l'innocent que vous faites couler,
> Mon vengeur est au ciel; apprenez à trembler.
> (*Epître à l'auteur du livre des Trois imposteurs.*)

Aux approches de la mort, Voltaire semble s'être rallié à l'idée d'une âme immortelle : du moins l'*Histoire de Jenni,* qui contient tant de chapitres contre l'athéisme, rend un son qui le donne à croire. Réflexion ? Ou simple réflexe d'un être à la vitalité débordante, qui ne peut se résigner au néant ?

Un Dieu-architecte, qui ordonne le monde à des fins précises, un Dieu-gendarme, qui préserve de l'éventration les individus et les coffres-forts, voilà, dira-t-on, une conception bien utilitaire de la Divinité. Sans doute, mais ce pragmatisme se rehausse d'un sentiment vraiment religieux. Dieu n'est pas seulement postulé par son intelligence et son goût de l'ordre social : il arrive à Voltaire d'en sentir la présence. Une anecdote — un peu théâtrale — le dépeint allant, à l'aube, contempler le lever du soleil, tombant à genoux et fondant en larmes devant la splendeur du spectacle. La nuit étoilée lui inspire une semblable émotion :

> La nuit était venue; elle était belle; l'atmosphère était une voûte d'azur transparent, semée d'étoiles d'or : ce spectacle touche toujours les hommes et leur inspire une douce rêverie... Parouba se mit à genoux, et dit : « Les cieux annoncent Dieu. » (*Histoire de Jenni,* VII.)

> Je méditais cette nuit; j'étais absorbé dans la contemplation de la nature; j'admirais l'immensité, le cours, les rapports de ces globes infinis que le vulgaire ne sait pas admirer. J'admirais encore plus l'intelligence qui présida à ces vastes ressorts. (*Dict. Phil.,* art. *Religion.*)

Le raisonnement, comme on le voit, succède vite au frémissement mystique. Mais peut-on nier qu'à de certains moments, si fugitifs qu'ils soient, Voltaire ait pris contact avec le divin ?

Mieux encore. Le Christ, qu'il outrage si souvent de la plus vile manière, lui inspire, une fois au moins, une respectueuse pitié — assortie, il est vrai, des attaques contre le clergé et les pratiques religieuses, rituelles en quelque sorte chez ce grand-prêtre du déisme. Mais il est juste de signaler ce fugitif éclair de sensibilité presque orthodoxe. (*Dictionnaire philosophique,* art. *Religion,* Section I.)

Sa polémique   Ces exigences de l'esprit, ce pragmatisme, cette
religieuse.   propension à l'émoi religieux expliquent la violence que Voltaire apporte à défendre ses idées. Toute sa vie il y
poursuit de ses attaques l'athéisme et la superstition, « les deux
pôles d'un univers de confusion et d'horreur ». Spinoza, Maupertuis, d'Holbach sont l'objet de sarcastiques réfutations, parce que
leur athéisme ruine la croyance « la plus utile au genre humain »,
et qu'un Etat sans Dieu, contrairement à ce qu'affirme Bayle, est
pour Voltaire une monstruosité. Mais c'est au fanatisme qu'il assène
les coups les plus durs, comme étant le plus dangereux. L'athéisme
en effet ne groupe qu'un petit nombre de penseurs; il se fonde sur
la raison et les faits (mal interprétés, il est vrai); il ne persécute
pas. Le fanatisme est partout répandu, foule aux pieds l'évidence,
ensanglante la terre. Cette conviction le révolte déjà de colère et
d'horreur. Mais d'autres sentiments inspirent sa polémique anti-
chrétienne. Il éprouve un dépit douloureux à voir la tranquillité
que la foi procure et qu'il ne connaîtra pas. Il est le chef d'une
secte, il mène une lutte théologique, et l'on sait l'âpreté que revêtent
les hostilités de ce genre. Sans doute, il en veut à l'Eglise de son
pouvoir sur les âmes, des lisières qu'elle met au vagabondage de
l'esprit, de la rudesse de ses répressions, mais ce qui surtout l'exas-
père, c'est qu'elle prétend posséder la révélation que pour sa part
il attend encore. Il est furieux de cette prérogative, et son effort
le plus rude vise à en ruiner les titres déposés dans l'Ecriture et
dans l'histoire.

Sa critique est autant, sinon plus, érudite que dogmatique. Il multiplie les ouvrages contre les livres saints, contre la tradition, contre
la Papauté — tel un colégataire accusant de faux un héritier favorisé. Tout en étoffant son *Dictionnaire philosophique* ou son *Essai
sur les mœurs*, il compose les *Dialogues chrétiens* (1760), l'*Extrait
des sentiments de Jean Meslier* (1761), le *Sermon des cinquante*
(1762), le *Catéchisme de l'honnête homme* (1763), les *Questions
sur les miracles* (1765), les *Questions de Zapata*, l'*Examen de milord
Bolingbroke*, le *Dîner du comte de Boulainvilliers* (1767), le *Pyrrhonisme de l'histoire* et le *Cri des nations* (1769), les *Fragments
historiques sur l'Inde* (1773), les *Lettres chinoises, indiennes et tar-
tares* et la *Bible enfin expliquée* (1779), l'*Histoire de l'établissement
du christianisme* (1771), etc. Authenticité des textes sacrés, antiquité de la Bible et du peuple hébreu, pertinence des prophéties,
historicité du Christ et de ses miracles, primauté de Rome, droits
du Saint-Siège, il soulève tous les problèmes, sape tout ce sur quoi
se fondent historiquement et la religion et la suprématie des papes.

Que vaut cette critique ? Voltaire, c'est certain, possède une
large information. Il connaît à fond les deux *Testaments*, les *Actes
des apôtres*, l'*Apocalypse*, qu'il cite abondamment, les *Evangiles
apocryphes* dont il donne une collection (1769), le *Talmud*. Il a lu

les Pères de l'Eglise, les théologiens, historiens et apologistes du christianisme. Il s'est assimilé Bayle, Spinoza, les déistes et libres-penseurs anglais : Locke et son *Christianisme raisonnable*, Toland et son *Christianisme sans mystères*, Tindal et son *Christianisme aussi vieux que le monde*, Woolston et ses *Discours sur les miracles de J.-C.*, Bolingbroke et ses *Lettres sur l'histoire*, Chubb, Whiston, Shaftesbury, Whittey, etc. Il est à l'affût de tout ce qui se publie sur l'Egypte, la Chine et l'Inde, qu'il tient pour les initiatrices des Hébreux. Son enquête sur les « usurpations » des papes ras-semble les pièces les plus nombreuses et les plus diverses. — Sa méthode annonce celle de l'exégèse rationaliste : négation du mys-tère et du miracle, culte du fait tangible, découpage tendancieux du réel, rapprochements aventureux. Sa recherche n'est pas libre, mais dirigée par l'opinion préformée, le désir de prouver à tout prix. Il se contorsionne même à défendre des opinions ridicules qui font douter de son sérieux. Aussi, à côté d'heureuses intuitions, est-il trop facile de relever chez lui des erreurs, des bévues, des balourdises. Il ajoute, supprime, falsifie, force la note, paraphrase, commente, altère et dénature avec une sorte de jouissance éhontée. Un siècle plus tard, Renan lui-même reconnaît l'insuffisance de sa critique; Strauss ne lui accorde d'autre originalité que la forme. Il est indéniable que, jamais avant lui, on n'avait apporté autant de persiflage désinvolte à l'étude d'aussi graves questions. Mais, si l'on goûte encore le piquant de certaines de ses saillies, on ne peut qu'être très sévère pour l'excessive grossièreté de son irrévérence dans trop de passages, et pour sa bouffonnerie blasphématoire, qui découragent jusqu'à ses plus chauds partisans.

2° *Ses idées morales.*

Devoirs envers Dieu. La morale de Voltaire découle de sa métaphysique et de son pragmatisme. Dieu, Créateur et Pro-vidence, a droit au culte de sa créature, sur laquelle il veille. Com-ment rendre ce culte ? Dans sa réfutation de d'Holbach, Voltaire admet l'institution d'un clergé, ayant pour mission « de rendre des actions de grâces à la Divinité au nom des autres citoyens » :

Un bon prêtre (*ajoute-t-il*), doux, pieux, sans superstition, charitable, tolérant, est un homme qu'on doit chérir et respecter. Vous craignez l'abus, moi aussi. Unissons-nous pour le prévenir; mais ne condamnons pas l'usage, quand il est utile à la société. (Art. *Dieu*, section V.)

Pour sa part, il ne s'embarrasse pas de rites et son culte se réduit à un acte personnel d'adoration. Ce mot d'adoration et ceux de la même famille reviennent si souvent sous sa plume qu'il semblerait avoir fait de sa vie une incessante prière.

Morale   Mais l'adoration ne doit pas être purement ver-
sociale.   bale. Aux effusions jaillies du cœur doit se joindre
la pratique de la vertu, et par ce terme Voltaire entend uniquement
les vertus sociales. La meilleure manière d'honorer Dieu est de
reproduire, dans la mesure de notre faiblesse, les qualités qu'il possède au degré suprême et dont il a déposé le germe dans nos âmes.

Car la morale ne varie pas de pays à pays, comme le prétend
Locke, abusé par les récits des voyageurs ou les interprétant mal.
Elle est universelle, et ses prescriptions sont gravées chez tous les
hommes par Dieu lui-même. (*Le philosophe ignorant;* art. *Du juste
et de l'injuste*, etc.) Toute justice et toute bonté, Dieu veut que
nous soyons justes et bienfaisants :

> Il (le théiste) croit que la religion ne consiste ni dans les opinions
> d'une métaphysique inintelligible, ni dans de vains appareils, mais dans
> l'adoration et dans la justice. Faire le bien, voilà son culte; être soumis
> à Dieu, voilà sa doctrine. (Art. *Théisme.*)

> C'est peu d'être équitable, il faut rendre service. (*Poème de la loi
> naturelle.*)

> Croyez à un Dieu bon et soyez bons,

tel est le précepte par lequel le respectable Freind conclut une
longue discussion sur l'athéisme dans l'*Histoire de Jenni* (X). Faire
le bien, on sait ce que cela signifie pour Voltaire. C'est aimer son
prochain, le soulager dans la misère, dissiper ou tout au moins respecter son égarement. Adoration du Créateur, justice, humanité,
tolérance, voilà les devoirs de l'homme envers Dieu et envers le
prochain, tels que les enseigne la religion naturelle, « la plus ancienne
et la plus étendue » de toutes, et, à ce double titre, présentant les
meilleurs caractères de la vérité. (Art. *Religion.*)

Morale   Sur le chapitre des devoirs envers soi-même, Vol-
individuelle.   taire est assez bref et laisse le sensualisme reprendre
quelques-uns de ses droits. Sa morale individuelle manque d'élévation.
On aurait tort cependant de la confondre avec celle de d'Holbach
ou d'Helvétius. Il proteste contre le premier, qui fait à l'homme un
devoir d'aimer la vie, si la vie le rend heureux :

> Quand il serait vrai qu'un homme ne pourrait être vertueux sans
> souffrir, il faudrait l'encourager à l'être. La proposition de l'auteur
> serait visiblement la ruine de la société. (Art. *Dieu*, section V.)

Dans sa vertueuse indignation, il frise même l'ascétisme :

> N'est-il pas prouvé par l'expérience que la satisfaction d'avoir dompté
> ses vices est cent fois plus grande que le plaisir d'y avoir succombé :
> plaisir toujours empoisonné, plaisir qui mène au malheur ? On acquiert,
> en domptant ses vices, la tranquillité, le témoignage consolant de sa
> conscience; on perd, en s'y livrant, son repos, sa santé; on risque
> tout. (*Ibid.*)

Cet ascétisme, comme on le voit, est tout relatif et mêlé d'égoïsme calculateur. Voltaire reste fidèle aux principes qu'exposaient ses *Discours sur l'homme*. Nous les rappelons brièvement. L'homme possède la liberté, qui est « la santé de l'âme », mais, en vertu de cette liberté même, il lui faut se gouverner. Créé pour le bonheur, il doit se livrer sans remords au plaisir, car le plaisir vient de Dieu. Il ne faut pas écouter les « rêveurs fanatiques », pour qui Dieu est un juge sévère et sinistre et qui pensent le désarmer par leur austérité et leurs mortifications. Dieu est « un roi plus doux », un roi indulgent. Cependant il importe de garder la mesure, sans quoi, adieu le bonheur :

> Usez, n'abusez point, le sage ainsi l'ordonne;
> Je fuis également Epictète et Pétrone :
> L'abstinence ou l'excès ne fit jamais d'heureux.

Ainsi donc nul souci d'enrichissement intérieur, de perfectionnement moral, mais une économie avisée des passions, un abandon surveillé à la nature, bref, une sagesse d'épicurien couronné de roses, auxquelles on enlève avec soin leurs épines.

3° *Ses idées politiques et sociales.*

Pour Voltaire plus que pour quiconque, la politique ressortit à la morale. Ses idées théoriques sur le régime et sur la législation ont pour bases « un petit nombre de principes invariables », que « la nature établit partout ». Mais sa haine des systèmes le détourne d'échafauder une doctrine logique. Au surplus, il a trop de sens historique pour ne point reconnaître les diversités nécessaires, et trop de sens pratique pour conseiller une subversion totale des institutions. Cette opposition engendre un manque de netteté, qui permet à chacun d'interpréter la pensée de Voltaire à sa guise, et l'on ne s'étonne pas de le voir pris tantôt pour un réactionnaire, tantôt pour un précurseur de la mystique démocratique.

Principes généraux. Tous les hommes sont égaux; ni la naissance ni l'hérédité ne sauraient conférer de privilèges. Tous doivent jouir des droits imprescriptibles qu'ils tiennent de la nature : droit de disposer de leur personne, droit de penser ce qui leur plaît sur toutes les matières, droit de communiquer leur pensée par le livre ou par l'enseignement, droit de posséder.

Le Gouvernement. Le meilleur gouvernement

semble être celui où toutes les conditions sont également protégées par les lois. (*Pensées sur l'administration publique.*)

Quel est ce meilleur gouvernement ? C'est ce que Voltaire ne dit p'as avec une précision suffisante. Il repousse, cela va de soi, le despotisme, ou plutôt il soutient contre Montesquieu, avec quelque apparence de raison, que le despotisme pur n'existe pas et que l'autorité du Grand Turc est limitée par le *Coran*. Un gouvernement populaire lui semble préférable au pouvoir d'un tyran; il est même le plus tolérable — car il n'y en a pas de parfait —

parce que c'est celui qui rapproche le plus les hommes de l'égalité naturelle.

Egalité d'ailleurs strictement civile, car l'égalité politique serait une iniquité :

Ceux qui n'ont ni terrain ni maison dans cette société doivent-ils y avoir leur voix ? Ils n'en ont pas plus le droit qu'un commis payé par des marchands n'en aurait à régler leur commerce; mais ils peuvent être associés, soit pour avoir rendu des services, soit pour avoir payé leur association. (*Idées républicaines*.)

Ce qui signifie, si j'interprète bien ces mots un peu sibyllins, que seule la propriété foncière, le mérite, l'argent habilitent à prendre part aux affaires : Voltaire s'est toujours défié et détourné avec mépris de la multitude ignorante et pauvre. Le régime républicain, poursuit-il, a le double mérite de n'être ni tyrannique ni cruel. Mais

il ne semble convenir qu'à un tout petit pays, encore faut-il qu'il soit heureusement situé,

et la discorde qui y règne, « comme dans un couvent de moines », nuit à sa force (art. *Démocratie*). L'oligarchie, qui exerce « le despotisme à la faveur des lois corrompues par lui », est pire que la tyrannie d'un seul, car

un despote a toujours quelques bons moments; une assemblée de despotes n'en a jamais.

Il admire la constitution anglaise et la législation anglaise :

Il est à croire qu'une constitution qui a réglé les droits du roi, des nobles et du peuple et dans laquelle chacun trouve sa sûreté, durera autant que les choses humaines peuvent durer...
J'ose dire que, si on assemblait le genre humain pour faire des lois, c'est ainsi qu'on les ferait pour sa sûreté. (Art. *Gouvernements*.)

Mais, à l'encontre de bon nombre de ses contemporains, il ne croit point cette constitution viable en France :

Les cocos mûrissent aux Indes et ne réussissent point à Rome.

Tout compte fait, et autant qu'on peut saisir sa pensée fuyante, Voltaire est monarchiste :

Un véritablement bon roi est le plus beau présent que le ciel puisse faire à la terre. (*Commentaire sur l'Esprit des lois.*)

Il a le culte de Henri IV, de Louis XIV; il est sincèrement attaché à Louis XV; il accueille Louis XVI avec transport et, aux Anglais « qui reprochent aux Français de servir leurs maîtres gaiement », il fait cette réponse chaude de gratitude émue :

Il est très naturel d'aimer une maison qui règne depuis près de huit cents années. Plusieurs étrangers et même des Anglais sont venus s'établir en France, uniquement pour y vivre heureux. (*Pensées sur l'administration publique.*)

L'absolutisme n'a rien en soi qui l'effraie. Il l'accepterait même volontiers, si le roi absolu pliait à l'obéissance le clergé usurpateur. Deux choses pourtant le choquent : le règne des commis et le bellicisme des rois. Si vigilant soit-il, un roi ne peut tout surveiller, et les subalternes en profitent pour exercer leur tyrannie. Il tend aussi à élargir son royaume par les armes. Or la guerre est un attentat à la fraternité humaine, une source d'horreurs et de ruine. D'injustice aussi, car la conquête fait passer sous l'autorité d'un monarque une province « qui n'a nulle envie d'être gouvernée par lui », et qui vainement proteste que

pour donner des lois aux gens, il faut avoir au moins leur consentement. (Art. *Guerre.*)

Voilà Voltaire partisan du principe des nationalités. Il l'est aussi de la « course aux armements » : il condamne la guerre préventive qu'admettait Montesquieu et prétend l'éviter par un équilibre des forces capable de décourager toute agression. Il a enfin sur la patrie des idées, dont certaines ont fait fortune. La patrie, pour lui, est liée à la propriété : qui n'a rien n'a pas de patrie. D'ailleurs cette notion de patrie est assez artificielle : de grands personnages — le duc de Guise, La Balue, Mazarin, etc. — ont été des apatrides, et pour beaucoup la patrie est partout où l'on se trouve bien. Le patriotisme est dangereux, parce qu'il nourrit souvent la haine de l'étranger; sa forme la meilleure consiste à ne pas nourrir d'ambition pour son pays, à être « citoyen de l'univers ».

Aperçus   Voltaire n'a fait qu'effleurer les questions sociales.
sociaux.   Il faut beaucoup de bonne volonté pour le tirer au socialisme, sous prétexte qu'il a écrit : « Le fruit de mon travail doit être à moi », et qu'il a lancé quelques boutades sur le collectivisme des fourmis et des castors (art. *Lois*). Pas plus que l'égalité politique, il ne demande l'égalité sociale. Il insiste au contraire sur le besoin, pour une société, d'avoir « des hommes utiles qui ne possèdent rien du tout » (art. *Egalité*), sur les inégalités naturelles, sur la nécessité du luxe, qui fait vivre les pauvres. Il ne pose pas la

question ouvrière et tient pour dogme la loi de l'offre et de la demande; il la tempère toutefois par l'exigence du «minimum vital», et il exempte les travailleurs de l'impôt.

4° Ses idées de réforme.

Son loyalisme sentimental à l'égard de la monarchie ne l'empêche point de critiquer ce qui, dans le gouvernement de l'époque, heurte ses passions ou son esprit de justice. Il réclame des réformes.

Rapports de l'Eglise et de l'Etat. La première, la plus importante à ses yeux, vise les rapports de la monarchie et de l'Eglise. Voltaire est le type de l'anticlérical forcené, en proie à l'idée fixe. Il veut « écraser l'infâme », c'est-à-dire la religion catholique. Il ajuste sa tactique à son but et s'acharne à ruiner la puissance et le prestige de l'Eglise, dans l'espoir, hélas ! trop justifié, qu'à un abaissement du clergé correspondra une diminution de la foi. Il emploie à ce dessein ses armes favorites, le sarcasme, l'injure, le mensonge, tout l'arsenal de la plus basse littérature anticléricale. Réguliers et séculiers sont également l'objet de ses attaques venimeuses. La haine l'emporte au point qu'il en oublie la reconnaissance et l'humanité : on souffre à lire les plaisanteries macabres de cet élève du P. Porée sur le malheureux jésuite Malagrida, brûlé vif au Portugal. Il dogmatise aussi, exigeant la suprématie du pouvoir civil, la subordination des ecclésiastiques au gouvernement, le paiement proportionnel de l'impôt par le clergé, la surveillance de ses biens, le rabaissement des prêtres au rang de fonctionnaires salariés dont le recrutement doit être sévèrement limité. En compensation, il reconnaît la prééminence du catholicisme, qui sera religion d'Etat, mais les autres religions seront tolérées, les protestants jouiront des droits civils, les juifs seront traités comme des étrangers domiciliés, des *métèques*. Il laisse à l'Eglise l'enseignement de la religion et de la morale, mais le pouvoir conserve en cette matière un droit de regard. Ainsi bridé, le clergé « séditieux et fanatique » perdra ses moyens de nuire, et l'Etat, délivré d'une tutelle dégradante, procurera aux citoyens le plus grand des biens, la paix religieuse.

La justice. Après le problème clérical, c'est sur la réforme de la justice que se fixe surtout l'attention du philosophe. Les Parlements ont partie liée avec l'Eglise dans l'oppression de la pensée libre : les combattre, c'est encore lutter contre l'infâme. D'ailleurs la justice est aussi mal organisée que possible. La vénalité des charges est un privilège abusif, qui doit être aboli. Il faut en outre diminuer les frais et les lenteurs de la procédure, réaliser l'unité de la législation qui varie suivant les provinces, réorganiser la justice criminelle, lui enlever la connaissance des délits religieux, proportionner la peine à la faute, ne recourir qu'exceptionnellement aux galères et à la mort, sauvegarder les droits de la défense, supprimer la torture et les procédures secrètes, motiver les arrêts. La haine pour les Parlements et pour leur besogne atroce et absurde est si vivace chez Voltaire que, seul dans le camp philosophique, il applaudira bruyamment à leur suppression.

L'administration. Bien d'autres sujets sollicitent encore le zèle réformateur de l'écrivain; il n'est même aucun point de l'administration qu'il n'ait voulu modifier, dans un esprit de justice et d'humanité. Il critique le régime financier, demande la suppression des fermes, la proportionnalité de l'impôt, l'exemption fiscale des pauvres, l'abolition des dîmes et des droits féodaux, la liberté de l'agriculture, du commerce et de l'industrie. Il transfère à l'Etat la charge de l'assistance publique, que le clergé assume alors, réclame l'amélioration de ses services, réalisable par la perception du droit des pauvres sur les spectacles et par l'utilisation des biens disponibles du clergé. Il exige une stricte gestion des deniers publics, proteste contre les gaspillages de la cour et veut que les impôts servent seulement à assurer les fonctions de l'Etat, qui doit maintenir l'ordre, défendre le pays, financer les travaux d'utilité publique.

C'est par ce réalisme pratique et non par d'ambitieuses théories, auxquelles il a toujours répugné, que Voltaire représente l'idée de progrès. Il n'affirme pas, comme Chastellux et Turgot, l'existence d'un progrès fatal, encore bien moins indéfini. Certes il ne mésestime pas les acquisitions de la science, et il espère en elle pour transformer les conditions matérielles de la vie. Mais son pessimisme foncier le rend assez sceptique sur une amélioration radicale de l'humanité. Il pense cependant qu'un bon gouvernement, animé des sentiments de liberté, d'égalité et d'humanité, peut beaucoup dans ce sens, et c'est pour en avancer la venue que, vingt années durant, il a infatigablement bataillé.

Conclusion. Il est difficile de porter un jugement équitable sur Voltaire philosophe, tant il attire et repousse tout ensemble. Essayons-le pourtant. Une quête incessante et pathétique de la vérité, une obsession constante du divin, de brefs éclairs de religiosité, un sentiment très vif, sinon très juste, de la dignité de l'homme, le désir inlassable d'améliorer sa condition, voilà pour l'actif — et c'est quelque chose. Mais le passif est chargé. Voltaire méconnaît la vraie nature de la religion, ferme les yeux aux beautés de la théologie, aux splendeurs du culte, aux services éminents de l'Eglise, ravale bassement le clergé, se déshonore par d'infâmes procédés de polémique.

En dépit, ou même à cause de ces déficiences, son action a été et reste encore profonde. De son temps, il règne sur une large fraction de l'esprit public. Il peut même croire un moment que ses idées triomphent, avec Turgot. Le renvoi du ministre le déçoit, et sa déception est d'autant plus vive qu'il voit en Europe la « raison » l'emporter — même dans des royaumes catholiques — en Prusse, en Autriche, en Espagne, au Portugal. Mais il n'en conserve pas moins l'espoir que « les jeunes gens verront de grandes choses ». Et, de fait, il meurt, dix ans se passent, et c'est la Révolution. On s'est demandé comment il l'eût accueillie. On s'est plu à croire qu'il aurait applaudi aux réformes, et, comme Morellet, comme Raynal, réprouvé les excès. Je n'en suis pas aussi sûr. Il eût certes gémi qu'on dénaturait ses intentions, mais prudemment, entre intimes : l'insulteur de Malagrida eût ricané aux déportations, aux guillotinades, aux « mariages républicains ». Mais l'homme sensible, je m'empresse de l'ajouter, eût sauvé le plus de suspects possible, comme Sylvain Maréchal.

Quoi qu'il en soit, les résultats de son œuvre ont dépassé ses prévisions, et, s'il pouvait les voir, il en serait à la fois ravi et atterré. Ce qui le réjouirait, c'est la liberté du citoyen mieux assurée, l'impôt mieux réparti, la condition des humbles relevée, les essais d'entente universelle, l'Eglise déchue et pauvre, le recrutement du clergé partiellement tari. Il aimerait moins d'autres conséquences, pourtant logiques, des principes qu'il a posés ou jetés en se jouant, le « déniaisement » de la « racaille », le despotisme de l'Etat, la démocratie niveleuse, les conflits idéologiques, les « guerres d'enfer ».

III. — L'HOMME DE LETTRES.

Voltaire est homme de lettres autant que philosophe. De l'homme de lettres il a la passion de son métier, le goût des discussions techniques, l'ombrageuse vanité. Tel est son amour pour la chose littéraire que l'ardeur de la propagande ne l'en détourne jamais : il se délasse du *Traité de la tolérance* en écrivant son *Commentaire sur Corneille*, il écrit pêle-mêle pamphlets, facéties, tragédies, contes, épîtres et satires. Non content d'être le « coryphée du déisme », il brigue, comme le souligne malicieusement Fréron, le « sceptre des belles-lettres ». Et il entend régner sur un vaste empire : il n'est point de canton du domaine littéraire, si humble soit-il, qu'il n'ait voulu se soumettre; il confisque Saint-Marin et l'Andorre. Ses prétentions étaient trop vastes, et il a très inégalement réussi. Mais Diderot a eu tort de prononcer son mot méchant : « Voltaire est le second dans tous les genres. » Il en est où il occupe le tout premier rang; il en est aussi où il ne mérite pas la place que la boutade lui assigne : de l'édifice immense qu'il a construit, de larges pans se sont écroulés.

1° *Les principes d'art et le goût de Voltaire.*

Le déchet est sensible surtout en poésie et, fait notable, ce sont les œuvres sur lesquelles il comptait le plus pour éterniser son nom, qui sont tombées dans l'oubli : épopée, tragédies, poèmes philosophiques ne sont plus guère lus que des professionnels, tandis que les *Satires*, les *Epîtres*, et les petits vers enchantent encore un large public. Bien des raisons expliquent cette méprise de l'écrivain : son ambition d'être universel, la méconnaissance de son véritable talent, mais surtout ses principes d'art et son goût.

Relativisme et dogmatisme. L'esthétique de Voltaire présente le même mélange de relativisme et de dogmatisme que sa philosophie. Son relativisme se résume en deux propositions. La perfection absolue n'existe pas : l'homme, borné, peut s'approcher du beau idéal, le frôler d'un élan intuitif, mais non s'y installer; le Pococurante de *Candide*, si délicat sur les chefs-d'œuvre, exprime cette conviction de l'écrivain. D'autre part le beau, le *to kalon*, comme il dit plaisamment, est tributaire des temps et des lieux :

Le beau est très souvent relatif, comme ce qui est décent au Japon est indécent à Rome et ce qui est de mode à Paris ne l'est pas à Pékin. (*Dict. phil.*, Art. *Beau.*)

Cette influence des climats se double de l'action de l'histoire : il y a des beautés contestables qui plaisent dans leur temps.

Voltaire toutefois ne tire pas les conséquences dernières de ce principe : il est, en art, un audacieux timide. Alors que le relativisme aboutit à la négation d'un bon goût issu de la raison universelle, il continue à professer qu'il existe un bon goût :

On dit qu'il ne faut pas discuter des goûts, et on a raison quand il n'est question que de goût sensuel. Il n'en est pas de même dans les arts : comme ils ont des beautés réelles, il y a un bon goût qui les discerne et un mauvais goût qui les ignore. (*Ibid.*, Art. *Goût.*)

Et voici comment se définit ce bon goût :

C'est un discernement prompt, qui prévient la réflexion, sensible et voluptueux à l'égard du bon, rejetant le mauvais avec soulèvement, capable de démêler les différentes nuances. (*Ibid.*)

La définition est assez vague, et il reste à fixer ce qui est bon, ce qui est mauvais et les nuances qui les séparent, en d'autres termes, à donner un canon de la beauté. Or le *to kalon* est essentiellement variable et il n'existe point de signes universels auxquels le reconnaître. Le dogmatisme théorique de Voltaire aboutit donc en pratique au relativisme; son esthétique relève de son goût, qui est celui de ses contemporains.

Principes   Voltaire n'a pas codifié ses principes littéraires en
littéraires.   un ouvrage de pure technique, analogue à l'*Art
poétique* de Boileau. Il les a semés, à l'occasion, dans une multitude
d'écrits, dont les principaux sont le *Temple du Goût*, le *Commentaire sur Corneille* et le *Dictionnaire philosophique*, pour ne rien
dire de sa *Correspondance*, dont un bon nombre de lettres forment
de véritables petits traités de littérature, de grammaire ou de style.
En voici le résumé :

La poésie est éminemment supérieure à la prose, mais il n'existe
entre elles aucune différence de nature : preuve en est que, pour
bien apprécier le mérite des vers, il convient de les mettre en prose.
La poésie est faite pour instruire et pour plaire : « Elle est l'ornement de la raison. » Elle enseigne aux hommes, tout en les charmant, des vérités utiles. Elle est peinture, mais principalement
harmonie :

La poésie est la musique de l'âme, et surtout des âmes grandes et
sensibles.

La grande poésie requiert l'enthousiasme, mais « un enthousiasme
raisonnable », qui unit à la sage ordonnance du dessin l'ardeur de
l'imagination et du sentiment, et qui bannit toute concision obscure,
tout hermétisme : la clarté en est la qualité primordiale. La beauté
réside dans le naturel : préciosité et burlesque lui sont également
étrangers. Les genres ne doivent pas se confondre. Chacun a un
style propre : aux grands poèmes sont réservés la pompe, le mouvement, l'éloquence, l'emploi des figures, des périphrases, des termes
nobles; les petits doivent éviter la familiarité et la bassesse, se plier
à une simplicité aimable, qu'une légère fantaisie anime et colore
ou qu'assaisonne une piquante ingéniosité. Mais, quoi que l'on
écrive, le style doit être exact, c'est-à-dire approprié à son objet,
et sobre :

Le secret d'ennuyer est celui de tout dire. (*Discours sur l'homme*, VI.)

La langue a pour qualités essentielles la correction et la pureté.
Le vers est indispensable, et c'est folie de le condamner, comme
La Motte et Fénelon, car « il n'y a point de poème en prose ». La
contrainte métrique donne d'ailleurs du relief et du nerf à la pensée,
et la rime est un adjuvant inestimable pour notre langue monotone :

La rime seule ne fait ni le mérite du poème, ni le plaisir du lecteur...
Une harmonie chantante... naît de cette mesure difficile.

Nous sommes loin de l'imprécision suggestive et de l'incantation verlainiennes, comme de l'effusion mystique de l'abbé Brémond. Rien de plus « impur » que cette poésie, où la raison domine,
où l'éloquence dresse droit son cou. Cette doctrine sage et ration-

nelle aurait souri à Boileau, qui pourtant aurait regretté l'absence
de ces « mystères de la poésie », dont il parle dans une lettre à
Brossette. Elle eût ravi Fénelon, qui aurait pardonné la pointe lan-
cée au *Télémaque* et la défense de la rime, en faveur des préceptes
sur « la belle nature » et sur le beau simple et naturel.

Le goût   Et cependant Voltaire n'est pas un pur classique. Il
de Voltaire.   vient après la *Querelle des Anciens et des Moder-*
nes : il ne croit plus à un type absolu de beauté et s'intéresse, ne
serait-ce qu'en passant et avec bien des répugnances, à des formes
d'art que le XVIIᵉ siècle a ignorées ou méprisées : il trouve des
choses fortes et sublimes dans le théâtre espagnol, que Boileau exécute en deux vers; son dégoût pour Shakespeare ne le rend pas insensible aux beautés du grand Will. Il n'éprouve plus pour les Anciens
le respect dévotieux que leur témoignait le Grand Siècle : dès
Œdipe, il s'égaie aux dépens de Sophocle, et il crible de nasardes
gamines Homère, Aristophane et Pindare, « premier violon du roi
de Sicile ». En revanche, l'éducation reçue chez les Jésuites, pour
qui le grand art est fait de régularité élégante et d'ornements pla-
qués, rend son goût plus étroit et plus difficile. Il tolère bien sans
doute certaines incorrections, certaines hardiesses de tours, à condition toutefois que ces dérogations soient rares et se justifient par la
force du sentiment. Il apprécie sainement les écrivains et trouve,
pour les caractériser, des formules denses et pittoresques. Mais trop
souvent aussi sa critique, faussée déjà par l'envie, se fait mesquine
et tatillonne. Sans parler de Crébillon, qui reçoit de lui des leçons
de langue et de style, Montesquieu, Buffon, Jean-Jacques Rousseau
sont tour à tour l'objet de ses commentaires chicaniers. Les grands
maîtres eux-mêmes n'échappent pas à sa férule : son amour pour
la correction dégénère en purisme, et il reproche à Corneille, à
Molière, à La Fontaine, à Bossuet des expressions en usage de leur
temps ou des hardiesses que nous admirons.

Il se ressent enfin de l'époque où il vit, de la société où il fréquente. Enfant d'un siècle rationaliste et au premier chef antipoétique, il fait de la raison, non plus la surveillante des écarts possibles, mais l'inspiratrice de toute poésie. Idole d'une élite brillante,
il soumet l'art aux mille servitudes du bon ton, réduit la bienséance aux convenances mondaines, enseigne la poésie comme les
maîtres de danse le maintien. Il mue la tradition en routine, la
complique de prescriptions nouvelles. Il se souvient toujours du
Temple et de Sceaux, de ces soupers fort libres, où l'esprit mousse
avec le champagne; il amenuise l'art et le réduit à l'impertinence
fringante, au piquant, au joli.

S'il vise à la grandeur et à la noblesse, il n'atteint trop souvent
que la pompe emphatique ou la froideur compassée. Les qualités
qu'il préconise, les préférences qu'il marque mettent encore en

lumière l'intime accord qui l'unit à son siècle. Il place au premier rang la correction, la clarté, la distinction aisée, le charme vif, l'ingéniosité spirituelle. Il aime Racine pour sa régularité, son naturel, son élégance. Il prise chez Fénelon la limpidité, la facilité et le nombre. Il s'engoue de l'Arioste, dont la gaieté bouffonne se pare de grâce voluptueuse. Il goûte dans Horace le mélange si heureusement dosé de spontanéité et de calcul, de sentiment discret et de malicieuse raison.

Et c'est ainsi que Voltaire, qui prétend continuer le classicisme, contribue à le ruiner. Son rationalisme, son amour du style noble et de la langue châtiée, son fétichisme des règles provoqueront la réaction romantique; son relativisme, ses curiosités d'esprit et ses timides audaces fourniront aux novateurs les éléments principaux de leur doctrine.

2° Le poète épique.

Voltaire poète s'est exercé dans trois grands genres : la tragédie, le poème philosophique, et l'épopée. Il est en outre l'auteur de deux poèmes à prétention héroï-comique, d'Odes, de Satires, d'Epîtres, et de Poésies légères.

Renvoyant au chapitre du théâtre l'étude de ses tragédies, nous ne traiterons ici que des autres aspects de son activité poétique.

Sous le titre de la Henriade, Voltaire a composé un poème épique en dix chants, où il célèbre la conquête de la France par Henri IV. C'est à Voltaire lui-même, venu le consulter sur son intention d'écrire ce poème, que M. de Malézieu lança, pour l'en dissuader, la boutade fameuse et juste en son temps : « Les Français n'ont pas la tête épique. » Ni Voltaire, ni le siècle ne le crurent; en quoi ils eurent tort, car, depuis cent ans, la postérité a bien rabattu de l'enthousiasme qui salua l'apparition du poème.

Les trois attitudes s'expliquent fort bien. Présomptueux comme la jeunesse, Voltaire n'a pas consulté son talent et ses forces. Très vaniteux, il a ambitionné de doter la France du poème par excellence, l'épopée, rêve de nos auteurs depuis la Renaissance, objet de tentatives constamment avortées, de Ronsard à Chapelain, à Scudéry et au Père Lemoyne. Après avoir égalé et même — il le croyait, du moins — surpassé Sophocle avec son Œdipe, il a voulu se hausser au rang d'Homère et de Virgile. — On comprend facilement aussi l'accueil chaleureux que la Henriade reçut à l'époque. La matière, la forme, l'esprit du poème, tout était bien de nature à charmer les contemporains. Par réaction contre Louis XIV, Henri IV était fort populaire, et l'on aimait à entendre louer sa bravoure, sa modération, sa bonté. Formés aux disciplines classiques, les lecteurs retrouvaient avec plaisir, ingénieusement mis en œuvre, tous les procédés de composition et de style que leurs maîtres leur

avaient appris à admirer. La *Henriade* est un poème scolaire, écrit,
comme on l'a dit, par un brillant élève de rhétorique, possédant ses
auteurs sur le bout du doigt et tournant le vers avec habileté.
Voltaire applique le précepte d'Horace, et suit l'exemple de Virgile;
il jette le lecteur *in medias res* et se sert du récit rétrospectif pour
faire connaître les débuts de l'action. Il varie le récit et la scène,
use de tous les ornements consacrés : tempête, songes, histoire
d'amour, comparaisons, allégories, etc. Son style est élégant et net,
volontiers épigrammatique, et proportionne la chaleur aux exigences intellectuelles du temps. Voltaire flatte enfin les tendances
antireligieuses de son époque : son poème n'est qu'une habile invitation à la tolérance, et l'aspect de son héros sur lequel il insiste est
celui du politique humain et avisé, qui promulgua l'Edit de Nantes.

D'où vient qu'on ne lit plus guère la *Henriade* qu'avec un respectueux ennui ? De son caractère hybride ? Il est certain qu'elle est
plus près de la *Pharsale* que de l'*Enéide* et que, si Voltaire a justement banni les merveilleux païen et chrétien de faits aussi récents,
il a eu tort de recourir à l'artifice de l'allégorie : qui songerait pourtant à reprocher à Hugo d'avoir fait planer la Déroute sur « la
fuite des géants » ? De ses intentions satiriques, déplacées dans une
épopée ? Mais il y a de la philosophie, voire du scepticisme, dans
Virgile, et je ne sache pas que le *Fragment du livre primitif*, la *Rose
de l'Infante* ou les *Pensées du Momotombo* soient exempts de tout
dessein polémique.

Les raisons sont autres, et les voici, à mon sens. Il y a des erreurs
historiques. Non que je reproche à Voltaire d'avoir commis quelques anachronismes : le poète peut se permettre de décentes libertés, et l'on sait que la vérité de l'art, ainsi que le dit Vigny, n'est
pas la même que la vérité de fait. En revanche on est gêné de voir
Henri IV, contrairement à l'histoire, solliciter d'Elisabeth des ren-
forts contre ses futurs sujets et l'on aimerait que le poète eût apprécié plus équitablement Henri III et le Balafré : Virgile rend sympathique Mézence, l'ennemi de son héros. Mais la *Henriade* est
surtout l'erreur d'un esprit supérieurement doué par ailleurs. Voltaire n'a aucune des qualités essentielles du poète épique, ni la naïveté, ni l'imagination, ni la sensibilité, ni la grandeur, ni le souffle.
Il ne croit pas aux fictions qu'il crée. Sa Vérité, sa Discorde, son
Fanatisme n'ont aucune vie : ce sont des êtres de raison, parés
d'oripeaux abstraits, sans couleur, sans chaleur, ombres impalpables,
sorties d'un Elysée ou d'un Enfer de convention, enfants d'un
Rubens anémique. Il serait cruel de l'accabler sous une comparaison
avec le prodigieux créateur de mythes qu'est le poète de la *Légende
des Siècles*. Mais il reste inférieur à Virgile, et sa Discorde n'a même
point l'*ore cruento* que celui-ci prête à la Guerre. Il s'essouffle à
retracer l'horreur de la Saint-Barthélemy ou le fracas des batailles.
Sa sensibilité tourne à la déclamation ou à la fade sensiblerie. Le
château qui abrite les amours d'Henri et de Gabrielle est une

« folie », où galantisent des courtisans de Versailles, sinon du Palais-Royal : on n'y entend ni résonner les immortels sanglots de Didon, ni soupirer la plainte langoureuse d'Armide. Le style enfin n'a rien qui frappe, rien qui transporte : correct certes, et soigné, et spirituel, mais compassé et froid : c'est le style d'un écrivain adroit, sachant cadencer des idées, impuissant à parer de prestige les mouvements de l'imagination et du cœur.

3º Le poète héroï-comique.

Après Virgile, l'Arioste; après la *Henriade*, la *Pucelle* et la *Guerre civile de Genève*. Voltaire se plaisait au *Roland furieux* qu'il a vanté en maint endroit, et l'on comprend qu'il ait conçu le dessein de l'imiter. Mais là encore il reste bien loin de son modèle. Le genre convenait pourtant à son génie par son mélange d'imagination bouffonne et de raillerie moqueuse.

L'infériorité vient d'abord des sujets qui sont mal choisis. L'Arioste, sans heurter, pouvait s'égayer aux dépens d'un héros légendaire comme Roland, et l'illustration même du personnage conférait à son œuvre un intérêt certain. La *Pucelle*, que Voltaire a remaniée, augmentée, fignolée pendant toute sa vie, est une action honteuse. On souffre physiquement à voir souillée pendant vingt-six chants par une imagination obsédée de luxure la Vierge qui sauva la France, la Sainte de la Patrie. Le public du temps, cosmopolite et dépravé, a pu faire fête à cette œuvre odieuse. Le lecteur moderne s'indigne : ce manque de goût est une profanation. Quant à l'aventure du fornicateur Robert Covelle, dans la *Guerre civile*, elle est tellement mince qu'on n'y saurait prendre aucun intérêt.

Une seconde infériorité, moins grave, celle-là, réside dans l'exécution. Voltaire n'a pas la fécondité ni le génie comique de son devancier. L'Arioste accumule comme en se jouant les épisodes cocasses, les inventions plaisantes; Voltaire s'épuise à chercher des trouvailles qui fassent rire et ne ramène de sa quête que le médiocre ou le plat. L'Arioste berne les ridicules humains; Voltaire assouvit des rancunes personnelles. L'Arioste effleure d'une chiquenaude; Voltaire joue de la massue : il écrase Fréron dans la *Pucelle*, Rousseau dans la *Guerre civile*. Et quelle différence de style ! Etonnamment varié chez l'Arioste, tantôt bon enfant, narquois, rieur, tantôt ample, brillant, imagé. Celui de Voltaire n'a pas cette souplesse : peu pittoresque et d'un coloris éteint, il vaut surtout par la fluidité et le rythme. Le mètre dont se sert le poète ajoute à l'impression de rapidité allègre. Ses décasyllabes courent vifs, prestes, agiles, reprenant haleine sur une malice : c'est le trot griffu d'un raton qui charrie la peste.

4° *Les* Satires *et les* Epîtres.

Emule malheureux de Virgile et de l'Arioste, rival honorable de Pope, Voltaire veut encore se mesurer avec Horace et Boileau et, comme eux, compose des *Satires* et des *Epîtres*. Il n'éclipse point ses modèles, mais il lui arrive fréquemment de s'en rapprocher et parfois même de les égaler. Ces deux genres en effet semblent créés pour lui, tant ils s'accordent à son tempérament et à son génie. Ce mécontent, ce nerveux, ce combatif a pour climat habituel la satire où l'on peut décharger sa bile, exhaler ses impatiences, pourfendre les hommes comme les institutions, les idées et les mœurs. Cet ingénieux et souple épistolier se sent à l'aise dans l'épître, qui n'est après tout qu'une forme versifiée de la correspondance, où il excelle.

Les *Satires* sont au nombre de vingt, et datent presque toutes de l'époque de Ferney. Parmi celles qui sont antérieures, je rappellerai le *Mondain*, dont le ton badin cache un sens profond et dont la grâce sémillante fait oublier les brutalités des satires de jeunesse. On conçoit que, dans le feu de la lutte, harcelé de critiques, Voltaire ne garde pas toujours la mesure, que sa muse ne soit ni charitable ni discrète et que son humeur vindicative le pousse à faire trop de personnalités et des imputations sans fondement. Ce que l'on conçoit moins, c'est qu'il ne respecte pas assez le « chaste lecteur » : l'extrême licence des soupers de Potsdam l'a définitivement marqué, et les crudités étranges qu'il se permet gâtent le plaisir et plissent la lèvre d'une moue de réprobation. Elles ont cependant bien des mérites, ces *Satires*, dont aucune n'est indifférente et dont plusieurs sont des chefs-d'œuvre. On y retrouve l'auteur de *Candide* avec son bon sens, son expérience amère, sa philosophie désabusée. Voltaire juge tout, moque tout, flagelle ou mord tout dans ces poèmes malins ou sarcastiques. L'homme ou l'institution sociale (*Le Marseillais et le Lion*), les différentes carrières (*Le Pauvre diable*), les systèmes, l'intolérance (*Les Trois empereurs en Sorbonne*), la guerre (*La Tactique*), toutes les vanités, toutes les illusions, toutes les sottises et les « butorderies », dont l'humanité en général et son siècle en particulier donnent d'incessants exemples, sont prises à partie par lui avec un brio sans égal. Verve burlesque, ironie fourrée, patelinage goguenard, détentes félines, coups de griffes et coups de dents, sa fringale de malice s'en donne à cœur joie. Et, malgré qu'on en ait, on en oublie la charité, et l'on suit avec une joie maligne ce tir d'archer à l'œil perçant, à la main sûre.

Les *Epîtres* sont supérieures aux *Satires* et en nombre (il y en a 123) et en qualité. Réplique, non pas embellie, mais rehaussée de l'agrément du vers, de l'immortelle *Correspondance*, elles sont, comme celle-ci, l'écho d'un siècle, le reflet d'une vie, le miroir d'une personnalité. Aussi variées de sujet, de rythme et de ton, elles vont du billet cursif, mais toujours élégant, au poème médité et soigné. Certaines (les *Vous* et les *Tu; A Mme du Châtelet*) sont de fringantes ou tendres fantaisies; d'autres (*Epître à un homme*) des éloges versifiés; d'autres (*Aux Mânes de M. de Genonville, L'Auteur arrivant dans sa terre*) de vrais poèmes lyriques; d'autres enfin (*A Mme la marquise du Châtelet*) d'éloquentes dissertations. Toutes ou presque toutes — et cela ne doit pas étonner — renferment des parties de satire : la note apaisée, chez Voltaire, n'est jamais affectée du point d'orgue. L'esprit batailleur reprend vite le dessus et l'acrimonie tourne à l'aigre le « bon vin vieux » que le poète, à l'instar d'Horace, prétend verser. L'*Epître à Uranie* est une diatribe contre le catholicisme, l'*Epître à Boileau* et l'*Epître à Horace*, les plus belles, abondent en épigrammes et en invectives. Toutefois les défauts de goût sont rares : à peine quelques plaisanteries appuyées, quelques impertinences un peu cavalières, quelques flatteries un peu grosses, quelques accès de hargne. Mais rien de cette gaillardise, de cette verdeur populacière qui déparent les *Satires* ou même la *Correspondance* : dans l'ensemble un tact, une aisance, une verve, une souplesse, une précision, une simplicité élégante de style qui ravissent.

5° Les poèmes philosophiques.

Voltaire a cru bien faire en accordant à sa philosophie les honneurs du mètre. Erreur fâcheuse, car les poèmes *Sur la philosophie de Newton* (1736), les *Discours sur l'homme* (1737, mais remaniés par la suite), le *Poème sur la loi naturelle* (1752), le *Poème sur le désastre de Lisbonne* (1756) lui ont coûté beaucoup de peine et valu peu de renom. Ces œuvres jalonnent l'évolution de sa pensée, dont il a été question au volume précédent, ou développent quelques-uns de ses principes philosophiques que j'ai moi-même exposés plus haut. Je n'en parlerai donc ici que du point de vue littéraire. Le poème *Sur la philosophie de Newton*, dédié à Mme du Châtelet, s'inspire des théories du physicien anglais, auxquelles, sous l'influence de Maupertuis, Voltaire venait de se rallier. Les *Discours sur l'homme* comprennent sept dissertations versifiées sur l'*Egalité des conditions*, la *Liberté*, l'*Envie*, la *Modération*, le *Plaisir*, la *Nature de l'homme*, la *Vraie vertu*. Le *Poème sur la loi naturelle*, divisé en quatre parties, est à la fois dogmatique et polémique. Voltaire y précise les hommages que Dieu attend de nous, réfute les objections formulées contre les principes d'une morale universelle, attaque les excès des religions positives, réclame du roi qu'il impose à tous la paix religieuse et la tolérance. Le *Poème sur le désastre de Lisbonne* marque l'adhésion de Voltaire à un sombre pessimisme, que l'espoir en l'avenir éclaire d'un pâle rayon.

Tous ces poèmes semblent écrits par un jeune philosophe, qui a su profiter de son passage en rhétorique. L'ordonnance en est régulière, la discussion y est bien menée, le style a de la netteté et de

l'élégance, la langue est impeccable. Ils s'agrémentent en outre
d'ornements variés : périphrases, comparaisons, métaphores familières, tableautins d'un réalisme discret, descriptions brillantes,
saillies, sentences bien frappées, périodes éloquentes. Mais l'ensemble
reste assez froid et prosaïque : à part quelques envolées, le poète
rase la terre. Au siècle suivant, avec Lamartine, Vigny, Hugo et même
Sully-Prudhomme, la poésie philosophique aura un autre accent, une
autre ampleur, un autre coloris. Soyons justes cependant et reconnaissons à Voltaire le mérite d'en avoir donné les premiers modèles.

6° *Les poésies légères.*

On peut sans injustice se contenter de rappeler ses *Odes*, où il est
inférieur à J.-B. Rousseau, à La Motte et, suprême déconvenue, à
son ennemi Le Franc de Pompignan, ainsi que ses *Contes*, où il tente
vainement d'égaler La Fontaine. Restent ces pièces de nature et de
longueur variées, que son génie facile prodigue, dont certaines entrent
dans des genres définis, mais dont le reste échappe à tout classement.
C'est là qu'il est sans rival et représente à la perfection les meilleures
qualités de la race : vivacité ingénieuse, grâce enjôleuse ou souriante,
galanterie piquante, clarté limpide, bon sens railleur, sensibilité délicate.

Sa verve caustique et son goût pour la sobriété devaient le faire
triompher dans l'épigramme. Il en a laissé — contre Fréron, contre
Le Franc de Pompignan, contre l'abbé de Saint-Pierre — qui sont,
par la préparation et le sifflement du trait, les chefs-d'œuvre du
genre. Rien de plus délicieux en revanche, de plus joliment cares-
sant que quelques-uns de ses impromptus ou de ses madrigaux,
comme celui-ci, qu'il adressa à la sœur de Frédéric II, la princesse
Ulrique de Prusse :

> Souvent au plus grossier mensonge
> S'unit un air de vérité.
> L'autre nuit, par l'erreur d'un songe,
> Au rang des rois j'étais monté.
> Je vous aimais, Princesse, et j'osais vous le dire.
> A mon réveil les Dieux ne m'ont point tout ôté :
> Ils ne m'ont pris que mon Empire.

Dans d'autres pièces, enfin, il atteint à la vraie poésie. Poésie mesu-
rée et douce, il est vrai, mais accordée à ses moyens, et où l'émotion
sincère se pare de pittoresque discret et de berceuse harmonie.
L'*Epître aux mânes de M. de Génonville* est justement célèbre. Une
faveur égale devrait s'attacher à des morceaux moins connus, comme
L'*auteur arrivant dans sa terre près du lac de Genève* (1755), les
strophes sur la fuite de la jeunesse, et les stances adorables qu'il
adressait, vers la fin de sa vie, à une jeune Genevoise :

> Quelquefois un peu de verdure
> Rit sous les glaçons de nos champs :
> Elle console la nature,
> Mais elle sèche en peu de temps.
>
> Un oiseau peut se faire entendre
> Après la saison des beaux jours;
> Mais sa voix n'a plus rien de tendre :
> Il ne chante plus ses amours.
>
> Ainsi je touche encor ma lyre
> Qui n'obéit plus à mes doigts;
> Ainsi j'essaie encor ma voix,
> Au moment même qu'elle expire.

Cela n'est pas sublime, j'en conviens, mais quel charme ! De tels vers expliquent encore mieux que *la Vanité*, dont on venait de lui faire lecture, la protestation de Lamartine : « Et vous dites que Voltaire n'était pas poète ! »

7° *Les œuvres en prose.*

Néanmoins c'est à la prose que Voltaire doit sa gloire la plus solide. Polémiste, critique, romancier, épistolier, historien, il a composé des œuvres extrêmement nombreuses, dont aucune n'est indifférente, dont quelques-unes ont les mérites les plus hauts.

Le polémiste.   La polémique se glisse dans tous ses ouvrages, quand elle n'en forme pas la matière exclusive. Venu au monde dans « la cour du Palais », ayant grandi dans l'atmosphère poudreuse du greffe, au milieu des sacs et des grimoires, il doit à ses origines basochiennes une humeur processive qui ne s'est jamais tarie : c'est un plaideur-né, un Chicaneau de la philosophie et des lettres. Il est toujours prêt à « ester » contre quelqu'un ou quelque chose. Peu importe l'objet : il n'est heureux que s'il a sur les bras une affaire, plusieurs même. Il instruit le procès du fanatisme intolérant et des abus, comme des théories de Buffon et des hypothèses de Needham, de l'authenticité du testament de Richelieu comme de la tragédie de Shakespeare, de l'opéra-comique, du drame en prose et du style de Jean-Jacques. Il soutient ou mène contre Fréron et les deux Rousseau une lutte de tous les instants. De là une foule de libelles, de pamphlets et de facéties, ses « rogatons », comme il les appelait, parmi lesquels il faut au moins citer les *Anecdotes sur Fréron* (1761), les *Lettres sur la « Nouvelle Héloïse »* (1761), l'*Appel à toutes les nations de l'Europe* (1761), les *Quand* (1760), les *Car* et les *Ah ! Ah !* (1761), le *Sentiment des citoyens* (1764), les *Colimaçons* (1768), la *Lettre à l'Académie française* (1776), etc.

La polémique de Voltaire est un étonnant mélange d'adresse per-

fide et d'insigne déloyauté : il sollicite les textes, fait des contre-
sens volontaires, s'entête en des opinions insoutenables. Sa critique
scripturaire est tendancieuse et périmée, même pour l'époque : que
dire des « coquilles de pèlerin » qu'il oppose à Buffon pour combattre le fait du déluge ? Journaliste de génie, il emploie avec un
art admirable les procédés du genre. Il aguiche l'attention du lecteur par des titres burlesques ou piquants. Il sait toute la puissance
de l'exagération et de la répétition : il frappe fort plutôt que juste,
et le mensonge est pour lui une « vertu » qu'il pratique avec une
jouissance impudente et sereine. Il revient sans cesse sur les mêmes
faits, enfonçant le clou avec une patience inlassable. Loin de se
rétracter lorsqu'on lui montre son béjaune, il persévère diaboliquement dans les erreurs les plus grossières. Il sait aussi que le décri
d'un auteur peut ruiner l'opinion que celui-ci soutient : il aime
par suite à faire dévier le débat sur le terrain des personnalités. Heureuses ses victimes, lorsqu'il est de bonne humeur et se contente de
goguenarder « pour sa santé » : le P. Berthier, Nonotte, Patouillet,
Riballier, Pompignan et tant d'autres en sont quittes pour le ridicule ! Mais, quand sa bile s'échauffe, il ne connaît plus de bornes :
les deux Rousseau, Desfontaines et Fréron éprouvent jusque dans
leur vie privée la violence de ses coups. Il y a en lui du rustaud
colérique qui prend l'adversaire à la gorge, le gourme de ses poings,
l'assomme de coups de trique : un Pascal de hameau. Sa hargne trouve
à foison les comparaisons insultantes : serpents, vers, vipères, guêpes,
chats-huants, chiens ou bâtards de chiens, toute une faune hétéroclite rampe, vole, chuinte, jappe et mord dans ses libelles, véritable
zoo de l'outrage. Il y a du gavroche mal élevé : il va son chemin,
sifflotant, gambadant, ricanant, lançant crachats et saillies, traçant
au charbon des jugements péremptoires et salés : un vrai titi au
style de graffiti ! Ajoutons qu'il y a aussi l'homme le plus spirituel
de ce siècle d'esprit : à côté du rire sec, des gambades, des contorsions et des ordures, on trouve la plaisanterie de bon ton, l'humilité
sournoise, l'onction feinte, les fusées de mots, la drôlerie cocasse,
tous les feux d'un diamant que ses défauts n'arrivent pas à déparer.

Le conteur.   Encouragé par le succès de *Zadig*, de *Micromégas*
                    et de *Candide*, Voltaire continue après 1760 à
exploiter une veine qui se montre aussi fertile. Le conte d'ailleurs
s'accorde en perfection à la nature de son génie : il est pour lui ce
qu'est la fable pour La Fontaine, un moyen d'enseigner sous une
forme capricieuse et libre.

Les principaux des *Contes* qui ont suivi *Candide* sont *Jeannot
et Colin* (1764), récit moral et très édifiant; l'*Ingénu* (1767), satire
romanesque de la cour et des mœurs parisiennes et des préjugés;
l'*Homme aux quarante écus* (1768), étrange salmigondis, où la critique des théories des physiocrates, qui en est le principal objet, s'entremêle de digressions railleuses sur les sujets les plus variés; la

Princesse de Babylone (1768), conte des Mille et une nuits; l'*Histoire de Jenni* (1775), un peu dissertante, mais comme mouillée d'attendrissement sincère.

Il semble que, dans ses *Contes*, Voltaire ait voulu parodier le roman d'aventures, si prisé de son temps. Presque tous sont bâtis sur le même modèle. Le récit, d'une trame assez lâche, prétend nous intéresser au sort d'un jeune héros, que sa destinée lance à travers le vaste monde et jette dans les péripéties les plus mouvementées. Une intrigue d'amour s'enroule au motif principal. Mais, quel qu'en soit l'intérêt, cette succession d'épisodes n'est que l'accessoire : l'essentiel, comme dit Mme de Staël, est d'obtenir un résultat philosophique. Le conte, entre les mains de Voltaire, devient aussi une arme, qu'il manie avec une dangereuse habileté. Tous ces récits sont remplis de réflexions, de propos sensés ou paradoxaux, profonds ou inquiétants, espiègles ou faussement naïfs, sur la religion, le gouvernement, la science, la littérature, la société, et même l'hygiène. Voltaire y crible de ses traits ses ennemis de toujours, le dogmatisme, l'athéisme, l'intolérance, et il oppose aux effets de la « sotte infatuation » et du « fanatisme » les sages leçons que lui inspire son amour de l'humanité, mais aussi les conseils d'un scepticisme désabusé. Il y préconise d'autre part les mêmes réformes que dans ses œuvres de caractère plus particulièrement philosophique.

Tout n'est pas excellent dans ces *Contes*, que l'on prône peut-être à l'excès. Voltaire a trop profité de la lecture de Swift, auquel il doit une part de sa fantaisie, mais beaucoup aussi de son ironie amère et corrosive. Il se souvient trop de Rabelais, qu'il a longtemps méprisé, mais à qui, sur le tard, il fait amende honorable : la grivoiserie, l'obscénité, l'ordure en sont la rançon. Mais l'on doit rendre les armes à l'habileté avec laquelle l'imagination enrobe la leçon, à la couleur locale discrète dans sa précision, à la rapidité entraînante du récit, à la fertilité d'invention satirique ou bouffonne, aux qualités charmantes de cette prose souple, légère, imagée, un peu sèche toutefois, moire miroitante plutôt que velours.

L'historien. Si de nos jours on exalte trop le conteur, on ne fait plus, ce me semble, assez bonne mesure à l'historien. Voltaire, dans ce domaine, est vraiment novateur, et il ouvre la voie aux historiens modernes. Non que je méconnaisse les mérites éminents de Bossuet ou de Montesquieu, mais Bossuet est avant tout théologien, Montesquieu sociologue : Voltaire se fait déjà de l'histoire la conception qui s'est imposée définitivement au XIX⁰ siècle.

Pour trop de monde son œuvre historique se borne au *Charles XII* (1731), au *Siècle de Louis XIV* (1751), à l'*Essai sur les mœurs* (1751). On a tort, je crois, de négliger et l'*Histoire de la Russie sous Pierre le Grand* (1759), qui peut prendre place à côté du

Charles XII, et le *Précis du Siècle de Louis XV* (1769), esquisse
rapide et vivante, et l'*Histoire du Parlement* (1769), œuvre de
combat, mais sérieusement documentée et d'une lecture assez agréable. D'ailleurs, Voltaire est un peu responsable de cet injuste discrédit : les incessantes retouches qu'il a fait subir aux trois premiers
ouvrages prouvent quelle importance il leur attribuait et qu'il
comptait sur eux pour asseoir son renom d'historien.

Voltaire a toujours été passionné d'histoire. Le genre répond aux
tendances dominantes de son esprit : il satisfait son appétit de connaître; il affermit son relativisme, car l'histoire, malgré ses constantes, s'attache avant tout aux particularités et aux différences;
il flatte son pessimisme par le spectacle qu'elle lui offre des sottises,
burlesques ou sanglantes, de la marionnette humaine.

Dès le *Charles XII*, Voltaire possède une nette conception de
l'histoire, mais il faut dire qu'il en est redevable pour partie à Fénelon. Sur la matière, sur les qualités de l'historien, sur la « couleur
locale », le huitième chapitre de la *Lettre à l'Académie* est plein
de justes vues, que Voltaire n'a eu qu'à préciser, à développer et
à appliquer. L'histoire est pour lui à la fois une science et un art.
Elle est une science, parce qu'elle a un objet et une méthode propres, et parce qu'elle exige de celui qui s'y livre certaines qualités
du savant. Elle est un art, parce qu'elle est choix, agencement, création de beauté. Que Voltaire n'ait pas réalisé son idéal, c'est ce
qu'on lui reproche avec raison et c'est ce que son relativisme aurait
dû lui faire reconnaître, si la vanité ne s'y était opposée.

Il veut donc traiter l'histoire comme une science. Il comprend
déjà que l'objet de cette science ne se limite pas à la seule politique et à la vie des rois, mais qu'il s'étend à toutes les formes de
l'activité humaine, bref, que l'histoire doit être un tableau « de la
vie intégrale du passé » : si le *Charles XII* n'est que l'histoire d'un
homme, le *Siècle de Louis XIV* et l'*Essai sur les mœurs* reproduisent
les multiples aspects de la vie nationale ou mondiale. Il applique
la méthode particulière de l'histoire : il réunit avec diligence les
matériaux, les interprète, rattache à leurs causes les événements,
dont il formule aussi la loi. Il a du savant la passion de la vérité, la
ténacité dans l'effort, le souci d'impartialité.

Il veut aussi traiter l'histoire en artiste. Il ne la confond pas
avec l'érudition; il trie les faits, ne retient que ceux qui sont essentiels, bannit tout ce qui n'est pas vraiment significatif :

De tels détails n'entrent pas dans notre plan... Ce sont les matériaux
de l'édifice : on ne les compte plus quand la maison est construite.
(*Essai*, CXXV.)

Il s'efforce de donner à ses livres les qualités que doit avoir toute
œuvre d'art : l'unité, l'harmonieuse variété, la vie.

La tradition de sévérité qui s'est attachée à cet immense effort

paraît assez injustifiée. Voltaire historien reste grand, et il fait
encore bonne figure à côté de la pléiade historique qui l'a suivi et
qu'il a préparée. Sa conception de l'histoire est exactement celle
qu'exposeront un Thierry, un Renan et un Taine. Il l'a réalisée aussi
pleinement que le comporte l'humaine faiblesse. Il fait de l'histoire
un tableau complet de la civilisation, il en élargit le domaine jusqu'aux limites du monde, il en est un peu, si le mot ne jure pas,
comme le missionnaire, et il fait entrer dans son giron des peuples
et des activités jusque-là dédaignés ou inconnus. Il saisit le lien
étroit qui l'unit à la géographie : dès le *Charles XII*, il associe les
deux sciences et montre comment les faits s'inscrivent naturellement dans le cadre du sol; il annonce Michelet.

La méthode, il l'applique avec toute la rigueur dont il est capable
— et c'est plus qu'on ne croit généralement. Son information est
très vaste : il sollicite de toutes parts les renseignements, interro-
geant témoins oculaires, fouillant pièces d'archives, mémoires inédits, correspondances; il met tout et tous à contribution, et c'est
un spectacle assez émouvant de le voir, dans ses lettres, quémander
à l'un ou à l'autre un détail, une référence, une confirmation. Il
confronte et discute les témoignages. S'il est des moments où l'esprit
de parti ou l'humeur dicte son choix, il en est d'autres où il fait
taire ses préventions et se détermine pour des motifs plausibles.
Son interprétation des faits est parfois discutable. Pessimiste, il a
une fâcheuse propension à les expliquer par des raisons péjo-
ratives, et il se répand en plaintes sur les « butorderies » des hommes.
Ce partisan du déterminisme donne une part trop large au « hasard »,
accorde une influence démesurée à de petits faits, rejetant dans
l'ombre les causes profondes des événements. Il en pénètre néanmoins les raisons véritables. Trois choses, d'après lui, influent sans
cesse sur l'esprit des hommes : le climat, le gouvernement et la
religion : c'est la seule manière d'expliquer l'énigme de ce monde.
S'il est curieux de menus détails, c'est pour leur signification morale,
et il n'est pas jusqu'aux légendes dont il n'attende des lumières sur
le caractère des nations (*Essai*, X) : ici, c'est Fustel qu'il devance.

Il s'essaie à dégager la grande loi qui, d'après lui, préside à l'évolution humaine : la loi du progrès. Ecartant l'ancienne « idée divine »,
dont Bossuet s'est servi pour donner un sens à l'histoire, il fait de
l'homme le seul artisan de sa destinée :

> Le monde avec lenteur marche vers la sagesse.

Ce vers de sa tragédie *les Lois de Minos* pourrait être l'épigraphe
de toute son œuvre historique. Par progrès il n'entend pas seulement
le lent accroissement du bien-être matériel, du confort, mais encore
le développement des lettres, des sciences et des arts, le rayonnement accru des « lumières ». Ce progrès n'est pas continu, mais
coupé de retours en arrière et de stagnations; il n'en est pas moins

visible pour quiconque n'a pas l'esprit prévenu. Les artisans de
ce progrès sont les grands hommes, sans lesquels l'humanité serait
toujours restée à l'état sauvage. Cette philosophie est un peu bien
terre à terre : Voltaire n'est jamais l'homme des cimes; mais qui
nierait l'influence qu'elle a exercée sur les historiens postérieurs ?

La partialité est le grand grief qu'on articule contre lui. Il le
mérite, pas toujours cependant. Montesquieu a dit malignement qu'il
« écrivait pour son couvent », et Chateaubriand, tout en combattant ce mot, voit dans l'*Essai* « une longue injure au christianisme ».
Voltaire, cela est incontestable, est partial, et de toutes les manières :
il l'est par système, par haine partisane, par esprit polémique. Son
goût pour les petits faits, sa théorie du hasard l'entraînent à des
appréciations injustes; son irréligion lui inspire mainte iniquité; il
polémique contre Bossuet, contre Montesquieu, contre Rousseau, et
cela fausse son jugement : si, comme l'a dit Fustel, l'impartialité est
« la chasteté de l'histoire », reconnaissons que Voltaire n'a pas
toujours respecté cette vestale. Mais reconnaissons aussi qu'il a
tenté de se dominer. A côté des traits satiriques, des hardiesses, des
affirmations hasardeuses, il faut relever de belles paroles sur l'Eglise,
sur les prêtres, sur les rois. Voltaire signale les faiblesses indivi-
duelles, mais n'étend point au corps « les crimes de ses membres »
(*Essai*, CXXIX). Il fait mieux que signaler : il loue avec émotion
les vertus et le rôle bienfaisant du clergé « dans ces temps barbares où les peuples étaient si misérables » (*Id.*, XX). Il parle de la
« douceur des cloîtres », « asiles ouverts », où « on échappait à
la tyrannie et à la guerre ». Il défend même les ordres de son temps :

Il n'est guère encore de monastère qui ne renferme des âmes admirables qui font honneur à la nature humaine. (*Id.*, CXXXIX.)

Il fait un portrait élogieux du pape Alexandre III, d'autres, plus
nuancés, mais assez sympathiques, de Jules II, de Pie V, de Sixte-
Quint; il critique la politique de saint Louis, mais il parle avec
respect de son caractère. Il accorde à François Ier, à Henri IV, à
Louis XIII un juste tribut de louanges et l'on ne lit pas sans une
surprise émue ces lignes d'une éloquence grave et contenue, que
l'auteur de la *Pucelle* trace sur la mort de Jeanne d'Arc :

Ses juges firent mourir par le feu celle qui, ayant sauvé son roi, aurait
eu des autels dans les temps héroïques où les hommes en élevaient à
leurs libérateurs. (*Id.*, LXXX.)

L'artiste lui-même présente des mérites qu'on méconnaît, trop
sensible que l'on est à ses défauts. Voltaire sans doute ne trie pas
assez, malgré ses belles professions de foi : il fait un sort à des
anecdotes piquantes, et l'historien cède alors le pas à l'éphémère
habitué de l'Œil-de-bœuf. L'ordonnance du récit n'est pas à l'abri
de la critique : l'ordre analytique adopté pour le *Siècle de Louis XIV*

est des plus contestables, morcelle l'exposé, détache les faits de leurs causes : c'est la dissection d'un virtuose du scalpel, mais que devient la complexité de la vie ? Le style manque de coloris et de chaleur : l'œuvre historique de Voltaire fait souvent songer au chant XI de l'*Odyssée* plus qu'à l'*Histoire* de Michelet; c'est une νεκυία, non une résurrection. Ces réserves faites, voyons les qualités. C'est d'abord la prodigieuse aisance avec laquelle Voltaire dégage l'essentiel et met en œuvre l'énorme masse de ses documents. C'est ensuite le sens dramatique. Il disait que, seul, un poète tragique pouvait écrire l'histoire. Il s'est cru désigné pour ce rôle, et l'on ne peut nier qu'il n'ait senti et habilement rendu le pathétique du drame qui se joue sur cette terre, que ce soit celui d'un homme, d'un pays ou du monde. C'est encore un certain lyrisme : le « moi » de Voltaire anime ses travaux d'histoire comme ses autres œuvres, « moi » ondoyant comme l'on sait, tour à tour caustique, enthousiaste, indigné. Ce sont enfin la variété savamment ménagée par le mélange du récit, des portraits et des réflexions, la sobre netteté, la vivacité allègre, le mouvement entraînant, la discrète couleur, le brillant d'un style, qui sait aussi s'échauffer d'éloquence et se teinter d'émotion.

L'épistolier. Et voici le meilleur titre de Voltaire à la gloire, sa *Correspondance.* Nous possédons plus de dix mille lettres de lui et, tout récemment encore, on en publiait d'inédites : un tel chiffre nous confond, nous à qui le télégraphe et le téléphone font perdre de plus en plus le goût de correspondre et pour qui écrire le plus court billet est souvent un supplice. Les circonstances, dira-t-on, étaient différentes, et l'écrivain avait des secrétaires. D'accord; il n'en reste pas moins stupéfiant qu'il ait pu ajouter cette tâche à toutes celles qu'il assumait par ailleurs.

Ces lettres sont un document inestimable et procurent le plus savoureux des régals. L'homme s'y peint tout entier, en débraillé ou coiffé de la perruque à marteaux et vêtu de l'habit de cour. Toutes les faces de son caractère s'y reflètent avec leur opposition si marquée : besoin d'agir trépidant et abattements passagers, bonté normale et méchanceté insigne, irritabilité et patience longanime, spontanéité et calcul, vanité et platitude, légèreté et sérieux, grossièreté et courtoisie, bouffonnerie et sentiment. Toute sa vie s'y déroule avec ses incidents sans nombre, de l'escapade de Hollande à la tragédie de la mort. Toute sa famille y est peinte en pied, en buste, de face ou de profil : le père, la mère, dont il parle sans beaucoup de respect, le frère Armand, fougueux janséniste, qu'il n'aime pas beaucoup, la sœur, Mme Mignot, et les neveu et nièce : l'abbé Mignot, qui l'enterrera, Elisabeth, qui épouse successivement M. de Fontaine et le marquis de Florian, et Louise surtout, la célèbre Mme Denis, qui, devenue veuve, exerce sur sa maison une autorité tracassière et dispendieuse (1710-1790).

Tout le siècle y revit et toutes les classes y figurent. Guerres, conflits intérieurs, luttes d'idées, vie mondaine et mouvement intellectuel, tout cela défile devant nos yeux, peint ou narré par un homme pétillant d'intelligence. Mais il convient de se défier : l'auteur est un nerveux; il n'a pas toujours été acteur ou témoin, et la table d'écoute de Ferney captait bien des ragots. Issu de bonne bourgeoisie, un moment courtisan, seigneur de village, Voltaire connaît tous les milieux : il ne s'occupe guère du peuple que pour le plaindre, le secourir et le dédaigner. Mais il entretient des rapports suivis avec les représentants des autres classes, même avec les monarques. Voici d'abord Frédéric II, Luc dans l'intimité (c'est le nom du singe de Voltaire), mais *Salomon* pour le public, avec qui il joue le dépit amical, mais qui fait des avances et rentre en grâces auprès de lui. Voici Catherine II, la nouvelle Sémiramis, à qui il prodigue des flatteries et arrache des commandes. L'assassinat d'Ivan le suffoque bien un peu, moins que d'Alembert toutefois : le nuage se dissipe vite et le commerce épistolaire n'en souffre pas.

Derrière les rois se presse toute une escorte brillante de principicules d'outre-Rhin — landgraves, margraves, grands-ducs — tous s'appliquant à séduire, tous visant à l'esprit (mais ils sont mauvais archers), tous étalant leur plus beau français, hélas ! *made in Germany* : la *Correspondance* est une sorte de Gotha, mais dont les plus belles pages sont arrachées, celles qui auraient enivré Voltaire : on n'y lit point le nom de Bourbon. A défaut du maître et de sa famille, leurs serviteurs s'empressent : des cardinaux comme Bernis, des ministres comme d'Argenson et Turgot, des ducs et maréchaux comme Richelieu, des femmes de ministres comme Mme de Choiseul. Puis ce sont les amis temporaires ou constants : Mme du Deffand, Fyot de la Marche, Hénault, Maisons, Cideville, Vauvenargues, d'Argental et sa femme, les « anges » qui lui doivent leur immortalité, et surtout Thiériot, l'indolent et faible Thiériot, avec qui dans l'étude de maître Alain il a jadis grossoyé des actes, qui lui joue de mauvais tours, mais à qui toujours il pardonne. Ce sont les gens de lettres : les deux Rousseau, d'Olivet, Duclos, Marmontel, La Harpe, Saint-Lambert, Neufchâteau, etc. Ce sont les « frères » : d'Alembert-Protagoras et Diderot-Platon, Helvétius, Condorcet, Chastellux, Chabanon, La Chalotais et Damilaville, le confident le plus intime, à qui ses fonctions de commis au vingtième permettent de rendre tant de services à la cause. A tous il prodigue conseils, adjurations, mots d'ordre, prêchant l'union, indiquant la tactique. Ce sont enfin les étrangers qu'il a connus en exil ou à Paris ou que sa gloire rayonnante attire : les Anglais Falkenaer, Bolingbroke, Chesterfield, Hervey, Walpole, les Italiens Algarotti, Albergoti, Maffei, Goldoni, Deodati; les Russes Schouvaloff et Soumarokoff. Il faut lire ces lettres de Voltaire si l'on veut mesurer l'étendue de son prestige.

Il faut les lire encore égoïstement, si j'ose dire, pour son plaisir personnel. Non que tout y soit de la plus haute qualité : on y trouve trop d'invectives, de bas outrages, de termes crus. Mais, les retranchements opérés, le reste, qui est encore volumineux, ne donne plus que les satisfactions les plus vives. Souvent mêlées de petits vers, elles offrent les modèles accomplis des qualités que Voltaire n'a cessé de recommander : la bienséance, le naturel, la variété, le sentiment, l'éloquence, l'esprit. Bersot, dont le goût était si délicat, a eu raison d'écrire : « Si on ne me permettait de garder (*de Voltaire*) qu'un seul ouvrage, je me ferais beaucoup prier, j'aurais des scrupules et des regrets infinis. Mais enfin il y a une chose que je ne me déciderais jamais à livrer, c'est la *Correspondance*. »

IV. — L'ARTISTE.

Les facultés créatrices. Des trois facultés qui concourent aux créations esthétiques et dont les combinaisons variables forment les tempéraments divers des artistes — raison, imagination, sensibilité — la plus développée chez Voltaire est certes la raison.

Il croit d'abord que l'art a pour mission d'enseigner agréablement « des vérités utiles ». Une telle conception ne peut venir que d'un esprit où la raison domine. Il donne en outre à la raison le premier rôle dans le travail artistique. Mais ici il s'agit de s'entendre. On a voulu établir une différence radicale entre la raison, faculté des premiers principes, et la raison, faculté esthétique. Cette différence, semble-t-il, n'est pas aussi tranchée; elle n'est point de nature, mais d'objet : la première s'applique à la recherche de la vérité objective, la seconde à celle de la beauté. Mais toutes deux portent le même caractère intuitif : l'évidence de Descartes se retrouve chez Boileau, et c'est à partir de cette vue spontanée que l'un bâtit son système du monde, l'autre sa théorie de l'art. Les règles ne sont qu'une méthode pour atteindre soit le vrai, soit le beau. Au XVIIIᵉ siècle, cette notion primordiale s'est effacée. La défiance de tout ce qui est instinct et l'engouement pour les sciences de la nature développent une autre conception de la science et de l'art. Le fondement de la vérité n'est plus en nous, mais hors de nous : la rationalité du monde informe notre connaissance, et la science n'est qu'une élaboration méthodique de sensations perçues. De même pour l'art. Le beau a pour fondement les productions des génies antérieurs; elles modèlent la création artistique, et l'œuvre d'art se réalise en appliquant aux impressions qu'elles donnent les méthodes que la raison découvre.

Voltaire est trop artiste pour adopter complètement ce formalisme étroit. Il garde quelque chose de l'intuitivisme de Boileau : qu'est-ce en effet, sinon une intuition, que ce « sens rapide et antérieur à la réflexion » par quoi il définit le goût ? Mais il croit, comme son siècle, que l'art consiste à copier les grands modèles, à employer des recettes éprouvées. Et il agit en conséquence. C'est la raison qui le conduit, lorsqu'il tente d'escalader les sommets : il va en pleine lumière par des sentiers battus. Ses grands poèmes sont remarquables par la clarté, l'ordonnance, l'usage ingénieux des procédés, l'intelligence, l'esprit. Mais rien de libre, de vif, aucune arabesque de vol, aucune chaude pulsation : une sagesse aussi surveillée peut-elle *créer* de la beauté ?

Il ne manque pas d'imagination, mais c'est une imagination tempérée, de mi-coteau, si j'ose dire. Il ne sait pas créer dans le grand, infuser une vie intense à des personnages, accumuler les images saisissantes. Le burlesque ne lui réussit pas toujours : si les héros de *Candide* sont inoubliables pour la plupart, rien de plus falot en revanche que ceux de la *Pucelle* ou de la *Guerre civile*. Il excelle dans le registre moyen, comme Horace, à qui on l'a justement comparé. Comme lui, il sait voir le réel, reproduire d'un trait net et suggestif ce qu'il a remarqué en lui ou autour de lui. Il peint sa carcasse souffreteuse ou son âme tourmentée, ses ennemis ou ses amis, les pays étrangers ou les horizons familiers avec une sobre netteté, un réalisme évocateur, un pittoresque plein d'imprévu ou de charme.

Sa sensibilité a été mise en doute. Il n'a pas évidemment l'âme sympathique de Virgile, mais ce n'est pas non plus le cœur sec qu'on a dit. Plus galant que passionné, ayant sur l'amour les idées de son temps, il a cependant aimé Mme du Châtelet et sincèrement pleuré sa mort. Il a eu de l'attachement surtout pour quatre choses : l'amitié, l'humanité, les arts, sa personne. L'élégie *Aux mânes de M. de Génonville*, sa conduite envers Thiériot témoignent en faveur de l'ami. On ne saurait nier sans injustice qu'il ait été extrêmement sensible aux tristesses de la condition humaine, et la chaleur de ses polémiques a bien souvent son cœur pour foyer. Il apporte autant de passion à exalter l'art et à le préserver de toute atteinte. Quant à sa personne, on sait de quels soins il l'entoure — au moral comme au physique, la dorlotant dans un luxe princier, appelant la mort, mais aussi le médecin, jamais plus terrible que lorsque son amour-propre est en jeu et que l'on attente à sa majesté d'écrivain.

Les qualités et les procédés. Il est facile de voir les mérites d'un génie ainsi constitué. Tout le monde reconnaît à Voltaire la clarté, la rapidité, l'esprit. Mais il a d'autres qualités qu'il conviendra peut-être de mettre en relief.

Rien de plus limpide qu'une page de Voltaire. Sa clarté admirable tient à la netteté de la pensée, à la stricte propriété des termes, à la construction logique de la phrase : son bon sens un peu court le sert en l'occurrence, car il ramène le complexe au simple, la nuance au trait. Ses études de grammaire lui donnent une connaissance exquise de la langue, et ce n'est pas lui qui confondrait les synonymes, dont il s'est appliqué à inventorier le contenu; ses vues pratiques le poussent à éviter les tours compliqués. La rapidité du style va de pair avec la clarté. Dans les poèmes soutenus, l'allure, cela va de soi, est plus modérée, mais, partout ailleurs, Voltaire use le plus souvent du style coupé, des phrases menues et prestes, et c'est plaisir de les voir trottant et se pressant, comme pour se dépasser, avec une vivacité allègre qui se communique en quelque sorte à l'œil du lecteur. Que dire enfin de son esprit, sinon qu'il en a de toutes les sortes et que du mot grossier, mais drôle, jusqu'à la finesse la plus délicate, il tient tout l'entre-deux ? Gaieté et fantaisie, farce et bouffonnerie, humour caricatural, grâce charmeuse et courtoisie caressante, calembours et cocasseries, ronronnements et détentes félines, coups de griffes et coups de dents, toutes ces formes d'esprit se mêlent dans ses œuvres et les parent d'un invincible attrait. Mais là où il triomphe, c'est dans l'emploi de l'ironie. Tantôt elle éclate en invectives et en sarcasmes, avec un grain de drôlerie qui en corrige l'âcreté. Tantôt elle joue la sévérité officieuse, enrobe la malice d'apparences charitables, prend le masque du patelinage, du faux respect, de l'humilité feinte. Tantôt elle s'amuse en coq-à-l'âne, en ellipses de pensée, en rapprochements brutaux, qui font s'entre-choquer graves propositions et conclusions burlesques. Mais, quelque apparence qu'elle revête, elle inflige aux idées, aux institutions et aux hommes d'incurables blessures.

Ce style clair, fluide et brillant n'ignore pas la couleur. Dans ses *Contes*, dans ses ouvrages d'histoire, Voltaire use de la couleur locale. Oh ! certes, ce ne sont ni les rutilances de Hugo ni le flamboiement de Flaubert. Les tons ne sont pas vifs, mais les termes indigènes mettent un rayon d'exotisme qui n'est pas sans agrément. Voltaire n'est pas abstrait comme on pourrait le croire. Il présente ses idées sous une forme concrète, les orne de métaphores ou de comparaisons généralement familières, parfois relevées, toujours justes et expressives :

Cette politesse brillait même au milieu des crimes : c'était une robe d'or et de soie ensanglantée. (*Essai*, CXVIII.)

Comme on boit d'un vin vieux qui rajeunit les sens. (*Epître à Horace*.)

La rage des sectes a fini en Angleterre avec les guerres civiles, et ce n'était plus sous la reine Anne que les bruits sourds d'une mer encore agitée longtemps après la tempête. (*Lettres philosophiques*, V.)

Il y a des peuples auxquels on a crevé les deux yeux comme aux vieilles rosses à qui l'on fait tourner la meule (*Dialogue entre A, B, C,* 6ᵉ entretien), etc.

Voilà quelques exemples. Il suffit d'ouvrir ses œuvres à n'importe quelle page pour qu'elles surgissent en foule. Qui écrira *Les métaphores dans Voltaire* ? L'auteur du travail ne s'ennuiera pas.

Ce style est de plus lyrique — et cela ne doit point surprendre, tant le « moi » de Voltaire fait corps avec son œuvre. Ce lyrisme puise à deux sources principales : l'enthousiasme et la haine. Chaque fois que l'écrivain exprime une idée qui lui tient à cœur, la phrase se soulève, précipite son rythme, s'échauffe d'ardeur sincère :

Si les fléaux de la guerre sont inévitables, ne nous haïssons pas, ne nous déchirons pas les uns les autres dans le sein de la paix, et employons l'instant de notre existence à bénir également en mille langages divers, depuis Siam jusqu'à la Californie, ta bonté qui nous a donné cet instant ! (*Traité de la tolérance.*)

La haine jaillit en âcres effusions. Soixante années durant, Voltaire a rédigé des *Châtiments*. Il est aussi riche en gentillesses que Hugo, mais la comparaison s'arrête là : c'est le ricanement de la hyène, non le rugissement du lion.

Son lyrisme s'alimente encore à d'autres sentiments : l'amitié, l'amour de la campagne, le regret de vieillir, la galanterie teintée de grâce mélancolique. C'est dans ces pièces de demi-caractère qu'il atteint à la perfection : la voix alors ne s'enfle ni ne se durcit, le vers coule d'un mouvement aisé : reflets tremblés d'une âme où l'ombre le dispute aux rayons.

Voltaire aimait l'opéra, et son oreille était chatouilleuse sur le chapitre de l'harmonie. Plus encore que la peinture, la poésie était pour lui musique. Il multiplie les remarques en ce sens et donne lui-même l'exemple. Il veut que ses grands poèmes aient de la gravité, de la noblesse et de l'ampleur, et trop souvent, dans cette vue, il accumule les procédés de l'école : termes généraux, périphrases, périodes, sentences. Il n'aboutit qu'à une prose pompeuse, à une éloquence solennelle, chargée d'atours empesés. Mais, sachant bien son métier, il bâtit de temps à autre une période savante, au rythme heureusement cadencé :

> Cent fois plus malheureux et plus infâme encore
> Est ce fripier d'écrits que l'intérêt dévore,
> Qui vend au plus offrant son encre et ses fureurs,
> Méprisable en son goût, détestable en ses mœurs;
> Médisant qui se plaint des brocards qu'il essuie;
> Satirique ennuyeux, disant que tout l'ennuie,
> Criant que le bon goût s'est perdu dans Paris,
> Et le prouvant très bien, du moins par ses écrits.

(Discours de l'homme, III.)

Il connaît l'art de la maxime dense et sonore, de la formule frappante :

Dieu tient en main la chaîne et n'est pas enchaîné.
On a besoin d'un Dieu qui parle au genre humain. (*Poème sur le désastre de Lisbonne.*)
J'ai fait un peu de bien, c'est mon meilleur ouvrage. (*Epître à Horace.*)
Si Dieu n'existait pas, il faudrait l'inventer ! (*A l'auteur du livre des trois imposteurs.*)

Mais c'est surtout dans ses autres vers qu'il joue du mètre en
artiste consommé. Il sait l'effet que peut produire soit le déplacement de la césure, soit le déséquilibre voulu de la période :

> Tu n'as point d'aile, et tu veux voler ! Rampe. (*Le Pauvre Diable.*)
> La terre a vu passer leur empire et leur trône.
> On ne sait en quel lieu florissait Babylone.
> Le tombeau d'Alexandre, aujourd'hui renversé,
> Avec sa ville altière a péri dispersé.
> César n'a point d'asile où son ombre repose,
> Et l'ami Pompignan pense être quelque chose ! (*La Vanité.*)

soit les répétitions de mots ou le cliquetis des syllabes :

> Il compilait, compilait, compilait...
> Et nous lassait sans jamais se lasser. (*Le Pauvre Diable.*)

Frère Coutre, en disant ces mots, bâilla plus que jamais. Berthier
répliqua par des bâillements qui ne finissaient point. Le cocher se
retourna, et les voyant ainsi bâiller, se mit à bâiller aussi. Le mal gagna
tous les passants; on bâilla dans toutes les maisons voisines... (*Relation
de la maladie, de la confession, de la mort et de l'apparition du Jésuite
Berthier...*)

La cacophonie est très rare chez lui, et c'est une exception déplorable que ce vers justement raillé :

> Non, il n'est rien que Nanine n'honore.

En prose, sa phrase, si courte soit-elle, est d'un rythme impeccable; la période se déroule avec une aisance nombreuse qui est
un véritable charme. C'est son oreille qui lui suggère tous ces noms
propres de fantaisie, qui peignent déjà par leur sonorité même :
Voltaire a l'instinct subtil des « correspondances ».

Ces quelques indications suffisent pour montrer à quel point
Voltaire se préoccupe de varier l'harmonie, de l'approprier à l'effet
recherché : sacrifice nouveau — mais cette fois combien justifié ! —
à l'impérieuse bienséance.

Il est temps de conclure. L'œuvre de Voltaire présente les mêmes
contrastes que sa personne : c'est un singulier ambigu d'aspiration
au grand et de penchant au vil, de noblesse et de vulgarité, d'audace
et de circonspection, de conservatisme et de besoin de changement,
d'accès sentimentaux et de raillerie constante. Philosophe, Voltaire
mérite la pitié pour ses déchirements intérieurs, la louange pour
son zèle de réformes, la sévérité pour sa basse polémique et les
résultats qu'elle a produits et produit encore, car le voltairianisme,
avec tout ce que ce mot comporte de sectarisme étroit, de basse
violence et de mépris ricaneur, n'est mort ni dans la masse, ni
dans l'élite intellectuelle et sociale. Voltaire n'a que trop fait école,
et le Français frondeur, s'autorisant de son exemple, s'est rué dans

l'irrespect, a méprisé ce qui élève, nivelé au matériel son idéal.
Artiste, il représente « un monde qui finit », comme l'a si bien dit
Goethe. Monde anxieux et flottant, acharné à se survivre, mais
pressentant l'avenir qui le presse, monde moralement taré, mais
où s'épanouissent, comme sur un terreau fumé, les fleurs les plus
exquises de l'élégance et de l'esprit français.

CHAPITRE V

JEAN-JACQUES ROUSSEAU

Tandis que les rationalistes combattent les croyances et les institutions avec les armes de la raison, de la science et de l'esprit, une autre catégorie d'adversaires s'efforce aussi par d'autres procédés de détruire l'état de choses : les instinctivistes. Ennemis plus redoutables peut-être, car ils ont « tout allumé », usurpé par leur prestige le magistère des consciences, déchaîné contre la monarchie et la société les forces aveugles de l'instinct : leur chef est Jean-Jacques Rousseau.

I. — VIE DE ROUSSEAU.

L'enfance J.-J. Rousseau est né à Genève, le 21 juin 1712,
(1712-1728). d'une famille d'origine française, qui s'était expatriée en 1550 pour cause de religion. Ce n'est pas un plébéien : depuis 1555, ses ancêtres avaient le titre de bourgeois, et c'était quelque chose dans cette petite cité oligarchique. Son père, Isaac Rousseau, exerçait la profession très considérée d'horloger; sa mère, Suzanne Bernard, était nièce d'un pasteur. Cette double ascendance semblait promettre à l'enfant une vie honorée et régulière; les circonstances et son génie en décidèrent autrement.

Il fut très mal élevé, point à retenir pour le juger équitablement et qui explique peut-être par réaction ses prétentions de pédagogue. Sa mère mourut en couches et son père, à qui incombait son éducation, était bien le dernier homme qui pût assumer une telle charge. Fantasque, altier, violent, il gorgeait son fils de romans qu'il lisait avec lui jusqu'à l'aube. De telles méthodes eurent l'effet qu'on pouvait prévoir. L'imagination s'exalta et, comme l'enfant tenait par ailleurs de sa mère, femme légère et sentimentale, une sensibilité violente et trouble, il s'ensuivit un déséquilibre que la vie ne fit qu'augmenter.

De tristes incidents assombrissent ses jeunes années. En 1721, son frère aîné, vrai polisson, est contraint de s'enfuir et passe en Allemagne où il disparaît. L'année suivante, c'est au tour de son père de quitter Genève à la suite d'une rixe; il va s'établir à Nyon, où il mourra en 1747. Rousseau est seul à dix ans. Son oncle maternel s'en débarrasse en le plaçant en pension avec son propre fils chez le pasteur Lambercier, à Bossey, au pied du mont Salève. Deux années délicieuses s'écoulent, dont il nous a laissé un tableau plein de fraîcheur. Tableau idéalisé sans doute par le contraste et le souvenir, mais ce séjour a pour lui d'importantes conséquences. C'est à Bossey qu'il prend l'amour de la campagne, le goût de Dieu; c'est là qu'il éprouve l'émoi inquiet de la puberté et subit les premières atteintes de l'obsession charnelle dont il ne se débarrassera jamais. Le charme est tragiquement rompu : faussement accusé et puni, il fait connaissance avec l'injustice des hommes, et l'impression ne s'effacera pas. L'oncle Bernard reprend les deux enfants, mais ne s'occupe guère d'eux. Vivant ainsi à l'abandon, Rousseau contracte des habitudes d'indépendance qui lui rendent toute discipline insupportable. On le met chez un greffier, où il se montre peu assidu, puis chez un graveur, homme colérique et brutal, qui le roue de coups. Il se console en polissonnant et en lisant : il dévore tous les ouvrages qu'il peut trouver chez « la Tribu, fameuse loueuse de livres ». Trois ans passent. Il a seize ans, lorsque se produit l'événement qui va décider de sa vie. Un dimanche où, suivant son habitude, il est allé s'ébattre à la campagne avec son cousin Bernard, les deux adolescents laissent passer l'heure et trouvent les portes de la ville fermées. Rousseau, à qui deux fois déjà la même déconvenue est arrivée et que son maître a menacé d'un rude châtiment en cas de récidive, décide de ne point rentrer et, laissant le cousin revenir à la maison, il part à l'aventure.

La jeunesse errante (1728-1731). Hébergé quelques jours par des paysans, il ne veut pas abuser de leur hospitalité généreuse et se rend à Confignon, petit village catholique, situé à deux lieues de Genève. Il frappe à la porte du curé, M. de Pontverre, qui l'accueille charitablement et, sur le désir qu'il exprime de se faire catholique, l'envoie à Annecy, muni d'une lettre de recommandation, chez Mme de Warens. Estimant que deux précautions valent mieux qu'une, Rousseau fabrique une lettre de son cru, centon « de phrases de livres et de locutions d'apprenti », pour mieux capter la bienveillance.

A cette époque Mme de Warens, née de la Tour de Pil, a vingt-huit ans. Originaire de Vevey et protestante, mal mariée à un gentilhomme de Lausanne, elle a sollicité et obtenu la protection du roi Victor-Amédée de Savoie en l'assurant de son dessein de se faire catholique. Le roi l'a adressée à Annecy, où elle a abjuré le protestantisme entre les mains de M. de Bernex, évêque titulaire

de Genève, et où elle vit depuis lors de la pension que lui fait le
roi et qui paie peut-être une activité d'espionne. Une fois en face
d'elle, Rousseau éprouve un véritable saisissement :

Je m'étais figuré une vieille dévote bien rechignée... Je vois un visage
pétri de grâces, de beaux yeux pleins de douceur, un teint éblouissant.

L'émoi, comme il apparaît, n'a pas troublé l'observation. De son
côté, la dame à la bonté un peu libre a dû remarquer le bel adoles-
cent, à la physionomie intelligente, à la taille svelte, aux yeux de
feu. Pour le moment elle ne s'occupe que de son âme et, d'entente
avec l'évêque, elle décide de l'envoyer à Turin à l'Hospice des caté-
chumènes du Saint-Esprit. Rousseau éprouve quelque regret, mais
la perspective d'un voyage chasse l'impression fâcheuse et il part
à pied pour l'hospice, où il arrive le 12 avril. Il y reste un temps
indéterminé — quatre mois, d'après les *Confessions*, neuf jours seulement, suivant Masson — temps trop long dans les deux cas, si l'on
en juge par la description fâcheuse qu'il en a tracée.

Il abjure sincèrement la religion de ses ancêtres, sort de l'hospice
lesté de vingt livres et vivote quelque temps de son métier de
graveur. Les privations triomphent de son instinct d'indépendance :
il entre chez Mme de Vercellis, où il joue les Maître-Jacques, tantôt
laquais, tantôt secrétaire, sous les ordres d'une femme distante, chrétienne, ponctuelle, supportant avec courage les morsures du cancer
qui l'emportera bientôt. A sa mort, son héritier introduit Rousseau
dans la maison du comte de Gouvon, où il est fort bien traité. Mais
son orgueil est ulcéré de cette condition subalterne; il souffre de
« la manie ambulante ». Son service s'en ressent; on le menace
de le renvoyer. Furieux, il prend les devants avec insolence et, sans
égards pour la bienveillance dont il a été l'objet, quitte brusquement
la place. Il regagne la Savoie, flanqué d'un ancien camarade d'apprentissage qu'il a retrouvé à Turin — Bâcle, le joyeux drille —
retrouve Mme de Warens qui l'accueille sans les remontrances redou-
tées, le loge quelque temps, mais, ne pouvant le garder indéfiniment,
songe à faire de lui un curé de village et le fait entrer au séminaire
d'Annecy. Nouveaux regrets, plus vifs cette fois, de Rousseau, bref
séjour dans la sainte maison, où il ne fait que de la musique et
d'où il sort pour faire partie de la maîtrise de la cathédrale. Mais
le maître de chapelle a des démêlés avec le chantre, abandonne ses
fonctions et part, suivi de Rousseau.

Tous deux arrivent à Lyon : le maître de chapelle tombe dans
la rue, frappé d'une violente crise d'épilepsie, et Rousseau, l'abandonnant, se hâte vers Annecy. Mme de Warens est alors à Paris :
désemparé, le jeune homme retourne en Suisse, traverse Genève sans
aller voir ses parents Bernard, passe par Nyon, où le père et le
fils rivalisent d'effusions et de larmes; mais le cœur n'y est pas,
car, après avoir touché Fribourg, Rousseau ne retourne pas à Nyon :

il se dirige vers Lausanne. Il y connaît la pire détresse. Alors, payant d'audace, il organise un concert où il fait jouer de sa musique. Les huées le chassent à Neuchâtel. Il s'y lie dans un cabaret avec un faux archimandrite qui le prend pour secrétaire, mais qui est bientôt arrêté à Soleure par l'ambassadeur de France, M. de Bonnac, ancien ambassadeur à Constantinople et, comme tel, fort au courant des choses de Turquie. Celui-ci prend en pitié Rousseau et l'expédie à Paris avec une bonne recommandation. Nouvelle déconvenue. Apprenant alors que Mme de Warens est retournée en Savoie et s'est fixée à Chambéry, il décide d'aller la rejoindre et dit adieu — du moins il le croit — à la capitale : sa vie de misère et de faim est terminée. Tous ces détails ne sont pas superflus : ils montrent ce qu'a été la jeunesse cahotée de Rousseau et laissent deviner la masse d'impressions, d'observations et d'images qui s'est accumulée en lui et dont il tirera parti pour son œuvre.

L'idylle. Les voici de nouveau face à face : elle, la femme épanouie, sensuelle, tendrement protectrice; lui, le jeune homme ardent et fou, touchant enfin aux jouissances rêvées, savourant cette fois la douceur de servir. L'idylle commença, idylle parée de prestige par un illusionniste de génie; idylle dégradante, où l'on admet un tiers — le jardinier Claude Anet — et où de l'amour même émane un écœurant relent d'inceste intellectuel. Disons cependant que la situation scabreuse n'est pas le fait de Rousseau, mais de Mme de Warens. Pour catholique qu'elle se disait, la dame était étrange en ses comportements. Elle s'était fait une religion à elle, n'accordait d'importance qu'aux dispositions intimes, aucune aux actes, séparait le dogme de la morale. Pieuse et dissolue, elle passait candidement de l'effusion mystique au transport amoureux. Il reste néanmoins que Rousseau a souscrit au répugnant accord, et c'est trop. L'idylle d'ailleurs — on l'a établi — ne s'est point déroulée comme il le narre, et son rôle a été moins développé qu'il ne veut le faire croire. Reprenons les faits.

Arrivé à Chambéry à la fin de 1731, il obtient, grâce à Mme de Warens, un emploi de secrétaire au cadastre. Il le quitte, deux ans après, sans motif valable, donne des leçons de musique, fait un voyage à Besançon (1735), revient, repart au printemps de 1737 pour Genève, où il va toucher la succession de sa mère, puis, à l'automne, pour Montpellier, où Mme de Warens l'envoie soigner un prétendu « polype au cœur ». Claude Anet est mort, quand Rousseau est de retour, mais auprès de Mme de Warens s'est installé un nouveau sigisbée, Wintzenried, qui parle en maître et l'écarte. C'est alors seulement qu'il se réfugie, mais seul, aux Charmettes, où il passe deux ans, morfondu et résigné. Le dégoût de sa situation le prend enfin et, toujours par l'entremise de Mme de Warens, il devient précepteur des enfants de M. de Mably, le frère de Condillac, grand prévôt à Lyon. Se croyant inférieur à l'emploi, il résigne ses fonctions, revient aux Charmettes, où il se sent plus étranger que jamais, berce un moment sa rancœur en inventant un système simplifié de notation musicale et, lorsqu'il l'a mis au point, pensant tenir la gloire et la fortune, il se rend à Paris, rompant avec un présent que le souvenir rend encore plus cruel et se séparant de Mme de Warens qu'il ne reverra plus. Telle est sous son vrai jour l'équivoque aventure : l'idylle, coupée de fréquentes séparations, n'a duré que deux ans tout au plus; elle n'a pas eu la nature pour décor; et Rousseau aux Charmettes n'a fait que remâcher son chagrin et son dépit. Mais qu'importe à la foule ? Et que peut la sèche histoire contre la magie de l'art ? Le « verger des Charmettes » ne perdra pas un de ses visiteurs.

Le séjour à Chambéry a eu d'autres résultats pour Rousseau que la découverte de l'amour : c'est là qu'il s'est formé. Dans cette formation, Mme de Warens a eu une influence moins grande qu'on ne le prétend, assez étendue cependant. Elle dégrossit son protégé, le rend présentable. Elle développe les semences de piété que le pasteur Lambercier avait jetées dans l'âme du petit fugitif : Rousseau écrit alors des *Prières* d'un sentiment un peu vague, mais sincère; il a des scrupules de conscience, qui montrent bien que la religion ne se borne pas pour lui aux pratiques extérieures. Elle lui prête sa bibliothèque et lui achète des livres : il vagabonde ainsi à travers l'imprimé, toujours musard et incapable d'un effort prolongé, passant de Plutarque à Fénelon, de la *Logique* de Port-Royal à Descartes, Locke, Malebranche ou Leibniz, de Newton à l'abbé Pluche et au P. Lamy, vulgarisateurs scientifiques alors renommés, de la géométrie au latin, de l'astronomie à l'histoire. Il se forge à lui-même sa méthode : elle consiste à suivre docilement, en l'adoptant provisoirement, la pensée étrangère et à remettre à plus tard, quand cette pensée a bien imprégné l'esprit, l'exercice de la réflexion. Il entasse de cette manière une foule de connaissances qu'il n'assimile pas toujours facilement. Sa science est celle d'un autodidacte : elle peut faire sourire, mais l'on doit s'incliner devant la persévérance opiniâtre dont elle a été le fruit.

Les débuts à Paris (1741-1750). Muni de ce bagage intellectuel, de quinze louis et d'un baluchon où il serre précieusement son projet de notation musicale et sa comédie de *Narcisse*, Rousseau, à l'automne de 1741, franchit les portes de la capitale qu'il se propose de conquérir. Les lettres de recommandation dont il a toujours ample provision lui procurent des leçons de musique et lui permettent d'atteindre le célèbre Réaumur, qui propose à l'Académie des Sciences le système de Rousseau. Mais le docte corps ne l'estime ni neuf ni utile et se contente d'accorder à l'inventeur « un certificat plein de très beaux compliments » : première piqûre d'amour-propre (1742). Rousseau ne désespère pas pour autant, se lie avec Marivaux, Fontenelle et Diderot, mais travaille peu, s'en

Portrait de Jean-Jacques ROUSSEAU
Pastel de QUENTIN DE LA TOUR

remettant à la Providence de le tirer d'affaire. Le P. Castel, l'ami
de Montesquieu, « fou, mais bonhomme au demeurant », l'arrache
à sa torpeur et lui indique le moyen de parvenir : « On ne fait rien,
lui dit-il, à Paris que par les femmes. » Rousseau met en pratique
le conseil et en éprouve bientôt la sagesse : comment une femme
sensible, si vertueuse qu'elle soit, ne porterait-elle pas intérêt à ce
jeune homme, musicien et poète ? Introduit par le Jésuite auprès
de Mme de Beuzenval et de sa fille, Mme de Broglie, c'est sur la
recommandation de cette dernière que M. de Montaigu, ambassadeur
de France à Venise, l'emmène avec lui comme secrétaire. Mais
l'ambassadeur a des bizarreries, Rousseau de l'orgueil : une brouille
éclate, qui va presque aux voies de fait. Rousseau revient à Paris,
passant par Nyon où il revoit son père pour la dernière fois, veut
tirer vengeance de son maître et demande qu'on lui paie les appointements qu'il n'a pas touchés. Il échoue, mais il a du moins profité
de cette école : c'est à Venise qu'il conçoit le projet d'un vaste
ouvrage sur les *Institutions politiques;* sa mésaventure lui fait sentir
la différence des classes, et il devient « démocrate par dépit »
(1744).

Mais, avant d'attaquer cette société inique, il a soin d'en extraire
tous les avantages possibles. Il joue de son charme, il se pousse dans
le monde. On le voit chez La Popelinière, un traitant ami des arts,
où il donne sans succès un opéra, conquiert le duc de Richelieu
qui le charge de retaper un opéra de Voltaire et de Rameau, entre
à cette occasion en rapports avec le poète, devient le secrétaire de
Mme Dupin, femme d'un autre financier, et par elle connaît les
Francueil et les d'Epinay, qui tiendront un grand rôle dans sa vie.
Il compose pour ces mondains, fous de théâtre, des pièces où il tient
parfois son rôle; il savoure un luxe qu'il envie, tout en le condamnant. En même temps, il renoue avec Diderot et forme avec lui et
Condillac un trio d'inséparables, qui chaque semaine se réunit en
un déjeuner amical au *Panier Fleuri* et se livre à d'interminables
causeries sur la philosophie et la politique. Diderot lui demande pour
l'*Encyclopédie* des articles sur la musique, et il abat sa tâche avec
rapidité.

Il fait moins bien : il commet une erreur qui pèsera sur toute
sa vie. Près de l'Hôtel de Saint-Quentin où il est descendu, se
trouve un restaurant animé où travaille une serveuse appétissante,
Thérèse Levasseur, « brave fille » très dévouée, mais « fille stupide »
et affligée d'une mère impérieuse et cancanière. Il se lie avec elle
et de cette union irrégulière naissent, à de courts intervalles, cinq
enfants, que ponctuellement Rousseau met aux Enfants-Trouvés.
On a révoqué en doute la paternité de Rousseau et soutenu qu'il
ne pouvait avoir d'enfants, mais que, redoutant les gorges chaudes
et cédant à sa passion de singularité, il avait mieux aimé se grimer
en père dénaturé, torturé de tardifs remords, que d'être tenu pour
infirme. Cette thèse s'appuie sur des arguments troublants et con-

corde avec ce que l'on sait d'un homme qui, pendant trente années, s'est mis un masque, imposé un rôle, complu dans l'étalage de ses misères morales. Mais elle se heurte à d'autres aveux de Rousseau, fort peu flatteurs pour sa vanité d'homme. Aussi convient-il d'être très réservé sur ce point.

Ce qui ne fait pas de doute, par exemple, c'est qu'il est, à ce moment de sa vie, un arriviste, léger de scrupules, lourd de désirs, heureux de frayer avec les riches, attendant l'heure où il pourra donner sa mesure.

Les premiers chefs-d'œuvre (1750-1758). Cette heure ne tarde pas à sonner. Dans l'été de 1749, Diderot est détenu à Vincennes pour sa *Lettre sur les aveugles.* En ami fidèle, Rousseau lui rend fréquemment visite et fait à pied les deux lieues qui séparent la ville du Donjon. Pour charmer la longueur du chemin, il a soin d'emporter quelque lecture, et c'est ainsi qu'un jour, en parcourant le *Mercure de France,* il apprend que l'Académie de Dijon vient de proposer pour le concours de 1750 cette question : « Si le rétablissement des sciences et des arts a contribué à corrompre ou à épurer les mœurs. » Il décide de concourir, remporte le prix en soutenant l'affirmative, devient célèbre. Il rompt alors avec son passé et conforme sa conduite aux maximes rigoureuses qu'il vient d'exposer. Calcul ? Sincérité ? Il est possible après tout qu'il se soit pris à ses belles tirades, et qu'il ait senti se réveiller en lui le protestant piétiste, le Genevois austère, l'admirateur des héros de Plutarque. Mais — il nous le dit lui-même — son dessein lui permet aussi d'entretenir la curiosité, de rompre avec les devoirs secondaires qu'il pratique mal, d'opposer orgueilleusement l'homme de la nature et de la vertu à une société factice et corrompue. Il se réforme, de timide devient cynique, d'embarrassé insolent; il accable les seigneurs et les grandes dames de rebuffades qui ne font que surexciter l'engouement. Il frappe encore les esprits en modifiant son train de vie, renonce aux dorures, à l'épée, à sa montre, se coiffe d'une perruque, refuse le poste de caissier que Francueil lui offre, prend le métier de copiste de musique. Il a calculé juste : il devient l'homme du jour; on s'ingénie à le voir, on le comble de cadeaux qu'il repousse.

Il ne délaisse pas pour autant les sciences et les arts qu'il abomine en théorie. Il écrit un nouvel article pour l'*Encyclopédie,* permet que La Tour fasse son portrait, compose son *Devin de village* (oct. 1752), qui est représenté à la cour, fait jouer son *Narcisse* au Théâtre-Français, intervient dans la *Querelle des Bouffons.* Cependant ses idées mûrissent, et l'occasion s'offre bientôt à lui de les développer avec plus d'ampleur, de netteté cassante et de feu, dans un opuscule auquel donne lieu un nouveau sujet de concours, proposé aussi par l'Académie de Dijon : *Quelle est l'origine de l'inégalité parmi les hommes et si elle est autorisée par la loi naturelle ?*

Mais ses déclamations égalitaires effarouchent, et il n'obtient pas le prix (1755). Entre-temps, il fait un voyage à Genève, où il rentre dans le protestantisme et dans ses droits de citoyen, caresse le projet de se fixer dans sa ville natale, mais son *Discours sur l'inégalité* et la dédicace « aux magnifiques, très honorés et souverains seigneurs » du Petit Conseil de Genève dont il l'accompagne, lui suscitent des ennemis. De plus, il ne voit pas sans ombrage Voltaire s'installer aux Délices, sentant bien — comme il l'avouera — qu'il n'y a point de place pour lui là où se trouve le roi des lettres. Il revient donc à Paris, envoie néanmoins son Discours à son illustre rival, en reçoit une lettre d'une impertinence spirituelle, y répond par un marivaudage un peu lourd, réplique au *Poème sur le désastre de Lisbonne* par sa lettre éloquente sur la Providence (18 août 1756). Les rapports sont encore courtois; ils ne tarderont pas à s'aigrir.

A ce moment-là, Rousseau est, depuis le 9 avril, installé à l'Ermitage. C'était primitivement « une petite loge délabrée », située dans le parc du château de la Chevrette, près de Montmorency, où Rousseau était souvent l'hôte de Mme d'Epinay. Se promenant un jour avec elle dans le parc, il avait aperçu la petite masure, entourée d'un « joli potager », et avec une spontanéité étudiée s'était écrié : « Ah ! Madame, quelle habitation délicieuse ! Voilà un asile tout fait pour moi. » Mme d'Epinay n'avait pas relevé le propos, mais, profitant du voyage de Rousseau à Genève, elle avait fait aménager le pavillon et, à son retour, s'était empressée de le lui offrir. Elle connaissait bien mal son hôte. Rousseau avait fait le susceptible, refusé avec hauteur, et ce n'est qu'après s'être fait prier et avoir dicté ses conditions qu'il avait daigné accepter.

Au fond, il est enchanté, et sa joie se traduit en larmes attendries, en effusions de reconnaissance. Il vit enfin au milieu de la nature; il se livre à de longues promenades; il lâche la bride à son imagination, rêve interminablement, pare les lieux « d'êtres selon son cœur ». Mais cette griserie est troublée d'incessants ennuis, qu'il s'attire en partie. Il s'éprend d'une passion insensée pour la belle-sœur de sa bienfaitrice, Mme d'Houdetot, mais celle-ci a une liaison avec le marquis de Saint-Lambert. Et c'est bientôt un imbroglio où Rousseau, gauche, ardent et jaloux, joue un rôle qui ne lui fait pas honneur. A cela s'ajoutent les tracasseries de la mère Levasseur et de Thérèse, qui, heureuses d'abord du changement, prennent en dégoût la solitude et regrettent la ville où l'on cancane si bien. Il y a enfin les philosophes, amis de Mme d'Epinay, Diderot qui l'accable de ses conseils, Grimm qui le persifle. Tant et si bien que les choses se gâtent et que Rousseau, fatigué, pestant contre lui-même, cherche une occasion de rompre. Elle se présente, lorsque Mme d'Epinay lui demande de l'accompagner à Genève où elle va consulter Tronchin. Rousseau refuse, Diderot lui reproche aigrement son ingratitude; réplique de Rousseau, qui met le comble à la goujaterie, en feignant de croire que Mme d'Epinay est enceinte et veut se servir de lui comme de paravent. Il écrit une lettre inqualifiable à sa bienfaitrice, qui lui signifie son congé. La félicité, bien imparfaite, n'a pas duré deux ans.

Il déménage le 15 décembre 1757 et accepte la retraite que lui offre, non loin de là, à Montlouis, M. Mathas, procureur fiscal du prince de Condé. C'est là qu'il écrit la *Lettre à d'Alembert*, où il rompt publiquement avec les Encyclopédistes. Il achève la *Nouvelle Héloïse*, qu'il a commencée à l'Ermitage, prépare le *Contrat social* et l'*Emile*, conçoit les *Confessions*, où il projette de rétablir la vérité sur son compte. La folie de la persécution couve en lui; il se croit l'objet d'un complot ourdi pour le discréditer, et il veut se défendre.

La période des **Sur ces entrefaites, le maréchal de Luxembourg**
chefs-d'œuvre et sa femme, dont le château est contigu à la
(1758-1762). maison de Rousseau, font des avances à leur voisin, recherchant son amitié et lui offrant de l'héberger. La comédie recommence, comme avec Mme d'Epinay : refus de Rousseau, insistance du maréchal, acceptation sous conditions. Rousseau est ainsi à la tête de deux logements, la maison de Montlouis et le petit pavillon — le petit château — où ses nouveaux protecteurs l'ont installé. Il connaît alors un bonheur sans mélange : il est resté à la campagne; tout Paris s'empresse à le voir; les attentions du maréchal et de sa femme, que dis-je ? leur déférence caressent doucement les fibres les plus secrètes de son cœur : ne l'ont-ils pas contraint à les venir voir de temps à autre en leur hôtel, lorsqu'ils se trouvent à Paris ? Tout cela le grise, et il commet une terrible imprudence. Il écrit à Voltaire une lettre violente où il lui crie sa haine. Il ne reçoit pas de réponse immédiate, mais cette réponse viendra et le fera chanceler. Il publie la *Nouvelle Héloïse*, qui, prônée avant son apparition par Mme de Luxembourg, Mme d'Houdetot, Duclos, le roi Stanislas, et toute brûlante d'une passion encore inconnue, connaît le plus éclatant succès (1761). Paraissent ensuite coup sur coup le *Contrat social* (avril 1762), qui passe inaperçu, et l'*Emile* (mai 1762), dont la publication provoque contre l'auteur un décret de prise de corps. Le jour même où le décret doit être lancé, le 9 juin, à 2 heures du matin, il en est averti par une lettre du prince de Conti, qui s'est donné une peine inutile pour parer le coup. Rousseau tient conseil avec le maréchal et Mme de Boufflers, décide de fuir, met en sûreté ses papiers au château et quitte avec émotion ses hôtes qu'il ne doit plus revoir. Il a raconté lui-même comment, sur la route, il rencontra les huissiers qui venaient l'arrêter et se contentèrent de le saluer en souriant, comment il traversa Paris, salué par plusieurs personnes, comment il parvint à la frontière suisse où, dans un geste théâtral, il s'agenouilla pour baiser la terre de sa patrie. Beau document sur

la barbarie de l'Ancien Régime que ce tranquille départ d'un homme proclamé séditieux !

L'exil hors de France (1762-1767). Le 14 juin, au matin, il arrive dans le canton de Berne, à Yverdun, où il descend chez un vieil ami, M. Roguin; il n'y peut rester longtemps, car le Conseil de Genève, qui a fait brûler le *Contrat social* et l'*Emile* comme étant le premier subversif et le second irréligieux, et qui l'a menacé d'être appréhendé s'il s'aventure sur le territoire de la République, fait pression sur le gouvernement de Berne, qui, à son tour, enjoint à Rousseau de quitter le canton. Rousseau se réfugie à Motiers-Travers, dans la principauté de Neuchâtel, sujette de la Prusse, sollicite et obtient de Frédéric II l'autorisation de s'y installer. Le gouverneur de la principauté — un Ecossais, lord Keith, que l'on appelle Milord Maréchal — lui prodigue les marques de l'amitié la plus dévouée. Rousseau goûte quelques années de répit : il compose en 1763 son arrogante *Lettre à Christophe de Beaumont, Archevêque de Paris* (ce prélat n'a-t-il pas eu le front de lancer un mandement contre l'*Emile* ?) et, en 1764, les *Lettres de la Montagne*, réplique aux *Lettres écrites de la campagne* de Robert Tronchin. C'en est fini de son repos. A la fin de la même année, paraît le *Sentiment des citoyens*, virulent pamphlet, où Voltaire, savourant à froid sa vengeance, révèle au public les tares privées de Rousseau, sa liaison avec Thérèse, l'abandon de ses enfants. Rousseau est atterré. D'autre part, ses bizarreries de costume (il s'habille en Arménien) et ses démêlés avec son pasteur, M. de Montmollin, soulèvent le village contre lui : il est insulté par les paysans, ainsi que Thérèse, qui est venue le retrouver, et, dans la nuit du 7 au 8 septembre 1765, ils manquent d'être blessés dans leur maison criblée de cailloux. Il se rend alors à l'île de Saint-Pierre, dans le lac de Bienne, d'où il est encore chassé, et il commence une lamentable vie d'errant. Il passe à Bienne, à Bâle, à Strasbourg, qui lui fait un accueil chaleureux, à Paris, où il loge chez le prince de Conti, et de là, sur l'invitation du philosophe David Hume, en Angleterre. Il arrive à Londres le 13 janvier 1766, s'installe à Chiswick, où Thérèse le rejoint, puis, en mars, à Wootton, chez M. Davenport, ami de Hume. Il y passe une année, agité de soupçons grandissants sur les menées de ses ennemis — soupçons fondés cette fois, ainsi que M. Guillemin paraît bien l'avoir montré, — et il finit par se brouiller avec Hume et Davenport (1766-1767).

Les dernières années (1767-1778). Il quitte avec soulagement l'Angleterre, revient en France, et l'odyssée lamentable reprend. Hôte un moment du marquis de Mirabeau, qui l'installe à Fleury, près de Meudon, il est ensuite hébergé par le prince de Conti au château de Trye, près de Gisors. Son humeur s'assombrit de plus en plus. Il ne peut rester en place, descend jusqu'à Lyon, Grenoble, Chambéry, où il fait un pèlerinage sur la tombe de Mme de Warens, s'installe à Bourgoin (1768), où il régularise (?) devant deux témoins son union avec Thérèse, puis à Monquin (1769), d'où, grâce à Choiseul, il peut enfin revenir à Paris. Il se loge dans une modeste maison, rue de la Plâtrière, n° 2, fait des visites, lit ses *Confessions* dans les salons pour contrebattre l'action de la « coterie holbachique »; mais les amis de la tolérance font interdire ces lectures. Alors il copie de la musique, flâne dans la capitale, herborise aux environs, muré dans sa manie de défiance, agressif et pitoyable, n'accueillant que de rares amis, dont Bernardin de Saint-Pierre, parachevant sa défense par la composition des *Dialogues* (1773), distribuant aux passants de courts billets où il plaide sa cause. Et brusquement le calme renaît en lui : il se résigne, et il se met à écrire ce qui est vraisemblablement son chef-d'œuvre, les *Rêveries du promeneur solitaire*.

Voltaire arrive alors à Paris, et Rousseau assiste à son apothéose : dans quels sentiments ? Il accepte l'hospitalité qu'un de ses admirateurs, le marquis de Girardin, lui offre dans son château d'Ermenonville, près de Senlis. C'est la dernière étape de sa vieillesse, aussi mouvementée que le fut son enfance. Le 2 juillet 1778, il meurt subitement, un mois à peine après Voltaire. Il est enterré au milieu du parc d'Ermenonville, dans la petite île des Peupliers, et son tombeau attire une foule de pèlerins enthousiastes jusqu'au moment où un décret de la Convention ordonne le transfert de sa dépouille au Panthéon (1794). C'est là que, depuis, il repose, non loin de celui dont l'implacable haine avait peut-être hâté sa fin.

Son caractère.   Le « cas Rousseau » a fait couler beaucoup d'encre. Médecins et psychologues se sont efforcés d'en résoudre l'énigme — qui reste à peu près entière; car, si nul homme n'est simple, bien certainement Rousseau est l'homme le plus homme qui ait jamais paru. Le mieux est de ne pas chercher en lui une unité factice, mais de dégager les traits de sa personne morale. Rousseau est d'abord un *malade*. Malade, il l'est au physique et au moral. Il nous renseigne lui-même sur ses infirmités : la tête, le cœur, les lombes, la vessie, rien ne va — sauf les jambes, qui ont la bougeotte; son œuvre est comme une salle de Musée Dupuytren. Une salle aussi de la Salpêtrière : il est atteint de déséquilibre manifeste. Victime d'une imagination et d'une sensibilité surchauffées, il sombre dans la paranoïa, cette folie lucide, qui laisse intactes les facultés intellectuelles et noue d'une logique serrée les divagations les plus folles. Comme tous les déments, il aime à vanter la subtilité de ses vues, la force de ses déductions. Faiblesse physique et désordre mental réagissent l'un sur l'autre. Vivant dans le rêve, les heurts de la réalité lui causent un douloureux ébranlement et le rejettent dangereusement dans ses fictions. Greluchon sans verdeur au temps de sa jeunesse, il restera toujours un passionné cérébral

et, comme tel, sa sensibilité pervertie se satisfait en étalages déshon-
nêtes, en goût morbide de souffrir; et la tension excessive des
nerfs use un peu plus la résistance physique.

C'est un *orgueilleux* intensément convaincu de sa supériorité, que
dis-je ? de sa valeur unique : il est l'homme vrai, et rien ne compte
devant cela, ni préjugés, ni conventions, ni lois. Créé pour l'instruction et l'édification des âmes, un Rousseau a le devoir de se montrer tel qu'il est : de là ce nudisme moral qui ne recule devant
aucune confidence, si révoltante qu'elle soit. Il ne saurait être
asservi : de là cette ombrageuse indépendance, qui trouve légère
l'ingratitude. Il ne saurait être humilié : de là cette goujaterie cynique, bure grossière où se drapent sa timidité et son ignorance du
monde.

Orgueilleux à ce point, peut-on être sincère ? M. Fusil ne le pense
pas : il ne voit en Rousseau qu'un cabotin de l'intelligence, du cœur
et des sens, et son animosité fureteuse a réuni contre Jean-Jacques
un imposant dossier. Toutes les conclusions de cet historien ne sont
pas également solides, mais, à lire ses travaux, la conviction se fait
jour que Rousseau s'est composé un personnage, ou tout au moins
que la franchise et la spontanéité n'ont pas été ses qualités dominantes.

Mais tout n'était pas en lui pure imposture. Ses gestes théâtraux,
ses éclats de voix peuvent agacer — et ils m'agacent; ils ne doivent
pas empêcher de voir le fond réel qu'ils dissimulent. Je crois que
Rousseau a sincèrement aimé la vertu et qu'il y a tendu sincèrement,
vers la fin de sa vie surtout. L'illusion a sa part, sa grande part si
l'on veut, dans les éloges qu'il se donne à cet égard; son sens moral
est sujet à d'étranges déviations. Il y a dans ses repentirs et dans ses
aveux un désir de choquer, une volupté rétrospective, une perver-
sion jouisseuse, je le veux bien encore : il sait du moins qu'il a mal
fait, et cela ne vaut-il pas mieux que la désinvolte indifférence de
son temps au problème moral ? Il a réellement aimé Dieu et il en
a éprouvé la présence : s'il manque bien des choses à sa religion, on
ne peut révoquer en doute sa piété.

Il faut tenir compte de cela lorsqu'on l'étudie, comme il faut
tenir compte de sa jeunesse désemparée, de sa formation plus que
singulière, de ses tares physiologiques. Et, tout bien pesé, dans le jugement auquel on s'arrête, si la sévérité domine, elle se nuance de pitié
pour cette âme orageuse traversée de rayons.

II. — L'ŒUVRE DE ROUSSEAU.

Moins abondante et moins variée que celle de Voltaire, l'œuvre de
Rousseau a cependant plus d'étendue et de diversité qu'on ne le croit
en général.

Il ne saurait être question d'étudier tous ses écrits ni même d'en dresser le catalogue : au reste l'équitable oubli en a depuis longtemps recouvert un grand nombre. Je m'en tiendrai donc à ceux qui font de Rousseau l'initiateur du monde et de la littérature modernes, sans m'interdire toutefois de puiser dans les autres ce qui peut concourir à faire mieux connaître l'homme et à préciser sa doctrine.

Unité de   Ainsi réduite à l'essentiel, l'œuvre de Rousseau
son œuvre.   apparaît comme l'élaboration progressive d'un système d'idées, dont le but est de réformer l'Etat, la société et les mœurs. Plus qu'aucun autre, ce système est en rapport étroit avec la personnalité de l'écrivain. Rousseau, tel que je l'ai décrit, devait, comme il se doit, donner le pas au cœur sur la raison, habiller en principes les rêves de son imagination chimérique, frapper en formules les exigences de sa maladive sensibilité. Protestant et Genevois, il fait du sens interne le critérium de toute vérité et ne quitte point des yeux sa patrie en légiférant pour le genre humain. Formé par les livres et battu par la vie, il amalgame et modèle peu à peu de son génie impérieux et lent les emprunts faits à ses lectures; il chevauche l'abstraction, mais remet assez vite pied à terre et tempère dans la pratique ce que l'idéal aurait de trop absolu. Il aboutit ainsi à une sorte de semi-jansénisme politique, où il ne faut voir nulle duplicité, mais plutôt le souci de frapper fort, l'expérience des hommes et le sentiment de ce qui se peut réaliser.

Le système de Rousseau est donc un compromis entre le désirable et le possible. Il repose sur cette idée que l'homme est naturellement bon et libre, mais que la société le perd et l'asservit. L'homme a déchu parce qu'il a laissé prédominer en lui l'intelligence sur l'instinct : il a ainsi altéré sa vraie nature, s'est créé des besoins factices et donné des vices que la vie en commun lui permet de satisfaire. Il est déchiré en lui-même, il ne reconnaît plus le bonheur pour lequel il est né, et son mal est trop invétéré pour que puisse renaître la félicité primitive : ce serait œuvre vaine et même pernicieuse que de la vouloir ressusciter. Mais ce qu'on peut, ce qu'on doit faire, c'est s'en rapprocher le plus possible et pour cela renoncer aux joies d'une société artificielle et réformer, en s'inspirant de la nature, la famille, les lois, l'éducation.

Le système repose sur un fondement ruineux. Comment admettre un homme naturellement bon, qui crée le mal et s'y complaît ? Un homme naturellement libre, alors qu'il dépend pour tant de choses et de ses parents et de ses semblables ? Cette réserve une fois faite, on doit reconnaître que le système se tient. La nécessité d'un retour prudent à la nature, voilà l'idée qui anime l'œuvre de Rousseau et qui lui confère son unité. Elle apparaît déjà à l'état de tendance confuse dans ses poésies de jeunesse. Les premières œuvres de valeur — les deux *Discours*, la *Lettre à d'Alembert* — font le procès de la société corrompue et corruptrice. La *Nouvelle Héloïse*, le *Contrat social* et l'*Emile* jettent les bases de la réforme. Les dernières œuvres, de caractère apologétique — les *Lettres de la Montagne,* les *Confessions, Rousseau juge de Jean-Jacques,* les *Rêveries* — tendent à montrer que cette réforme est réalisable, car l'homme naturel existe, et cet homme, c'est Rousseau.

Les œuvres de début. N'en croyons pas Rousseau, lorsqu'il date ses débuts littéraires du *Discours sur les lettres et les sciences* ou lorsqu'il gémit sur le « malheureux talent » qui lui a valu tant d'infortunes et sur les instances qui l'ont, comme malgré lui, poussé dans la carrière d'écrivain. Il a toujours eu un sentiment très haut de sa valeur; il a choisi de lui-même la voie qu'il a suivie et son « premier écrit » succédait en réalité à une assez copieuse production.

Cette production comprend d'abord une dizaine d'œuvres dramatiques, dont les moins inconnues sont *Narcisse,* à cause de sa véhémente préface, et le *Devin de village,* bergerade Pompadour, dont s'enticha Louis XV. A lire ces platitudes, on se demande si, dans la haine dont Rousseau a poursuivi le théâtre, il n'entrait point une once de dépit contre une Muse qui ne s'était guère montrée accueillante pour lui.

Nous possédons en outre une vingtaine de poèmes ou plutôt de morceaux versifiés, écrits presque tous de 1737 à 1750 et de nature fort diverse. A côté d'un virelai gentiment tourné à Mme de Warens, d'un madrigal à Mme Dupin (ce chemineau plaquait de rouge les talons de ses brodequins!) et d'un fragment d'une *Epître à M. Bordes,* d'une désinvolture un peu appliquée, on y trouve quatre pièces assez longues : le *Verger des Charmettes* (1737), l'*Epître à M. Bordes* (vers 1740), l'*Epître à M. Parisot* (1747) et l'*Allée de Sylvie* (1748) — qui méritent de retenir l'attention. Non certes pour leur valeur d'art : quelques vers assez larges, des sentences bien frappées n'en compensent point les lourdeurs, les gaucheries et les incorrections. Rien n'y annonce l'harmonieuse cadence du style des grands ouvrages : comme tous les magiciens de la prose, comme Bossuet, comme Chateaubriand, Rousseau perd en poésie ses qualités d'incomparable musicien. L'intérêt de ces quatre pièces tient à d'autres raisons. Elles développent déjà les thèmes favoris de Rousseau : patriotisme genevois, fierté républicaine, haine des riches et des grands, indépendance ombrageuse, moi vaniteux, sentiment de la nature, mélancolie. Elles ouvrent aussi un jour sur la lutte perpétuelle qui se livre, dans le cœur et dans la tête de l'écrivain, entre les tendances héritées et les tendances acquises. Rousseau chante tour à tour avec la même sincérité la simplicité vertueuse et les industries de luxe, la nature et la civilisation, l'égalité politique et l'inégalité sociale. Cette contradiction explique son œuvre et sa vie. C'est le protestant genevois qui écrit les traités subversifs, et c'est l'élève de Mme de Warens, le secrétaire de Mme Dupin qui en atténue, dans sa *Correspondance* ou dans ses œuvres du second ordre, les effets destructeurs. Quelque

hostilité qu'il professe pour la richesse et le monde, Rousseau n'en
a point complètement dédaigné les douceurs : ce « bâtard de Dio-
gène », comme l'appelait Voltaire, se logeait volontiers dans des
tonneaux d'Eupatrides. Rousseau cherchait donc bel et bien et de
propos délibéré à se faire un nom dans les lettres, lorsque, en 1750,
il leur jeta un anathème retentissant dans son *Discours sur les
sciences et les arts.*

Le Discours   Une telle volte-face a de quoi surprendre. Nous
   sur les   nous trouvons pour l'expliquer en présence de trois
  sciences   récits : celui de Rousseau dans les *Confessions* et
 et les arts   la *Deuxième lettre à M. de Malesherbes,* celui de
  (1750).   Marmontel dans ses *Mémoires,* celui de Diderot
dans la *Vie de Sénèque.*

D'après Rousseau, à la seule lecture de la question posée par
l'Académie de Dijon (*Si le rétablissement des sciences et des arts a
contribué à épurer les mœurs*), il aurait été bouleversé et, dans une
révélation fulgurante, la solution lui aurait apparu. Il se serait
abattu au pied d'un arbre, et tout en donnant libre cours à ses
larmes — pleurs, pleurs de joie ! — il aurait composé la *Prosopopée
de Fabricius.* Marmontel et Diderot affirment au contraire, en des
termes assez semblables, que Rousseau aurait seulement fait part
à Diderot du sujet de concours et exprimé son dessein de soutenir
l'affirmative. Diderot aurait alors protesté, non sans malice, que
cette thèse était le *pont-aux-ânes* et que Rousseau devait répondre
ce que personne ne répondrait. Et Rousseau de répliquer : « Vous
avez raison, vous m'avez bien deviné. » A qui ajouter foi ? Je pen-
cherais, je l'avoue, pour Diderot. Non que la scène que Rousseau
décrit me paraisse invraisemblable. Les éblouissements, les pâmoi-
sons, les larmes sont monnaie courante à l'époque. D'autre part,
terrassé par la vérité, un Rousseau ne réagit pas comme un Paul
ou un Pascal. Il ne pose point l'humble question de l'Apôtre, il ne
griffonne point les phrases hachées et brûlantes du talisman. Sa
sensibilité maladive lui permet de se dédoubler : il reste lucide malgré
le bouillonnement intérieur et, le cœur haletant, il fignole en
conscience un beau morceau de rhétorique. Toutefois, le récit de
Diderot me paraît mieux répondre à l'état d'âme de Rousseau et
à la position respective des deux écrivains. Rousseau n'avait pas
besoin qu'on lui soufflât sa réponse : issu de la calviniste Genève,
aigri contre une société qui méconnaissait son mérite, mais sachant
le pouvoir qu'exerçait sur elle son étrangeté, il devait incliner vers
une attitude conforme à ses origines, à ses rancœurs, à son besoin
de réclame. Il balançait toutefois à la prendre, et c'est l'intervention
de son ami qui leva ses hésitations.

Le *Discours* tend à prouver les effets corrupteurs de la civilisation
intellectuelle. Il se divise en deux parties. Dans la première, qui veut
être historique, Rousseau s'efforce de montrer que tous les grands

Etats (Egypte, Perse, Grèce, Rome, Byzance, Chine) ont commencé
à déchoir du jour où ils ont cultivé les lettres et les arts, et que leur
déchéance s'est accrue en raison même du développement de ces
divertissements condamnables. Au contraire, les Scythes, les Ger-
mains, les Suisses, obéissant à la nature qui nous veut ignorants,
ont conservé leur force. Dans la seconde partie, qui est morale, Rousseau commence par poser ce principe général que chaque science a
pour origine un vice :

> L'astronomie est née de la superstition; l'éloquence de l'ambition, de
> la haine, de la flatterie, du mensonge; la géométrie de l'avarice; la
> physique d'une vaine curiosité; toutes, et la morale même, de l'orgueil
> humain.

Ce qui le prouve, ce sont les effets nuisibles des sciences : elles
servent le luxe et l'oisiveté, affaiblissent le patriotisme et le sentiment religieux, développent la passion de l'argent et du succès, et
contribuent ainsi à la corruption du goût. Mais la plus dangereuse
de leurs conséquences est l'inégalité que crée leur étude. Loin donc
de les vulgariser, ce qui dépeuple les campagnes, il faut en restreindre
l'usage à une élite au talent éprouvé, que le pouvoir protégera : la
masse doit se borner à la pratique de la vertu, « science sublime
des âmes simples ».

La thèse de Rousseau est indéfendable : historiques ou rationnels,
les fondements sur lesquels il l'appuie sont également ruineux. Ce
que l'histoire atteste, au contraire, c'est que les grands Etats, comme
les organismes robustes, connaissent une période de pleine maturité
où toutes leurs virtualités se déploient : le Siècle de Périclès est
aussi celui de l'hégémonie athénienne; le Siècle d'Auguste celui de
la paix romaine; le Siècle de Louis XIV celui de la prépondérance
française. Ni le patriotisme ni la religion n'ont souffert à Athènes
de la culture des arts; Auguste, en même temps que le protecteur
des lettres, fut le législateur des mœurs, et notre XVIIᵉ siècle n'a pas
produit seulement une floraison de chefs-d'œuvre : il a vu le magnifique épanouissement de la Contre-Réforme. Assigner d'autre part
aux sciences et aux arts l'origine viciée d'où Rousseau les tire, c'est
se méprendre singulièrement sur la nature de l'homme : autant que
le bien, l'homme a toujours recherché le vrai, l'utile et le beau et,
dès les temps préhistoriques, dans la nuit vaguement éclairée des
cavernes, le tailleur de silex coudoyait le peintre de rennes et d'au-
rochs.

Ce paradoxe, lieu commun d'école réchauffé par une brûlante
éloquence, fit un bruit énorme. Des réfutations parurent, dont les
deux principales sont dues à Stanislas, roi détrôné de Pologne, duc
de Lorraine et beau-père de Louis XV (peut-être aidé dans sa tâche
par le P. Menou, jésuite) et à M. Bordes, l'ami lyonnais de Rousseau,
destinataire des épîtres dont nous avons parlé. Rousseau fut
enchanté : il était enfin en vedette, et l'occasion s'offrait à lui de

mûrir ses idées et de mettre au point son système. C'est ainsi que, dans la réponse — fort courtoise — qu'il adresse à son royal adversaire, il atténue son éloge de l'ignorance au point de faire de cette dernière quelque chose d'assez semblable à l'instruction; il reconnaît qu'il est trop tard pour renoncer aux sciences et aux arts et qu'ils peuvent même être utilement employés pour « adoucir en quelque sorte la férocité des hommes qu'ils ont corrompus » : homéopathie intellectuelle. Il revient sur la question de l'inégalité, qu'il met à la source de tous les maux de la civilisation. La *Dernière réponse à M. Bordes*, écrite d'un ton rogue, n'identifie plus ignorance et vertu, mais renferme déjà quelques-unes des idées essentielles de sa doctrine : il y a du luxe, parce qu'il y a des pauvres; les hommes sont bons naturellement; la propriété est une chose affreuse; les vices proviennent de la dépendance mutuelle des hommes. Il faut joindre à ces répliques la Préface de *Narcisse* (1752), qui clôt la polémique soulevée par le *Discours*. Taxé d'inconséquence pour avoir condamné les arts qu'il avait pratiqués et qu'il continuait à pratiquer encore (le *Devin du village* et *Narcisse* viennent d'être représentés), Rousseau tente de justifier son attitude avec une arrogance hautaine et sur un ton décisif suprêmement déplaisant. Son plaidoyer a du moins le mérite d'être fortement charpenté et ses idées se lient en un système cohérent. Il a de plus trouvé le rôle de sa vie, et il se pose déjà en censeur brutal de son temps.

Le *Discours sur les lettres et les arts* et la querelle qu'il a suscitée ont donc une grande importance historique. Ils ont amené Rousseau à clarifier et à ordonner ce qui n'était chez lui que vagues aperçus et notions éparses. Ils sont une déclaration de guerre à tout ce que son siècle et ses amis révéraient : la science, le progrès, la civilisation, le luxe. D'un autre point de vue, ils marquent la rentrée dans nos lettres, après un siècle d'éclipse, de la passion et de l'éloquence.

Le **Discours** **sur l'inégalité** **(1753).** C'est vraisemblablement l'insistance que, dans cette querelle, Rousseau apportait à étudier la question de l'inégalité, qui inspira à l'Académie de Dijon l'idée de mettre au concours pour l'année 1753 le sujet suivant : *Quelle est la source de l'inégalité des conditions parmi les hommes; si elle est autorisée par la loi naturelle ?* Composé à Saint-Germain, dont les bois formaient un cadre propice à des méditations idylliques sur le bonheur de l'humanité primitive, le *Discours sur l'inégalité*, jugé trop audacieux, ne fut pas couronné, et ce fut l'abbé Talbert qui emporta le prix.

L'œuvre, dédiée à la République de Genève, comprend une Préface, un Préambule et deux parties; elle s'accompagne en outre de notes presque aussi volumineuses qu'elle. Dans la *Préface*, Rousseau établit que le problème posé ne peut être résolu que si l'on connaît l'homme tel que l'a formé la nature. Or cette connaissance est extrêmement

difficile à acquérir, car l'état de nature « n'existe plus, n'a peut-
être point existé et probablement n'existera jamais ». D'un autre
côté, on ne saurait parler de loi naturelle s'imposant à l'homme
social. Outre que le terme de loi prête à confusion, suivant qu'on
l'entend comme un rapport ou comme une règle, la société n'est
à aucun degré un produit spontané de la nature humaine, qui origi-
nairement ignore la sociabilité et ne possède que les deux instincts
de conservation et de pitié. Le *Préambule* distingue l'inégalité naturelle ou physique et l'inégalité morale ou politique et indique la
méthode suivie par l'écrivain. Pour expliquer l'établissement de
l'inégalité politique, il faut se faire une idée nette de l'état de
nature. Comme la foi enseigne qu'il n'a jamais existé, on doit bannir
tous les faits et recourir à l'hypothèse, comme Buffon ou Descartes,
lorsqu'ils exposent la formation du monde. Puis, sans se préoccuper
de la contradiction, Rousseau annonce qu'il va parler de temps très
éloignés, dont le bonheur éveillera peut-être chez les malheureux
humains policés le désir de s'en rapprocher.

La *première partie* renferme un portrait de l'homme « sortant
des mains de la nature ». Physiquement, c'est un sauvage fortement
constitué, ne craignant rien des bêtes, méprisant la mort, à l'abri
du mal physique. Mais il est doué de réflexion et de perfectibilité,
et sa dégénérescence vient de là, car « l'homme qui médite est un
animal dépravé ». Comment s'est éveillé chez lui le besoin de se
perfectionner et de créer les arts ? Par le rapprochement et par le
langage ? Mais la sociabilité n'est pas naturelle, et l'invention du
langage est un mystère. Ce qu'il y a de sûr, c'est que les hommes
sont plus heureux sans société et sans raison. Ni bons ni méchants,
ils éprouvent plus intensément que l'homme civil le sentiment de
la pitié qui est inné en eux. Ils ignorent ce qu'est éducation
et progrès; l'inégalité naturelle qui les sépare « est à peine sensible ». Aussi est-il regrettable que « des causes fortuites, étrangères, qui pouvaient ne jamais naître » aient rendu un être méchant
en le rendant sociable jusqu'au point où nous le voyons aujour-
d'hui.

La *seconde partie* s'ouvre par une diatribe contre la propriété,
où se trouve le mot fameux : « Les fruits sont à tous, la terre n'est
à personne. » C'est elle en effet qui a consacré l'inégalité. Mais elle
n'est elle-même que le produit d'une lente évolution, jalonnée par
l'apparition des groupements humains, la constitution de la famille,
l'invention de la métallurgie et de l'agriculture, dont la première
amena la division du travail et l'autre le partage des terres, c'est-
à-dire la propriété. L'inégalité naturelle des talents créa l'inégalité
sociale; la dépendance d'homme à homme apparut, et les riches,
désireux de maintenir leurs avantages et de se protéger contre les
« brigandages des pauvres », proposèrent d'établir des lois reconnaissant à chacun la possession de son bien. Plusieurs sociétés se
constituèrent ainsi, qui, pour prévenir les guerres et leur cortège

de crimes, fondèrent par convention le droit des gens. Des magistrats furent ensuite chargés, dans chaque société, de réprimer les violations de la loi. Ceux-ci, primitivement élus, devinrent héréditaires, et le pouvoir légitime se changea en despotisme. Rousseau conclut par dire que

l'inégalité morale, autorisée par le seul droit positif, est contraire au droit naturel, toutes les fois qu'elle ne concourt pas en même proportion avec l'inégalité physique.

Les *Notes* sont en général consacrées aux documents qui servent de base à l'hypothèse défendue par l'écrivain. Trois d'entre elles sont particulièrement à signaler : la Note (*i*), où est affirmée la bonté naturelle de l'homme et reprise l'attaque contre la vie sociale et le luxe qui le corrompent, et qui se termine par le prudent conseil de respecter la société dont on est membre; la Note (*j*), où Rousseau classe dans l'espèce humaine les pongos, les beggos, les mandrills et autres orangs outangs; et la Note (*l*), où il soutient contre Locke que la famille n'est pas une institution fondée sur la nature.

Le *Discours sur l'inégalité* est loin d'être une œuvre originale. Rousseau puise dans Grotius et Puffendorff sa notion de l'état de nature, situation juridique ou morale de l'homme étudié dans sa nature spécifique, à l'état d'isolement. Il doit à Condillac sa psychologie de l'homme physique et sensible. Il emprunte à Buffon sa méthode, où s'unissent l'observation et l'hypothèse, ainsi que les détails sur la constitution de l'homme. Il tire de Corréal, de Rolben, du Père Dutertre, de l'*Histoire des Voyages*, les renseignements sur la vie des sauvages qui lui servent à reconstituer l'existence des premiers hommes, car pour lui le sauvage reproduit avec une fidélité approchée l'homme naturel. Platon et Pascal lui fournissent à l'aventure des thèmes de développement.

Peu original, le *Discours* présente encore d'autres défauts : l'illogisme pour un historien à ne vouloir pas tenir compte des faits, la contradiction fondamentale d'un homme né bon et artisan de sa déchéance, l'abus du raisonnement et des constructions hasardeuses, et, dans la forme, de la grandiloquence ou des tours embarrassés et pénibles. Il n'en est pas moins, par la composition serrée, l'ampleur, la chaleur et la nerveuse énergie du style, incomparablement supérieur à cette déclamation scolaire qu'est le *Discours* précédent.

C'est vraiment le premier grand ouvrage de Rousseau, celui où commence à s'affirmer sa personnalité et qui contient en germe sa production future. L'influence « spartiate » s'y fait toujours sentir, mais celles qui dominent, ce sont les influences combinées de Genève et du protestantisme. Sa haine de l'inégalité lui vient de Genève, ou plutôt de la fausse idée qu'il se fait de son pays, qui n'était pas du tout la patrie de l'égalitarisme, comme nous le verrons. Indépendamment de sa dette envers les juristes protestants, il en contracte une autre à l'égard de la Bible, son livre de chevet à ce moment-là, où il songe précisément à rentrer dans la communion protestante. On a dès longtemps — Saint-Marc Girardin entre autres et M. J. Dumesnil — signalé de nombreux points de rencontre entre la *Genèse* et le *Discours*. Les deux récits affirment la double nature de l'homme, formé de limon et doué de liberté morale, la vie édénique, la chute originelle causée par le besoin de savoir, la corruption aggravée par la métallurgie, l'agriculture et les arts, le synchronisme entre la dépravation croissante et les fléaux qui la punissent, la rédemption promise à l'homme déchu. Certes les différences ne manquent pas, et, pour s'en tenir à la principale, Rousseau ne conçoit pas de la même manière que l'écrivain sacré le rachat de l'humanité. Pour celui-ci, ce rachat est lié à l'accomplissement de la loi religieuse, que le Sauveur réalisera; pour Rousseau, à l'avènement de la loi politique du contrat, qui fera régner de nouveau la liberté et la justice. Le *Discours* transpose sur le plan naturel et rationnel le récit inspiré de Moïse. Mais Rousseau lui donne malgré tout une forte couleur chrétienne, reflet de ses préoccupations de l'heure. Il proclame son dessein de défendre la Providence, il limite le mal au mal moral, il veut ramener l'homme à sa candeur native, à la simplicité frugale des premiers âges : retour aux origines, dont le protestantisme lui donnait l'exemple sur le terrain religieux. Quelle qu'ait été la collaboration de Diderot, la thèse générale que le *Discours* expose, les dispositions d'esprit qu'il révèle, composaient à son auteur une figure originale et ne permettaient plus qu'on le confondît avec les autres philosophes au milieu desquels Rousseau se sentait déjà un étranger.

Le *Discours* marque donc une date importante dans la vie de Rousseau : c'est comme son premier acte d'affranchissement, que suivront après coup la rentrée dans le giron calviniste et la *Lettre à Voltaire sur la Providence*. Le *Discours* contient en outre la promesse des œuvres futures. Il repose sur le postulat de la bonté naturelle de l'homme, que Rousseau réaffirmera avec éclat dans l'*Emile*. Bien loin de contredire le *Contrat social*, comme certains l'ont prétendu, il l'annonce, s'il est vrai que le *Contrat* procède du désir de supprimer la dépendance d'homme à homme, antinaturelle au premier chef, et dont le *Discours* met déjà en une vive lumière les pernicieux effets.

L'ouvrage de Rousseau fut accueilli fraîchement à Genève, où l'on ne goûta guère cette charge à fond contre une inégalité que la constitution consacrait. Il fut pertinemment discuté par le naturaliste Ch. Bonnet, qui eut beau jeu de restituer à la nature la responsabilité de la déchéance de l'homme; Rousseau ne lui opposa qu'une assez faible réponse. Quant à Voltaire, à qui Rousseau avait fait hommage de sa brochure, il lui adressa, pour le remercier, une lettre justement célèbre pour son mélange de courtoisie railleuse et de malice fourrée. Le *Discours sur l'inégalité* a produit des effets profonds et durables. Plus que tout autre ouvrage, il a contribué à répandre la légende du bon sauvage, l'un des thèmes favoris du XVIIIᵉ siècle. Il a fourni aux démagogues des arguments grossiers, mais efficaces, et lancé une formule saisissante, dont se sont emparés tous les agitateurs sociaux.

Au *Discours sur l'inégalité* l'on doit joindre l'article *Economie politique*, que Rousseau publie en 1755 dans l'*Encyclopédie*. Rejetant la théorie de Boucher d'Argis, pour qui la société n'est que l'extension de la famille et la souveraineté l'extension de l'autorité paternelle, il assimile le groupement politique à « un corps organisé vivant » et à « un être moral qui a une volonté ». Cette volonté est, sur le plan humain, l'image de la puissance divine : elle est « la voix de Dieu ». Le gouvernement a pour buts essentiels de maintenir la liberté et l'égalité et de faire régner la loi, expression de la volonté générale, et la vertu, subordination des volontés particulières à cette volonté. La limitation des fortunes, l'éducation, l'exacte définition du droit de propriété sont les moyens dont il dispose pour y parvenir. L'article aborde ainsi des problèmes que Rousseau avait volontairement négligés dans le *Discours*. Il précise sa pensée politique et jette les bases sur lesquelles s'appuiera le *Contrat social*. Malgré certaines ressemblances, il est très différent des articles *Autorité* et *Droit naturel*, que Diderot compose vers le même temps. Aux besoins humains qui, d'après ce dernier, fondent les sociétés, Rousseau substitue des exigences rationnelles et morales. La libération s'achève. Elle se consommera lorsque à la divergence de doctrines s'ajouteront les lents effets de l'opposition des caractères et les démêlés personnels. La crise éclate à la fin de 1757; la rupture s'opère, et Rousseau en avise le monde avec sa *Lettre à d'Alembert*, appelée encore *Lettre sur les spectacles*.

La **Lettre sur les spectacles** *(1758).* — Deux mois avant que Rousseau quittât l'Ermitage, paraissait le tome VII de l'*Encyclopédie*, lequel contenait un long article sur *Genève*. L'auteur en était d'Alembert, qui avait cru devoir féliciter les pasteurs genevois de leur rationalisme et regretter qu'une ville aussi libérale refusât de laisser établir un théâtre dans ses murs. Les pasteurs trouvèrent l'éloge compromettant et l'un d'eux, Vernes, pria Rousseau d'obtenir une rectification : Rousseau se déroba. Mais trop de raisons, qui n'étaient pas celles des pasteurs, le poussaient à intervenir, pour qu'il gardât le silence. Il se mit au travail et, en trois semaines, au mois de février, dans le donjon glacé qui attenait à sa maison de Montlouis, il composa la *Lettre*, qui parut le 2 octobre 1758.

Elle est précédée d'une *Préface* et comprend deux parties, dont la première est très courte, et dont la seconde, fort développée, se subdivise elle-même en trois sections.

Dans la *Préface*, à laquelle il attachait une grande importance, Rousseau énonce les raisons impérieuses qui le poussent à écrire, déplore avec une fausse modestie l'insuffisance de son œuvre, se loue de vivre enfin dans la solitude, et, en termes voilés mais transparents, signifie brutalement à Diderot que leur rupture est définitive.

La *première partie*, consacrée au socinianisme des pasteurs, reproche à d'Alembert ou d'avoir conjecturé l'opinion des ministres ou d'avoir trahi un secret.

La *seconde partie* traite la question du théâtre. Rousseau commence par en étudier les effets relativement aux choses représentées. Le théâtre, pour lui, n'est pas un amusement utile. Il flatte les passions, il ne nous inspire aucun bon sentiment que nous n'ayons, il nous fait admirer les vertus sans nous débarrasser de notre égoïsme, il détermine des émotions trop fugitives pour procurer un profit moral. Le théâtre français en est le meilleur exemple. La tragédie n'a qu'une moralité négative, car elle met en scène des scélérats triomphants ou des passions horribles. La comédie est immorale, car son plaisir se fonde sur un vice du cœur, l'amour du ridicule, et plus elle est parfaite, plus elle est pernicieuse. Témoin Molière, dont le théâtre est une école de mauvaises mœurs, bafoue l'autorité des pères, le mariage, la vertu même, comme le montre de reste le *Misanthrope*. Enfin, tragédies et comédies donnent trop de place à la peinture de l'amour : elles accroissent ainsi le pouvoir des femmes et disposent l'âme aux faiblesses d'une passion d'autant plus séduisante qu'elle est plus honnête.

Rousseau passe ensuite aux effets du théâtre relativement à la scène et aux acteurs. Le théâtre développe le goût du luxe, de la parure et de la dissipation. Aucune loi n'est capable de remédier à cet effet sans le concours de l'opinion publique, que le théâtre précisément tendrait à corrompre. En outre, comédiennes et comédiens sont des gens dissolus et avilis par leur profession même; leur exemple peut être contagieux.

Aussi le théâtre serait-il déplacé à Genève : cité laborieuse, elle n'a que faire d'un divertissement d'oisifs; sa faible population ne saurait d'ailleurs suffire à la dépense. De plus, il serait dangereux, car il bouleverserait les mœurs, appauvrirait les classes inférieures et moyennes et permettrait la création d'une oligarchie de riches; enfin, les pièces et les acteurs concourraient également à la corruption, car il serait impossible d'avoir une troupe indigène et un répertoire national. Ce qui convient à une république comme Genève, ce sont des divertissements publics : fêtes militaires, régates, bals, etc. Au reste, Rousseau a confiance que la vigilance des magistrats saura prévenir un malheur imaginaire, et il termine par le souhait que la jeunesse genevoise puisse « sentir toujours combien le solide bonheur est préférable aux vains plaisirs qui le détruisent ».

La *Lettre à d'Alembert* reprend avec un accent très personnel une question dès longtemps débattue. Chez les Anciens déjà, Aristophane, dans les *Grenouilles*, avait discuté la moralité du théâtre. Platon, dans la *République*, critique les poètes qui présentent les tyrans sous un jour favorable; Cicéron, dans les *Tusculanes*, raille la comédie, qui prétend réformer les mœurs et réprimer les passions. On sait les anathèmes justifiés que Tertullien, saint Cyprien, saint Augustin et Salvien ont lancés contre les spectacles de la Rome décadente. Et cependant l'Eglise ne craint point de faire appel au théâtre, mais en le spiritualisant; dans tous les pays, au Moyen Age, les fêtes liturgiques sont l'occasion de drames, d'où sortirent chez nous les mystères.

Mais, à partir de la Renaissance, deux courants se forment, l'un favorable, l'autre hostile aux représentations scéniques. Parmi les partisans du théâtre, on compte les papes et les cardinaux italiens, Richelieu, qui compose des tragédies, les Jésuites, qui en écrivent pour les scènes de leurs collèges, Boileau, Mme de Maintenon qui fait appel à Racine et à l'abbé Boyer, le P. Caffaro, qui donne pour les *Œuvres* de Boursault une préface, où il vante les bons effets de la scène. Au XVIIIᵉ siècle, Voltaire et Diderot voient en lui un instrument merveilleux de moralisation.

En revanche ses ennemis ont aussi le nombre et la qualité. Les Jansénistes le condamnent sans appel : Pascal le représente comme le divertissement le plus dangereux pour la vie chrétienne; Nicole, dans ses *Visionnaires*, traite les auteurs dramatiques d'« empoisonneurs publics »; le prince de Conti lance contre lui son *Traité de la Comédie* (1667), Bossuet écrit sa *Lettre au P. Caffaro* et ses *Maximes et Réflexions sur la comédie* (1699), Fénelon dans sa *Lettre à l'Académie* (1713) critique l'emploi de l'amour dans la tragédie et juge sévèrement la morale de Molière. Même note chez les protestants : Calvin interdit le théâtre à Genève et André Rivet l'attaque dans son *Instruction chrétienne touchant les spectacles publics* (1639). L'hostilité ne se relâche pas au XVIIIᵉ siècle : les *Nouvelles ecclésiastiques* continuent la tradition de sévérité de leurs prédécesseurs jansénistes, Riccoboni les appuie avec sa *Réformation du théâtre* (1743) et Desprez de Boissy avec ses *Lettres sur les spectacles* (1756).

Venu le dernier, Rousseau ne pouvait être complètement original. On ne peut guère l'en croire, lorsqu'il prétend avoir rédigé « sans livres » sa réponse à d'Alembert. Ou bien alors sa mémoire, qu'il avait mauvaise de son propre aveu, se serait miraculeusement améliorée pour la circonstance, tant sont nombreuses et frappantes les ressemblances non seulement d'idées, mais encore d'expressions et de tours, qu'on a relevées dans cette prétendue improvisation. Fénelon, Riccoboni et Desprez lui ont fourni des arguments contre Molière. Sa critique du théâtre suit de très près celle que Bossuet en fait dans ses *Maximes*. Montaigne lui inspire le développement sur la réserve féminine, et il reconnaît lui-même devoir aux *Lettres sur les Anglais et les Français* de Muralt son tableau du foyer britannique.

Son œuvre reste cependant bien à lui. Outre que nul autre n'aurait pu l'écrire avec cette éloquence tour à tour ardente, sarcastique et attendrie, elle est tout imbue de ses idées et de ses sentiments. C'est le patriotisme genevois qui la lui dicte : Rousseau veut écarter de sa patrie un danger qu'il estime mortel, et le regain d'amour qu'il éprouve pour elle l'amène une fois de plus — la dernière — à en tracer un tableau idéalisé. Son protestantisme n'est peut-être pas très orthodoxe, car Rousseau ne condamne que du bout des lèvres, et dans une parenthèse ajoutée, le socinianisme, vers lequel secrètement il incline. Mais il se rencontre sur ce point avec un nombre assez considérable de ses concitoyens, et d'ailleurs son but moralisateur, son hostilité pour le théâtre sont tout ce qu'il y a de plus conforme au calvinisme officiel.

La *Lettre* se rattache à son système : dans son premier *Discours,* il a voulu démontrer que les sciences et les arts corrompaient les mœurs; dans le second, que la société était une création factice, reposant sur l'hypocrisie et le mensonge, développant l'amour-propre et contraignant l'homme à vivre, suivant sa forte expression, non pas en lui, mais dans les autres. La *Lettre* ramasse toutes ces accusations : comment la société ne serait-elle pas une sentine de vices, alors qu'elle accueille avec tant de faveur le théâtre, c'est-à-dire l'art, où règnent en maîtres l'illusion et l'artifice ? Le théâtre est bien le symbole de la dépravation sociale : il n'a rien de simple, de franc, de naturel; tout n'y est que jeu, fiction et grimace, depuis la mise en scène jusqu'aux passions qu'on y singe.

La *Lettre,* malgré ses précautions et ses politesses de surface, est un manifeste antiphilosophique : Rousseau y combat une thèse très en honneur dans le monde encyclopédique, et il y exhale ses rancunes contre ses amis de la veille. S'il ménage d'Alembert et Voltaire, il règle son compte à Diderot dans la préface et, sous les traits de Philinte, fait de Grimm, sa bête noire, un portrait d'une méchanceté raffinée. Le geste manquait d'élégance au moment où l'*Encyclopédie* était en difficulté, et l'on conçoit qu'il ait soulevé de violentes protestations contre Rousseau.

La *Lettre* est, en dernier lieu, une confidence voilée. Lorsqu'il la compose, Rousseau est encore tout brûlant de sa passion malheureuse pour Mme d'Houdetot, et c'est cette passion persistante qui échauffe les pages sur les dangers de l'amour honnête ou la voluptueuse digression sur la pudeur. Il se console du moins en savourant la solitude, après laquelle il soupirait depuis longtemps. Il a pu enfin se réfugier dans

> un endroit écarté
> Où d'être *vertueux* on ait la liberté.

Lorsqu'il retouche Alceste, c'est d'après son portrait : il est bien un Alceste plébéien, sans rubans verts, qui vient de quitter la maison de Célimène — par l'escalier de service.

La Nouvelle   Délivré de ses encombrants amis, Rousseau s'ap-
Héloïse   plique à tirer parti de son indépendance enfin
(1761).   conquise. Il a sur le chantier trois importants ou-
vrages : un roman assez avancé, un traité politique, un traité sur l'éducation. Il mène de front sa triple besogne et coup sur coup paraissent la *Nouvelle Héloïse* (1761), le *Contrat social* (1762) et l'*Emile* (1762). Ce sont ses chefs-d'œuvre. Après avoir instruit le procès de la société, Rousseau expose maintenant ses conceptions personnelles sur la famille, l'Etat, la formation du futur chef de foyer et du futur citoyen.

La *Nouvelle Héloïse*, le premier en date de ces ouvrages, est un « roman-fleuve » en six parties. Il narre, sous la forme épistolaire alors en vogue, la triste histoire de deux jeunes amants que sépare — tels jadis Héloïse et Abélard (d'où le titre) — la volonté d'un père inflexible. Malgré sa longueur, le roman se laisse facilement résumer. Julie d'Etanges est devenue la maîtresse de son précepteur Saint-Preux. Les deux jeunes gens désirent ardemment de s'épouser, mais Saint-Preux est roturier et M. d'Etanges ne veut marier sa fille qu'à un homme de son rang. En vain l'Anglais Milord Edouard, ami de Saint-Preux, intervient-il en faveur des amoureux. M. d'Etanges reste intraitable et rudoie sa fille, qui, sur le conseil de son amie intime, Claire d'Orbe, engage son amant à partir pour Paris, tout en lui jurant de ne pas se marier avec un autre sans son consentement. M. d'Etanges, mis au courant par Julie de cette promesse, somme Saint-Preux de la dégager de son serment, et, chevaleresque, celui-ci y consent. M. d'Etanges a promis en effet d'unir sa fille à un ami, M. de Wolmar, qui lui a sauvé la vie. Julie se résigne et le mariage est célébré. Gagnée par la tendresse attentive et les délicats procédés de son époux, elle finit par se croire guérie de sa passion et par se dire heureuse. Quatre ans se passent, pendant lesquels Saint-Preux fait le tour du monde. Lorsqu'il revient, M. de Wolmar, à qui sa femme a fait l'aveu de son ancien amour, veut répondre à sa loyauté par un geste de confiance généreuse : il demande à Saint-Preux de venir habiter avec eux Clarens, sur le lac de Genève. L'événement semble au début justifier sa conduite : Julie et Saint-Preux ne se témoignent plus qu'une chaste tendresse. Mais M. de Wolmar pousse plus loin son expérience : voulant rassurer les jeunes gens sur l'état de leur âme, il s'absente quelques jours. Au cours d'une excursion sur le lac, Julie et Saint-Preux sentent le passé renaître; les souvenirs d'amour les assaillent; mais Julie trouve la force de se vaincre. C'en est fait cependant de l'apparente tranquillité dont elle jouissait et, si Milord Edouard n'emmenait Saint-Preux en Italie, l'épreuve à laquelle M. de Wolmar a soumis les

anciens amoureux tournerait mal pour lui. Julie n'aura pas longtemps à lutter contre ce retour de passion : elle meurt en sauvant
l'un de ses enfants qui manque de se noyer. Dans une dernière
lettre qu'elle écrit à Saint-Preux, elle rend grâces au ciel de la
soustraire par la mort aux tortures de son amour renaissant et aux
dangers qu'aurait pu courir sa vertu.

En composant la *Nouvelle Héloïse*, Rousseau, si on l'en croit,
aurait eu un double but. Il aurait voulu peindre le rachat d'une
femme qui succombe à l'amour, étant jeune fille, et redevient, une
fois mariée, vertueuse. A cette intention morale se serait jointe plus
tard une préoccupation religieuse, réconcilier les philosophes et les
croyants :

Julie dévote est une leçon pour les philosophes et Wolmar athée en
est une pour les intolérants. Voilà le vrai but du livre.

(Lettre à Vernes, 24 juin 1761.)

Ces visées sont plausibles, si l'on songe aux préoccupations mora-
lisantes de Rousseau, à sa position religieuse et à ses idées sur la
littérature homéopathique. Mais, si l'on précise que le roman, commencé en 1756, a été écrit en pleine crise passionnelle, il convient
d'ajouter qu'il a été surtout pour Rousseau ce qu'une certaine critique appelle une « délivrance ».

Car, si la *Nouvelle Héloïse* a des sources d'ordre littéraire, elle
en a aussi et surtout d'ordre personnel. Les sources littéraires sont
Mme de Lafayette, Richardson et Prévost. La *Princesse de Clèves*
fournit la scène de l'aveu. Rousseau emprunte à *Clarisse Harlowe*
la forme épistolaire, certains détails, l'union de la prédication morale
au romanesque et au réalisme. *Manon Lescaut* lui a servi d'exemple
pour la peinture de la passion tyrannique, et il s'est contenté d'élever la chaleur du style d'un bon nombre de degrés. Les sources
personnelles se trouvent dans la vie, dans le caractère, et dans les
idées de Rousseau. Le cadre du roman est un paysage qui lui était
particulièrement cher : le lac de Genève et les sites ravissants de sa
courbe orientale, Montreux, Clarens, Vevey. L'œuvre est à la fois
une confidence à peine voilée et un enjolivement du réel. On y
sent palpiter l'amour éperdu de Jean-Jacques pour ce charmant
laideron de Mme d'Houdetot. Saint-Preux, c'est lui, ou, plutôt, ce
qu'il aurait voulu être. De même, Julie, comme l'*Eva* de Vigny,
est en même temps un être réel — et d'ailleurs fort composite,
mêlant des traits empruntés à Mlle de Graffenried, à Mme de Warens
et à Mme d'Houdetot — et un être imaginaire, « revêtu de toutes
les perfections », dont Rousseau avait coutume, au cours de ses
décevantes expériences amoureuses, « d'orner l'idéal de son cœur ».
Ce n'est pas sans raison que Rousseau fait dire à Julie au dernier
livre de son roman : « Le pays des chimères est en ce monde le
seul digne d'être habité. » C'est dans ce pays qu'il s'était réfugié,
au moment où il écrivait les lettres brûlantes de Saint-Preux : chi-

mère, la possession de Julie; chimère, la vie sentimentale à trois
— Wolmar, Julie, Saint-Preux — réplique fort retouchée du trio
Saint-Lambert, d'Houdetot, Rousseau. Quant aux lettres sermon-
neuses, outre qu'elles reflètent le « vertuisme », comme disait
J. Lemaître, de son caractère, elles reprennent, mais avec plus de
légèreté, quelques-unes de ses thèses favorites : elles attaquent la
société et elles exaltent la nature et les beautés de la vie patriarcale; certaines annoncent l'*Emile*, qui va bientôt paraître; d'autres
enfin précisent la position religieuse de Rousseau qui désirait, comme
nous l'avons dit, tenir le rôle de médiateur entre les philosophes et
les croyants.

   La *Nouvelle Héloïse* eut un succès triomphal, comme le montre
l'anecdote typique de la princesse de Talmont, qui manqua le théâtre
pour lire d'une traite le roman. Nul succès d'ailleurs n'a été plus
savamment préparé, car ce chantre de l'instinct est un calculateur
et un metteur en scène du premier ordre. Des amis de Rousseau,
à qui il avait communiqué peu ou prou de son manuscrit, semaient
dans le monde des propos mystérieux, qui suscitaient une impatience
fiévreuse. Rousseau de son côté connaissait bien son public, pour
s'y être mêlé. Rustaud de parti pris, il avait naturellement de fines
antennes, qui lui permettaient d'en capter les tendances et les goûts.
Il s'applique dans son roman à les satisfaire. Cette société de mondains malicieux aimait la satire, en fût-elle l'objet : elle pouvait
s'égayer à ses dépens dans le piquant tableau que Saint-Preux fait
de la vie parisienne. Elle mettait à haut prix la conversation : Rousseau faisait écho aux discussions du jour sur l'adultère, sur le
suicide, sur le duel, etc. Elle se lassait de la ville et de son existence
artificielle; elle commençait à porter ses yeux et ses pas au-delà
de la barrière des Fermiers généraux : Rousseau la berçait d'une
invitation au voyage — pas chimérique, celui-là — vers la montagne, ses rudes beautés et son air pur, vers la campagne, ses tâches
utiles et ses joies saines. Recrue de libertinage et d'esprit, elle sentait
à nouveau les exigences du cœur : Rousseau dépeignait les transports
de l'amour et rouvrait la source bienfaisante des larmes. Elle aspirait
confusément à la vertu et à la religion : Rousseau la dirigeait de
son mieux vers ce double idéal. Tableaux de mœurs, questions d'actualité, descriptions de la nature, peinture de la vie rustique, passion
vraie, leçons de morale et préoccupations religieuses, ce sont ces
éléments variés qui, sans parler du style, ont séduit les contemporains. L'accord cependant ne fut pas unanime : Voltaire, sous
le nom du marquis de Ximénès, lança contre l'*Aloïsia* six petites
lettres acérées, mais sans succès. Mme du Deffand commença aussi
par critiquer l'*Héloïse*, mais, n'ayant point, comme son ami, son
amour-propre engagé dans l'affaire, elle convint par la suite que le
roman avait « des endroits fort bons ». Les autres femmes n'eurent
pas de ces réserves, même éphémères. Elles furent conquises d'emblée
et vouèrent un véritable culte à celui qui les bouleversait d'un émoi

jusqu'alors inconnu. L'avisé Rousseau avait escompté ce résultat. Il pouvait maintenant, dans sa solitude agressive, se dresser contre les philosophes. Déjà soutenu par Conti, Luxembourg et Malesherbes, il avait avec lui les femmes, dont l'abbé Guasco lui avait jadis révélé le pouvoir.

La *Nouvelle Héloïse* rencontre aujourd'hui moins de faveur, et peu de personnes la lisent encore en entier. Nous n'aimons plus les romans épistolaires et nous nous lassons vite d'une œuvre où le prêche submerge l'action. L'idylle amoureuse ne nous touche plus guère, et le roman de la femme vertueuse, qui en forme la suite, est bâti sur un paradoxe choquant. Aucun des personnages n'excite un intérêt passionné, ni Saint-Preux, pâle crayon du héros romantique, faiblesse qui va, poussée par le destin, ni Julie, affligée de manie dissertante, ni Wolmar, dont la benoîte confiance excite chez le lecteur, suivant son caractère, un sourire ironique ou gêné. La réalisation trahit l'intention morale de l'auteur. Rousseau entend protester contre la forfanterie d'adultère qui déshonore son siècle; il veut montrer le sort pitoyable des amours illégitimes : mais un parfum de péché traîne dans ses exhortations vertueuses, et ses deux amoureux chantent trop le *Reviens, pécheur* sur l'air de *Femme sensible.* Nous ne sommes plus enfin accordés à ce lyrisme passionnel, qui abuse de la déclamation, des apostrophes et des points de suspension. Bref, comme beaucoup de chefs-d'œuvre, la *Nouvelle Héloïse* n'est plus qu'un champ pour florilèges.

Mais on y peut cueillir largement. Le roman de la femme mal mariée, ses débats de conscience, les tortures des amants que le devoir sépare n'ont point perdu tout leur pouvoir d'émotion. La scène du retour de Saint-Preux reste toujours dramatique. La promenade sur le lac dépasse en intensité pathétique l'élégie de Lamartine qu'elle a inspirée. Le temps n'a ni émoussé le piquant de la satire mondaine, ni terni la fraîcheur des descriptions, ni affadi la saveur des tableaux rustiques et familiers, ni même assourdi l'accent de quelques développements moraux. C'est par là que le roman est assuré de durer. Par là, mais aussi par son importance historique : il réhabilite le plébéien et, de personnage simplement pittoresque ou même ridicule, il fait de lui un personnage sérieux; il réintroduit dans notre littérature les thèmes principaux du lyrisme : le moi, la passion, la nature, la destinée, le sentiment religieux.

Le Contrat social *(1762).*   Un an après la *Nouvelle Héloïse,* au printemps de 1762, paraissait le *Contrat social* par les soins du libraire Michel Rey, d'Amsterdam, à qui Rousseau l'avait vendu pour la somme de mille francs. Attiré de bonne heure par les questions d'Etat et de gouvernement, Rousseau avait commencé à Venise, en 1744, un grand ouvrage sur les *Institutions politiques,* que les circonstances l'avaient contraint d'interrompre. En 1756, il se remit à ce travail, mais, sur les instances de son édi-

teur, il en détacha une partie, qu'il acheva : c'est le *Contrat social*.
L'ouvrage fit peu de bruit à son apparition, mais devait plus tard
exercer sur les esprits une redoutable influence.

Le *Contrat social* est un traité de droit politique, divisé en quatre
livres. Le *livre I*, qui comprend neuf chapitres, pose le problème à
résoudre, en indique la solution et marque les caractères de l'Etat
normalement constitué. L'ordre social est nécessaire, mais il ne
saurait être fondé, comme on le croit généralement, ni sur la famille
ni sur la force. Pour le légitimer, il faut remonter à une première
convention : le problème de l'Etat consiste à

trouver une forme d'association qui défende et protège de toute la
force commune la personne et les biens de chaque associé et par laquelle
chacun s'unissant à tous n'obéisse pourtant qu'à lui-même et reste aussi
libre qu'auparavant.

Cette association est celle que régit le contrat social. Par le pacte,
en effet, l'individu perd la liberté naturelle, qui lui permet de tout
faire, mais conquiert la liberté civile, qui le protège contre l'abus
de la force; il renonce théoriquement à ses biens au profit de l'Etat,
mais celui-ci lui en assure pratiquement la légitime possession; il
doit l'obéissance à la volonté générale, mais en réalité il est libre,
car toute dépendance personnelle est supprimée et « l'obéissance à
la loi qu'on s'est prescrite est liberté ». Cette liberté est même
d'essence si précieuse que le corps social peut contraindre les réfractaires à être libres de la sorte. L'Etat ainsi constitué est hautement
moral : la justice et la raison l'animent; les inégalités physiques y
cèdent le pas à « une égalité morale et légitime ». Le *livre II*,
divisé en douze chapitres, traite d'abord de la souveraineté, c'est-
à-dire de l'exercice de la volonté générale. La souveraineté est
inaliénable et indivisible. La volonté générale est toujours droite
et ne tend qu'à l'intérêt public. La loi est un acte de la volonté
générale, statuant sur une matière générale intéressant tout l'Etat.
Tout Etat régi par les lois est une république, quelle que soit
sa forme d'administration, démocratie, aristocratie ou monarchie.
La loi doit assurer à tous la liberté, et l'égalité qui la conditionne. —
Le *livre III*, dans ses dix-huit chapitres, étudie le gouvernement, ses
formes et sa vie. Le gouvernement est un corps intermédiaire entre
les sujets, c'est-à-dire les membres contractants en tant qu'ils obéissent
à la loi, et le souverain, c'est-à-dire les membres contractants en
tant qu'ils expriment la volonté générale par la loi. Le gouvernement est chargé de l'exécution des lois et du maintien de la liberté.
Plus l'Etat est grand, plus le gouvernement doit être fort et moins
il doit comprendre de membres. Rousseau reprend la division classique des gouvernements en démocratie, aristocratie et monarchie. La
démocratie n'est qu'en apparence le gouvernement le meilleur; en
réalité, elle n'est qu'une utopie : elle n'a jamais existé, elle réclame
des conditions difficiles à remplir (petitesse du pays, simplicité de

mœurs, égalité très grande des rangs et des fortunes), sans compter
qu'elle est la plus sujette aux guerres civiles et aux révolutions.
L'*aristocratie* peut être naturelle, élective ou héréditaire; la
seconde est de beaucoup la meilleure. Malgré ses avantages (unité et
vigueur de direction, longueur de vues), la *monarchie* a trop de
défauts, dont les principaux sont le favoritisme, les risques de l'hérédité, la tendance au despotisme. Il n'existe point d'ailleurs de gouvernement complètement pur : tous sont mixtes plus ou moins. Et
toute forme de gouvernement n'est pas propre à tout pays. Les gouvernements peuvent dégénérer, les lois s'affaiblir : pour parer à ce
danger et maintenir l'autorité souveraine, il faut des assemblées
fixes et périodiques et d'autres, extraordinaires, pour les imprévus.
Mais les députés du peuple n'en sont pas les représentants : ils n'en
sont que les commissaires, et c'est au peuple seul qu'appartient le
droit de ratifier les lois. Le *livre IV*, qui comprend neuf chapitres,
s'ouvre par des considérations plutôt sibyllines sur la volonté générale, qui reste indestructible, mais qui peut devenir muette, par
exemple si « des décrets iniques » sont pris pour favoriser des intérêts particuliers. Rousseau passe ensuite aux suffrages, dont l'unanimité est requise seulement pour la loi instituant le pacte social
et dont la majorité suffit pour les autres décisions. Suivent plusieurs chapitres sur les comices romains, le tribunat, la dictature,
la censure. L'ouvrage se termine par un exposé sur la religion civile.
Les rapports entre la religion et l'Etat doivent s'inspirer des principes suivants : liberté complète d'opinion; établissement d'une profession de foi purement civile, dont les articles n'ont pas de valeur
dogmatique, mais sont indispensables pour l'ordre social; ces articles
sont l'existence de Dieu, l'immortalité de l'âme, le jugement d'outre-
tombe, la sainteté du contrat social, la tolérance, sauf pour la religion qui dit : « Hors de l'Eglise, point de salut »; bannissement
de qui ne croit pas à ces articles; mise à mort de qui, les ayant
reconnus, se conduit comme ne les croyant pas. Dans une courte
conclusion, Rousseau se flatte d'avoir fixé les vrais principes du
droit politique, sans cependant avoir terminé une tâche qu'il renonce
à mener à bout.

Le *Contrat social* est, avec l'*Esprit des lois*, le seul grand traité
politique qu'ait produit le xviiiᵉ siècle français. Il en diffère du tout
au tout. Montesquieu vérifie expérimentalement les hypothèses qu'il
formule; Rousseau pose les principes rationnels et moraux de l'Etat
en soi et prétend y asservir les faits. L'*Esprit des lois* est l'œuvre
d'un physicien à l'esprit inductif; le *Contrat*, celle d'un mathématicien, qui pose des postulats et en déduit les conséquences logiques.

Le *Contrat social* a les mêmes caractères et dérive des mêmes
sources que les autres écrits de Rousseau. Même assurance orgueilleuse, mêmes affirmations intrépides, même ardeur de prosélytisme :
avant lui, nul n'avait, comme il faut, étudié le problème politique,
mais il est venu, et le monde n'a plus qu'à écouter ce nouveau

Montan, en qui s'incarne le Paraclet, et qu'accompagne dans la vie une Priscilla d'auberge. Son dogmatisme suspect s'alimente aux sources habituelles : l'Antiquité, la protestante Genève et la Suisse, et P. Albert a parfaitement défini le *Contrat social* dans cette phrase lapidaire : « Il vient de la Sparte de Lycurgue ou de la Genève de Calvin. » Bodin et Fénelon n'y ont collaboré qu'à l'occasion. En revanche, les réminiscences d'Aristote, de Platon et de Plutarque, les emprunts aux institutions de la Grèce et de Rome y sont en nombre impressionnant : c'est une bâtisse à la Percier, du faux antique. Plus manifeste encore est l'apport du protestantisme. Les principes viennent des juristes et théologiens protestants, Burlamaqui, Puffendorff, Grotius, Althusen, Locke, Hobbes, Jurieu, qui fournit à Rousseau l'idée du despotisme des masses :

> Le peuple est cette puissance qui seule n'a pas besoin d'avoir raison pour valider ses actes.

Le dogme fondamental est du protestantisme le plus orthodoxe : comme il se crée sa religion, l'individu se crée sa loi par le libre examen et l'illumination intérieure. La Suisse et Genève sont partout présentes dans le traité. La cité calviniste était depuis le début du siècle en proie aux dissensions intestines. Le pouvoir y était confisqué par une aristocratie héréditaire de vingt-cinq membres, le *Petit Conseil*, qui se recrutait par cooptation. Le népotisme y florissait et les charges y passaient du père au fils, de l'oncle au neveu : traditionaliste, le *Petit Conseil* s'appuyait pour gouverner sur les us et coutumes de la ville. Contre lui se dressait le parti des petits bourgeois, qui voulaient une réforme de la constitution dans un sens démocratique. Par son *Contrat social*, Rousseau vient appuyer ces derniers; ses idées sur la souveraineté, apanage du peuple et non des prétendus successeurs de l'ancien évêque de Genève, sur la loi, expression de la volonté générale, et sur le gouvernement, serviteur du peuple et toujours révocable, sont exactement celles que la loi constitutionnelle de 1738 avait condamnées, mais que défendaient, parfois en allant jusqu'à l'émeute, les membres du parti populaire genevois. La sombre figure de Calvin hantait aussi la pensée de Rousseau, lorsqu'il exprimait ses préférences pour l'aristocratie élective, ou lorsqu'il rédigeait ses pages surprenantes sur le législateur homme divin et étranger à la cité qu'il constitue, ou celles encore qui traitent de la religion civile et où ne manquent ni les dogmes impérieux ni les sanctions rigoureuses contre les nouveaux Servets, réfractaires à la trinité de la Liberté, de l'Egalité et du Contrat. Enfin, ses vues en politique internationale sont celles d'un Suisse : le fédéralisme qu'il conseille est analogue à celui que la fédération helvétique pratiquait et pratique encore, malgré les progrès de la centralisation.

Le *Contrat social* est une pièce et comme le couronnement du système de Rousseau : il ne devait paraître qu'après l'*Emile* et offrir à l'élève idéal l'Etat idéal où déployer son activité. De bons criti-

ques, cependant, Faguet entre autres et M. Ducos, ont prétendu le
mettre en opposition avec les autres ouvrages de l'auteur : il n'y
est plus question, disent-ils, de l'homme naturel ni de l'homme
social; la bonté originelle de l'homme n'y est pas mentionnée; l'individu y est opprimé par l'Etat. C'est oublier que Rousseau n'a
jamais cru qu'il fût possible de revenir ou plutôt de s'adapter à un
état de nature, qu'il tient lui-même pour chimérique : il prend donc
l'homme tel que les siècles l'ont modelé en être politique et ne
songe plus qu'à sauvegarder l'un des droits imprescriptibles de sa
nature : la liberté. La bonté originelle de l'homme se manifeste dans
le *Contrat* par la rectitude constante de la volonté générale. Quant
au despotisme de l'Etat, c'est pour Rousseau la meilleure garantie
de ce qu'il entend par liberté individuelle.

Pris en lui-même, le *Contrat social* est une œuvre ardue et sombre.
Rousseau y emploie une terminologie spéciale, empruntée parfois aux
mathématiciens, et ne s'y meut pas sans peine dans le domaine de
l'abstraction. Il faut à chaque instant faire effort pour se rappeler
le sens qu'y prennent les mots de peuple, de gouvernement, de souverain. Certaines formules semblent extraites d'une algèbre de l'imaginaire ou d'une géométrie de l'absurde. L'esprit se perd souvent
dans le blanc cotonneux de l'idée : on ne voit pas bien ce qu'est
cette « volonté générale », qui ne se confond pas avec « la volonté
de tous », et qui par concentrations successives peut arriver à s'exprimer dans le régime des clubs, voire dans la dictature; on se
demande ce qu'est une liberté à laquelle on peut être contraint et
qui, dans le domaine religieux, s'accommode si bien de l'intolérance.
C'est qu'à ses yeux, comme l'a fort bien montré M. Dumesnil, la
liberté pour l'homme social consiste essentiellement à ne pas dépen-
dre d'un autre homme, mais uniquement de la loi, qu'il crée par un
acte de sa volonté libre. Rousseau déifie la volonté générale : elle est
infaillible et elle impose ses lois avec la même rigueur que Dieu les
lois physiques; elle est éternelle, et, si le corps social la renonce, elle
ne meurt pas, elle sommeille : aux purs de la réveiller, quand l'occasion s'en présentera. Une telle conception justifie tous les coups
de force : quel est le fort, quel est le despote qui ne s'empare du
pouvoir en se prétendant l'interprète de la volonté générale ? Rousseau ne le dit pas explicitement, mais qu'elle est donc troublante sa
lettre au marquis de Mirabeau du 26 juillet 1767 ! Il y avoue ingé-
nument que le problème qu'il y traite : « Trouver une forme de
gouvernement qui mette la loi au-dessus de l'homme » est compa-
rable à la quadrature du cercle en géométrie; qu'il faut en conséquence « passer à l'autre extrémité et établir le despotisme arbitraire et le plus arbitraire possible » :

> Je voudrais que le despote pût être Dieu.

Cet « hobbisme », comme il dit plaisamment, n'est pas pour surprendre, lorsqu'on sait tout ce que le *Contrat social* doit au *Lévia-*

than, au *De cive* et au *De corpore politico* du robuste doctrinaire
anglais. Mais que signifie-t-il, sinon qu'à défaut de la loi, Rousseau s'en remet à une individualité énergique du soin de faire régner
l'égalité morale par l'universelle sujétion ? Au fond et en bref, l'intention profonde de Rousseau me paraît être de supprimer toute
supériorité qui l'offusque : sous leurs formules altières, ses théories politiques sont celles d'un laquais, dont les épaules sentent encore
le poids de la livrée.

Mais, a-t-on dit, cette métaphysique abstruse du *Contrat,* cet
entassement de « nuées » polyédriques ne représentent qu'un aspect
de la pensée politique de Rousseau. L'intrépide logicien se double
d'un observateur du réel, d'un homme qui a, plus qu'on ne croit,
le sens du possible et qui, tout comme un autre, émet des vues
pratiques. A l'exemple de son maître Montaigne, il se proclame
l'ennemi des « nouvelletés » dangereuses et des révolutions radi-
cales; il se prononce pour une évolution modérée, qui adapte aux
conditions particulières de la vie les principes universels de la raison. Déjà, dans le *Contrat social,* il se montre çà et là disciple de
ce Montesquieu qu'il a pris à tâche de réfuter : il proclame par
exemple que tous les gouvernements ne sont pas bons pour tous les
pays, et il recherche les circonstances auxquelles conviennent les
différents régimes. Ailleurs, il estime périlleux « d'émouvoir les
masses énormes qui composent la nation française », et fou « d'oser
entreprendre d'abolir les vieilles coutumes, de changer les vieilles
maximes et de donner une autre forme à l'Etat que celle où l'a
successivement amené une durée de treize cents ans ». Ses lettres
à Buttafuoco (1764), ses *Considérations sur le gouvernement de
Pologne* (1772) s'inspirent d'un véritable réalisme et révèlent une
prudence, un traditionalisme même, qui ne laissent pas de surprendre :

Je ne dis pas qu'il faut laisser les choses dans l'état, mais je dis
qu'il n'y faut toucher qu'avec une circonspection extrême.

C'est presque le « tremblement » que Montesquieu recommande
aux réformateurs politiques. Dans la lettre précitée au marquis de
Mirabeau, il écrit cette phrase assez inattendue :

La science du gouvernement n'est qu'une science de combinaisons,
d'applications et d'exceptions selon les temps, les lieux, les circonstances.

Même sage modération dans ses théories économiques et sociales.
Sa formule trop écourtée du *Discours sur l'inégalité :* « Les fruits
sont à tous, la terre n'est à personne » n'a été qu'un cri de rhéteur
enfiévré. Rousseau n'a jamais été communiste. Dans le *Contrat
social,* sa doctrine de la propriété tend à établir une égalité morale,
et non matérielle. Tout ce qu'il demande, et il ne variera jamais,
c'est que la législation diminue l'excessive inégalité des fortunes.

Mais il estimerait injuste au premier chef de ramener tout le monde au même niveau. Avec le temps, il renonce aux impôts personnels et somptuaires, qu'il a préconisés dans son article *Economie politique,* et il se déclare partisan des impositions réelles. Ni démocrate ni partageux, il a devant la question sociale l'attitude d'un petit bourgeois, qui se satisfait d'une aisance modeste : il envie plus riche que lui, dédaigne ceux qu'il dépasse; pas de supérieurs, des inférieurs, voilà comment beaucoup comprennent l'égalité.

Le *Contrat social* passa presque inaperçu à Paris. Mais il en fut tout autrement à Genève. Les magistrats y virent une attaque contre la constitution de leur ville et chargèrent le procureur général de la République, Jean-Robert Tronchin, de l'examiner en même temps que l'*Emile* et de donner son avis sur la procédure à suivre à son égard. Sur les conclusions sévères de l'enquêteur, le 19 juin 1762, le Petit Conseil décida de faire brûler l'ouvrage.

L'Emile.   L'*Emile* suivit de près le *Contrat social*; il parut en mai 1762. Ce livre, que Rousseau préférait et que beaucoup d'autres après lui mettent au premier rang de ses écrits, complète la trilogie des œuvres reconstructives du philosophe. Après avoir posé les principes de la famille et de l'Etat, il formule ceux de l'éducation qui lui paraît convenir au futur maître de maison et au futur citoyen.

L'*Emile* est donc un traité pédagogique, divisé en cinq livres. Le *premier livre* traite de l'enfant en bas âge. Il débute par des considérations générales sur différentes sortes d'éducation et par l'exposé du but de l'auteur : élever un homme pour son « état d'homme », indépendamment de toute préoccupation sociale. Pour cela, il n'est que de se conformer à la nature. La nature exigerait que l'enfant eût sa mère pour nourrice et son père pour précepteur. Mais, puisque les mœurs s'y opposent, il faut recourir à des étrangers et, dès avant la naissance de l'enfant, choisir judicieusement le précepteur ou plutôt le *gouverneur* qui le suivra jusqu'à la vingt-cinquième année. Rousseau suppose qu'il est lui-même ce gouverneur idéal d'un enfant « imaginaire », riche, noble, orphelin, qu'il appelle Emile. De la naissance au moment où il sait marcher et parler, Emile est confié à une nourrice « aussi saine de cœur que de corps », qui l'élève à la campagne où la vie est plus saine et plus pure que dans les villes. Le gouverneur dirige et surveille la tâche de cette mercenaire dans le double dessein de former un être robuste et de l'endurcir à la vie : point de maillot qui gêne les mouvements; une hygiène sagement entendue, où figure l'usage des bains froids; accoutumance aux objets insolites pour prévenir les vaines frayeurs; satisfaction des seuls besoins physiques, mais non des fantaisies et des caprices; formation progressive et soignée du langage, tel est le programme qu'il convient d'appliquer à la première enfance.

Le *second livre* conduit l'éducation jusqu'à la douzième année.

Le principe essentiel est que cette éducation doit être négative. Il
faut laisser Emile développer librement son corps et ses forces, sans
toutefois qu'il abuse de sa liberté pour devenir un petit tyran. Nul
besoin pour cela du raisonnement ni de l'autorité : il suffit de maintenir l'enfant dans la dépendance des choses. L'expérience ou l'impuissance doivent seules lui tenir lieu de loi. C'est par l'expérience
qu'on lui inculquera l'idée de la propriété, la maîtrise de soi, et
qu'on déposera en lui les germes des vertus qui écloront plus tard.
Il faut fuir tout ce qui ressemble à l'enseignement, à la théorie.
Emile laisse de côté les langues, l'histoire, la géographie; il n'apprend même pas les fables, incapable qu'il est de les comprendre. Il
sait lire toutefois et écrire, et cela pour son intérêt bien entendu.
On s'applique surtout à augmenter sa vigueur et à affiner ses sens
par des exercices et des mouvements appropriés.

Le *livre III* traite de l'éducation d'Emile entre dix et quinze ans.
Emile reçoit maintenant un enseignement positif, mais toujours
fondé sur les besoins de la nature, sur les faits et sur l'utilité. Il
s'initie surtout aux sciences, en partant de la réalité et parce qu'il
en tire profit pour la vie. Il lit *Robinson Crusoé*, qui lui montre le
prix du travail manuel, et, pour pouvoir se suffire en cas de mauvaise fortune, il apprend le métier de menuisier. Son bagage de
connaissances est assez mince, mais il a acquis des avantages inestimables : le jugement et la méthode.

C'est seulement au *livre IV* que Rousseau parle de la formation
morale de son élève. Emile a quinze ans et n'a encore aucune notion
du devoir. Sa sensibilité s'éveille et les passions se forment; le besoin
s'impose d'une discipline qui les dirige. Mais cette direction s'ins-
pirera toujours de la même méthode : la soumission aux faits et la
recherche de l'avantage. En partant de l'amour-propre, le précepteur inculque à Emile les idées de bienveillance, de bienfaisance et
de pitié; il lui montre à tirer les éléments d'« un cours de philosophie pratique ». Emile est mûr maintenant pour l'enseignement
religieux. C'est à cet endroit du livre que se place la célèbre *Profession de foi du vicaire savoyard*. Ce vicaire est un personnage
composite, où Rousseau mêle des traits appartenant à l'abbé Gaime
et à l'abbé Gatier, qu'il avait connus l'un à Turin, l'autre au séminaire d'Annecy. Dans l'éloquent discours qu'il adresse à un néo-
phyte au lever du jour, en face de la nature, le vicaire expose les
principes de sa croyance, ne faisant appel qu'à « la lumière intérieure » pour les établir. Rousseau aborde ensuite le délicat problème
des mœurs, qu'il ne traite pas toujours de façon très délicate. L'éducation est alors achevée. Ainsi muni pour la vie, Emile peut entrer
dans le monde : ses qualités de jugement et de cœur lui permettent
de s'y adapter facilement.

Le *livre V* est une sorte de supplément, où Rousseau marie son
héros. Il trace d'abord le portrait de la femme idéale qu'il destine
à Emile. Sophie a du charme sans être belle, un esprit agréable et

solide, de la sensibilité, un peu de caprice et de coquetterie; elle est polie, vertueuse, ennemie de la galanterie, très bien « instruite des devoirs et des droits de son sexe » et de l'autre. Emile la rencontre au cours d'un voyage ménagé par son romanesque précepteur. Il veut l'épouser sur-le-champ, mais, s'il a étudié ses « devoirs d'homme », il ignore encore ceux de citoyen. Pour combler cette lacune, son Mentor commence par lui faire un bon résumé du *Contrat social*, puis l'emmène à travers l'Europe pour en étudier « quelques-uns des grands Etats et beaucoup plus des petits » et pour trouver l'endroit où l'on « puisse vivre libre et indépendant ». L'enquête montre que c'est une utopie. Alors Emile, sur les conseils du précepteur, revient vivre dans son pays, car l'homme de bien doit toujours quelque chose à sa patrie, et c'est là qu'il peut le mieux remplir ses devoirs. On célèbre le mariage; toutefois la tâche du précepteur n'est pas terminée pour autant : il donne des conseils aux jeunes époux, il pleure de joie devant leur félicité et il s'installe chez eux à la prière du « bon Emile », qui tient à profiter de son expérience pour l'éducation de l'enfant qu'il attend.

L'*Emile* ne renferme pas seulement les théories pédagogiques de Rousseau, mais encore sa doctrine religieuse, et c'est à ce double point de vue qu'il doit être étudié.

Rousseau, a-t-on dit, qu'il n'ait pas eu d'enfants ou qu'il les ait abandonnés, n'était point qualifié pour écrire un traité d'éducation. C'est là piètre argument de polémique : comme si les pères étaient toujours de bons éducateurs ou que les prêtres n'eussent pas leur mot à dire sur la formation intellectuelle et morale de l'enfance ! Au reste, qu'il y ait eu là une contradiction de plus à son actif, Rousseau avait de multiples raisons de faire le pédagogue. La pédagogie l'avait toujours attiré. Précepteur des deux fils de M. de Mably, il avait composé pour l'un d'eux, le jeune Sainte-Marie, un *Projet d'éducation*, et dès lors il ne cessa plus d'être hanté par cet ordre de préoccupations. Le *Discours sur les lettres et les arts*, la *Préface* de *Narcisse*, la *Nouvelle Héloïse*, une lettre de direction à Mme d'Epinay (1755), une conversation que relatent les *Mémoires* de Mme d'Epinay (1757) renferment déjà, sous forme de saillies ou d'exposés serrés, quelques-unes des idées directrices de l'*Emile*. Enfin, si l'on en croit Rousseau, ce serait pour le fils de l'une de ses protectrices, Mme de Chenonceaux, qu'il se serait décidé, en 1756, à écrire son traité, tel Montaigne rédigeant pour Diane de Foix son fameux chapitre des *Essais*.

Au surplus, son système l'obligeait à entreprendre cette tâche : ne devait-il pas modeler l'homme de la nature en vue d'une société où la nature devait reprendre le plus possible de ses droits ? Ses maîtres intellectuels l'y sollicitaient : Montaigne dans son *Institution des enfants*, Fénelon dans son *Traité de l'éducation des filles*, Locke dans ses *Quelques pensées sur l'éducation* avaient tour à tour traité de cette grave question. L'actualité l'y engageait impérieusement. On s'est beaucoup occupé d'éducation au XVIII° siècle. Il suffira de rappeler ici les *Considérations* de Duclos (1751), la lettre de Turgot à Mme de Graffigny (1752), l'*Essai de psychologie* (1754) du savant Bonnet, le *Traité de l'éducation corporelle des enfants* (1760) du médecin Desessarts, etc. Une fois de plus, Rousseau s'accordait à son siècle en s'occupant de ce problème et se flattait de donner une leçon à ses devanciers par sa façon de le traiter.

Il le traite en effet d'une manière fort particulière, où entrent à doses inégales l'imagination, l'esprit de système et le bon sens. L'*Emile* est un « roman de l'éducation », comme l'écrivait spirituellement à Rousseau Mme de Créqui. L'état civil de son élève, riche orphelin, la situation exceptionnelle où Rousseau le place, les incidents dramatiques dont il parsème son éducation, la grande scène du *livre IV* où il lui révèle Dieu, la première entrevue avec Sophie n'ont qu'un rapport lointain avec la réalité courante; ce sont jeux d'invention assez pauvre, mais Rousseau s'y complaît. L'esprit de système anime tout le traité. L'affirmation fastueuse de la bonté originelle de l'homme, le soin anxieux d'interdire à Emile tout contact avec ses semblables, le découpage artificiel de l'éducation, la haineuse méfiance des livres, digne d'un Omar au petit pied, ou les déclamations contre les médecins et contre la société, la prétention de faire de l'enfant une sorte de Pascal qui redécouvre la science, tout cela part d'un sophiste tour à tour tranchant et subtil.

Mais les idées fécondes se mêlent aux chimères et par plus d'un détail Rousseau s'affirme un précurseur de la pédagogie moderne. En les dégageant des exagérations auxquelles il les mêle, on ne peut qu'approuver ses vues sur l'importance de l'éducation physique, sur les dangers d'une spécialisation hâtive, sur l'éducation progressive et attrayante, sur la nécessité de la méthode, de l'expérience et des leçons de choses. On remarque toutefois qu'aucune de ces idées n'est de Rousseau et qu'elles lui viennent de Rabelais, de Montaigne, de Locke, de Turgot, de Duclos même. Ce précurseur est un homme à la suite, et j'ai bien peur que Vinet, le critique suisse, n'ait prononcé le jugement définitif : « Au fond, dans cette œuvre, ce qui est l'invention de Rousseau, c'est l'erreur. Ce qui s'y trouve de juste, de sain, de solide avait été dit avant Rousseau. » Le seul mérite qu'il ait, non méprisable, il est vrai, c'est d'avoir enflammé ces idées de son ardent génie. Quant à Emile, ainsi formé et si jalousement mis en garde contre l'humanité, il ne sera certes ni l'érudit glouton de Rabelais ni le mondain égoïste de Montaigne : il restera chez lui, dans son foyer bien tenu et son jardin bien entretenu, jouant l'« homme aux rubans verts » dans « la maison aux volets verts ». Homme et rien d'autre, détaché de tout groupement, pur atome civique, il est mûr pour le contrat social.

C'est au livre IV de l'*Emile* que se trouve l'exposé le plus cohé-

Portrait de Madame D'EPINAY
Tableau de LIOTARD

rent des idées religieuses de Rousseau, la *Profession de foi du vicaire savoyard*. L'ampleur et le tour de ces pages célèbres montrent bien tout le prix que l'auteur y attachait : c'est un véritable manifeste par lequel il précise sa position à l'égard des religions établies d'une part et d'autre part de la philosophie.

Protestant d'origine, converti au catholicisme, infecté de doute par la fréquentation des philosophes, revenu ensuite au calvinisme, il a été longtemps ballotté par tous les courants religieux de son siècle. En 1756, dans le calme de l'Ermitage, il cherche à voir clair en lui, et peu à peu se dessinent les lignes du temple où il ira sacrifier. On suit les traces de ce travail intérieur, toujours plus profond et plus net, dans sa *Lettre à Voltaire*, son *Allégorie sur la Révélation*, ses *Lettres à Sophie*, sa *Lettre à d'Alembert* et surtout la *Nouvelle Héloïse*, où la question religieuse tient tant de place, où l'athée Wolmar lui-même est pénétré de christianisme et où Julie mourante parle déjà comme une diaconesse du Vicaire savoyard. Mais un roman était un cadre trop frivole pour une charte religieuse; un traité pédagogique convenait bien mieux, et, de fait, la *Profession de foi* s'insère naturellement dans l'*Emile*, quand s'ouvre pour l'élève la période de sa formation religieuse et morale.

Le Vicaire est un cartésien sentimental, qui prend pour critérium de la vérité l'évidence du cœur. Sa doctrine est le pur déisme, la « religion naturelle », dont voici les principaux articles. Le monde est le produit d'une volonté libre et d'une intelligence suprême. Il est gouverné, on le sent, par un Etre puissant et sage, Dieu. Le mal qu'on voit dans ce monde ne saurait être son ouvrage : il a pour auteur l'homme lui-même, qui abuse de ses facultés et se rend malheureux. Mais tout ne finit pas ici-bas; l'âme est immortelle et recevra dans un autre monde la récompense de ses actes. En attendant, l'homme doit vivre conformément aux règles de la morale, lesquelles sont universelles, inscrites au fond du cœur par la nature en caractères ineffaçables et rappelées par la conscience, « instinct divin, immortelle et céleste voix » : le sentiment individuel est ici, comme partout, un guide infaillible. L'homme doit rendre un culte à ce Dieu qui l'a créé et dont la Providence le protège. Mais il n'a aucun besoin pour cela d'adopter une confession quelconque. Les religions établies n'ont pas de fondement solide : la révélation, les prophéties, les miracles, les témoignages qu'elles allèguent en leur faveur ne résistent pas à l'examen. Les pratiques ne sont que des accessoires. Le culte essentiel est celui du cœur : Dieu veut être adoré en esprit et en vérité. En tout pays et dans toute secte, aimer Dieu par-dessus tout et son prochain comme soi-même est le sommaire de la loi. Et cependant, quelques objections que la raison élève, elle ne peut rien contre l'expérience du cœur, qui sent la vérité de l'Evangile. Il convient donc dans la pratique d'écarter les doutes et d'accepter tout le dogme pour les consolations qu'il offre, et tout le culte, parce que c'est un moyen approprié aux circonstances de rendre à Dieu l'honneur qui lui est dû.

Cette profession de foi de pasteur émancipé plutôt que de prêtre catholique, toute baignée d'une onction que la polémique rancit çà et là, est manifestement sincère, et Rousseau la jugeait habile. Elle exprimait les certitudes où il était parvenu après tant de fluctuations et dont il n'allait plus se départir. Elle contenait des attaques contre les preuves de la religion qui devaient plaire aux philosophes. Inversement, elle rompait avec le sensualisme et l'athéisme provocant. Elle renfermait un hommage ému à la majesté des Ecritures, à la sainteté de l'Evangile, à la divinité du Christ, et cela tendait à séduire les âmes vaguement religieuses qui ne croyaient plus, mais gardaient le respect des choses saintes. Elle continuait ainsi, avec plus de force et d'éclat, l'œuvre de médiation amorcée par la *Nouvelle Héloïse*.

Son retentissement fut immense. Elle contrebattit chez un grand nombre l'influence des matérialistes; elle obtint même l'assentiment enthousiaste de Voltaire. Mais elle fit scandale aussi et devint pour l'écrivain une source d'ennuis très graves.

L'*Emile* est en effet celui de ses ouvrages qui a causé le plus de tribulations à Rousseau. — Il devait paraître avant le *Contrat social*, mais les deux libraires chargés de l'imprimer — Duchesne à Paris, Néaulme à Amsterdam — faisaient preuve d'une lenteur désespérante malgré l'officieuse activité de Malesherbes. Epuisé par le travail et malade au point qu'il se croyait perdu, Rousseau éprouva les premiers accès de cette manie de la persécution dont il souffrit presque jusqu'à sa mort. Il imagina « un mystère d'iniquités », accusa les Jésuites de s'opposer à la publication, crut que ses ennemis attendaient sa mort prochaine pour s'emparer de son livre et le travestir. Malesherbes parvint à calmer ses alarmes, mais les soins qu'il avait pris d'expurger l'édition parisienne furent vains. L'apparition du livre souleva une tempête; le Parlement scandalisé par le rationalisme de la *Profession de foi* sévit contre Rousseau, qui partit pour la Suisse. A Genève malheureusement, et pour la même raison, le Petit Conseil condamna l'*Emile* à être brûlé de la main du bourreau et décréta de prise de corps son auteur (19 juin 1762).

Les œuvres d'apologie personnelle. Rousseau est à peine installé à Motiers après les tribulations que nous avons dites qu'il apprend le mandement lancé contre l'*Emile* par l'archevêque de Paris, Christophe de Beaumont (20 août 1762). Le prélat y relève avec netteté les maximes contraires au catholicisme que renferme l'ouvrage : négation du péché originel, de la révélation, des miracles, doutes sur la nature de Dieu. Mais il se donne le tort de ne pas croire à la sincérité de Rousseau et de le qualifier d'« imposteur ». Rousseau bondit sous l'outrage et réplique point par point dans sa *Lettre à M. de Beaumont*, chef-d'œuvre de dialectique pas-

sionnée et par suite tendancieuse, mais gâté par l'orgueil intrépide
et par une insolence qui s'exprime çà et là en sarcasmes révoltants
(18 nov. 1762).

Interdite en France, la *Lettre* fut de plus saisie à Genève, à la
demande du ministère français. Alors, outré, Rousseau, par une
lettre adressée au premier syndic, renonça à perpétuité à son droit de
bourgeoisie et de cité dans la ville et République de Genève (12 mai
1763). Mais il ajoutait que sa patrie, « en lui devenant étrangère,
ne pouvait lui devenir indifférente ». Il le fit bien voir. Guidés
par lui, ses amis genevois firent au Petit Conseil des représentations
touchant la condamnation du *Contrat social* et de l'*Emile*. Le rejet
de ces plaintes échauffa les esprits et, pour obvier aux troubles
menaçants, le procureur général Robert Tronchin lança sa *Lettre
écrite de la campagne,* où il défendait l'attitude du Petit Conseil
(sept. 1763). Condamné par les catholiques, Rousseau se voyait
encore rejeté par les protestants orthodoxes. Il n'eut pas besoin d'être
longtemps sollicité pour faire front à cette nouvelle attaque et en
deux mois il composa ses neuf *Lettres de la montagne,* discussion
serrée de la procédure observée à son égard et véhémente apologie
de ses idées religieuses et politiques (novembre 1763). L'effet, nous
dit Rousseau, en fut foudroyant. Mais sa victoire est suivie d'un
redoublement de malheurs. Il reprend sa lamentable vie d'errant
et sombre dans la folie.

Cette folie présente tous les caractères de la *paranoïa,* folie rai-
sonnante, qui s'est traduite chez lui par le délire de la persécution
ou d'interprétation. Rousseau y était naturellement prédisposé par
des raisons d'ordre physiologique, sentimental et intellectuel. Sa
maladie provient d'une lésion originelle que nous ne connaissons
pas et dont son érotomanie est peut-être la cause. D'où une rupture de l'équilibre psychique, une sensibilité d'écorché que fait sai-
gner le moindre heurt, un orgueil avide d'admiration, une suscep-
tibilité ombrageuse, un goût maladif de la solitude protectrice et
de la rêverie exaltante ou morose, tout cela aboutissant aux soupçons maniaques, aux terreurs vaines, au bourdonnement de l'idée
fixe. Ces prédispositions naturelles ont été développées par les circonstances. Sans peut-être tramer de complot, la « coterie holbachique » a mené à Rousseau la vie dure, et les agissements des
philosophes, le fait est certain, ont encore aggravé son cas. Sa
démence suit le processus de la *paranoïa.* Au début, une vingtaine
d'années d'incubation, de 1737 environ à 1757. Puis la maladie se
déclare à l'Ermitage; elle se généralise lors des démêlés avec Hume
(1767), entraînant la manie ambulatoire, les bizarreries, le désir
éperdu de réhabilitation. Enfin, la crainte anxieuse cesse brusquement et fait place à la résignation sereine : c'est la dernière période
avec, comme terme prochain, la mort (1776-1778).

C'est dans cette hallucination constante que Rousseau a composé
les *Confessions, Rousseau juge de Jean-Jacques,* les *Rêveries d'un*

promeneur solitaire. Car, et ceci est encore caractéristique de la *paranoïa*, bien loin d'être amoindries, les facultés intellectuelles de l'écrivain semblent avoir plus de vigueur que jamais; seules trahissent son état des heures de folie, dont le feu sombre illumine quelques pages frissonnantes et hagardes. Les trois œuvres visent le même but : répondre aux calomnies et présenter au monde le vrai portrait de l'écrivain que la haine défigure.

Ecrites de 1765 à 1770 sur le conseil de Duclos et de l'éditeur Rey, les *Confessions* comprennent douze livres, groupés en deux parties. Elles retracent la vie de Rousseau jusqu'en 1765, à son départ de l'île de Saint-Pierre. Le titre est emprunté à saint Augustin, mais l'esprit est très différent de celui du modèle : le grand évêque s'humilie devant Dieu; Rousseau s'exalte devant le monde qu'il convoque à l'ouïr et, s'il se frappe la poitrine, ses coulpes s'égarent le plus souvent sur la poitrine d'autrui. Sincères, mais d'une sincérité qui verse facilement dans le cynisme, les *Confessions* sont surtout une œuvre d'orgueil délirant, d'apologie retorse et de combat. Comme, de plus, elles sont composées en grande partie longtemps après les événements, elles ne doivent être utilisées qu'avec précaution. Les lacunes, les confusions, les erreurs, les coups de pouce y abondent, sans parler de ces « ornements indifférents » auxquels l'auteur reconnaît qu'il recourt « pour remplir un vide occasionné par un défaut de mémoire ». Littérairement, elles gardent une très haute valeur : la variété captivante de la matière est mise en œuvre par un écrivain de génie, qui mêle tous les tons sans heurt et sans disparate, depuis la familiarité bonhomme et la souriante simplicité jusqu'au lyrisme passionné et à la plus haute éloquence.

Les trois dialogues intitulés *Rousseau juge de Jean-Jacques* (1773) sont peut-être l'œuvre la moins connue de Rousseau, mais non la moins curieuse : leur cadre est d'une originalité bizarre, et ils renferment des renseignements d'une importance capitale pour la connaissance de l'homme, de sa vie et de ses idées. Rousseau persécuté y présente sa défense. Mais, comme le plaidoyer personnel ne lui a pas réussi — la lecture des *Confessions* dans les salons ayant été interdite — voici ce qu'il imagine, non sans subtilité. Il fait dialoguer deux personnages : un Français, ennemi de l'auteur qu'il ne connaît point, et un certain Rousseau, qui n'est pas Jean-Jacques, mais qui prend sa défense. Un premier dialogue traite *Du système de conduite envers Jean-Jacques adopté par l'administration avec l'approbation du public* : le Français répète les accusations des philosophes contre leur ancien ami; Rousseau réplique. Le Français, soucieux de justice, promet de lire les ouvrages de Jean-Jacques et, de son côté, Rousseau s'engage à voir le malheureux et à l'entretenir. Le second dialogue a pour titre *Du naturel de Jean-Jacques et de ses habitudes* : Rousseau a vu le philosophe, il en trace un portrait fouillé, physique et psychologique, et il expose en détail le noir

complot de ses ennemis. Dans le troisième dialogue, *De l'esprit de
ses livres*, le Français, qui a lu les ouvrages de Jean-Jacques, rend
les armes à tant de profondeur, de vigueur logique et d'utilité. Les
pages de folie ne manquent pas dans cette œuvre d'un dément,
mais ce dément est extraordinairement lucide, et c'est un grand
écrivain : de là maint passage admirable de pénétration et d'éloquente ardeur. — Il faut lire, à la suite des *Dialogues*, l'*Histoire du
précédent écrit*, qui montre, mieux que tout, le navrant désarroi où
Rousseau se débattait alors. Il y raconte comment, n'ayant plus
confiance qu'en la Providence, il voulut lui remettre la disposition
de ses *Dialogues*; comment il décida d'en déposer le manuscrit sur
le grand autel de Notre-Dame; mais comment, le 24 février 1776,
il trouva la grille d'accès fermée et, voyant là un avertissement du
Ciel, différa la publication de son livre et connut enfin le repos
moral.

Les *Rêveries du promeneur solitaire* sont en effet d'un ton apaisé
et soumis. Dans ces neuf Promenades (une dixième est inachevée),
Rousseau renonce à tout dessein apologétique. Comme un nouveau
Montaigne, il « se roule en lui-même », il nous renseigne sur sa
personne, sur certains points de sa vie, sur ses idées morales et
religieuses, sur sa folie même, qu'il étudie dans ses manifestations
physiques et ses conséquences intellectuelles. Le détachement tranquille qui règne dans toute l'œuvre, la méthode et la précision de
l'analyse qui rend sensible jusqu'au subconscient, l'élégante simplicité, la familiarité souriante et l'harmonieuse fluidité du style font
des *Rêveries* un document humain de la plus haute valeur en même
temps qu'un impérissable chef-d'œuvre, qu'on ne doit pas hésiter à
mettre au premier rang de la production de Rousseau.

La Corres-   La *Correspondance* de Rousseau ne saurait ni pour
pondance.   l'ampleur ni pour la variété rivaliser avec celle de
Voltaire. Composée de 1.500 lettres environ, elle va du court billet
à l'épître didactique, oratoirement traitée. Sa valeur documentaire
ne doit pas être sous-estimée, sous prétexte que Rousseau nous est
suffisamment connu par ses œuvres publiques. Outre qu'elle apporte
sur certains points de l'existence du philosophe de précieuses indications, elle renferme aussi des renseignements de haute valeur sur
son caractère, sa vie morale, ses idées, son influence. Certaines lettres
ajoutent quelques touches au portrait physique et moral de Jean-
Jacques. D'autres font pénétrer plus avant dans le drame de cette
âme convulsive et déchirée. D'autres corrigent et estompent les
affirmations tapageuses des traités, et c'est peut-être dans ces pages
où Rousseau se surveille moins que l'on saisit le mieux les intentions du réformateur et sa pensée profonde. D'autres enfin nous
montrent le prestige dont il a joui, au point de tenir le rôle de
véritable directeur de conscience. Curieux spectacle, en vérité, que
celui de ces âmes inquiètes, recourant à un vagabond pour se fixer

une règle de vie, à un dément pour retrouver l'équilibre. Mais plus
curieux encore le sérieux avec lequel Rousseau donne ses consulta-
tions morales, les réelles qualités de bon sens, de raison, de pénétration qu'il déploie. N'étaient les manques de tact, les brusqueries
voulues, et çà et là une casuistique trop déliée, il n'y aurait guère
qu'à louer dans ces lettres de direction.

Du point de vue littéraire non plus, la *Correspondance* n'est pas
à dédaigner. S'il n'y prend que rarement le ton abandonné et familier, Rousseau y reste orateur et poète, et quelques-unes de ses
lettres ont fait beaucoup pour sa gloire d'écrivain. La lettre à
Voltaire sur la Providence est un magnifique morceau d'éloquence;
la lettre au prince Beloseski et les quatre lettres à M. de Malesherbes
— pour n'en point citer d'autres — comptent parmi les plus belles
productions du lyrisme français.

III. — L'INFLUENCE ET L'ART DE ROUSSEAU.

Rousseau est, sans conteste, celui des écrivains de langue française
dont l'influence a été à la fois la plus vaste et la plus profonde.
Cette influence s'étend aux domaines les plus variés : philosophie,
morale, politique, société, religion, littérature, elle a tout gagné,
tout renouvelé. Rousseau est vraiment l'initiateur du monde moderne. Ce n'est pas qu'il ait apporté des idées neuves : l'exposé qui
précède a montré de combien de manières il est tributaire de ses
devanciers ou de son temps. Mais, comme l'a fort bien dit Mme de
Staël : « Rousseau, qui n'a rien inventé, a tout enflammé. » Rousseau
est l'exemple le plus typique de ce que peut l'action combinée de
la passion et du génie. Sa tendance aux généralités et aux abstractions, sa vigueur de pensée, sa force de dialectique lui donnent une
incontestable supériorité sur les Encyclopédistes et expliquent son
prestige sur certains philosophes qui sont venus après lui. Cette
action vient à la fois de sa méthode et de son système.

Influence philosophique et morale. Rousseau fonde sa philosophie sur le sentiment. Il
détrône la faculté pensante au bénéfice du cœur
et donne à ce dernier l'infaillibilité, que les autres
philosophes confèrent à la raison : nul raisonnement ne saurait prévaloir contre l'évidence sentimentale, sorte d'expérience spontanée
au plus intime de la conscience. La vérité ne se démontre pas :
elle s'appréhende. Cet instinctivisme est l'ancêtre encore fruste de
l'intuitionnisme qui a tant eu de succès au début de ce siècle. En
attendant, l'un des maîtres de la pensée européenne au XIX° siècle,
Kant, comme Rousseau, abaisse la raison spéculative, non, il est
vrai, au profit du cœur, mais de la raison pratique et de l'impératif
moral; M. G. Dumesnil a montré tout ce que le philosophe allemand
devait encore à son devancier : les caractères de la loi morale et la

célèbre idée que l'homme doit être pour l'homme une fin, jamais
un moyen, la justification de la Providence, le respect pour les
causes finales comme preuve de l'existence de Dieu, la théorie du
péché originel, considéré comme une lutte entre les passions de
l'homme et sa raison, le principe pédagogique que l'art parfait se
tourne de nouveau en nature, etc.

Son influence morale a été fort mêlée. Elle a eu d'heureux effets :
on doit savoir gré à Rousseau d'avoir dépouillé l'adultère de son
prestige cynique, vanté les joies de la famille, rappelé les mères à
l'un de leurs premiers devoirs, exhorté son siècle à plus de naturel
et de simplicité. Elle en a eu d'un peu ridicules et agaçants : Rousseau a fait du sentiment une mode, provoqué des attitudes théâ-
trales, substitué comme type d'homme au bel esprit de salon le
cœur sensible, pleurard et suffoquant. Elle en a eu de détestables :
Rousseau a libéré l'instinct, a fait de lui la règle de la vie; il a
ainsi obscurci les notions les plus claires, donné un nouveau sens
aux mots, appelé vertu ce qui est vice; il a d'autre part échauffé
les imaginations, affaibli le sens du réel, inoculé aux âmes ce virus
d'inquiétude qui produira le mal du siècle. Tout ce qu'il y a de
malsain dans le romantisme, dégoût de la vie et passion aberrante,
vient en grande partie de lui.

Influence   Aussi grande et aussi discutable est son *influence*
politique et   *politique et sociale.* Je sais qu'il a désavoué son
sociale.   *Contrat social* et que celui-ci n'a pas été un succès
de librairie; mais l'*Emile* en a été un, et son cinquième livre contient
un vigoureux exposé des doctrines du *Contrat.* D'ailleurs, ce *Contrat*
même a été lu, commenté, vulgarisé, dès son apparition, par toute
une foule d'écrivains de valeur fort diverse, et sa faveur au
XIXᵉ siècle n'a fait qu'augmenter. On ne peut donc nier que Rousseau
ne soit à l'origine de tous les bouleversements que l'Etat et la société
ont connus et connaissent encore depuis 1789. Il porte le coup
suprême à la féodalité agonisante. Il clôt, en politique, l'ère théologique et ouvre l'ère métaphysique, celle où le roi, représentant de
Dieu, cède le trône à de nébuleuses entités, où l'urne remplace la
sainte Ampoule. Bien que n'étant pas démocrate, il fournit à la
démocratie ses dogmes fondamentaux : volonté générale, souveraineté populaire, etc. Toute l'histoire du monde depuis la Révolution s'ordonne suivant ses idées. Ce sont elles qui ont produit la
Déclaration des droits de l'homme comme la Constitution civile du
clergé, la suppression des corporations comme le service obligatoire,
le suffrage universel et la suprématie des clubs ou la dictature, le
jacobinisme niveleur, l'étatisme, le totalitarisme. Sa métaphysique
confuse était trop peu soucieuse des réalités du sol et du sang
comme de l'expérience organisatrice des siècles. En voulant libérer
l'homme, elle a préparé son asservissement, que dis-je ? sa domestication. L'individu est privé de ses libertés concrètes, et son sort

n'est plus que résignation bovine au joug pesant d'un pouvoir anonyme, aux piqûres d'une nuée de taons bureaucrates. Il n'y a pas
de faillite plus complète.

Mêmes résultats sur le plan social. Ni socialiste ni communiste,
Rousseau a pourtant préparé la voie au socialisme et au communisme, surtout à ce dernier. Le socialisme se rattache à lui en ce
qu'il prétend, par l'organisation même de la vie économique, réaliser
la liberté véritable et donner à l'homme, suivant le mot de L. Blanc,
« un pouvoir réel de développer ses facultés ». Le socialisme, dit
aussi Jaurès, « c'est l'individualisme, mais logique et complet ». Les
idées de Rousseau ont plus d'affinités encore avec le communisme :
l'expression « prise au tas » résume brutalement la phrase célèbre
du *Discours sur l'inégalité*; l'idéal égalitaire du communisme ou son
point de vue ascétique qui lui fait mépriser la richesse, l'étroite
dépendance envers l'Etat à laquelle il soumet l'individu, son rêve
illusoire d'un retour à l'âge d'or, voilà bien des points de commun,
et cela ne doit point étonner, si l'on songe que la pensée de Rousseau
était hantée par le spectre de Lycurgue et nourrie par la lecture de
Platon et de Fénelon.

Influence   Son *influence religieuse*, très grande, n'a pas été
religieuse.   aussi heureuse qu'on se plaît parfois à le dire.
Nul ne conteste qu'il n'ait vigoureusement contrebattu la basse
impiété des philosophes, témoigné à l'Ecriture et au Christ un respect alors méritoire, préparé le terrain à l'apologétique de Chateaubriand. Mais, s'il a détourné de l'athéisme des âmes accordées à
la sienne, leur a-t-il conservé la foi ? Ne l'a-t-il pas au contraire
enlevée à un grand nombre par sa critique du dogme, par ses attaques
anticatholiques, par sa religiosité accommodante et douce ? J'ai
peine, je l'avoue, à le prendre pour un apologiste : sa religion manque
par trop de bases solides et de netteté. Fondée sur l'orgueil et le
sentiment, elle dresse l'esprit contre les autorités doctrinales, fait
de la croyance une révélation personnelle et lui donne pour unique
source les besoins du cœur. Le christianisme est tout autre chose.
La religion de Rousseau amalgame aussi trop d'étonnantes disparates :
pragmatisme, quiétisme, panthéisme, manichéisme, que n'y a-t-on
point découvert ? Et c'est précisément ce trouble éclectisme qui
lui a donné sa prestigieuse faculté d'expansion. C'est Rousseau qui
fournit à Lamartine, à Hugo, à G. Sand, à Musset, la substance
de leur pensée religieuse; ce sont ses idées que l'on retrouve encore,
plus ou moins transformées et systématisées, chez W. James et chez
les modernistes, et, pour passer de l'élite à la masse, ce sont elles
aussi que reprend, sur le ton gaillard et vulgaire, le Béranger du
« Dieu des bonnes gens » : on sait l'immense popularité dont a
joui le chansonnier, et l'on peut calculer tous les ravages qu'il a
faits. A considérer les choses du point de vue chrétien, Rousseau,
avec sa componction douceâtre, sa mysticité frôleuse et ses effu

sions haletantes, n'a pas causé moins de mal que le goguenard Voltaire ou le sectaire d'Holbach.

Influence littéraire. Son influence littéraire est aussi ample, aussi efficace, aussi discutable. Comme Diderot, mais moins par la théorie que par l'exemple, Rousseau ouvre des voies nouvelles à la littérature. Avec lui, il est le promoteur de cette littérature paroxystique et trouble, où la déclamation règne en maîtresse, où les idées s'embuent de la vapeur des passions, où les mots vagues et prétentieux abondent, gluaux pour les benêts à vue courte, armes pour les ratés aux dents longues. Voltaire se moque de lui, mais il se moque de Voltaire : son siècle l'aime et le suit; cette époque femelle a trouvé dans ce « femmelin » son véritable interprète. Avec Diderot encore, il fraie la route au romantisme. Ce n'est pas pur hasard s'il se sert du mot *romantique* dans l'acception nouvelle que la postérité confirmera : romantique, il l'est déjà par sa complexion intellectuelle, par son individualisme, par ses thèmes, par son art. Il souffre du déséquilibre moral qui va s'étendre à tout le XIXᵉ siècle : le raisonnement chez lui bannit la raison et ne sert qu'à mettre en doctrine ses passions et ses rêves. Il étale de façon immodeste son moi, dont la singularité lui paraît digne d'attacher et de séduire : ses *Confessions* et ses *Rêveries* ouvrent la série des *Mémoires*, des *Confidences*, des *Souvenirs* dont le XIXᵉ siècle sera si prodigue. Incapable de se libérer de lui-même, il prête aux personnages qu'il crée ses sentiments, ses humeurs, ses désirs : Saint-Preux est la souche des Werther, des René, des Raphaël, sans parler des Corinne. Avec le « moi », il développe tous les autres grands thèmes du lyrisme romantique : l'amour, frénésie sensuelle transmuée en prescription divine (Hugo chantera : « Et notre amour, c'est Dieu »), ou rédemption de la courtisane (voyez *Les amours d'Edouard*); la rêverie indolente où l'être se dissout dans une molle torpeur; la mélancolie, souffrance d'une âme éprise de durée ou d'une individualité orgueilleuse, étouffant dans un monde mal fait; la nature, accueillante et libératrice, face rayonnante de l'Etre infiniment bon, masse palpitant d'une vie divine, où l'être humain voudrait s'absorber; le sentiment religieux qui s'élève de l'érotisme panthéistique à la contemplation méditative et à l'extase; les tendances humanitaires, démocratie, socialisme, pacifisme, qui trouvent dans le Lamartine d'après 1830, dans le Hugo de la *Légende*, dans Lamennais et G. Sand des chantres passionnés.

L'art de Rousseau. Précurseur du romantisme, Rousseau l'est enfin par son art, mais ceci demande un peu plus de développement.

On a vu plus haut, à propos de la *Lettre sur les spectacles*, que ce pédagogue bourru de son temps a dit aussi son mot sur les matières de littérature et de goût. Ce n'est pas un cas unique; nombreux

au contraire sont dans ses autres œuvres les passages où il jette
quelques aperçus ou expose ses théories d'art : on les trouve surtout
dans le *Discours sur les sciences*, dans la *Nouvelle Héloïse* et dans le
livre IV de l'*Emile*. Sa doctrine semble un centon d'idées empruntées
à Boileau, à La Fontaine, le prédicateur de la « simple nature »,
à Fénelon, à Diderot, à Voltaire, voire au Sénèque de la *Lettre CIV
à Lucilius;* le point de vue moral — et cela ne saurait surprendre — s'y mêle intimement au point de vue esthétique. En
voici les grandes lignes : le goût est « l'art de se connaître en
petites choses »; il est déterminé par l'instinct, mais il obéit à des
règles locales (mœurs, climat, gouvernement, institutions) et personnelles (âge, sexe, caractère); il peut se corrompre quand les
mœurs se dévaluent; le caprice, la mode, l'artifice, fruits du luxe
et de la vanité, doivent être bannis; il faut imiter la nature et pour
cela suivre les Anciens, « abondants en choses et sobres à juger »
et plus fidèles interprètes de la nature, parce qu'ils en sont plus
rapprochés (cf. Fénelon); on doit veiller à bien écrire, faire des
thèmes latins, procédé excellent pour apprendre le français; notre
langue est inapte à la poésie, car seuls sont vraiment poétiques
le grec, le latin et l'italien.

Ce mince bagage de principes et de jugements « pillottés » ne
donne pas une haute idée du théoricien. L'artiste vaut mieux, sans
toutefois mériter le rang élevé où on le guinde : à parler franc,
j'estime Rousseau surfait. Ce n'est pas un maître de la langue :
un critique sévère, Godefroy, a relevé minutieusement les solé-
cismes, barbarismes, idiotismes, archaïsmes, tours pénibles dont fourmillent ses ouvrages, même les plus travaillés. Il est tout le contraire
d'un écrivain spontané, et, loin d'avoir l'esprit primesautier, quoiqu'il s'en vante dans une lettre à Moultou (25 novembre 1762), il
ahane toujours de son propre aveu (on sait qu'une contradiction
ne le gêne pas) sur le travail de la composition et du style. Certes
je ne le lui reproche pas : une œuvre facile est le produit d'une
élaboration difficile. Ce qui me gêne, c'est qu'il arrive rarement à
la souple aisance des maîtres : trop souvent il est roide, rogue, et
le lecteur subit le contre-coup de sa courbature. Il disserte du goût
comme des enfants qu'il n'avait pas : il donne la note juste, mais
il détonne aussi, et plus qu'on ne voudrait, par imprécision de pensée,
par goût du paradoxe, par gaucherie à manier la langue philosophique, par manque de tact. Le badinage ne lui réussit pas; rien
de plus froid que ses railleries contre le clergé, de plus rustaud que
ses coquetteries avec Voltaire, de plus déplacé que les saillies de
l'aimable Claire d'Orbe. Il verse dans le sophisme ou la sensibilité,
s'abaisse à des roueries de praticien roublard, abuse des antithèses,
des apostrophes, des prosopopées : il réintègre l'éloquence dans nos
lettres, mais avec elle la pire rhétorique. Il tourne le sentiment en
pose théâtrale et en déclamation boursouflée ou en sensiblerie trému-
lante, en griserie trouble, en impudeur. Il ferait presque regretter

Diderot. Car, chez ce dernier, écarts de plume et gaillardises sont jets d'une nature exubérante; Rousseau est un libidineux à froid. Il y a dans l'auteur de *Jacques* quelque chose du Rabelais chantre et adepte de la bonne Physis; Rousseau est un raté de l'amour, qu'obsède la hantise des conquêtes impossibles : le premier choque, le second répugne.

Ses qualités de peintre sont assez limitées, et, sans aller jusqu'à lui refuser avec M. Mornet tout don du pittoresque, il faut convenir que ses descriptions sont bien pâles à côté de celles de son disciple, Bernardin de Saint-Pierre. Le musicien est aussi l'objet de critiques, et c'est Faguet, cette fois, qui s'applique à prouver que la phrase de Rousseau n'est jamais harmonieuse, jamais musicale, jamais rythmée (?). Le jugement est trop dur, mais il est certain que Rousseau n'a pas une cadence aussi sûre que Bossuet ou que Chateaubriand : s'il fuit l'hiatus, il offre trop d'exemples de cacophonies, de lourdes consonances, de chutes traînantes ou étouffées. Bref, avec lui, jamais de sûre jouissance, jamais cet abandon confiant auquel on se livre en compagnie des vrais maîtres.

Son œuvre pourtant étincelle de beautés. Il sait à l'occasion conter avec bonhomie, avec esprit, avec sentiment. Bien que médiocre observateur du prochain et se méprenant outrageusement sur son propre compte, il ne laisse pas d'écrire sur le monde, sur ses ennemis, sur lui-même, des pages lucides et pénétrantes; son analyse délicate va même jusqu'à rendre ces états de semi-conscience passive ou dolente, que provoquent la torpeur heureuse ou le choc douloureux : la deuxième et la cinquième de ses *Rêveries* ne sont pas seulement des documents psychologiques pleins d'intérêt, mais d'étonnantes réussites d'art. Il a surtout la complexion d'un orateur et d'un poète. Il réunit la logique, l'imagination, le sentiment, et c'est de leur fusion intime qu'il a tiré son effrayant pouvoir de séduction. Il place le débat sur un terrain habilement choisi, l'élève à quelque idée générale où il puisse aisément se mouvoir, compose avec netteté par vastes plans, argumente avec rigueur, colore sa dialectique des feux de son imagination, l'anime d'un mouvement ample et large ou nerveux et pressé, l'échauffe de son ardente passion. Il excelle à trouver les sentences ramassées, les phrases percutantes aux ravages infinis, à manier l'ironie amère, à dérouler la période bien articulée aux membres souples et frémissants de vie. Tour à tour pittoresque et fougueux, périodique et concis, mêlant l'effusion au sarcasme, la caresse au coup de fouet, il s'efforce de toutes les manières d'arracher ou de surprendre l'assentiment.

Sa poésie jaillit de l'ébranlement presque simultané de l'imagination et du cœur. Tantôt, le sentiment ébranle l'imagination qui, peu à peu, glisse à la contemplation ou au rêve; tantôt, l'imagination éveille le cœur qui s'émeut de colère, d'attendrissement ou d'extase. Son imagination, toujours active, transforme l'idée en tableau : « Toutes mes idées sont en images », a-t-il lui-même reconnu. Elle a plus de vivacité que de largeur : une fois seulement, lorsqu'il retrace les premiers âges de l'humanité, Rousseau s'élève à la vision épique. Partout ailleurs, sa rêverie prend la teinte de l'ïambe, de l'élégie ou de l'idylle, s'accordant à la nuance de l'heure, pessimiste ou optimiste, selon qu'il se débat contre le complot, se lamente d'être incompris ou converse avec les « êtres suivant son cœur ».

Nulle part cette coopération des facultés affectives n'apparaît mieux que dans ses descriptions. Il n'est pas le premier qui « ait mis du vert dans notre littérature », mais il est bien le premier qui ait donné à la nature la grande place qu'elle y occupe : aurores et crépuscules, plaines et montagnes, lacs et forêts, gorges qui « font peur » et riants coteaux, la nature et tous ses accidents, sauf les glaciers, sont partout dans son œuvre : elle est pour lui le décor multiforme du drame humain, la source intarissable des émotions les plus variées. Cette nature, objet de sa passion la plus tenace, il en jouit de toutes les manières : en voluptueux quêteur de sensations; en artiste épris de ses merveilles; en savant appliqué à en découvrir les secrets; en misanthrope avide des consolations qu'elle dispense, en rêveur, en mystique. Ses descriptions sont remarquables de précision sans minutie, de sobriété sans sécheresse. Quelques taches de couleur çà et là, qui frappent l'œil d'autant plus qu'elles sont plus rares, toujours un dessin ferme, une nette architecture, une « mise en place » savante, car il est surtout sensible aux lignes, aux masses, aux plans. L'épithète morale n'y est pas rare : « un paysage est un état d'âme » pour Rousseau. La musique du style s'harmonise à la vision et au sentiment. Tantôt elle s'épanche en strophes d'une suavité déjà lamartinienne, tantôt elle suit une ligne sinueuse, mollement renflée et comme féminine; ici le rythme s'amplifie et s'exalte, là il s'apaise et meurt en fuyantes résonances.

Il est facile de voir tout ce que cet art apportait de nouveau et dont le romantisme a profité : c'est le principe que tout ce qui est dans la nature est dans l'art, et cet autre, que le goût est tributaire du seul instinct; c'est le mélange du lyrisme et de l'éloquence; c'est la révélation d'un style, dont l'insinuante caresse désarme l'esprit et fait courir dans les sens un frisson de volupté : l'art « matérialiste », tant reproché à Hugo, prend sa source dans Rousseau.

Conclusion.   Rousseau de tout temps a été une pierre de contradiction. Vilipendé ou adulé de son vivant, il fut, après sa mort, l'objet d'un culte fanatique et grotesque ou d'une haine enflammée. Son influence politique a encore surexcité les passions; et c'est peut-être de nos jours qu'il trouve ses partisans les plus enthousiastes et ses adversaires les plus acharnés. Les gens de sang-froid s'en étonnent et s'en vont protestant qu'on défigure Rousseau, qu'on ne le juge pas sur ses écrits, mais sur les idées qu'en ont tirées abusivement des disciples infidèles. La critique est

juste, en apparence seulement. Car, si Rousseau a tempéré ses provocantes formules, il ne les a jamais désavouées, et ce sont elles
qui ont subverti le monde. Homme d'instinct, il s'est adressé aux
instincts, et il a trouvé une large audience.

Ses principes, trop hâtivement appliqués, subirent momentanément une éclipse, mais, depuis plus de cent ans, ils ont reconquis
leur prestige, élargi implacablement leurs conquêtes, malgré la
vigoureuse résistance d'un Balzac, d'un Renan, d'un Taine, d'un
Maurras. A l'heure actuelle, leur victoire est éclatante. Par tout
l'univers, les élites comme les masses s'y rallient, et ceux-là mêmes
qui les combattaient — soit conversion, soit lassitude, soit impuissance
— ont cessé leurs attaques. Les sceptiques doutent que, dans ce monde
où rien ne dure, un tel triomphe puisse s'éterniser : pour eux, fatalement, la controverse reprendra, adversaires et partisans du philosophe s'affronteront de nouveau. En tout cas, et quelle que doive
être la fortune des idées de Rousseau, il est un point sur lequel
l'accord continuera de se faire, et l'on rendra toujours les armes
aux cadences charmeuses de celui que Barrès appelait « l'extrava-
gant musicien ».

CHAPITRE VI

COMPAGNONS DE LUTTE, DISCIPLES ET ALLIÉS DES PHILOSOPHES

La gloire de Voltaire, de Rousseau et de Diderot a dans l'ensemble éclipsé ceux qui, à leurs côtés ou à leur suite, ont mené le combat contre le régime établi. Il serait injuste pourtant de les maintenir dans leur ombre, car, s'ils sont inférieurs à leurs maîtres, ils montrent quelquefois du talent, et leur rôle a été décisif dans la diffusion de la doctrine. Voltaire, Rousseau, Diderot sont en effet comme des aristocrates de la plume, dont l'œuvre ne peut être pleinement comprise que par une élite. Tous les autres ou presque — on verra les exceptions — sont des écrivains « à la suite », des vulgarisateurs plutôt médiocres. Mais leur médiocrité même, en les rapprochant de la masse, donne aux idées qu'ils propagent une force de pénétration plus grande. Leurs simplifications hardies, leur pathos étendent en profondeur l'action des maîtres, dont ils rendent assimilables aux cerveaux les plus frustes les plus abstraites spéculations.

I. — CONDILLAC.

Est-il besoin de dire que l'on ne saurait mêler à cette foule Condillac, philosophe professionnel d'une valeur reconnue ? S'il figure ici, c'est qu'il a été comme le penseur patenté du groupe et que son ascendant sur son siècle a été si fort que La Harpe converti continuera à le tenir pour le plus grand métaphysicien français.

Ami de Diderot et son fidèle compagnon dans les frairies modestes et les longues discussions du *Panier fleuri*, Condillac offre le plus complet contraste avec lui. Diderot est batailleur, Condillac fuit la lutte. Autant le premier est enthousiaste, intuitif et confus, autant le second est froid, logique et clair. L'un préfigure l'avenir, l'autre traduit à merveille un des aspects les plus frappants de la pensée française au XVIIIᵉ siècle, le goût de l'abstraction et de l'intellectualité pure.

Sa vie. — Né à Grenoble en 1715, l'abbé Etienne Bonnot de Condillac eut une enfance taciturne et solitaire, qui fit douter de son intelligence. Il suivit à Paris son aîné, l'abbé de Mably, prit les ordres et fut nommé abbé de Mureaux, mais il n'exerça jamais les fonctions ecclésiastiques. Sa liaison avec Diderot, J.-J. Rousseau et Duclos détermina sa vocation philosophique. Dès 1746, son *Essai sur l'origine des connaissances humaines* lui donnait une renommée que transformaient en gloire le *Traité des systèmes* (1749), le *Traité des sensations* (1754) et le *Traité des animaux* (1755) : on le tient pour le « Locke » français, pour le meilleur métaphysicien que notre pays ait jamais produit. En 1757, la reine Marie Leczinska lui confie l'éducation de son petit-fils, l'infant Ferdinand, duc de Parme, et c'est pour son élève qu'il compose son *Cours d'études* complet, qui ne comprend pas moins de seize volumes. Sa mission terminée, il retourne à Paris en 1767, et entre l'année suivante à l'Académie où il succède à d'Olivet. Dès lors, il vit dans la retraite, refuse les fonctions de précepteur des enfants du Dauphin, mais écrit un traité sur les rapports du gouvernement et du commerce (1776) et une *Logique,* que lui demande le Conseil de l'Instruction Publique de Pologne (1777). Il meurt trois ans après, laissant un ouvrage sur la *Langue des calculs,* dont Laromiguière a procuré en 1798 l'édition.

Sa doctrine. — Comme Locke, dont il se proclame le disciple, Condillac restreint le domaine de la philosophie, dont l'ambition visait auparavant à fournir une explication générale du monde, et la réduit à n'être plus qu'une analyse et une critique de l'entendement humain. Le *Traité des systèmes* est précisément dirigé contre l'inutilité et l'abus des théories philosophiques et s'applique à ruiner la vision en Dieu de Malebranche, les monades et l'harmonie préétablie de Leibniz, la prémonition physique des Thomistes, les axiomes de Spinoza. Ainsi comprise, la philosophie laisse de côté le problème insoluble de l'origine des choses et ne se donne pour objet que le problème de l'origine des idées; en se limitant aux faits de conscience, elle pourra se constituer en science distincte et autonome. Mais Condillac simplifie encore l'empirisme de son prédécesseur et fonde le sensualisme pur. Pour Locke, nos idées naissent de deux sources, la sensation et la réflexion qui nous révèle les opérations de notre âme par le sens interne. Condillac supprime l'activité de l'esprit dans la formation de nos connaissances : ce ne sont pas seulement nos idées, mais encore nos facultés, représentatives ou affectives, qui dérivent de la sensation. Pour le démontrer, il imagine sa fameuse statue, qu'il organise par degrés,

en lui donnant successivement les différents sens et en finissant par
le toucher, grâce auquel sont corrigées les erreurs qui se mêlent
aux impressions des autres sens. L'homme-statue acquiert ainsi toutes
les facultés de l'âme humaine. L'attention est la sensation exclusive
ou dominante; la comparaison, une double attention; le souvenir, une
sensation renaissante et affaiblie; le jugement, la perception des
ressemblances et des différences existant entre deux sensations; le
raisonnement tire d'un jugement un autre jugement qu'il renferme.
Les mots sont les signes des sensations; les sciences ne sont que
des langues bien faites.

En tant que représentative, la sensation est donc le principe des
facultés intellectuelles; en tant qu'affective, elle donne naissance
aux facultés morales ou actives. Plaisir et douleur créent le besoin,
qui lui-même enfante le désir, lequel à son tour devient passion,
lorsqu'il se tourne en habitude, et volonté, lorsqu'il est prédominant
et absolu. Le moi n'est par suite que la collection des sensations
soit éprouvées, soit renaissantes par le souvenir.

Une telle doctrine aboutit logiquement au matérialisme, mais
Condillac n'est pas allé jusque-là. Il distingue soigneusement la
psychologie de la physiologie. Il voit dans les sens de simples
« causes occasionnelles » : c'est l'âme seule qui sent « à l'occasion
des sens ». La sensation n'est pas une propriété de la matière, mais
le jeu de l'âme active, laquelle est une substance inétendue et simple.

Quelque jugement que l'on porte sur les idées de Condillac, il
ne faut sous-estimer ni ses mérites, ni son importance. Il applique
à l'édification de son système des qualités d'analyse, de finesse, d'ingéniosité, de clarté, auxquelles rendent hommage ses adversaires les
plus résolus. Il marque une date dans l'histoire de la philosophie.
Sa doctrine a exercé en France, au XVIIIᵉ siècle, une influence peut-
être encore plus grande que celle de Descartes au siècle précédent.
Elle a été adoptée d'enthousiasme par les philosophes, qui ne se sont
pas fait faute, on s'en doute, de la conduire jusqu'à ses conséquences
extrêmes. Elle a inspiré tous les livres de métaphysique, de morale,
de sciences, de droit, de grammaire, d'érudition; elle a pénétré dans
les ouvrages élémentaires, formé, sous la République et sous l'Empire, l'unique matière de l'enseignement philosophique. Salué par
les idéologues eux-mêmes comme le *fondateur de l'idéologie*,
Condillac annonce en outre les empiristes du XIXᵉ siècle. Ses théories
sur l'instinct, fruit de l'expérience et de l'habitude individuelle, seront
reprises par les savants modernes, qui se borneront à transporter à
l'espèce ce que Condillac attribue à l'individu. Ses idées sur les rapports de l'habitude et de la raison inspireront H. Spencer, qui ira
plus loin que lui, mais dans la même voie. Les logiciens anglais lui
emprunteront sa doctrine sur le raisonnement, qui est essentiellement un calcul, et qui ne va pas du général au particulier, mais du
même au même, par simple substitution de signes. Taine, à sa
suite, définira le *moi* une « série d'états de conscience », etc. Aussi,

« L'Ermitage » de J.-J. Rousseau à Montmorency

Motiers-Travers où se réfugia Rousseau alors
persécuté par les Autorités françaises et genevoises

en dépit de divergences fondamentales, les idées de Condillac, son influence sur ses contemporains et sur la postérité obligent-elles à le rattacher aux philosophes ennemis de la religion et précurseurs des matérialistes du xix° siècle.

II. — Les ennemis de l'« infâme ».

Les écrits de Condillac, uniquement théoriques, tranchent par leur sérénité sur la littérature philosophique du temps. Les autres ouvrages de cette nature ont tous un caractère polémique très prononcé et visent à saper la monarchie ou la religion, les deux ensemble quelquefois. Cette production est énorme. On n'imagine pas le nombre de traités, d'opuscules, de libelles, qui se sont déversés sur la France, dans le louable dessein de procurer le bien public. Le talent de leurs auteurs n'est malheureusement pas toujours égal à leur zèle. Aussi n'est-on pas injuste en se bornant à citer les *Lettres à Eugénie*, l'*Examen des prophéties*, et mille autres pamphlets, qui couraient anonymes et contribuaient à la ruine de la foi et du trône. En revanche, il nous faut dire un mot au moins de quelques écrivains, dont les œuvres, pour n'être plus guère lues, ont eu du succès à leur apparition et figurent encore dans les Histoires et les Manuels littéraires.

Helvétius. On a vu, au tome précédent, quelle a été avant *Candide* la part prise par Helvétius à l'assaut philosophique. La condamnation de son ouvrage *De l'Esprit* ne fait que le stimuler. Il compose un poème en six chants, le *Bonheur*, abrégé fort prosaïque de l'*Esprit*, et un second traité, *De l'Homme*, où il reprend, en les aggravant, les thèses du premier. Ces deux ouvrages, publiés après sa mort par les soins de sa veuve (1772), font peu de bruit. Tout au plus doit-on signaler la réfutation indignée que Diderot compose, mais sans la publier, contre le matérialisme jouisseur de ce théoricien de l'égoïsme, qui, dans le privé, a été l'un des hommes les plus honnêtes et les plus bienfaisants de son temps.

Thiry d'Holbach. Aussi sectaire, mais plus intelligent qu'Helvétius, d'Holbach est un de ces étrangers philanthropes dont l'engeance ira se multipliant et que la France attendait, paraît-il, pour en recevoir le secret du bonheur. Paul Thiry d'Holbach, baron de Nuze et de Lecude, est né à Hiedelsheim, dans le duché de Bade, en 1723. Il vient de bonne heure à Paris, où il achète une maison construite pour Lulli et sise au 25 de la rue Royale-Saint-Roch (aujourd'hui, 8, rue des Moulins). Très riche, il pose au Mécène et donne de somptueux dîners qui lui valent d'être surnommé malicieusement « le maître d'hôtel de la philosophie ». Le ton et les manières y sont assez libres, moins toutefois qu'au châ-

teau de Grandval, propriété de sa belle-mère, Mme d'Aine, une
Allemande elle aussi, dont la grasse gaieté et la trépidante bizarrerie
animent les réunions d'amis. Intelligent, assez versé dans les sciences
naturelles, il estime qu'il y a mieux à faire pour lui que de traiter
les philosophes et qu'il pourrait collaborer au grand œuvre. Diderot
l'embauche dans son équipe et lui confie les articles de chimie.

Le succès de l'*Encyclopédie* augmentant l'audace des novateurs,
d'Holbach commandite une officine de pamphlets et de libelles, que
le colportage répand dans toute la France. Il paie aussi de sa personne et met la main à trois brochures — le *Christianisme dévoilé*
(1767), la *Contagion sacrée* (1768), l'*Intolérance convaincue de
crime et de folie* (1769) — où il dit son mot à l'« infâme ». En
1770, il expose sa pensée dans un roide et pesant traité, le *Système
de la nature* (1770), dont l'athéisme effraie Voltaire et jusqu'à Frédéric II. Puis il se tourne vers la politique et compose trois ouvrages,
où il renferme ses vues sur le gouvernement : le *Système social*
(1773), la *Politique naturelle* (1773) et l'*Ethocratie* (1776). Cette
contention intellectuelle, jointe aux soucis d'argent, aux ennuis
domestiques (ce Marphurius n'est-il pas sganarellisé par le fringant
petit Suard ?) développe chez le baron une sorte de neurasthénie.
La mélancolie s'insinue dans les réceptions naguère si joyeuses. Les
rapports avec Diderot se desserrent. Quand celui-ci meurt, d'Holbach traîne encore sa vie cinq années durant, et il disparaît le
21 janvier 1789, à l'aurore de la Révolution, qu'il a tant fait pour
préparer et qui lui aurait apporté, comme à bien d'autres, des surprises et des déceptions.

Il est bien difficile d'apprécier la valeur de d'Holbach. Dans ce
pensoir communautaire qu'est sa maison, il joue manifestement les
seconds rôles : les invités paient en idées les *delicatessen* de leur
hôte. Il est comme l'ombre portée de Diderot, qui, suivant Garat,
l'aurait converti au matérialisme, alors que, de son côté, d'Holbach
tentait d'amener son directeur au spiritualisme. Il lui aurait même
demandé, comme Frédéric à Voltaire, d'être le « blanchisseur de
ses œuvres » : chaque soir, au Grandval, il lui remettait ses « chif-
fons », que son compère lustrait vaille que vaille et réchauffait des
flammes mourantes de sa verve du jour. Diderot devait somnoler en
besognant. Car, supprimées les déclamations rituelles, tout est lourd,
gourmé, tudesque dans le style du baron; il débite en pavés la lave
refroidie de son ami. Ces remarques faites, voyons quel est son
système.

Sa métaphysique est le pur matérialisme. Tout ce qui existe subit
la loi du déterminisme, l'homme comme la nature. La matière, douée
de mouvement, compose la seule réalité, dont l'essence nous est
d'ailleurs inconnue. Nulle différence de substance dans ce qu'on
appelle les trois règnes, mais un échange et une circulation incessante des molécules matérielles, qui par leur variété et leurs proportions diversifient les êtres. L'âme ne fait qu'un avec le cerveau,

dont les fibres les plus délicates, sous l'ébranlement des sensations, produisent la pensée; quand la vie cesse, l'âme meurt. Dieu, l'immortalité sont de grossiers mensonges; les religions qui les accréditent sont fausses et, par surcroît, malfaisantes, car leurs superstitions et leur fanatisme ont ravi au monde la raison et la paix. Le christianisme, entre autres, est la plus funeste de ces inventions délirantes. Dans la Bible comme dans les dogmes et l'histoire de l'Eglise, on ne rencontre que stupidités, niaiseries, barbare férocité.

Aussi inconséquent que Diderot et tout autant que lui féru de morale, d'Holbach prétend à enseigner cette science, dont il vient de saper les bases, et il écrit même, dans cette vue, tout un ouvrage, l'*Ethocratie*, ou gouvernement par les mœurs. Les principes de cette morale sont fort simples : l'homme est bon et tend au bonheur; il y parvient par la jouissance modérée et la pratique de la bienfaisance et de l'humanité, car tous les hommes sont naturellement solidaires et le bonheur de chacun dépend de celui de tous. L'éducation doit développer ces instincts altruistes, rendre indissociables les idées de bonheur et de vertu.

La politique de d'Holbach — la plus précise et la plus pratique du temps — offre un curieux mélange d'audace théorique et de réalisme. Ennemi du despotisme et de l'aristocratie, assez tiède pour la démocratie et même pour la Constitution anglaise, il semble se rallier à une sorte de monarchie représentative, où le roi est étroitement subordonné aux représentants du peuple, qui seul détient l'autorité. Ces représentants doivent être probes, vertueux, éclairés, — et possesseurs du sol, car la propriété lie à la patrie et fait le vrai citoyen. Le monarque doit se soumettre à la loi, sous peine de perdre son trône : une révolution vaut mieux que la langueur de l'esclavage. Mais c'est un expédient extrême, pour lequel d'Holbach n'a pas une très chaude sympathie, car il le condamne sévèrement dans un passage de sa *Politique naturelle*. L'autorité royale se borne à assurer le règne de la loi, qui, elle-même, a pour but de faire concorder l'intérêt particulier et l'intérêt général. Il faut largement diffuser les lumières, rendre l'instruction générale, soustraire, s'il le faut, les enfants aux parents « négligents et déraisonnables ». Il faut aussi entreprendre une refonte politique et sociale, octroyer le plus de liberté possible : d'Holbach réclame la liberté de pensée, la liberté de la presse, la liberté du commerce et de l'industrie. Il faut supprimer la noblesse héréditaire, le célibat, interdire les mariages forcés et précoces, instituer le divorce, réformer la magistrature et la jurisprudence, réserver la peine de mort aux cas exceptionnels, refréner le luxe, combattre le paupérisme par une meilleure organisation du travail et par l'accession à la propriété, proportionner l'impôt aux facultés de chacun. Il faut enfin renoncer à toutes les violences, esclavage et guerres de conquêtes, établir une entente durable entre les peuples, qui sont aussi solidaires entre eux que le sont les citoyens d'un Etat, et par suite substituer à un patriotisme

étroit et trop souvent haineux un large esprit de compréhension
mutuelle et l'amour de l'humanité. La réalisation d'un programme
aussi vaste exige naturellement, à la tête de l'Etat, une autorité
vigoureuse. Sans se soucier de la contradiction, d'Holbach, théoricien
de la monarchie représentative, va jusqu'à réclamer l'absolutisme
(mais non l'arbitraire) — à condition, bien entendu, que le monarque
absolu soit philosophe. Seul l'Etat ainsi constitué mérite le nom
de patrie, car la patrie, pour tout citoyen, qui a droit avant tout
au bonheur, est « là où il se trouve bien », et il n'y a plus de
patrie « où il n'y a ni justice, ni bonne foi, ni concorde, ni vertu ».
Platonicien lorsqu'il identifie la vertu et la science, le crime et
l'ignorance, d'Holbach adopte maintenant le cosmopolitisme stoï-
cien et fonde au-dessus des frontières terrestres la cité idéale des
esprits libres et vertueux. Il tranche ainsi les liens qui attachent
l'homme à la terre et à l'histoire. C'est déjà un peu la formule
fameuse : « La France, mais... », et il n'est pas indifférent que ce
patriotisme conditionnel ait pour auteur un indigène du Palatinat,
sans attaches profondes avec notre sol. Au demeurant, d'Holbach
est persuadé que, pour lointaines qu'elles apparaissent encore, les
transformations qu'il préconise sont fatales et que le temps viendra
où l'ascendant de la raison fera triompher la Vérité et assurera le
bonheur de tous.

L'officine de   D'Holbach n'est pas seulement l'auteur des volumes
d'Holbach.   indigestes dont nous venons de résumer les conclusions. Son nom est encore attaché à la publication des pamphlets
qui, de 1760 à 1770 environ, se sont abattus sur la religion. C'est
le moment où l'*Encyclopédie* vient d'être nominalement supprimée,
et où les philosophes, ulcérés mais non déconcertés, impriment à la
lutte un caractère d'âpreté particulière. L'opinion traditionnelle veut
que d'Holbach en ait été le commanditaire, subventionnant les
auteurs, défrayant les libraires, installant et animant cette « officine » où se seraient élaborés tant d'opuscules impies, dont l'effet
corrosif a été si grand sur les esprits de l'époque. Bien des points
sans doute restent obscurs dans cette question. Une chose est sûre :
cette campagne de presse, comme nous dirions maintenant, révèle
un plan concerté, un dessein suivi; la fréquence et la convergence
des attaques l'indiquent suffisamment. On ne se trompe pas non
plus en en cherchant les animateurs dans Diderot et dans Voltaire
qui, de Ferney, donne l'exemple et stimule inlassablement les
« frères » à écraser l'infâme.

Mais qui a financé cette campagne ? On ne peut guère faire à
ce sujet que des hypothèses, fondées, il est vrai, sur de solides pré-
somptions. Il est fort plausible que d'Holbach ait consacré une partie de sa fortune à ce qui était, à ses yeux, l'œuvre méritoire par
excellence, et qu'il se soit substitué, comme bailleur de fonds, à Helvétius, resté sourd aux insinuations engageantes de Voltaire à ce sujet.

Mais il n'a pas été le seul à tenir ce rôle. On peut croire sans témérité
que Frédéric et Catherine ne se sont pas bornés à pensionner les
philosophes qui les flagornaient, et que leurs deniers ont soutenu un
effort qui secondait leurs intérêts : en divisant la France, ne gênait-il
pas indirectement sa résistance pendant la Guerre de Sept ans, ou
la renaissance de notre force, immédiatement amorcée par
Louis XV après le malheureux traité de Paris ? Pour les mêmes raisons, la cavalerie de Saint-Georges a dû faire ses galops d'essai avant
les fatales journées de la Révolution.

Autre problème délicat : quels sont les auteurs des libelles sortis
de l'officine ? Pour un petit nombre seulement, la question ne fait
pas de doute. Mais la plupart ne sauraient être attribués avec certitude à tel manœuvre de plume plutôt qu'à tel autre. Certains ont
été écrits en collaboration par d'Holbach et ses commensaux,
Lagrange, précepteur de ses enfants, Diderot, Naigeon, l'abbé
Morellet : la *Contagion sacrée* est autant de Naigeon que de d'Holbach, à qui elle est donnée communément. D'autre part, on recourt
à de prudents subterfuges pour tromper, ou plutôt pour ne pas
embarrasser le pouvoir, qui ne tient pas à sévir contre des personnes
en renom. On édite des œuvres posthumes, et cela avec si peu de
discrétion que Duclos, dans ses *Mémoires*, ne peut se retenir de condamner

la coupable frénésie qui règne aujourd'hui de tirer des cabinets et de
rendre publics des écrits qui n'en devaient jamais sortir.

Ou bien l'on met sous le nom de personnages décédés ou obscurs
les productions d'auteurs bien vivants ou notoires. C'est ainsi, pour
nous en tenir aux brochures les plus connues, qu'en 1765 on imprime
la *Lettre de Thrasybule à Leucippe* du savant Fréret (1688-1749),
que le public connaissait déjà par de très nombreuses copies. En
1766, paraît l'*Antiquité dévoilée* de Boulanger (1722-1759). Cependant on fait endosser au grammairien Dumarsais, collaborateur de
l'*Encyclopédie*, auteur d'un célèbre *Traité des Tropes* (1676-1756),
la paternité discutable de l'*Essai sur les préjugés* et de l'*Analyse de
la religion chrétienne* : il doit ce douteux honneur à sa réputation
solidement établie d'avoir été, suivant Naigeon, l'un des athées les
plus fermes et les plus hardis qu'il y ait jamais eu. Un certain Tran-
chard est donné pour l'auteur de la *Contagion sacrée*, de même
qu'un comte de Saint-Hyacinthe pour celui du *Militaire philosophe*
et de la *Théologie portative*, qui doivent être, pour une large part
tout au moins, restitués à Naigeon, etc.

Quoi qu'il en soit de ces attributions contestables, tous ces libelles
portent le même caractère, et comme la marque de fabrique : la
haine violente de la religion. Si offensants qu'ils soient pour une
âme religieuse, il n'en faut pas contester la facture habile. Ils s'en
tiennent à quelques points judicieusement choisis, et, avec un sens

très sûr de l'effet de répétition, ils ressassent inlassablement les
mêmes objections : ce sont celles que de tout temps on a opposées
au catholicisme et qu'avaient vaguement rafraîchies Bayle — « notre
père à tous », dit Voltaire — Spinoza, Toland et Collins, sans oublier
naturellement Voltaire, La Mettrie et Diderot. Ils s'efforcent d'en ruiner les fondements métaphysiques et historiques, d'en tracer une
image caricaturale. La religion est chose humaine : produit du fanatisme et de l'imposture, elle sert à abrutir le peuple, à satisfaire l'ambition et la cupidité des prêtres; elle est absurde, tyrannique, barbare.
Ses dogmes, amas de puérilités et d'inepties grossières, asservissent l'intelligence; sa morale torture inutilement le corps; son histoire n'est
qu'un tissu de fourberies, de dols et de crimes. Le moment est venu
de guérir cette maladie, dont l'humanité souffre depuis tant de
siècles. Le remède existe. Et, avec une monotonie publicitaire, ils
répètent le slogan de leur infaillible panacée : s'en tenir à la raison,
aux faits. Par voie de conséquence, il faut rejeter tous les dogmes,
n'admettre que Dieu ou, mieux encore, une Nature incessamment
créatrice, séparer la morale de la religion, tolérer toutes les opinions
religieuses. Conception rationnelle du monde, morale indépendante,
tolérance, tels sont les moyens assurés qui permettront d'en finir
avec l'infâme superstition.

Le ton ne varie guère. C'est à peu près partout le même ambigu
d'esprit facile, d'ironie sarcastique, de déclamation ampoulée et
furieuse. Seul peut-être fait exception l'*Examen critique des apologistes du christianisme* (1767), dont l'auteur (Busigny ou Fréret ?)
voile de modération et même de respect son hostilité foncière au
christianisme, dont il veut saper les bases historiques par les seules
armes de la logique et de la discussion.

Boulanger.   Parmi ces « bons ouvriers de la vigne », comme
dit Voltaire, parodiant l'Ecriture, il en est trois
dont il convient, pour des raisons diverses, d'esquisser au moins la
figure.

Le premier est Boulanger (1722-1759), le collaborateur de l'*Encyclopédie*, qui, dans son *Antiquité dévoilée*, attaque la religion
d'une manière originale. Pour lui, le fait religieux est étroitement
lié aux catastrophes cosmiques et aux révolutions des astres. La
terreur suscitée chez les hommes primitifs par le déluge a créé les
dieux, les pratiques destinées à les apaiser, et par suite donné naissance à la domination du clergé. Les dogmes, les rites, les objets
du culte, les personnages historiques eux-mêmes sont des symboles
de phénomènes célestes : Elie et Enoch personnifient une période
astronomique; saint Pierre, comme Janus, est un emblème du commencement de l'année. Boulanger ouvre la voie où Dupuis et Volney
s'engageront par la suite.

Naigeon.   Ce n'est point l'originalité qu'il faut demander à
Naigeon (1738-1810). Penseur à la suite, quiète-
ment installé dans la sphère étroite de ses idées, il est cependant
trop mêlé à la vie de Diderot et de d'Holbach pour qu'on ne lui
consacre pas quelques lignes. Sa manie d'athéisme, son dévouement
à la cause, son désintéressement lui valent l'entière confiance des
deux coryphées de l'irréligion : d'Holbach, vaniteux et circonspect,
lui confie ses manuscrits à revoir et à transmettre à un copiste fidèle
(le propre frère de Naigeon), qui fait tenir son travail au libraire
hollandais Michel Rey; Diderot, partant pour la Russie, lui remet
ses papiers. A la fois éditeur et auteur, il broche un *Recueil philosophique* (1770), procure des éditions de Diderot (1798) et de Montaigne (1802), collabore à la *Contagion sacrée*, et compose vraisemblablement le *Militaire philosophe* et la *Théologie portative*. Adepte
de la Révolution, il voit avec peine mettre sous la protection divine
la *Déclaration des droits de l'homme*, s'emporte contre Robespierre
et son culte de l'Etre suprême, et ne tempère l'expression de son
athéisme qu'à l'avènement de Bonaparte : il est même alors très
mécontent que l'indiscret Sylvain Maréchal — que nous retrouverons
plus tard — l'ait fait figurer dans son *Dictionnaire des athées.*

En dépit de Voltaire, qui loue ses pamphlets, Naigeon n'est pas
un écrivain. C'est un tâcheron aux doigts noueux, qui abat sa besogne avec conscience et lourdeur. Sa verve rase la terre, sa passion
ne peut s'exhaler qu'en rage déclamatoire. La Harpe l'appelait le
« singe de Diderot »; pas de la classe des sapajous, en tout cas !

Morellet.   L'abbé Morellet (1727-1819) est un autre homme,
sans être un grand homme. Il fréquentait aussi
chez d'Holbach, où il était désigné sous le nom de *Panurge* : c'est
assez dire l'ingéniosité et la fertilité de son esprit. Loyal et de mœurs
pures, mais très indépendant, il s'inféode à l'*Encyclopédie*, dont il
devient le quatrième théologien attitré. Théologien d'une espèce
particulière d'ailleurs, car il ne traite des questions religieuses que
d'un point de vue strictement historique, assimilant le christianisme
à « la religion des brahmes et des musulmans ». Né pour la lutte, il
prend part à la querelle des *Philosophes* et tâte pour cela de la
Bastille. Partisan fougueux de la tolérance, que l'Evangile recommande, il publie un *Manuel des inquisiteurs* (1762), qui fait du
bruit, et un *Petit écrit sur une matière intéressante*, à la manière
de Swift, qui fait scandale. Il dit encore son mot dans les discussions soulevées par la doctrine des économistes, et salue avec joie
la Révolution, qui doit appliquer les principes qu'il a toujours
défendus. La nuit du 4 août, qui le ruine, le refroidit un peu; les
excès jacobins, dont il manque d'être victime, le remplissent de
colère, mais il se rassérène sous le Consulat et défend chaleureuse-
ment les philosophes contre les nouveaux ennemis que les circonstances leur suscitent. Il joue un rôle important dans la réorganisa-

tion de l'Académie, dont il est membre et dont il a pu sauver les
archives. L'âge ne refroidit pas son ardeur combative, et il larde
d'épigrammes les premières œuvres de Chateaubriand, y voyant une
réaction insensée contre toutes les idées qu'il a passionnément adop-
tées. Non qu'il soit idéologue et athée; il a toujours rompu des lances
en faveur de Dieu. Mais ce prêtre singulier a le catholicisme en
horreur. Outre ses articles de l'*Encyclopédie* et ses brochures diverses, l'abbé Morellet a encore laissé des *Lettres à lord Selbourne*, assez
curieuses, et des *Mémoires sur le* XVIII*ᵉ siècle*, ainsi qu'un *Eloge
de Marmontel*, à qui il avait donné sa nièce en mariage. C'est par là
qu'il survit, grâce à l'intérêt du récit et à la vivacité alerte du
style.

*Ampleur   La piétaille de l'armée philosophique ne se borne
du mouvement   pas aux écrivains précités. Les volontaires affluent
antireligieux.   à mesure que le succès s'affirme. On regrette
d'avoir à citer parmi eux un certain nombre de prêtres dévoyés. Déjà
l'abbé Le Courrayer (1686-1776) avait donné l'exemple avec sa
*Déclaration de mes derniers sentiments sur les différents dogmes de
la religion* (1757), où il rejette tous les mystères de la foi chrétienne.
L'abbé Andra, lui, professe publiquement à Toulouse l'*Essai sur les
mœurs* de Voltaire. A côté de ces recrues tapageuses, la philosophie
en fait d'autres, qui s'engagent avec plus ou moins de hardiesse dans
la voie tracée. Tel est le cas de Robinet (1735-1820), dont le livre
De la Nature, rempli de rêveries métaphysiques, connaît néanmoins
le succès pour sa conception d'un Dieu sans attributs et pour les
pressentiments scientifiques qu'il renferme. Tel est celui de *Delisle
de Salles* (1741-1816), polygraphe infatigable, à qui sa *Philosophie
de la nature* (1770) vaut un emprisonnement triomphal (1775) et
qui agrémente d'un lyrisme douceâtre les déclamations rituelles
contre les mystères et le clergé. Sa violence est encore dépassée par
celle de Sylvain Maréchal (1750-1803), athée fanatique, mais homme
tolérant et charitable, qui compose un poème, le *Lucrèce français*,
tout animé de la haine frénétique du divin :

Dieu ! j'ose te nier !

Dieu fort ! Dieu des combats, accepte le cartel
Qu'en champ clos, corps à corps, te propose un mortel.

Le hasard n'est qu'un mot. — Dieu, qu'est-il autre chose ?
Je n'ai pas plus besoin d'un Dieu que lui de moi.

A quoi bon nous étendre et parler de Ch. Borde, de S.-F. Bernard, de Dulaurens, de mille autres écrivains obscurs, qui peinent
et s'essoufflent à suivre les chefs de file et dont, au surplus, on
pourra prendre quelque idée en lisant l'excellent livre de M. Mornet
sur les *Origines intellectuelles de la Révolution française* ?

L'esprit belliqueux envahit la poésie, le roman, le théâtre, l'histoire, l'éloge académique. Nous reviendrons plus tard sur ce point. Mais dès maintenant il sied de citer au moins le *Bélisaire* de Marmontel, qui soulève un orage pour ses pages en faveur de la tolérance, la *Mélanie* de La Harpe, violente diatribe contre les couvents et les vœux, l'*Histoire philosophique* de l'abbé Raynal — un autre apostat — toute farcie de dithyrambes en l'honneur de la philosophie et d'invectives contre la religion et les prêtres, les *Eloges* de Thomas et de La Harpe. Ces seuls exemples, qu'il serait trop facile de multiplier, montrent combien l'attaque est générale et quels progrès elle a faits. On peut dire que, à la mort de Louis XV, la philosophie a partie gagnée et le tolérantisme conquis une large portion de l'esprit public en attendant qu'il soit institué par la loi.

III. — LA LUTTE CONTRE L'ABSOLUTISME ET LES ABUS.

Alliée de l'Eglise, qui la consacre et qu'elle protège, chef-d'œuvre empirique du temps et de la politique capétienne, la monarchie française était, à ce double titre, exposée aux coups de nos rationalistes. Déjà certains d'entre eux mêlent à leurs campagnes antireligieuses des préoccupations politiques et stigmatisent le despotisme. Mais c'est surtout après leur triomphe sur l'Eglise, que, sans négliger ses suprêmes résistances, ils attaquent les institutions. Sous couleur d'extirper les abus, qui ne manquent certes pas, ils mettent en cause tout le régime : pouvoir, organisation sociale, justice, finances, économie, il n'est pas un rouage de l'Etat qu'ils n'estiment faussé et qu'ils ne prétendent redresser. Leur zèle réformateur s'inspire d'un même idéal : rompre avec la tradition routinière, « *établir* », comme dit le comte d'Entaignes, « *les droits de la nation sur des bases immuables, en les fondant sur les droits naturels de toute société humaine* », ou, suivant la formule plus concise de Cerutti, « *remonter aux principes éternels* ». Là où ils diffèrent — et le contraire serait admirable — c'est sur les applications pratiques. S'ils s'entendent à rejeter l'absolutisme de droit divin, s'ils réclament tous la liberté civile et l'égalité devant la loi, s'ils condamnent unanimement certaines survivances barbares des « temps gothiques », leur accord cesse pour tout le reste. Leurs théories du pouvoir vont du despotisme éclairé aux aspirations démocratiques; ni le droit de propriété, ni la liberté du commerce, ni même la liberté de pensée ne rallient tous les suffrages; les privilèges trouvent quelques défenseurs : médecin ou rebouteux, chacun a son remède ou sa recette. Le ton aussi varie beaucoup : peu d'entre eux montrent, dans leurs critiques, de la modération et même du respect; chez les autres s'étalent l'aigreur, l'insolence ou la haine, et ce dernier

groupe devient de plus en plus nombreux, à mesure qu'on s'achemine vers la Révolution.

Dans cette nuée d'empressés, il en est qui se détachent de la
plèbe écrivassière, soit pour le sérieux de la pensée, soit pour l'éclat
scandaleux que firent leurs ouvrages, car de vrais écrivains il n'y en
a pas. C'est à eux que se bornera cette étude, renvoyant pour les
autres aux ouvrages importants de M. Mornet et de M. Sée, où l'on
trouvera le détail des informations complémentaires.

Les
physiocrates.   Les physiocrates sont les plus intéressants de ces
réformateurs, car leurs idées forment un système
lié, et leur théorie politique repose sur les exigences de la vie matérielle des peuples. Ils tirent leur nom d'un ouvrage de l'un des
leurs, Dupont de Nemours, qui édite, sous le titre de *Physiocratie*
ou *Constitution naturelle des gouvernements,* les œuvres principales de ses amis (1767). L'école a été fondée par Gournay (1712-
1759), commerçant, puis membre du Conseil du commerce, qui
lança la fameuse formule du libéralisme économique : *Laissez faire,*
laissez passer. Mais c'est Quesnay (1694-1774), qui lui donna son
impulsion et son développement. Médecin du roi, il tient dans l'antichambre de la Pompadour des réunions fort suivies, où il expose
ses doctrines. Il collabore à l'*Encyclopédie,* pour laquelle il écrit les
articles *Fermiers* et *Grains,* et compose divers ouvrages d'économie,
dont son traité du *Droit naturel* (1768). Il rassemble des disciples
célèbres à différents titres : le marquis de Mirabeau (1715-1789),
personnage bizarre, libéral de principe et despote en son privé,
tyran des siens, contre lesquels il obtient cinquante-quatre lettres
de cachet, auteur diffus et plat, mais quelquefois original et ardent,
de la *Théorie de l'impôt* (1760), de la *Philosophie rurale* (1763) et
du célèbre *Ami des hommes* (1766), le moins mauvais de ses innombrables ouvrages; — Turgot (1727-1781), qui, intendant à
Limoges, proclame la liberté du commerce des grains et tente, une
fois ministre, d'appliquer les principales idées de ses maîtres, et
qui écrit des *Réflexions sur la formation et la distribution des*
richesses (1766); — Mercier de la Rivière (1720-1793), auteur de
l'*Ordre naturel et essentiel des sociétés politiques* (1767); — Dupont
de Nemours enfin (1739-1815), l'éditeur de la *Physiocratie,* qui
expose la doctrine de la manière la plus claire et la plus complète
dans son *Origine et progrès d'une Science nouvelle* (1768) et dans
son *Abrégé des principes* (1773).

Les physiocrates sont les premiers en date de nos économistes. Mais
leur ambition ne se borne pas à bâtir une théorie sur la création
et la circulation des richesses. Liant leur doctrine économique à
une politique et à une métaphysique, ils prétendent constituer une
science générale de la société. Leur pensée peut se résumer ainsi :
Il existe une raison suprême, garantie de l'ordre naturel. Cet ordre
postule la justice, c'est-à-dire le maintien des droits que l'homme

possède antérieurement à toute société; ces droits sont la liberté et la propriété, fondement de la liberté. A ce maintien concourent les lois, les magistrats et le gouvernement. Pour bien remplir sa mission, le gouvernement doit être fort, réunir le pouvoir exécutif et législatif, être assuré de l'avenir : le seul régime qui remplisse ces conditions est la monarchie absolue et héréditaire. Ses droits se fondent non sur des titres métaphysiques, mais sur une identité d'intérêts : le roi a partie liée avec ses sujets, qui paient en loyalisme la prospérité que son autorité leur assure. La prospérité d'un pays se mesure à l'état de son agriculture, qui est seule créatrice de richesses. Or l'agriculture ne peut se développer que si ses produits circulent sans entraves : il faut donc établir la liberté extérieure et intérieure du commerce. L'impôt, qui ne doit frapper que les vraies richesses, sera unique et direct et portera exclusivement sur les revenus des biens fonciers. Cet état de choses sera facilement accepté, car le gouvernement, qui se chargera de l'enseignement public, répandra dans la masse la connaissance de l'ordre essentiel des sociétés et lui rendra sensible l'harmonie providentiellement ménagée entre l'intérêt individuel et l'intérêt général.

Telle est cette théorie qui est, comme on le voit, à contre-fil des tendances du temps. Alors qu'on ne songe qu'à limiter le pouvoir royal, elle lui accorde une liberté discrétionnaire; alors que se fonde la grande industrie, elle prétend en restreindre l'essor; alors que la sensibilité publique se déclare pour la terre et ceux qui la cultivent, elle établit à leur détriment une sorte de contre-privilège de l'impôt. Des protestations ne manquent pas de se produire. Le spirituel abbé Galiani (1728-1787) brocarde avec piquant les dogmatiques réformateurs dans ses *Dialogues sur le commerce des blés,* que l'abbé Morellet entreprend sans succès de réfuter (1770). Voltaire, gros propriétaire foncier, les égratigne dans son *Homme aux quarante écus.* Ils n'en rallient pas moins de nombreux adeptes et arrivent même au pouvoir avec Turgot, qui eût sans doute accompli les réformes nécessaires, si Louis XVI l'avait soutenu contre la coalition des privilégiés.

Autres   Des théoriciens du despotisme éclairé il nous faut,
auteurs.   sans transition, passer aux écrivains qui, avec plus ou moins de netteté, certains même en théorie seulement, affirment des tendances démocratiques. C'est que le libéralisme politique ne produit alors aucune œuvre qui mérite d'être signalée. D'ailleurs Montesquieu subit le sort de tous les grands écrivains dans la période qui suit leur mort : son prestige diminue, et il connaît par surcroît la disgrâce d'être réfuté à la fois par Voltaire et par Rousseau. Seul, Chastellux, dont nous parlons plus bas, s'affirme son disciple. D'autre part l'anglomanie, qui de plus en plus façonne les mœurs, cède du terrain sur le plan politique : la constitution britannique compte maintenant plus de détracteurs que de par-

tisans. L'influence passe à Rousseau, dont l'action est encore ampli-
fiée par la révolution d'Amérique : c'est à lui que se rattachent en
politique Mably, Condorcet même — malgré son athéisme et son
culte du progrès; aussi remettons-nous d'en traiter après leur inspi-
rateur.

Peut-on compter parmi ces champions révolutionnaires Louis-
Sébastien Mercier, l'auteur original du *Tableau de Paris* (1787) et
de l'*An 2440* (1770) ? Oui, si l'on prend au sérieux certaines violences
de plume contre le despotisme et de nets appels à la révolte. Mais
cette effervescence ne dure pas; le défenseur du peuple se retourne
bientôt contre la démocratie, le « pire gouvernement », et consacre
tout un chapitre à l'éloge de la monarchie absolue, que tempèrent
en fait la tradition et les mœurs. Aussi peu conséquent est Deleyre,
dont le *Tableau de l'Europe* salue l'aurore prochaine de la liberté,
mais montre peu de goût pour la démocratie et reconnaît la conduite
assez libérale de la monarchie française. Ce n'est guère que dans
le *Système de la raison* de J.-L. Carra (1782) et dans deux libelles
de Sylvain Maréchal, *Dieu et les prêtres* (1781), *Livre échappé au
déluge* (1784), que s'expriment dans une phraséologie déjà jacobine
la haine des tyrans et le rappel de l'égalité.

La guerre   Moins ambitieux que ces reconstructeurs de l'Etat,
aux abus.   une foule d'écrivains, aussi obscurs que zélés,
limitent leur effort à critiquer telle ou telle partie de l'administration. Leur nombre même suffit à montrer combien les abus sont
pesants. C'est par centaines que, avec plus ou moins de modération,
mais toujours au nom du droit naturel, du pacte social, des lois
fondamentales, pamphlets et traités protestent contre les défauts
d'un régime manifestement usé. Le principe, le rôle et les privilèges de la noblesse, la législation criminelle, l'administration de la
justice, la levée et la répartition des impôts, les biens de mainmorte,
l'organisation des milices, etc., bref, toutes les matières d'administration et de finances sont tour à tour en butte à la critique. Mais
cette littérature d'actualité n'a produit aucun chef-d'œuvre durable,
et, parmi ses auteurs, il n'est guère qu'un nom qui échappe à l'oubli,
celui de l'abbé Coyer (1707-1782), un moment célèbre par sa
Noblesse commerçante, où il s'élève contre le préjugé nobiliaire
hostile au commerce et traduit les sentiments de la bourgeoisie mer-
cantile, cruellement blessée par les dédains d'une aristocratie moins
soucieuse de ses devoirs que de ses droits. Signalons toutefois que
certaines de ces brochures portent des noms encore bien inconnus,
mais appelés à une rapide notoriété, Brissot, Barnave, Marat lui-
même. Quant à Mirabeau, menant de front la propagande philosophique et l'amour, il publie un *Essai sur le despotisme* (1775) et ses
Considérations sur l'ordre de Cincinnatus (1784), où il attaque l'hérédité de la noblesse.

IV. — L'IDÉE DE PROGRÈS.

Cette haine de la tradition s'accompagne chez la plupart d'une foi mystique en l'avenir. On veut jeter bas les institutions pour inaugurer cette ère de félicité, à laquelle l'homme a le droit de prétendre. C'est à ce moment que la croyance au progrès se systématise et prend une force conquérante. L'idée est vieille comme l'univers : depuis les prophètes juifs jusqu'à nos philosophes, en passant par les utopistes Morus et Campanella, jamais elle n'a cessé de hanter le cerveau des rêveurs et des pseudo-philanthropes. Mais c'est la première fois qu'elle tente d'informer la vie entière du monde.

Le développement de la science, fruit de l'émancipation intellectuelle, inspire dans la raison une confiance sans limites, et, par un singulier paralogisme, on conclut du progrès matériel à la fatalité du progrès politique et moral. L'idée anime l'*Encyclopédie*, les campagnes de Voltaire, la doctrine des physiocrates, et commande le mouvement réformateur du siècle, mais c'est surtout chez de Chastellux et Turgot qu'elle trouve, antérieurement à la Révolution, son expression la plus nette.

De Chastellux.   De Chastellux est l'auteur d'un traité, *De la félicité publique* (1772), qui connut la grande vogue et reçut les éloges bénisseurs de Voltaire. L'ouvrage est intéressant, beaucoup plus d'ailleurs par les idées de détail et les aperçus qu'il contient que par la thèse développée. Cette thèse, complétée par les *Vues ultérieures sur la félicité publique* (1776), peut se résumer ainsi. L'état social est perfectible, parce que l'homme est perfectible, et au plus haut degré. Il faut renoncer au respect fétichiste du passé, être fier de son siècle, croire en l'avenir et le préparer. La première tâche est de détruire la superstition et de supprimer les guerres, obstacles principaux au bonheur des nations. Il faut ensuite établir un régime où la raison dominera. Ce ne peut être ni le despotisme ni la démocratie, où triomphe la passion individuelle ou collective; c'est le gouvernement mixte, esquissé par Montesquieu. Mais l'essentiel est d'assurer le progrès des lumières, « qui perfectionne mécaniquement tous les moyens qui conduisent à la prospérité générale ».

Turgot.   Turgot, un moment recteur de Sorbonne, a composé, dans ces fonctions, deux *Discours*, en latin, où il expose ses vues sur l'idée de progrès. Il a songé en outre à écrire une Histoire universelle, dont il ne nous reste que des ébauches, et où se trouve déjà formulée la « loi des trois états », que vulgarisera Auguste Comte. A la suite de saint Augustin, de Pascal et de Fontenelle, il compare l'humanité à un individu qui aurait son enfance, son progrès, mais ne connaîtrait pas de vieillesse. L'expérience et l'histoire montrent que l'humanité marche vers une perfection plus grande. Ce progrès s'est accompli par étapes, qu'on peut réduire à trois (*Seconde ébauche de Discours sur l'Histoire universelle*). Dans la première, les faits de la nature sont rapportés à des êtres semblables, mais supérieurs à l'homme; dans la seconde, à des entités (abstractions, essences, facultés); dans la troisième, à des lois : c'est exactement ce que dira Comte, qui se bornera à trouver l'expression d'états théologique, métaphysique et scientifique. Turgot, « rêvant » à son tour à l'avenir, assigne comme but au progrès un état de raison et de justice, où régneront la liberté, l'égalité et la douceur des mœurs. Cet état sera l'œuvre de la science. C'est elle qui, en développant la civilisation, fera progresser la moralité et le bonheur social qui en dépend.

S'il donne dans l'utopie de son temps, Turgot montre plus d'objectivité et de largeur de vues que les autres théoriciens du progrès. Il ne croit pas au progrès continu : cette marche de l'humanité vers le mieux est, pour lui, coupée d'arrêts et même de régressions. Parmi les causes du progrès — génie, hasard, éducation, passions humaines — il fait entrer les religions et en particulier le christianisme. Il distingue soigneusement entre le progrès intellectuel, pratiquement infini, et le progrès artistique, qui ne saurait dépasser un point fixe. Cette sage appréciation des choses ne se retrouvera pas chez Condorcet.

Tirons maintenant les conclusions de tous ces faits. S'ils diffèrent parfois sur les applications pratiques, les rationalistes restent unis sur les principes, la méthode et le but. La raison a des droits supérieurs à tout. Pour instaurer son règne, il faut jeter bas superstition et despotisme, leur substituer une religion, une politique, une morale qui tirent d'elle, et d'elle seule, leurs fondements. Ainsi s'accomplira peu à peu le vœu de la nature, cette aspiration au bonheur, dont la satisfaction est le but suprême des sociétés.

V. — L'ÉCOLE DE ROUSSEAU.

Rousseau a fait école, lui aussi, et nombreux sont les auteurs qui, avec plus ou moins d'originalité et de talent, ont concouru au triomphe du sentiment et contribué à la transformation des idées, des institutions et des mœurs.

Bernardin de Saint-Pierre. (1737-1814). Il convient d'en commencer la revue par Bernardin de Saint-Pierre, qui fut un moment comme le disciple bien-aimé du Christ moderne, que Rousseau croyait être à ses moments de délire.

Né au Havre en 1737, il promène d'abord sous toutes les latitudes son imagination avide et son inquiète sensibilité. Enfant, il se rend

avec son oncle à la Martinique (1749); jeune homme, il parcourt
l'Europe de la Finlande à l'Adriatique (1761); homme fait, il est
envoyé, en 1768, comme ingénieur du Roi, à l'Ile de France, d'où
il revient par le Cap de Bonne-Espérance (1768-1770). C'est son
dernier voyage. Il se fixe à Paris, où il vit, autant que faire se
peut, dans l'intimité de Rousseau et le consulte sur les ouvrages
qu'il médite. Il publie successivement le *Voyage à l'Ile de France*
(1773), les *Etudes de la Nature* (1784), *Paul et Virginie* (1787),
qui obtient un éclatant succès, le premier livre de l'*Arcadie* (1788)
et la *Chaumière indienne* (1790). Il accueille avec transports la Révolution, à laquelle il prodigue ses conseils dans ses *Vœux d'un Solitaire* (1790). Il est nommé Intendant du Jardin des Plantes (1792),
et devient professeur de morale à l'Ecole normale supérieure. Entre-
temps, il a épousé une jeune fille, Félicité Didot, qui le rend heureux
(1792). Quand celle-ci meurt après huit ans d'union, il attend à
peine quelques mois, et convole de nouveau avec une jeune fille,
Désirée de Pelleport, qui le rend non moins heureux. Il meurt six
ans après, laissant plusieurs œuvres inédites, dont les deux principales, *Harmonies de la nature* et *Vie et ouvrages de J.-J. Rousseau*,
paraissent en 1815 et en 1820.

Bernardin est comme la réplique de Rousseau. Il a le même caractère heurté et il suscite, lui aussi, chez ses biographes, la répulsion
ou l'attachement. Il est déséquilibré, hypocondre, insociable. Il se
plaît dans l'utopie idyllique. Il est tour à tour bénisseur et brutal,
âpre et douceâtre, délicat et grossier. Il séduit et désoblige. Toutefois, il diffère de son maître par certains côtés. Il est près de ses
intérêts, quémande volontiers, aime les bonnes places. Il a de plus
une vie sentimentale autrement riche. Rousseau a rêvé l'amour,
Bernardin l'a vécu : sa carrière amoureuse ne connaît guère d'échecs,
et il vieillit en Anacréon rangé, dont les jeunes filles, bien loin d'en
rire, ceignent de roses le front chenu. Il en diffère enfin par l'intelligence, et sur ce point l'avantage reste sans contestation possible
à Rousseau.

Bernardin n'est pas un penseur. Il emprunte ses idées à son
maître et les exagère au point de les caricaturer. Primauté du sentiment, bonté originelle de l'homme, culte de la nature, finalité sont
aussi des dogmes pour lui. Il se défie des sens trompeurs et de la
raison qui ne travaille que sur des apparences : la vérité est objet
de sentiment, et la nature ne se révèle qu'aux cœurs simples; c'est
déjà l'attitude de Hugo devant la nature « qui sait le grand secret ».
Il fait aussi du cœur l'unique source de la vie morale : la vertu
consiste à en suivre les impulsions qui sont « d'institution divine ».
Il hait la science et les livres, mais il a tort de substituer sa fantaisie
aux découvertes et aux méthodes les plus sûres de l'esprit humain :
il combat la gravitation d'une façon ridicule; il se moque des instruments de physique; il affirme gravement que le soleil est d'or
et ses montagnes de diamant, que les montagnes de la lune sont en

réalité « des réverbères célestes paraboliques », que les anneaux de
Saturne sont peuplés par « des amants et des amantes opposés par
leurs pieds et qui se donnent les mains aux extrémités de leur
anneau », etc. Il bâtit toute son œuvre sur l'antithèse nature-
société, mais il s'éprend pour de bon de la vision édénique et ne
cesse de prêcher le retour à la félicité sauvageonne. Il défend la
Providence en soutenant que le mal a pour causes les infractions
à la nature et que tout, dans le monde, est harmonie, accord, agencement calculé pour l'agrément et pour l'utilité de l'homme.
Mais il appuie son finalisme sur des preuves, dont certaines sont bouf-
fonnement célèbres : la puce est noire pour contraster avec le linge
blanc, ce qui permet de la prendre plus aisément; les melons « divisés par côtes » semblent destinés à être mangés en famille; le cheval
et le taureau pâturent les mêmes prés, parce que le voisinage d'un
solipède et d'un pied fourchu est flatteur pour l'œil humain, etc.
Il veut insuffler à l'éducation un esprit libéral et moderne. Mais
il supprime toute émulation, toute obligation, toute sanction et
transforme les classes en réunions de plein air, dans le parfum des
fleurs, aux mélodieux accents des hautbois et des flûtes. Nulle fantaisie en revanche dans son programme politique : il voit nettement
les maux dont la France est atteinte, et les réformes qu'il préconise
(refonte de l'Etat, des finances, de la justice, liberté de personne et
de pensée, assemblées permanentes et périodiques, développement
de l'agriculture, abolition de l'esclavage) prouvent autant de bon
sens que de bon cœur. Encore l'incorrigible rêveur ne peut-il se
défendre de croire à la souveraineté populaire et d'aspirer après un
monde où le sentiment, détrônant la raison, fera régner avec lui
la vertu et l'amour.

Si décevante qu'elle soit, cette œuvre philosophique ne doit pas
être traitée par le mépris. Bizarreries et puérilités ont de sérieuses
contre-parties. Bernardin reprend avec vigueur l'argument crucial
de l'architecte antérieur au maçon. Il écrit des pages émouvantes
sur l'au-delà de la mort, sur les tristesses de l'athéisme, sur la
mélancolie. Ses suggestions touchant le caractère des races ou le
traitement de la folie devancent Auguste Comte et le professeur
Pinel. Il a servi la cause du spiritualisme et même du spiritualisme
chrétien. Les *Etudes de la nature* sont l'œuvre d'un déiste, d'un
homme sensible et d'un artiste : ce triple caractère vaguement religieux, esthétique et moral enchanta un grand nombre d'âmes à
l'époque et les prépara à l'apologie du *Génie du Christianisme*. Quand,
plus tard, sous l'influence de sa seconde femme et du curé d'Eragny
(petit village où il s'était retiré), Bernardin revint à la foi de sa
jeunesse, sa pensée prit une couleur chrétienne, dont les *Harmonies*
portent la marque : la publication de cet ouvrage seconda l'influence
de Chateaubriand. A cet intérêt historique s'ajoute une valeur littéraire que nul ne saurait contester. Malgré sa fade sensiblerie et sa
déclamation, Bernardin reste un de nos grands écrivains : ses

Tombeau de J.-J. Rousseau
dans l'île des Peupliers à Ermenonville

tableaux sobres, nets et chatoyants, sa phrase au rythme nombreux et musical gardent intact leur pouvoir de séduction.

Retif de la Bretonne (1734-1806). C'est aussi un authentique disciple de Rousseau que ce Retif de la Bretonne, qui n'eut longtemps qu'une notoriété d'assez mauvais aloi et qui connaît de nos jours une sorte de gloire. Disciple plutôt indépendant, du reste, et d'humeur et d'idées. Vexé de n'avoir pu approcher le maître, malgré ses tentatives, il n'a point pour lui le culte béat de Bernardin et sème ses dithyrambes de critiques acerbes. D'autre part, sur le point le plus important, la question religieuse, il se sépare de Rousseau.

Nicolas-Edme Retif était le fils d'un paysan aisé de l'Auxerrois, Edme Retif, dont il a fait revivre la noble figure dans sa *Vie de mon père*. Destiné aux ordres, il fait quelques études, mais l'atmosphère de jansénisme où il vit révolte son caractère indépendant et son tempérament fougueux. Il déçoit les espoirs qu'on met en lui et devient ouvrier typographe à Auxerre. Il se rend ensuite à Paris, où, tout en travaillant de son métier, il sent s'éveiller en lui la vocation d'écrivain. Et c'est le début d'une production torrentielle, dont il inonde son siècle et que ni déboires ni événements politiques ne parviennent à endiguer. Bien vu des grands qui le recherchent, ami de Grimod de la Reynière, le traitant gourmet et l'homme aux mains palmées, il se rallie à la Révolution, qui ne l'inquiète pas, comme il en a la terreur, puis il fait des avances à Bonaparte, qui ne l'utilise pas. Jamais sa condition ne s'élève au-dessus d'une médiocrité conforme à ses principes, sinon à ses désirs. Il meurt en 1806. Sébastien Mercier, qui était son ami, a surnommé Retif le « Rousseau du ruisseau »; il en serait plutôt le Diderot. Il a de ce dernier la vigueur physique, l'appétit de jouissance, l'obsession sensuelle, la spontanéité créatrice, la facilité désordonnée. Il se rapproche toutefois du premier par la sensibilité maladive et ostentatrice, l'imagination visionnaire, le mélange d'orgueil et de timidité sauvage, d'audace brutale et de misanthropie, l'étalage cynique du moi.

Retif a composé plus de deux cents volumes, qui nous montrent en lui un romancier et un homme à idées : c'est du second seul que nous nous occuperons ici. Ce qu'il retient surtout de l'enseignement de Rousseau, c'est la libération de l'instinct, l'exaltation de la nature. Son œuvre est celle d'un érotomane, enthousiaste à glorifier cette nature, ensemble des êtres et des choses et principe fécondant qui les crée. Il croit à l'état de nature, fulmine contre les villes débilitantes et corruptrices, célèbre l'innocente simplicité des campagnes. C'est de la nature qu'il s'inspire dans les innombrables écrits, où il sème ses vues de réformes, *l'Ecole des Pères* (1776), *les Gynographes* (1777), *l'Andrographe* (1782), *les Thesmographes* (1789), etc., car ce pantographe a des remèdes pour tout. L'éducation qu'il préconise, assez voisine de celle que développe Rousseau, édicte les prescriptions et sauvegarde les droits de la nature. Ses théories politiques et sociales, qu'il tempère du reste dans la pratique, ont pour but le bonheur, désir foncier de la nature. Tour à tour royaliste, jacobin, bonapartiste, il est partisan d'un pouvoir fort, capable d'imposer les décisions qu'il prend pour la félicité publique. Son hobbisme, dirait Rousseau, ne recule devant aucune audace : quinze ans avant la Révolution, Retif réclame la liberté, l'égalité, la fraternité; vingt ans avant Babeuf, il se fait l'apôtre du communisme. Il aspire aussi à la paix universelle, mais ce vœu, la Révolution ne l'a pas précisément réalisé. D'ailleurs il ne nourrit point d'illusions exagérées sur la réussite de son programme : il croit notamment, comme Rousseau, que seuls les petits Etats peuvent être heureux (*La découverte australe*). Et c'est enfin la nature qu'il magnifie dans ses divagations métaphysiques et religieuses, où se heurtent les idées les plus hétéroclites, où le panthéisme matérialiste voisine avec la théosophie, rêves d'un illuminé affolé de luxure, comme l'ouvrage de M. Viatte en administre surabondamment la preuve.

Les illuminés.   Par ce grossier mysticisme Retif nous introduit auprès des illuminés qui, sans être les disciples de Rousseau, ont plusieurs points de contact avec lui. Rousseau n'avait pas complètement rompu avec la raison, et sa religion porte la trace de cette résistance de l'esprit contre le sentiment. Mais sa divinisation de la conscience, son souci de la vie intérieure, sa croyance à la révélation personnelle, son sentimentalisme, son manichéisme plus ou moins conscient, son panthéisme diffus sont autant d'éléments qui se retrouvent dans l'illuminisme. J'ai dit plus haut les sources de l'illuminisme, ses caractères, ses variétés; je me bornerai ici à quelques brèves indications touchant ses représentants principaux et son influence.

Martines de Pasqually (?-1774) expose dans son *Traité de la réintégration,* en un style étrange, une doctrine hermétique, où il prétend « restituer la clef des mystères » : il y combine une théorie cabalistique des nombres avec une théorie panthéistique de la création, de la déchéance et de la réhabilitation de l'homme, et aussi — mais les formules obscures de Martines autorisent la controverse — de la réhabilitation des mauvais anges. L'œuvre volumineuse du savant naturaliste suédois Swedenborg (1688-1772) établit qu'il n'existe qu'une réalité, la réalité spirituelle, dont la matière est seulement l'apparence. Il existe entre les deux mondes des correspondances que la révélation seule permet de connaître. Pour atteindre à la vérité, il n'est que de renoncer à toute activité spontanée et de s'ouvrir à l'influx divin. Swedenborg agrémente cette métaphysique de l'émanation et ce quiétisme guyonien de récits fantastiques et de descriptions des mystères du monde surnaturel, qui ont fortement agi sur les esprits crédules. (Cf. entre autres *Arcanes célestes, Ciel et terre,* etc.) — Lavater (1741-1801), pieux pasteur

de Zürich, est surtout connu par sa *Physiognomonie*. Très éclec-
tique de tendances, il n'adhère à aucune secte, mais il est avide de
merveilleux, mène sur toutes les formes de l'illuminisme une enquête
incessante et en communique les résultats à ses innombrables correspondants. — Après avoir suivi Pasqually, Saint-Martin ou le
Philosophe inconnu (1743-1803) remonte à Boehme ou se tourne
vers Swedenborg et lentement élabore une doctrine personnelle;
c'est le « second martinisme », le premier étant celui de Pasqually.
Saint-Martin professe la théorie de l'unité cosmique et celle des
correspondances, explique la chute par l'attrait de ce monde et
attend la réhabilitation, ici-bas, de la pratique des bonnes œuvres,
outre-tombe, du purgatoire. La Révolution lui apparaît comme l'exécution d'un décret providentiel contre la France qui avait à expier;
les injustices qu'elle a commises, comme une preuve de la réversi-
bilité. Il aboutit à ces conclusions pratiques : pour l'individu, prière
et abandon à la Providence; pour la société, tradition et théocratie.
Cependant, il est hostile à l'Eglise, qu'il juge exclusive, fanatique
et cruelle, tout en reconnaissant la pompe salutaire de son culte.

L'illuminisme répondait trop au besoin de surnaturel qui travaillait l'époque pour ne point rencontrer une large audience. Il se
répand à partir de 1754, date où Pasqually fonde à Montpellier ses
Juges écossais, et sa diffusion, favorisée par la diversité même de
ses éléments, va progressant à l'étranger comme en France : peu de
temps avant la Révolution, les sectes mystiques pullulent en Europe.
L'illuminisme pénètre dans tous les milieux, dans les hautes classes
surtout : le futur tsar Alexandre, Charles de Hesse, les prince et
princesse de Wurtemberg, le duc de Brunswick, le comte de Provence, le duc d'Orléans, la duchesse de Bourbon, la marquise de la
Croix et tant d'autres grandes dames sont quelque peu ou quelque
temps au nombre de ses adeptes; et il ne faut pas oublier l'écrivain
Cazotte, dont le nom reste attaché à une prophétie célèbre, qui
semble bien du reste être une invention de La Harpe.

Moralement, l'illuminisme a violemment secoué les imaginations
et les cœurs. Ses formes les plus basses — alchimie, magie, goétie —
ont fait la fortune d'aventuriers et de charlatans qui en ont exploité
les prestiges. Ses formes hautes — contemplation, prière, abandon
quiétiste au divin — ont secondé l'action de Rousseau en faveur
du spiritualisme : certains adeptes comme Wuillermoz sont même
revenus au christianisme. Politiquement, il a aidé à la Révolution
par les idées égalitaires de quelques-uns de ses partisans, un peu par
son action secrète, beaucoup par son millénarisme. Les initiés atten-
dent une régénération imminente du monde — *novus saeclorum
nascitur ordo*. Cette croyance développe chez beaucoup une
acceptation passive des événements qui paralyse les résistances. L'évêque constitutionnel Pontard (1742-1832) utilise les imaginations
d'une illuminée, Suzette Labrousse (1747-1821), en faveur de la
Constitution civile du clergé et du jacobinisme, et la conduite de

CHAPITRE VII

La revue une fois passée des opposants au régime, il reste à voir les résistances qu'ils ont rencontrées, les péripéties de la lutte qu'ils ont menée, les raisons et la portée exacte de leur victoire.

I. — LA DÉFENSE DE LA TRADITION.

La tradition a ses champions, nombreux, zélés, mais dénués de cohésion et d'adresse. Par la parole ou par la plume ils contrebattent longtemps l'offensive des philosophes, et ce n'est qu'à la fin qu'ils donnent des signes de fléchissement. Jusque-là, ils font bonne garde et rendent coup pour coup, souvent avec usure. Mais de toute leur surabondante production presque rien ne demeure, et il faut se borner à signaler les écrivains et les œuvres qui ont provoqué des réactions de l'adversaire ou dont la valeur, attestée à l'époque par le succès, est encore reconnue de nos jours.

1° *Les écrivains politiques*

La littérature politique est bien inférieure à la littérature religieuse, sinon en richesse, du moins en mérite.

Le P. Berthier ne se contente pas de batailler dans le *Journal de Trévoux* qu'il dirige : il écrit encore une *Réfutation du Contrat social*, dont il ne tire pas, à vrai dire, le plus clair de sa notoriété.

Le comte de Dubuat-Nançay (1732-1787), auteur d'*Origines* assez appréciées (1757, rééd. en 1789), d'*Eléments de la politique* (1773) et de *Maximes du gouvernement monarchique* (1778), est un savant fort érudit, mais un piètre écrivain. L'arrière-petit-neveu de Boileau, P.-L.-Cl. Gin (1726-1807), qui ne craindra pas, sous la

Révolution, d'adresser à Barrère un plaidoyer en faveur de Louis XVI
et se fera incarcérer avec sa famille pour cette audace, signale déjà
son zèle monarchique par ses *Vrais principes du gouvernement,* où
il combat Montesquieu et montre dans le gouvernement français
« le modèle de la monarchie la plus parfaite ».

Linguet.   Le seul absolutiste de valeur est Linguet (1736-
1794), tour à tour ou à la fois avocat, journaliste,
économiste, vulgarisateur du théâtre espagnol, historien. C'est un
esprit paradoxal, un écrivain de verve, exalté et sabreur, vrai hous-
sard de lettres forçant la vérité. Quel défenseur compromettant !
Il débute par *Le fanatisme des philosophes* (1764), où — tel Rousseau — il affirme que les philosophes sont les pires ennemis de l'espèce humaine, parce qu'ils veulent la tirer de son ignorance voulue
par Dieu et où — tel autrefois Lucien — il les dépeint comme
des ambitieux hypocrites, couvrant d'un désintéressement ostentatoire leur avidité d'emplois et de places. Il écrit une *Histoire impartiale des Jésuites* (1766), qui naturellement ne satisfait ni les Jésuites
ni leurs ennemis. Il compose une *Théorie des lois civiles* (2 vol.,
1767), où il massacre toutes les idoles du temps : la liberté n'existe
pas, l'égalité non plus; les théories de Montesquieu tendent à asseoir
l'autorité des grands au détriment du peuple; celles de Rousseau ne
sont que des « contes de fées politiques », des « déclamations vides
de sens »; le régime anglais est le gouvernement d'une oligarchie
vénale. L'idéal de Linguet est le despotisme limité par le droit des
gouvernés à l'insurrection; les pays les mieux gouvernés sont, à ses
yeux, la Turquie et la Perse dont il fait le panégyrique enflammé.
Malgré ces exagérations provocantes, son cas n'est pas tellement
différent de celui de Rousseau, du Rousseau hobbiste de la lettre
au marquis de Mirabeau : s'il veut un pouvoir fort, c'est pour mater
les grands et libérer les petits, leurs victimes : « Un seul tyran,
s'écrie-t-il, plutôt que mille tyranneaux ! » Aussi, comme Rousseau,
a-t-il été fort prisé par des socialistes de marque, entre autres
Proudhon et Benoît Malon. Antiparlementaire, antiaristocrate,
anticlérical, défenseur d'un des compagnons du chevalier de la Barre
et partisan du divorce, il représente éminemment les esprits indépen-
dants, assez nombreux à l'époque, qui répugnaient à l'embrigadement, prenaient leur bien à droite et à gauche et attendaient d'une
monarchie laïcisée et renforcée par l'écrasement des privilégiés la
régénération politique et sociale du pays.

2° *Les théologiens et les apologistes*

Les   Rien de moins pur que cette apologie de l'absolu-
théologiens.   tisme par son champion le plus ardent. La doctrine des défenseurs de la foi n'est pas elle-même sans trace d'alliage.
On compose encore des traités de théologie, où se trouvent expo-

sées les vérités dogmatiques contre lesquelles les philosophes portent leur effort. Louis Bailly (1730-1804) publie successivement un *Traité de la Religion*, un *Traité de l'Eglise* (1780), et une *Théologie* en huit volumes. L'Irlandais Hooke (1716-1796), docteur de Sorbonne, compose des *Principes de Théologie* très estimés. Nicolas Sylvestre Bergier (1718-1790) donne à l'*Encyclopédie* les articles touchant aux matières religieuses, qu'il publiera par la suite dans l'*Encyclopédie méthodique*, sous le titre de *Dictionnaire théologique* (2 vol., 1788), et il écrit un important *Traité historique et dogmatique de la vraie religion* (12 vol., 1780). La science de ces théologiens est convenable et ils se tiennent à jour : Bailly fait état des récits des voyageurs pour établir la preuve de l'existence de Dieu, tirée du consentement unanime des peuples (*Théologie* I, IV) et Bergier y ajoute l'*Edda* (*Traité* I, art. 1). Mais ils adoptent une méthode défectueuse : ils sont moins occupés d'exposer scientifiquement l'enseignement théologique que de réfuter les assertions des philosophes, et ils restreignent ainsi leur défense. Sur certains points capitaux comme ceux de la grâce, de la fin surnaturelle de l'homme, de la religion naturelle, de la révélation, leurs paroles manquent parfois de netteté, si bien qu'ils semblent effleurer le rationalisme. Bergier — l'adversaire de Rousseau — concède même que « la preuve de la religion la plus convaincante pour le commun des hommes est la conscience et le sentiment intérieur » (*Dictionnaire théologique*, Art. *Scepticisme*).

A ces théologiens on doit rattacher quelques membres de l'épiscopat, car le clergé du XVIIIe siècle n'a pas eu seulement des Brienne et des Rohan, comme on a trop tendance à le croire. Au premier rang de ces défenseurs de la foi, se dresse la haute et noble figure de Mgr de Beaumont (1706-1781), archevêque de Paris en 1746, théologien rigide, plusieurs fois exilé pour ses différends avec le Parlement janséniste, unanimement vénéré pour sa sainteté et pour sa bienfaisance. Dans les quatre volumes d'*Instructions pastorales*, toutes pleines d'onction et de force, qu'il a laissés, on remarque surtout ses mandements, passionnés mais solides, contre l'abbé de Prades, contre Helvétius et contre l'*Emile*. Dans sa lutte contre l'impiété il est vigoureusement aidé par l'évêque du Puy, J.-G. Lefranc de Pompignan (1715-1790), frère de l'auteur des *Poèmes sacrés* et comme lui attaqué par Voltaire, à qui l'on doit deux livres de controverse, spirituels et robustes.

Les apologistes. Les apologistes sont légion : à chaque instant la rafale philosophique soulève une poussière de répliques. Il serait fastidieux et assez vain, non pas d'étudier, mais seulement de nommer tous les écrits suscités par la défense de la foi. On trouve la liste des principaux dans l'ouvrage de l'éminent Sulpicien, M. F. Vigouroux : *Les livres saints et la critique rationaliste* (*Première partie*, t. II, Appendice) et, si l'on désire une documentation plus complète, on pourra se reporter à l'étude capitale et qui paraît exhaustive de M. Albert Monod, *L'apologétique, de Pascal à Chateaubriand.*

Une difficulté se présente : comment soumettre, pour la clarté de l'exposé, cette masse de productions à un classement méthodique ? Presque tous les apologistes, si peu préparés qu'ils soient à certaines parties de la tâche qu'ils assument, répondent aux objections de toutes sortes élevées contre l'Eglise. L'obstacle est cependant plus apparent que réel, et l'on peut diviser leur armée en trois grands corps : les historiens, les théologiens et les psychologues. Les premiers s'emploient à résoudre toutes les questions relatives à la foi — authenticité, concordance, inspiration et interprétation des Ecritures, valeur des prophéties, réalité des miracles, — ou à détruire les assertions souvent hasardeuses des incrédules. Les théologiens, eux, s'appliquent à maintenir la pureté de la doctrine en réfutant les objections impies et en montrant par le raisonnement la divinité du christianisme. Quant aux psychologues, ils prouvent ce caractère divin en s'appuyant sur le sentiment et sur la haute utilité humaine et sociale de la religion.

Ces trois groupes militent de concert pendant la fin de l'Ancien Régime, mais leurs effectifs varient avec le temps. L'apologétique reste au début presque purement traditionnelle, puis elle évolue et, sous l'influence de Rousseau, recourt de plus en plus aux raisons du cœur, frayant la route à Chateaubriand.

Les exégètes. L'exégèse a beaucoup progressé depuis le XVIIIᵉ siècle, mais il serait injuste de méconnaître la qualité des travaux consacrés, à cette époque, à défendre les Ecritures. S'ils ne répondent plus sur tous les points aux exigences actuelles, ils conservent encore une réelle valeur. Certaines de leurs conclusions restent inattaquables, et plusieurs d'entre eux manifestent un talent que l'adversaire lui-même a reconnu.

C'est aux attaques des philosophes qu'est due l'éclosion de tous ces ouvrages qui marquent le renouveau de l'exégèse en France. La *Philosophie de l'histoire* surtout et la *Bible enfin expliquée* de Voltaire suscitent un grand nombre de réfutations. La première en date est celle de l'abbé Clémence (1717-1792), chanoine de Rouen, qui donne en 1768 sa *Défense des livres de l'Ancien Testament,* puis, en 1784, son *Authenticité des livres tant du Nouveau que de l'Ancien Testament,* ouvrage écrit avec force, qui a mérité d'être réimprimé en 1826.

Guénée. La seconde, de beaucoup la meilleure et la plus célèbre, est celle de l'abbé Antoine Guénée; auteur et œuvre méritent mieux qu'une simple mention. Né à Etampes le 23 novembre 1717, mort le 27 novembre 1803, Guénée commençait à vieillir dans ses fonctions de professeur, lorsqu'en 1769 il publia ses *Lettres de quelques juifs allemands et polonais à M. de Voltaire*, et du jour au lendemain son nom connut la gloire. Succès fort justifié. Très érudit, écrivain au style pur et facile, Guénée ne se départ jamais de la modération et de la politesse; il a parfois l'éloquence sobre, nerveuse et nette, mais il use surtout de l'ironie qu'il manie supérieurement. Il confond Voltaire en se jouant, prenant plaisir à mettre en plein jour le manque de sens historique et géographique de son adversaire, ses erreurs, sa mauvaise foi, son injustice. Fait notable, le philosophe ne lui en garda pas rancune :

Le secrétaire juif nommé Guénée n'est pas sans esprit et sans connaissance, écrit-il à d'Alembert, mais il est malin comme un singe. Il mord jusqu'au sang en faisant semblant de baiser la main.

D'un pas pesant l'abbé J.-B. Bullet (1699-1775), professeur de théologie à l'Université de Besançon, marche sur les traces de l'abbé Guénée, dont il est le rival en érudition, sinon en talent. Ses *Réponses critiques à plusieurs difficultés* (3 vol., 1773, 1774, 1775; un quatrième volume a été publié en 1783 par l'un de ses élèves, l'abbé Moïse) ne manquent ni de bases ni de force, mais quel style ! Et voici, s'avançant endolories, mais dignes d'un meilleur sort, deux victimes de Voltaire : Larcher (1726-1812), le « pédant » Larcher, qui eut le front, dans son *Supplément à la philosophie de l'histoire* (1767), de critiquer pertinemment certaines fantaisies historiques du philosophe, mais le tort d'agrémenter sa leçon de propos un peu vifs, et le jésuite Nonnotte (1711-1793), au nom malencontreux, mais au labeur sérieux, qui échenilla en conscience les ouvrages de M. de Voltaire dans ses *Erreurs de Voltaire* (2 vol., 1762), reçut sur les doigts, mais ne se corrigea pas et continua, dans son *Dictionnaire philosophique de la religion* (4 vol., 1773), à faire preuve d'une science étendue et solide. Le cordelier Viret commit le même crime dans sa *Réponse à la philosophie de l'histoire* (1767), où il montre combien Voltaire est tendancieux, mais il échappa, que je sache, à la vindicte du hargneux vieillard.

Avec le dominicain Fabricy (vers 1725-1800), docteur en théologie de Casanate, on abandonne la polémique et l'on pénètre sur le terrain de la science sereine. Son livre *Des titres primitifs de la révélation* (1772) marque même une date : il dépasse la conception traditionnelle. Disciple assagi de Richard Simon, Fabricy ne soutient plus qu'une Providence particulière a conservé miraculeusement, sans que rien y change, le texte des Ecritures. Tout en admettant des variantes, il affirme que la vraie leçon n'a pu disparaître de tous les manuscrits; seule une édition scientifique mettra en évidence l'intégrité essentielle du texte.

Les théologiens. Les théologiens se tiennent dans le domaine des idées et leur effort tend d'une part à ruiner les systèmes hostiles à la religion, d'autre part à concilier la raison et la foi. Ils réfutent et démontrent, et ils n'ont recours pour cela qu'à la raison discursive. Leurs ripostes ne visent pas seulement les philosophes du temps; elles remontent plus haut et atteignent Spinoza, Bayle, Leibnitz, Locke, les déistes anglais. Tel est le cas du courtois et impartial abbé Pluquet (1716-1790), dont l'*Examen du fatalisme* (3 vol., 1757) et le *Dictionnaire des hérésies* (2 vol., 1762) prennent à partie le spinozisme et le déterminisme, et celui du barnabite Gerdil (1708-1802), l'honnête et infatigable adversaire des monades. Quant aux rationalistes, s'ils suscitent de nombreux contradicteurs, ils ne rencontrent à la vérité qu'un adversaire digne de ce nom, mais de taille celui-là, Nicolas Bergier, l'auteur du *Dictionnaire de théologie* dont nous avons déjà parlé.

Bergier.   C'est une figure trop oubliée — mais qui ne l'eût pas été plus que Guénée, s'il avait eu de l'esprit — que celle de ce prêtre lorrain, dont la vie ne fut qu'un long combat pour la vérité. Sa valeur intellectuelle, son noble caractère, son dévouement passionné à l'Eglise lui ont valu les hommages des hommes les plus éloignés de ses idées : Grimm lui reconnaît une supériorité très éclatante sur les « gens de son métier », de l'érudition, de la critique, de la bonne foi (VII, 295) et M. Albert Monod ouvre la brève étude qu'il lui consacre par cet éloge : « Il a décoré le catholicisme français de la fin du siècle de son érudition, de son talent honorable et de ses vertus. » Lutteur robuste et toujours sur la brèche, il partage son incessante activité entre l'exposé de la doctrine et l'apologie. Il réplique à Rousseau par son *Déisme réfuté par lui-même* (1765), à Burigny par sa *Certitude des preuves du Christianisme* (1768), à d'Holbach par son *Apologie de la religion chrétienne* (1769) et par son *Examen du matérialisme* (2 vol., 1771). Il a l'esprit vigoureux et clair et résume fortement toute une argumentation. Jouteur habile, il use avec un art consommé du procédé de la rétorsion, s'empare des concessions de l'adversaire pour l'enfermer dans un dilemme pressant, ou le poursuit pied à pied, armé de sa vaste érudition (*Traité de la vraie religion*, 12 vol., 1780). Mais sa largeur d'idées l'entraîne parfois un peu loin : si l'on peut admettre qu'il ait abandonné certaines positions intenables comme l'exégèse traditionnelle du *Compelle intrare*, il est fâcheux qu'il n'ait point maintenu la vraie notion du miracle. Son ardeur combative le pousse à des imprudences : pour écraser le paganisme, il réduit la mythologie à une physique, ne prévoyant pas que Dupuis étendra bientôt au christianisme cette interprétation scientifique des fables. Quoi qu'il en soit, il reste le meilleur apologiste de son temps.

La palme en effet ne saurait lui être disputée par aucun de ces esprits bien intentionnés qui composent une *Harmonie générale du christianisme et de la raison* (4 vol., 1768), comme le prémontré Gauchat, ou *L'incrédulité combattue par le simple bon sens* (1760), comme le jésuite de Menoux. De toutes ces tentatives fot nom-

breuses, faites pour ruiner le reproche d'absurdité lancé par les
philosophes contre le catholicisme, seuls restent encore estimables
l'ouvrage du jésuite Para du Phanjas (1774-1797), *Les principes de
la saine philosophie conciliés avec ceux de la religion* (2 vol., 1774),
et celui de Balbe-Berton Crillon (1726-1789), *Mémoires philosophiques* (2 vol., 1777-1778), qui tous deux ont été réimprimés au
XIXe siècle.

*Les
psychologues.*   Négligeant polémique et métaphysique, la dernière classe des apologistes, à l'exemple de Rous-
seau, s'adresse au cœur, insiste sur les effets moraux de la religion,
relie ainsi les *Pensées* au *Génie du christianisme*. Peu nombreux au
début, ils voient leur troupe grossir au fur et à mesure que la crise
approche. Certains d'ailleurs associent méthode sentimentale et
méthode rationnelle. L'abbé Guyon (1699-1771), assez plat critique
de Voltaire dans son *Oracle des nouveaux philosophes* (2 parties,
1759-1760), a du moins le mérite de tirer argument de l'impression
produite sur l'âme par l'Ecriture.

Barruel.   Plus remarquable est l'ancien jésuite connu sous
le nom d'abbé Barruel (1741-1820). Il a une
mauvaise presse pour avoir composé des *Mémoires sur le jacobinisme,* dont il sera question plus bas. On tient en piètre estime ses
Helviennes ou *Lettres provinciales philosophiques* (5 vol., 1784-
1788), par lesquelles il se rattache au groupe que j'étudie en ce
moment. Et pourtant elles ne sont pas tellement méprisables. Sans
doute Barruel a-t-il eu le tort de vouloir trop embrasser, car il
passe successivement au crible de sa critique la cosmogonie, la
métaphysique, la morale et la double doctrine des philosophes : c'est
une attaque générale. Il s'est montré bien prétentieux en donnant
à son ouvrage un sous-titre qui veut faire de lui un second Pascal,
et Dussault s'est montré bien indulgent en affirmant que « la
gloire de l'auteur est de n'être pas accablé par une telle comparaison ». Car l'esprit de Barruel ne rappelle que faiblement celui de
Pascal, et sa dialectique n'a point la rigueur nerveuse de celle de
son modèle. Mais il a bien montré la dette des philosophes à l'égard
des penseurs de l'Antiquité, et il fait preuve d'une réelle éloquence
en bien des passages, soit qu'il parle avec émotion de la pudeur ou
du célibat des prêtres, soit qu'il s'emporte avec véhémence contre
les prêtres philosophes, les abbés mondains « prêtres des toilettes
bien plus que des autels » (IV, *Lettre LXXII*).

A côté de Barruel, d'autres apologistes, les derniers qu'il nous
reste à examiner, se sont élevés contre la morale des philosophes et
lui ont opposé les bienfaits inestimables du christianisme. Dans une
fantaisie originale et mordante, *Pensées philosophiques d'un citoyen*

de Montmartre (1756), le P. Sennenaud déduit les fâcheuses conséquences pratiques auxquelles mènent les principes des philosophes.
L'abbé Pichon (1731-1812) consacre sa *Raison triomphante des nou-*
veautés (1756) à établir la haute valeur sociale des lois de la religion et compose un chapitre excellent sur la dignité du christianisme dans l'ordre de la nature. Le capucin Hayer (1706-1780)
développe des idées analogues dans *L'utilité temporelle de la religion*
chrétienne (1774). Le bénédictin Dom Déforis (1732-1794), dans
son *Préservatif pour les fidèles* (1764), et le lazariste Lamourette
(1742-1794), dans ses *Pensées sur la philosophie de l'incrédulité*
(1786), celui-ci avec des tendances qui font de lui un ancêtre des
démocrates-chrétiens, joignent l'appoint de leur conviction et de
leur talent à la campagne de réhabilitation ainsi amorcée. Ils n'en
verront pas le triomphe, car ils mourront sur l'échafaud. Mais huit
années ne passeront pas avant qu'elle aboutisse de façon éclatante
grâce au génie de Chateaubriand.

Les   La résistance chrétienne s'affirme dans la chaire
prédicateurs comme dans la brochure ou le livre.

Sur la foi de l'abbé Maury et de son *Essai sur l'éloquence de la*
chaire, on a beaucoup médit des prédicateurs de cette période. Cette
sévérité n'est justifiée qu'en partie. Il est certain qu'il en est parmi
eux qui manifestement restent bien au-dessous de leur tâche. La
nécessité de remplacer les Jésuites après leur expulsion a contraint
l'épiscopat à recourir à des prêtres que ni leur formation ni leur
caractère ne prédestinaient à cette haute mission. Ennemis de la
peine, ces successeurs dégénérés de Bossuet, de Bourdaloue et de Massillon empruntent de toute main, et leurs discours ne sont souvent
faits que de plagiats effrontés et de grossières imitations. Médiocres
théologiens, mais en revanche nourris des livres contemporains, ils
sacrifient aux idées du temps : ils tonnent contre les abus avec
une fougue où l'édification ne trouve pas plus son compte que la
charité. Certains soulèvent même des scandales, comme l'abbé Fauchet, dont les discours à Saint-Germain-l'Auxerrois sont interrom-
pus en 1776. D'autres, au début d'un sermon, négligent de faire
le signe de la croix. Soucieux de plaire à leurs auditeurs d'élite —
car on va au sermon comme on va au spectacle — ils donnent dans
le style académique, soignent et agrémentent leur diction, et l'on
chuchote que les comédiens réputés ont pour élèves plusieurs d'entre
eux qui comptent parmi les plus connus : c'est ainsi que l'abbé
Boulogne prendrait des leçons avec Talma.

Mais le mal n'est pas aussi profond que ces excès tendraient à le
faire croire; d'ailleurs les remous qu'ils produisent dans le public
prouvent mieux que tout leur caractère d'exception. La grande
majorité des sermonnaires se fait de son rôle une plus juste idée.
Ils montrent pour les âmes un zèle vraiment apostolique, peinent

à les préserver de la contagion impie, témoignent à l'occasion d'une
franchise d'attitude et de langage digne des temps antiques : l'abbé
de Beauvais fait entendre de dures vérités à Louis XV, et sa liberté
de parole lui attire l'animadversion de la cour.

En tant qu'apologistes, ils combattent et enseignent. Ils attaquent
l'incrédulité, dont ils découvrent les sources dans l'orgueil de l'esprit, l'amour de la singularité et les passions. Ils en réfutent les
sophismes et en instruisent le procès : la philosophie ne tient aucune
de ses promesses; elle ne donne à l'homme ni certitude ni paix de
l'âme; elle sape les fondements de la société; destructrice infernale,
elle ne sait rien édifier. Ils ne négligent pas le dogme, exposent à
leur tour la doctrine catholique sur le Ciel, sur l'Enfer, sur les mystères, parsèment leurs développements théologiques de citations puisées dans les Saints Livres ou dans les Pères. Mais c'est bien évidemment la morale à quoi vont leurs préférences. L'abbé de Beauvais en
donne la raison :

En vain les hommes éloquents qui instruisaient vos pères reparaîtraient
au milieu de vous; comment des esprits altérés par l'impiété du siècle
viendraient-ils les entendre discourir sur des vérités qui ne leur paraissent
plus que des préjugés populaires ?

Ils prêchent donc surtout la morale évangélique et ses principes
fondamentaux (*Sermon sur la parole de Dieu*). Mais ils sont trop
convaincus que, suivant le mot de l'abbé de Beauvais, « de nouveaux maux commandent de nouveaux remèdes »; ils amalgament
parfois idées modernes et doctrine chrétienne ou colorent leurs sermons de tons assez déplaisants — ce qui leur valut d'ailleurs les
éloges compromettants de d'Alembert, de Grimm et de Diderot.

Différant en cela des autres apologistes, ils ne recourent pas aux
preuves externes : ils savent que leurs auditeurs répugnent aux
leçons, même éloquentes, du catéchisme. Ils appuient leurs démons-
trations sur les preuves intérieures et mêlent les arguments de raison
aux arguments de sentiment : ceux-ci avec le temps prennent de
plus en plus le pas sur ceux-là. Leur thème favori est l'utilité morale
et sociale de la religion. Ils aiment à mettre en lumière les correspondances des dogmes avec les aspirations de notre cœur : la foi donne
satisfaction à tout l'homme, à son intelligence qu'elle éclaire sur
l'énigme du monde, à son imagination qu'elle enchante par les
perspectives qu'elle lui ouvre, à sa sensibilité par ses consolantes
douceurs. Quelques-uns déjà insistent sur la beauté du culte, mais
sans en parler avec la poésie de Chateaubriand. Tous font appel
à la terreur, montrent le courroux du ciel prêt à s'abattre sur le
siècle corrompu. On a même longtemps prêté à l'un d'eux, le
P. Lenfant, un mouvement oratoire saisissant où, comme dans une
vision, il prédisait la profanation de Notre-Dame par la déesse
Raison. Ce n'est qu'une légende.

De tous ces prédicateurs il n'en est guère qu'une douzaine dont
le nom soit venu jusqu'à nous. L'abbé Torné (1727-1797) est celui
qui a le plus cédé aux préoccupations philosophiques. Il a un talent
réel, une connaissance approfondie des Livres Saints, dont il s'assimile par moments la grandeur et le lyrisme. Mais son éloquence est
gâtée par la déclamation et par la sensiblerie : il se déchaîne contre
le haut clergé et contre les congrégations religieuses ou se répand
en fades effusions sur la tolérance et le pacifisme. Son style présente
alors un bizarre combiné de légèreté sautillante et d'empois académique. Son exemple est suivi par l'abbé Fauchet (1744-1793), le
futur Conventionnel, et par l'abbé Maury (1746-1817), qui sera,
sous la Révolution, défenseur de l'Ancien Régime et, sous l'Empire,
archevêque-cardinal de Lyon, mais qui pour le moment s'accommode fort bien des défauts qu'il condamnera plus tard sévèrement
et obtient de 1772 à 1786 de grands succès d'orateur grâce aux
discussions politiques dont il bourre ses sermons. L'abbé de Cam-
bacérès (1721 ou 22-1802) est un prédicateur plein d'une onction
touchante, que l'on pourrait goûter, s'il n'avait le tort de trop orner
l'Evangile. L'abbé de Boulogne (1747-1825) commence par donner
dans les travers du temps : il plagie l'abbé Poulle, prêche un christianisme humanitaire, proclame que la religion ne peut pas être
démontrée, mais qu'elle se sent, agrémente ses audaces de sentimentalisme. Il se reprend d'ailleurs assez vite et devient alors un orateur remarquable par la chaleur et le mouvement, unissant la
simplicité des termes à la richesse de l'imagination. L'abbé Fossard,
du diocèse de Rouen, n'a pas eu, lui, à revenir sur d'anciennes
erreurs. Il promet à Louis XV de s'en tenir à l'intégrité de l'Evangile et il s'y tient; il fait fi de la rhétorique et, sauf une ou deux
erreurs passagères, c'est par la simplicité de la langue et du style
que son éloquence se distingue.

Le P. Elisée, l'abbé de Beauvais et le P. Lenfant sont les trois
meilleurs orateurs sacrés de l'époque. Le Carme J.-J. Copel, dit le
P. Elisée (1726 ou 28-1783), jouit de son temps d'une brillante
réputation. Loué par Grimm et par Diderot, il est tenu par le
prince de Ligne pour le premier orateur des modernes. Il n'est pas
digne d'un tel honneur. Si l'on peut lui reconnaître de la facilité
et une grande puissance d'assimilation, de l'élégance dans le tour
et des bonheurs d'expression, il manque d'originalité, sème dans ses
sermons des réminiscences de Fléchier, de Bossuet et même de Rousseau. Son style n'évite pas la recherche. De plus, son action, paraît-il,
était nulle : il lisait plutôt qu'il ne prononçait ses discours; son
débit était monotone, ses gestes figés : on se demande comment son
temps a pu l'apprécier d'une manière aussi favorable.

L'abbé de Beauvais (1731-1790) ne mérite pas tous les reproches
dont l'accable Maury et que l'on a aveuglément répétés à sa suite.
Il est certain que l'inspiration de ses sermons est en partie philosophique. Mais cette philosophie d'abord est spiritualiste et chrétienne.

De plus, cette concession à l'époque ne vient pas d'une faiblesse complaisante, mais de préoccupations apostoliques. Prédicateur du roi et s'adressant surtout à des nobles incrédules, il veut se mettre à leur portée, essayer de les émouvoir ou tout au moins de les troubler dans leur tranquille impiété. Enfin, s'il reprend les idées agitées de son temps, c'est pour les réfuter ou pour les imprégner de christianisme : il rapproche sa philosophie de la tradition évangélique. Il ne se contente pas de cette forme inférieure d'apologie. Il aborde les hautes spéculations, utilise les preuves religieuses, cite les écrivains sacrés et les Ecritures. Il ne peut donc être critiqué que pour avoir inauguré une méthode un peu imprudente, que ses imitateurs ont exagérée, sans guère retenir des qualités de leur modèle. Comme orateur, on lui reconnaît une indéniable originalité, une douce chaleur, une vraie sensibilité, de la véhémence tempérée d'onction, toutes qualités qui justifient les éloges que Villemain lui a décernés.

Le P. Lenfant (1726-1792) surpasse peut-être ses deux émules. Enflammé d'un zèle ardent pour la maison de Dieu, cet ancien Jésuite couronne par le martyre une vie d'apostolat : il tombe dans les massacres de l'Abbaye. Sans négliger l'exposé dogmatique, il se tourne plutôt vers la prédication morale et il la nourrit d'une forte substance scripturaire. Autant qu'au perfectionnement intérieur il s'intéresse à la vie du monde, aux choses du temps, mais il agite ces questions avec mesure, sans cette âpreté de diatribe où se complaît l'abbé Torné. Il a été, lui aussi, sacré grand orateur. Et du grand orateur il a, de fait, quelques parties : l'invention puissante, la logique ferme, la composition nette, la chaleur, la force d'entraînement, la sensibilité. Mais ni ces qualités ni les nombreuses conversions qu'il a opérées ne doivent porter à le surestimer. Il est inégal, il reste esclave du goût académique, et l'on ne saurait l'égaler à Bourdaloue ni même à Massillon, à qui certains ont voulu le comparer.

La province que touche aussi la contagion philosophique, réagit comme la capitale. Stations et missions se multiplient. Mais les prédicateurs originaux sont des écrivains discutables, épris outre mesure de l'élégance académique. Les autres puisent à pleines mains dans le *Dictionnaire apostolique* du P. Hyacinthe de Montargon. C'est un recueil de 91 traités et de 200 discours, formant une petite apologie pour orateurs dans l'embarras. L'auteur pousse la sollicitude jusqu'à fournir pour chaque point étudié deux discours qui sont des sortes de corrigés. Mais il a soin aussi d'en dissuader l'emploi sans retouches. Il donne de judicieux conseils sur la nécessité de les adapter aux circonstances, et rappelle que le principe essentiel est « de ne pas chercher l'esprit, mais de viser au cœur ».

3° *Autres formes de la défense.*

Les journalistes.   La lutte antiphilosophique se poursuit encore sur d'autres terrains. Il existe une presse militante, qui mène la vie dure aux novateurs. Le *Journal ecclésiastique* apporte plus de conviction que de talent à pourchasser les nouveautés subversives. Le *Journal de Verdun*, que prolonge le *Journal historique et littéraire* de l'abbé de Feller, a de solides mérites, mais son œuvre estimable ne touche qu'un petit nombre de lecteurs. La Bibliothèque de Formey s'efforce et réussit à être impartiale, chose merveilleuse en cette époque de fermentation passionnée. La suppression des Jésuites n'empêche pas le *Journal de Trévoux* de paraître. Tout en polémiquant avec les jansénistes *Nouvelles ecclésiastiques*, il monte toujours autour des principes sa garde vigilante avec une courtoisie dont une irritation explicable le fait rarement se départir. Le ton change avec le périodique des successeurs de Port-Royal qui n'a hérité de Pascal que l'âpreté et qui fonce — cela dit tout — contre les incrédules avec autant de fougue haineuse que contre les Jésuites. Même hostilité farouche de la part des *Affiches de province*, qui ne tolèrent aucune compromission avec l'ennemi et fulminent d'incessants anathèmes contre ce qui, de près ou de loin, brutalement ou de manière oblique, porte atteinte aux institutions.

Mais le journal le mieux rédigé et sans aucun doute le plus lu est l'*Année littéraire* de Fréron (1718-1776). On a vu au tome précédent les débuts de cet écrivain de valeur et la ténacité bretonne qu'il met à harceler Voltaire de ses traits malicieux. Son activité ne s'est point bornée là. C'est à tous les philosophes qu'il fait sentir la pointe de son ironie redoutée. Il sait pourtant à quoi il s'expose, et il n'a pour soutiens que des gens, haut placés, il est vrai, mais de faible influence : le roi Stanislas, parrain de son fils, et la reine Marie Leczinska. Mais il méprise les coups. Ses ennemis le vilipendent ou débauchent les jeunes gens qu'il recrute; Voltaire le traîne dans la boue (*L'Ecossaise, Anecdotes sur Fréron*), le pouvoir l'emprisonne ou le tance, suspend ses feuilles ou les censure : il continue intrépidement le combat, fidèle aux principes qu'il s'est une fois fixés :

Mon attachement à la religion et aux lois de ma patrie, mon respect pour les préjugés utiles, la vérité, le courage de la dire toutes les fois surtout qu'il s'agit d'objets importants : voilà mes guides. (*Année littéraire*, 1770, III, p. 186.)

Dans ses articles substantiels et précis, où le résumé loyal des ouvrages en précède la discussion serrée, il démonte les sophismes des philosophes, persifle leur suffisance, étale avec une joie maligne leurs contradictions. Pas sectaire avec cela, capable de goûter et de

Cl. Larousse

PALISSOT

Cl. Larousse

FRÉRON

Deux ennemis des philosophes

mettre en valeur les mérites de ses frères ennemis, et d'intelligence assez large pour se rallier à un programme sagement mitigé de réformes. Sa vigueur, son esprit lui assurent une longue influence sur une grande partie du public. Mais ses ennemis triomphent, et son prestige diminue avec celui des idées qu'il défend.

Il voit l'avenir bien sombre, et la vieillesse semble ne lui réserver que mécomptes et tristesse, lorsqu'il meurt victime d'une manœuvre des philosophes qui veulent briser sa plume : la goutte dont il souffre lui remonte au cœur. Mais, même à ce moment, il refuse d'abdiquer, et ses dernières paroles sont un suprême mot d'ordre pour ses compagnons de lutte :

> Que mon exemple ne détourne personne de défendre la religion et la monarchie.

Le théâtre et le roman. Comme les philosophes pour ruiner le régime, leurs adversaires se servent de la littérature d'imagination pour le défendre. Au théâtre, Palissot donne ses *Philosophes* où, sous des noms empruntés mais transparents, il crible les Encyclopédistes et Rousseau de traits qui ne sont pas toujours très fins et que grossit encore l'optique théâtrale. Aux contes de Voltaire et de Marmontel l'abbé Gérard oppose son *Comte de Valmont ou les Egarements de la raison,* qui a un vif succès (1774), Thorel de Campigneulles son *Cléon ou le petit-maître esprit fort,* Tiphaigne sa *Zazirocratie* (1761), etc.

L'apologie protestante. Les catholiques n'ont pas été les seuls à se dresser contre les philosophes. Il existe aussi une apologie protestante, dont le principal représentant est le Suisse Jacob Vernet (1698-1780), fils de réfugiés provençaux et traducteur du *Traité de la vérité de la religion chrétienne* de Turrettin, qu'il augmente de neuf volumes parus successivement de 1730 à 1788. C'est une œuvre solide, impartiale et équitable, qui utilise avec bonheur la science du temps, rassemble les deux sortes de preuves, externes et internes, sur lesquelles se fonde toute apologie, et se montre si orthodoxe dans sa défense des Ecritures, des prophéties et des miracles que le *Journal de Trévoux,* peu suspect en l'occurrence, appelle Vernet un « auteur très attentif, très judicieux et très propre à confondre les ennemis des miracles de l'Evangile ». Mais cette synthèse, si justement attachée à établir la vérité historique du christianisme, contient une théologie fort libérale. Vernet supprime le fondement même de la religion chrétienne, le dogme du péché originel et de son rachat par le Christ : ce n'est point la faute d'Adam qui a fait de l'homme un être peccable; la Rédemption manifeste simplement les intentions miséricordieuses de Dieu à l'égard des pécheurs. Il rejette aussi la doctrine de la prédestination et, dans son *Instruction chrétienne* (1754), combat la théorie augustinienne du péché originel.

II. — LA MÊLÉE.

Je n'ai fait jusqu'ici que dénombrer en quelque sorte les forces en présence. Je voudrais maintenant, dans une esquisse d'ensemble, résumer cette mêlée âpre et confuse, en marquer les phases, en retracer les incidents saillants.

Quelques remarques préliminaires d'abord. A partir de 1750, les philosophes voient leur nombre augmenter : l'idéalisme, l'attrait du nouveau, le snobisme, l'intérêt leur attirent sans cesse de nouveaux partisans. Ils ne combattent plus en ordre dispersé : ils se groupent autour de l'*Encyclopédie* et forment un bloc, que n'entament ni les querelles de personnes ni les divergences de doctrine. Ils usent d'une tactique consacrée par l'expérience des siècles : ils attaquent séparément leurs ennemis, portant d'abord leur effort principal sur la religion pour se retourner ensuite contre la royauté. Ils emploient les armes les plus variées, depuis le lourd dictionnaire jusqu'à l'agile pamphlet. La défense, au contraire, vigoureuse au début, s'affaiblit progressivement : ses effectifs diminuent; elle se laisse manœuvrer et ne varie guère ses procédés de combat.

Cette lutte de plume peut se diviser en trois périodes. Dans la première, qui va de 1750 à 1760, les philosophes attaquent à couvert et ils essuient un échec, d'ailleurs plus apparent que réel. Dans la seconde, qui s'étend de 1760 à 1771, ils livrent les engagements décisifs et remportent la victoire. Dans la troisième (1771-1789), ils exploitent leurs succès et en recueillent les gains escomptés : l'Ancien Régime a vécu.

Première période (1750-1760). Je serai court sur cette première phase, dont l'événement marquant est la publication agitée de l'*Encyclopédie,* narrée plus haut. Je me borne à ces quelques compléments. D'Alembert publie ses *Essais de littérature et de philosophie* (1753), Diderot ses *Pensées sur l'interprétation de la nature* (1754). Rousseau débute en soulevant de vives polémiques par ses deux *Discours,* puis se sépare des philosophes dans sa *Lettre à d'Alembert* (1758). Les effets de son schisme sont largement compensés par la rentrée en lice de Voltaire, revenu de Prusse. Tout en publiant sa *Pucelle* (1755), sa *Loi naturelle,* son *Désastre de Lisbonne* et son *Essai sur les mœurs* (1756), le perpétuel mourant envoie régulièrement jusqu'en 1758 ses « petits cailloux » à la bâtisse encyclopédique. Il étourdit ou assomme un à un les ennemis de la raison, dans le *Pauvre diable* (1758), les *Quand,* les *Car,* la *Vanité,* l'*Ecossaise* (1760), dans mille brochures malignes. Il bafoue l'humanité en bloc dans *Candide* (1759), et commence son attaque en règle contre l'infâme : *Précis de l'Ecclésiaste, Cantique des Cantiques* (1760). Morellet le seconde avec le *Mémoire pour*

Abraham Chaumeix — si cet opuscule n'est pas de Diderot —
(1759), les *Si*, les *Pourquoi*, la *Vision de Ch. Palissot* (1760).

Les traditionalistes ripostent avec vigueur. Le *Journal de Trévoux*, les *Nouvelles ecclésiastiques*, l'*Année littéraire*, que Fréron
fonde alors (1754), accumulent réfutations et répliques. Chaumeix,
Moreau, Palissot criblent de traits les philosophes. L'abbé Gauchat
lance ses *Lettres critiques*, Nonnotte son *Examen critique du livre
des mœurs* (1757), l'abbé Guyon son *Oracle des nouveaux philosophes* (1760). A la fin de cette période, la philosophie est officiellement vaincue, mais en réalité victorieuse : elle a sauvé sa grande
œuvre, rendu les coups avec usure, montré sa résistante vitalité.

Deuxième   Aussi dans la période qui suit mène-t-elle son
période   offensive plus âprement que jamais : point d'an-
(1761-1771).   née où ne se produise quelque affaire, où n'éclate
un scandale, gros ou petit. La religion reste l'objet principal des
attaques, mais le pouvoir commence aussi à être visé. Ce ne sont
alors qu'apologies et ripostes : toute cette réaction demeure inopé-
rante; en 1771, les assaillants ont gagné la bataille et les défenseurs
se replient, découragés.

Le début de cette phase appartient à Rousseau, qui publie coup
sur coup la *Nouvelle Héloïse* (1761), le *Contrat social* et l'*Emile*
(1762). Premier orage : l'*Emile* est condamné; Rousseau s'exile;
Mgr de Beaumont, André réfutent ses idées. Cependant les questions économiques attirent l'attention : le marquis de Mirabeau est
embastillé pour sa théorie de l'*Impôt* (1761); Roussel ne s'attire
aucun ennui avec sa *Richesse de l'Etat* (1763). Mais le problème
religieux est toujours au premier plan. Tout en brocardant Nonnotte qui vient de publier ses *Erreurs de Voltaire* (1762), Voltaire
édite, en l'élaguant, le *Testament de l'abbé Meslier*, puis le *Sermon
des cinquante* et le *Catéchisme de l'honnête homme*, que ne contrebattent, hélas ! ni le *Discours sur l'histoire de l'Eglise* de l'abbé
Yvon ni la *Divinité de la religion chrétienne* de Dom Déforis. Il
prend en main la cause de Calas et compose son *Traité sur la tolérance*. L'année suivante est celle de son *Dictionnaire philosophique
portatif* et des *Lettres de la Montagne* de Rousseau, et ce ne sont,
malgré leur valeur, ni le *Préservatif* de Dom Déforis ni le *Fanatisme des philosophes* de Linguet qui peuvent en contrebalancer les
effets. Mais, en 1765, la défense de la tradition fait une recrue de
valeur avec Bergier, qui dirige contre Rousseau son *Déisme réfuté
par lui-même*, et elle oppose en outre aux *Lettres sur les miracles*
de Voltaire et à la *Suppression des Jésuites* de d'Alembert le *Pyrrhonisme raisonnable* de Fabry de Moncault, l'excellent *Traité de la foi
des simples* du janséniste Reynaud et le *Cri de la vérité*, si émouvant, de Caraccioli.

Avantage éphémère, car en 1766 d'Holbach entre en scène et
lance son premier ouvrage de propagande, l'*Antiquité dévoilée*; Di-

derot écrit la *Religieuse,* Voltaire son *Commentaire sur le livre de Beccaria,* qui entraînera un adoucissement de la justice pénale. L'affaire du chevalier de la Barre suscite toute une littérature contre le fanatisme et son agent de répression, le Parlement. Dans le camp adverse, rien d'autre à relever que l'*Histoire impartiale des Jésuites* de Linguet. En revanche, l'année 1767 rappelle par son agitation celle des *Philosophes* et de l'*Ecossaise.* Oh ! ce n'est pas Quesnay avec sa *Physiocratie* ou Linguet avec sa *Théorie des lois civiles* qui causent tout ce tumulte. Ni d'Holbach avec les libelles antireligieux dont il inonde la France, ni même Voltaire avec son *Dîner du comte de Boulainvilliers* et sa *Philosophie de l'histoire,* quoique ce dernier ouvrage ait suscité deux ripostes, l'une de Larcher, l'autre du P. Viret. Cette année 1767 est avant tout l'année de *Bélisaire.* C'est le titre d'un fade roman que son auteur, Marmontel, écrivain intelligent mais plat, a cru bon d'enrichir d'un chapitre, le quinzième, où il fait l'éloge de la tolérance. La Sorbonne s'émeut, les esprits s'échauffent, Voltaire gouaille. A l'*Indiculus* où les théologiens énumèrent les impiétés du *Bélisaire,* Turgot répond par ses *37 vérités opposées aux 37 impiétés de Bélisaire.* Résultat : la Sorbonne sort complètement ridiculisée du débat.

Les quatre années qui suivent précipitent la défaite de la tradition. Le régime économique est vivement pris à partie par Voltaire dans l'*Homme aux quarante écus* (1768), par Turgot dans ses *Réflexions sur la formation et la distribution des richesses* (1769), par l'abbé Galiani dans ses *Dialogues sur le commerce des blés,* que Diderot et Grimm retouchent et que Morellet tente vainement de réfuter (1770). Voltaire — seul, du reste — poursuit de sa haine les Parlements, dont l'intolérance le révolte (*Histoire du Parlement de Paris,* 1769). La religion subit des assauts de plus en plus rudes. La *Théologie portative* et la *Contagion sacrée* (1768) de Naigeon, les *Dialogues d'A-B-C* et les *Questions sur l'Encyclopédie* de Voltaire lui causent des blessures que ne peuvent panser l'*Apologie* (1769) de Bergier, l'*Anti-Bernier* (1770) d'Allamand ou les *Recherches sur le christianisme* (1770-1771) de Ch. Bonnet. Et, comme pour mieux affirmer le triomphe de l'impiété, d'Holbach publie en 1770 son *Système de la nature,* qui provoque un nouveau scandale et suscite des réfutations, non seulement de Bergier (*Examen du matérialisme,* 1771), mais encore de Voltaire, dont on a vu l'horreur pour l'athéisme.

Troisième période (1771-1789). La victoire, à son habitude, suit ce plan incliné dont parle J. de Maistre, et les philosophes élargissent sans arrêt leurs conquêtes. Ils pensent même un instant avoir partie gagnée lorsque Turgot entre au ministère. L'allégresse ne dure pas : les privilégiés l'emportent sur le ministre réformateur. La lutte reprend, s'étendant de plus en plus au terrain politique. Car la religion semble vaincue, malgré de

Fabricy, qui publie en 1772 ses *Titres primitifs de la révélation*, malgré les *Lettres* de Guénée (1776), malgré l'effort persévérant de Bergier, malgré le renouvellement de l'apologétique, qui se fait sentimentale et tourne au traité d'édification, malgré les premiers essais de christianisme social de l'abbé Fauchet et de l'abbé Lamourette. L'anticléricalisme est toujours aussi virulent, et l'on déclame toujours autant contre la superstition et les prêtres. Mais le problème du régime l'emporte maintenant dans les préoccupations. Chacun propose son remède aux maux dont souffre l'Etat, et d'année en année le nombre des brochures augmente, où l'on attaque le despotisme, où l'on revendique les droits de la nation.

Trois faits dominent cette dernière phase de l'assaut contre l'Ancien Régime : le remplacement des grands chefs, qui disparaissent, par leurs disciples présomptueux, l'influence croissante de Rousseau, la révolution d'Amérique.

Tandis que Rousseau n'a d'autre souci que de se défendre, Voltaire mène une lutte toujours aussi acharnée, et la mort seule lui fait tomber la plume des mains (30 mai 1778). Cinq semaines après, Rousseau le suit dans la tombe; d'Alembert meurt en 1783, Diderot en 1784. Mais ils laissent de nombreux épigones, jeunes compagnons de lutte ou ardents imitateurs. Moins intelligents et moins soucieux des réalités que leurs maîtres, ces nouveaux champions apportent à la refonte des institutions autant de logique abstraite que de fougue inconsidérée. Ils tranchent avec assurance, se grisent de grands mots, tonitruent du haut des petits Sinaïs où ils se juchent pour donner au monde leur Décalogue fumeux. Après le *Dictionnaire philosophique* ou le *Contrat social*, c'est pitié de lire les élucubrations d'un Deleyre, d'un Sylvain Maréchal, d'un Carra, d'un Mercier, voire d'un Mirabeau. Non qu'ils soient de tout point méprisables. Certains ont du talent, tous ont de l'influence. Ils simplifient jusqu'au schéma la pensée de leurs devanciers, lui donnent une forme coupante et nette qui la grave facilement dans les frustes cerveaux. Incapables d'originalité, ils s'ouvrent à toutes les tendances, et leurs œuvres amalgament les théories hétéroclites des maîtres qu'ils dénaturent.

Il se produit alors une sorte de syncrétisme philosophique. Aux principes de liberté, de tolérance, de religion naturelle, de morale humanitaire s'associent de plus en plus les idées de souveraineté populaire, d'égalité civique et de justice sociale. Pour cet alliage doctrinal, ce qu'on exploite surtout, c'est la veine de Rousseau, d'un Rousseau plus ou moins bien compris, sans ces matois repentirs auxquels se livre le citoyen de Genève, métèque français.

Montesquieu et ses corps intermédiaires, le régime anglais et sa balance des pouvoirs, si admirée de Voltaire, n'ont plus guère de partisans. On repousse aussi le despote éclairé cher à d'Holbach et aux physiocrates. On accepte un monarque, mais sous réserve qu'il promulgue une constitution qui garantisse les droits de l'homme,

supprime les privilèges et les corps égoïstes et par l'égalité assure la
liberté.

Ces aspirations sont légitimées par les faits : n'a-t-on pas sous
les yeux le spectacle d'une Amérique qui se crée de toutes pièces un
organisme politique et social ? Ici ou là les hommes sont les mêmes;
ce qui s'est fait à New York peut se faire à Paris, et la *Déclaration
des droits* de Philadelphie doit devenir la charte de la France régé-
nérée. Telles sont les idées qui fermentent dans les esprits, qui s'épan-
chent en d'innombrables brochures et dont l'abbé de Mably et
Condorcet sont les vulgarisateurs les plus marquants.

Mably.   A vrai dire, Mably (1709-1785) précède Rousseau
          autant qu'il le suit : ses œuvres de début con-
tiennent déjà quelques-uns des principes du *Contrat social*. Mais
certaines d'entre elles n'ont vu le jour qu'à la période dont je traite;
ses théories n'ont été systématiquement exposées que dans sa *Législation*, qui date de 1776; son influence a été primordiale sur les
hommes de la Révolution : aussi ai-je jugé opportun de différer
jusqu'ici son étude.

Gabriel Bonnot de Mably est le frère de Condillac. Son premier
livre, *Parallèle des Romains et des Français* (1740), lui vaut de
devenir secrétaire du cardinal de Tencin, ministre des Affaires
étrangères. Mably est mêlé à la grande politique, mais, comme il
lit avidement Plutarque, son bon sens pratique ne tarde pas à être
obnubilé par l'idolâtrie de la Grèce et de Rome. Il s'entête de leurs
institutions, de leurs grands hommes et de leur histoire, exalte le
communisme spartiate et les lois agraires de Rome, proclame que
« l'égalité est le seul principe solide de la liberté » (*Observations
sur les Grecs*, 1749) et que la noblesse est « une vermine qui carie
insensiblement la liberté » (*Observations sur les Romains*, 1751).
Il accentue encore ses préférences démocratiques dans ses *Principes
des négociations* (1757), fonde la politique sur la morale dans ses
Entretiens de Phocion (1763), et redouble d'attaques contre le despotisme dans ses *Observations sur la France* (1765), dans ses *Doutes
sur l'ordre naturel des sociétés politiques* et dans sa brochure des
Droits et des devoirs du citoyen, composée probablement en 1758,
mais connue seulement à la fin de l'Ancien Régime. Il donne enfin
sa *Législation ou Principes des lois* (1776), son ouvrage capital, série
de dialogues entre « deux hommes d'un mérite rare, l'un Suédois et
l'autre Anglais », celui-ci prônant la constitution de son pays,
celui-là « plein des idées des anciens philosophes sur l'art de régler
une république ».

Pour Mably, le régime idéal est ce qu'il appelle la *monarchie républicaine*. L'Etat est formé d'une fédération de républiques dotées
d'une administration autonome, mais obéissant aux mêmes lois et
se concertant par assemblées. Sa fonction essentielle est d'assurer la
liberté et l'égalité des individus. Pour cela le gouvernement doit

d'abord être mixte et les pouvoirs séparés. L'exécutif est un roi, car

> Ne demandez point à un peuple prince d'avoir un caractère; il ne sera que volage et inconsidéré. (*Sur l'étude de l'histoire*, Ire partie, ch. VII.)

Mais ce roi ne détient pas l'autorité, qui réside dans la nation :

> Une nation doit faire elle-même ses lois, parce qu'elle est composée d'êtres intelligents, à qui Dieu a donné une raison pour juger de ce qui leur convient. (*Doutes sur l'ordre naturel*, liv. VII.)

La nation exprime sa volonté par le truchement d'Etats généraux. Mais ces derniers ne sont pas élus par tous les citoyens :

> Il importe à la multitude même, que son travail et ses occupations avilissent et retiennent dans l'ignorance, de ne pas s'emparer du gouvernement. (*Entretiens de Phocion*, 3e Entretien.)

C'est la distinction entre citoyens *actifs* et *passifs*, déjà suggérée par Montesquieu et Rousseau. Le meilleur moyen de garantir la liberté est d'instituer l'égalité, qui est de droit naturel et qui engendre toutes les vertus et tous les biens. Par égalité Mably n'entend pas — on vient de le voir — l'égalité politique, mais l'égalité sociale. Il veut instaurer le communisme ou tout au moins un régime qui en soit aussi rapproché que possible. Abolition des privilèges, suppression de la propriété et surtout de la propriété foncière, réhabilitation du travail qui doit être un plaisir, limitation de l'héritage, restriction de l'activité commerciale et financière, lois somptuaires, lois agraires, — tels sont les principaux moyens de faire régner l'égalité : Rousseau est ici dépassé. Mably s'éloigne encore de lui dans le type d'éducation qu'il préconise : il veut l'éducation commune et obligatoire, soignant concurremment le corps et l'esprit. Mais il le rejoint à nouveau, lorsqu'il bannit de son Etat les beaux-arts, frivolités funestes, et lorsqu'il fonde une religion d'Etat avec pénalités sévères contre les schismatiques, car « le gouvernement doit être intolérant » (*Législation*, IV, IV).

Condorcet. On s'étonne de rencontrer une telle rigidité de construction chez un homme que la pratique des affaires devait incliner à plus de réalisme. On la trouve naturelle chez Condorcet (1743-1794), mathématicien fourvoyé dans la politique qu'il met en équations. Editeur de Voltaire, éditeur de Pascal qu'il essaie de réfuter, il n'est plus guère connu en philosophie que par son *Esquisse d'un tableau des progrès de l'esprit humain* dont je traiterai à sa date, qui est suggestive. Toutefois les brochures politiques où il agite les problèmes de l'heure intéressent le mouvement des idées. Ce marquis est un démocrate, ce rationaliste un élève de Rousseau. Féru d'amour pour les droits de l'homme, il peine à les défendre contre toutes les menaces : contre le despotisme, contre les privilèges, contre l'arbitraire même de la majorité. Il critique la constitution anglaise, s'enthousiasme pour la Révolution américaine, pose en principe la souveraineté populaire et, pour en assurer l'exercice, réclame après quelques hésitations l'égalité politique, mais, dès le premier moment, l'atténuation des inégalités sociales. Au début de la Révolution, il passera aux républicains.

III. — LES RAISONS DE LA VICTOIRE.

Les philosophes ont donc vaincu; il importe de savoir pourquoi. Au moment où ils engagent la lutte, leur tentative paraît vouée à l'échec. Ils ont contre eux la royauté, l'Eglise, le Parlement, la Police, et, s'ils ont entamé la noblesse et la bourgeoisie, la masse de l'opinion leur reste réfractaire. A ces redoutables obstacles s'en ajoutent d'autres qu'ils élèvent de leurs propres mains. Ils se chamaillent publiquement ou se font une guerre sourde d'épigrammes : la zizanie est telle à de certaines heures que de Ferney arrivent des rappels à l'union, inquiets et suppliants.

Ils font des erreurs de tactique et se livrent à de dangereux écarts qui compromettent les résultats acquis. Ils sont loin même d'être d'accord sur la doctrine, et Voltaire critique sans bonté Helvétius, d'Holbach et Rousseau.

Raisons de leur succès. En revanche, ils disposent de sérieux avantages. Ils ont l'écrasante supériorité du talent. Divisés pour construire, ils se liguent du moins pour abattre, et ils s'entendent sur les points essentiels. Les circonstances jouent pour eux. Je les ai précédemment indiquées et je me borne à les rappeler : sclérose des institutions, relâchement moral, besoin d'évasion, mouvement des idées positif et pratique. Ils sont en outre favorisés par la carence du pouvoir, les faiblesses de la défense, leur organisation.

Carence du pouvoir. L'histoire de ces quarante années est celle d'une lente abdication du pouvoir, coupée de brefs sursauts. Sans doute Louis XV rappelle à toute occasion ses droits de monarque absolu. En 1757, en 1764, en 1769, il rend des édits qui aggravent la situation de la presse. Le Parlement le seconde, interdit et condamne. La police fait des visites et des saisies chez les libraires. Mais Malesherbes sauve l'*Encyclopédie*, et de Sartines qui lui succède multiplie les permissions tacites, consulte Diderot sur le régime à établir pour les publications et l'utilise même comme censeur. La royauté sent le besoin de se rajeunir : Louis XV s'attaque à des réformes de structure. Lorsqu'il meurt dans la gangrène et l'abandon, son débile héritier ne réagit plus qu'en ataxique. Il comprend, lui aussi, la nécessité d'un changement et il donne l'exemple. Mais son cœur est pour Turgot, son esprit pour Fénelon : il rappelle les Parlements, il cède aux exigences des nobles, il prend arrêt sur arrêt contre les audaces de plume (1781, 1783, 1785, 1787), mais — Diderot depuis vingt ans l'a dit — que peuvent des baïonnettes contre des brochures ? Il emprisonne et il exile : Delisle de Sales est embastillé, Raynal exilé, mais la détention tourne à la comédie, l'exil au triomphe (1783). Louis XVI interdit, puis tolère la représentation du *Mariage de Figaro*, qui nasarde tout le régime (1784). Puis, comme le courant est trop fort, il s'abandonne au flot. En 1787, il signe l'arrêt de tolérance. Un dernier soubresaut : il tient un lit de justice, exile princes et robins, ces défenseurs désintéressés du peuple. Après, plus rien : convocation des notables, convocation des Etats généraux. La marche à l'échafaud commence.

Faiblesses de la défense Mollement soutenue par le pouvoir, la tradition ne trouve dans le public, et même près du trône, que des appuis faibles ou chancelants. Les Assemblées du clergé redoublent leurs appels angoissés, la noblesse de province, dans son ensemble, est toujours fidèle à sa double foi monarchique et chrétienne, mais quelle est son action ? Marie Leczinska vieillit et meurt dans l'effacement. Marie-Antoinette s'étourdit en amusements frivoles, contrecarre son époux, admire Voltaire, qu'elle songe un moment à aller voir, favorise Beaumarchais. Par ambition, par scepticisme, par souci du bel air, la haute noblesse accueille les idées du jour. Les salons bien pensants eux-mêmes ou bien n'ont pas d'influence ou bien adoptent une attitude flottante : la hautaine marquise de Créqui est en commerce épistolaire avec Jean-Jacques; la marquise de la Ferté-Imbault, fondatrice de l'ordre burlesque des *Lanturlus*, après avoir attaqué les Encyclopédistes avec autant de passion que Mme Geoffrin, sa mère, finit par les défendre, se range, dans sa vieillesse, du côté des Parlements, brocarde les ministres, s'allie aux ennemis de la jeune reine. La bourgeoisie, brimée par la noblesse, prête de plus en plus l'oreille aux propos des novateurs. Le peuple regimbe contre les droits féodaux qui ne rémunèrent plus de services.

Des divisions, des maladresses, des compromissions paralysent ou gênent la défense. Orthodoxes et Jansénistes sont constamment aux prises, et leurs discussions minent la confiance dans les objets de la foi et rendent sceptique sur la charité. Massillon a vu juste, lorsqu'il a reproché aux Jansénistes d'avoir vulgarisé la controverse dogmatique et d'avoir fait de mystères incompréhensibles un sujet de débat, car « il n'y a pas loin pour les laïques de la dispute au doute et du doute à l'incrédulité ». La suppression des Jésuites, conséquence de ces querelles, est un coup très lourd pour l'Eglise et la démantèle. **Autre fait grave, et que l'on ne met pas suffisamment en lumière :**

La monarchie absolue reposait sur l'étroite union de l'Eglise et de la royauté et ses tenants associaient en leur cœur le culte de Dieu et celui du monarque. Cette belle unité morale disparaît chez beaucoup. Les Parlements, intransigeants sur la foi, se dressent contre le trône; des membres du bas-clergé étalent des sentiments républicains. Inversement, d'Holbach et Linguet, absolutistes en politique, poursuivent de leur haine la religion.

Aucun des traditionalistes ne saurait être comparé à Voltaire, à Rousseau, à Diderot, et l'on compterait sur ses doigts ceux dont le talent arrache à l'adversaire des cris de colère ou des marques d'estime. Leur tactique prête en outre à critique. Certains en usent brutalement et prennent des injures pour des raisons ou affaiblissent par leurs exagérations la portée de leurs répliques. Les autres manquent de mordant et de souplesse. Il leur arrive bien de passer à l'attaque, de vilipender les procédés parfois déloyaux des philosophes, de signaler leurs erreurs, leurs inconséquences, leur désaccord, de vouer au mépris les conséquences désastreuses de leurs doctrines; quelques-uns même retournent habilement contre leurs adversaires les armes dont ceux-ci prétendent les accabler. Mais la plupart du temps ils se laissent manœuvrer et ne s'affairent qu'à réparer les brèches. Avec ardeur sans doute, avec candeur aussi : aux légers pamphlets ils opposent de lourds volumes, aux faits des syllogismes; ils condensent, au risque de la rendre plus efficace, la pensée prolixe qu'ils se proposent de réfuter. Trop d'apologistes s'en tiennent à la méthode traditionnelle, aux arguments classiques, aux preuves externes; mais le temps est passé de la scolastique et l'exégèse n'a guère progressé depuis Lamy et Bossuet. Un petit nombre seulement recourt aux preuves internes, mais leurs appels au sentiment rendent le son de Rousseau plutôt que celui de Pascal.

Car — et ceci est peut-être le point le plus sérieux — la défense se laisse entraîner à d'imprudentes concessions. Certes les écrivains aveuglément attachés au régime sont encore en majorité et l'on trouve à foison de ces docteurs Pangloss qui pensent que tout est pour le mieux dans le meilleur des mondes et que de petites retouches suffiraient à remettre la machine en état. Il est aussi des esprits lucides qui voient la gravité de la situation, qui estiment à leur prix les critiques et qui s'inspirent des philosophes, tout en blâmant leurs excès. Mais le Français est logicien : cette attitude balancée ne satisfait pas leurs lecteurs, qui passent à l'ennemi. Mêmes glissements dans le domaine religieux. L'enseignement des séminaires est à l'époque très négligé. Plus tard, trop tard, une réaction intervient et, vers la fin de l'Ancien Régime, l'abbé Emery et Mgr de Juigné font de fructueux efforts pour assurer aux prêtres une solide formation doctrinale. En attendant, ceux qui affrontent les philosophes ne possèdent pas toujours les connaissances nécessaires à la tâche qu'ils assument, et cette fâcheuse médiocrité n'enlève pas seulement à leurs ripostes de la pertinence et de la solidité, elle ouvre aussi leurs esprits à l'influence de l'adversaire et les dispose aux compromis. D'autres y sont entraînés par le désir de retenir, de ramener ou de gagner les âmes. Les Jésuites propagent l'admiration des Chinois et du « bon sauvage », dont Voltaire et Rousseau tirent parti contre la foi ou les institutions. Ils assurent la victoire de l'optimisme et de la facilité sur le pessimisme et la morale rigide : réserve faite de quelques principes ou de quelques dogmes, leurs idées sont très voisines de celles des philosophes. Il en résulte une gêne dans la riposte et souvent une casuistique subtile, qui déroute les âmes simples et fournit à l'adversaire des occasions de succès.

Avantages des philosophes. Sur ces ennemis chancelants et débiles les philosophes possèdent d'écrasantes supériorités. Celle du talent d'abord : ni Guénée n'a autant de malice, ni Fréron autant d'ironie que Voltaire, ni Linguet autant de logique passionnée que Rousseau ou de puissance torrentielle que Diderot. Ils ont en outre le bénéfice de l'offensive et livrent le combat sur les terrains qu'ils choisissent. Ils ont la foi qui transporte les montagnes, ils ont la haine, plus ingénieuse et plus tenace que l'amour. Les scrupules ne les étouffent pas : toutes les armes leur sont bonnes pour vaincre, la mauvaise foi et la logique, la diffamation et la louange, l'insulte et le compliment, l'éloquence et l'esprit. Ils s'emparent de tout l'homme, flattent les bas instincts comme les nobles tendances, le libertinage et le goût de détruire comme le désir du mieux et l'appétit de liberté, l'envie niveleuse et l'esprit de révolte comme le besoin de justice et la pitié.

Les concours influents. D'efficaces protections les couvrent et facilitent leur tâche. Ils ont de sûrs appuis jusqu'auprès du trône, dans le gouvernement, dans la haute société. Le prince de Conti sauve Rousseau de la détention et, quand l'écrivain rentre en France, l'héberge dans son château de Trye. Voltaire est en coquetterie avec des ministres. On sait la conduite de Malesherbes et de Sartines. De grands seigneurs transportent à Versailles dans le coffre de leurs voitures les ouvrages interdits. Le fonctionnaire Damilaville les reçoit par paquets et les fait circuler. Une modération complice veille à l'application des édits. Des personnages de haut rang, voire des Parlementaires, font le voyage rituel de Ferney. Les Luxembourg s'empressent autour de Rousseau et de Thérèse et les supplient d'accepter leurs bienfaits. Des princes, des ducs cajolent Retif et s'honorent de souper avec lui.

Les philosophes sont parvenus à ce résultat par l'habileté de leur propagande. Ils se sont concilié les sympathies de l'opinion, c'est-à-dire des trois mille personnes dont parle Voltaire, qui lancent les idées et créent les événements. L'un des agents les plus remuants de la diffusion de leurs idées a été le grand monde qu'ils touchent par les salons.

Les salons.   Jamais les salons n'ont brillé d'un plus vif éclat
                   qu'à la période qui nous occupe. Là, dans ces sou-
pers auxquels président des femmes distinguées par leur esprit et
quelquefois par leur vertu, toutes les distinctions de rang s'effacent,
tout le monde peut être admis, pourvu qu'on ait de l'esprit et de la
réputation. Les manières y sont plus ou moins surveillées, le ton des
propos plus ou moins libre, mais dans tous on se livre à la conversation, ce triomphe du Français. Religion, politique, beaux-arts, vie
mondaine, on traite de tout, on tranche sur tout, on fait et défait
les renommées, on abat « l'infâme » à coups de pichenettes et l'on
reconstruit la France impromptu.

Le salon le plus célèbre est sans conteste celui de Mme Geoffrin
(1699-1777). Cette bourgeoise grande dame continue dans son
« royaume de la rue Saint-Honoré » ses réceptions si courues des
lundis et des mercredis, où elle reçoit nationaux et étrangers, artistes
et savants, hommes du monde et philosophes. Son salon est comme
un *raccourci* de la France et de l'Europe française. Mais ses hautes
relations ne la grisent point, et elle remercie Dieu « d'être née Française et particulière ». Intelligente et accomplie de manières, elle
ne parle que de ce qu'elle sait, excelle à faire briller ses invités, répri-
mant leurs écarts, de son légendaire « Voilà qui est bien », faisant
taire les sots d'une boutade, car, suivant le mot du prince de Ligne,
« elle a l'épigramme et le couplet à la main », appréciant les
ouvrages avec un tact exquis, charmant tout le monde par ses
attentions obligeantes, la grâce et la délicatesse de son esprit, sa
douce gaieté. De mai à novembre 1766, elle s'absente de Paris pour
se rendre en Pologne où l'appelle Poniatowski. Mais son voyage,
loin de lui nuire, n'a suscité que des regrets de son absence, et son
salon, jusqu'à la paralysie qui la frappe un an avant sa mort, ne
désemplit pas de visiteurs, qui sont autant d'amis.

Pendant quinze ans, Mme du Deffand (1697-1780) est la rivale
de Mme Geoffrin et reçoit dans son petit salon de la rue Saint-
Dominique l'élite de la société, grands seigneurs, ministres, écrivains, ambassadeurs, étrangers, Voltaire, Choiseul, David, Hume,
Caraccioli, etc. Les hôtes les plus assidus sont le président Hénault,
vieil ami de la maîtresse de maison et même plus, dit la chronique,
et d'Alembert, dont elle admire le génie et qu'elle pousse aux honneurs de tout son pouvoir. Mais en 1764, elle se brouille avec sa
lectrice, Mlle de Lespinasse, et celle-ci va dans la même rue, à quelques pas d'elle, fonder un salon antagoniste, entraînant dans sa
sécession un bon nombre des familiers de Mme du Deffand, dont
le froid d'Alembert, qui brûle pour elle d'un amour impuissant et
morose. Cette double défection, jointe à sa cécité, porte à leur
comble son pessimisme et son ennui. Elle pense les oublier dans
l'espèce d'amitié amoureuse qu'elle éprouve pour Horace Walpole,
mais la dureté égoïste de l'Anglais ne lui épargne pas les rebuffades,
et elle ne trouve que déboires dans ces relations où son cœur sec

pensait puiser comme à une jouvence sentimentale. Très indépendante
de caractère, elle ne s'inféode pas au parti des « frères » : elle reste
neutre dans la querelle soulevée par la comédie de Palissot et lance
à l'occasion contre les philosophes vives épigrammes et petits vers
sûrets.

« Sans fortune, sans naissance, sans beauté », Mlle de Lespinasse
(1734-1776), douze années durant, attire et retient dans la maison
qu'elle doit aux cotisations de ses amis « des hommes choisis de tous
les ordres de l'Etat, de l'Eglise, de la Cour, des militaires, des étrangers et les gens de lettres les plus distingués » (Grimm). D'Alembert
préside à ces réunions qui se tiennent tous les jours, de cinq à neuf
heures du soir. On y voit entre autres Turgot, Chastellux, Loménie
de Brienne, l'archevêque d'Aix Boisgelin, l'abbé de Boismont, l'abbé
Arnaud, Suard, Gaillard, La Harpe, le comte de Mora, qu'elle aime
pendant huit ans, le comte de Guibert qui lui inspire une passion
dont elle meurt. Je dirai plus bas ce qu'est la femme et l'écrivain.
Comme protectrice des philosophes, elle joue un rôle de premier
plan. Elle porte à la cause la même passion qu'à ses amants; son
salon est l'antichambre de l'Académie.

Ces trois salons sont de beaucoup les plus connus. Mais que d'autres
il conviendrait encore de citer ! Rappelons-en au moins quelques-uns.
Mme de Luxembourg (1706-1787), femme légère qui se range après
la quarantaine, exerce sur toute la société une suprématie incontestable pendant les vingt années qui précèdent la Révolution. Dans
ses salons de la rue Saint-Marc et de Montmorency, elle traite sur
un pied d'égalité gens de lettres et grands seigneurs. On l'appelle
la « chatte rose », car elle a des attraits — et des griffes. La
conversation est de temps à autre coupée de l'audition d'œuvres
nouvelles : La Harpe lit ses *Barmécides;* Gentil-Bernard déclame son
Art d'aimer. Voltaire a entrevu chez elle « quelques beaux rayons
de philosophie », et elle le prouve par la protection tendre, défé-
rente et inquiète qu'elle accorde à Rousseau. Malgré cela elle meurt
très chrétiennement.

Mme d'Epinay (1725-1783), dont les rapports avec Rousseau, son
« ours », ont vite tourné, comme on l'a vu, de l'onctueux à l'aigre,
se console auprès de Grimm de son mariage mal assorti avec un
homme physiquement et moralement taré. Elle réunit à la Chevrette, près de Montmorency, artistes et philosophes.

La jolie et pieuse *Mme Necker* (1737-1794), la femme du
ministre et la mère de Mme de Staël, reçoit rue Michel-le-Comte, puis
rue de Cléry, les mardis et les vendredis, hommes de lettres, financiers, étrangers de marque. Le grand homme du salon est Buffon,
dont Mme Necker entoure de prévenances les dernières années. On
mange mal chez elle, mais on y cause bien, car les discussions mettent
aux prises Encyclopédistes et disciples de Rousseau. Sa fille, assise à
ses pieds, orne ses réceptions de son adolescence mutine et de son
précoce génie. Aux discussions ardentes se mêlent des régals enviés :

ses invités peuvent applaudir la Clairon retirée du théâtre, acclamer
Mozart enfant, écouter Bernardin lisant son *Paul et Virginie*. —
Enfin aux réunions de d'Holbach, dont j'ai parlé, il convient d'asso-
cier celles qui se tiennent chez Helvétius et que sa femme continue
après sa mort; c'est le rendez-vous des idéologues.

L'Académie.   Secondés par Mme Geoffrin, Mme du Deffand et
Mlle de Lespinasse, qui s'intronisent leurs grandes
électrices, les philosophes envahissent l'Académie, s'en rendent les
maîtres et se servent de cette tribune illustre pour élargir encore
leur action. Les secrétaires perpétuels en sont d'abord Duclos (jusqu'en 1772), puis d'Alembert, dont l'autorité despotique finit par
devenir insupportable à ses partisans mêmes. La Compagnie est divisée en deux partis, celui des *bonnets*, qui groupe les traditionalistes
et que dirigent successivement l'abbé d'Olivet et le maréchal de
Richelieu, et celui des *chapeaux*, que forme le clan des philosophes.
D'année en année les *chapeaux* marquent des avantages; l'un après
l'autre, Marmontel, Thomas, Condillac, Suard, Delille, Malesherbes,
Chastellux, La Harpe, Chamfort, Condorcet, Morellet, etc. viennent
grossir ou maintenir leur nombre. Les discours de réception, les
Eloges de grands hommes proposés aux concours, les lectures en
séances solennelles, autant de prétextes pour diffuser la bonne parole.
Le sermon même n'échappe pas à ce prurit d'apostolat. L'Académie
a la coutume de désigner chaque année un prédicateur pour prononcer, le 25 août, le panégyrique de saint Louis, dans la chapelle
du Louvre : quelques abbés émancipés — Le Couturier, d'Espagnac
— soulèvent des scandales en condamnant les Croisades et en décla-
mant sur la tolérance.

Le Lycée.   Sous le règne de Louis XVI, s'ouvre un nouveau
centre de propagande. Franklin fonde la « Société
Apollonienne », qui se développe rapidement et prend le nom de
Musée, puis de *Lycée de Paris*. C'est une sorte d'université libre, qui
dispense aux gens du monde, dans un esprit strictement conforme
à la doctrine, un double enseignement, littéraire et scientifique :
c'est là que La Harpe professe son *Cours de Littérature*, demeuré
longtemps célèbre.

Propagande   Il y a une propagande orale dont on ne parle jamais
orale.   et qui pourtant a dû être très efficace. Ces nobles,
entichés de philosophie, n'imitent pas tous la prudence de celui qui
consignait sa valetaille hors de la salle à manger avant de se livrer
avec ses commensaux à des diatribes contre la société. Beaucoup
d'entre eux ne savent pas tenir leur langue ou même pensent faire
œuvre utile en se montrant esprits forts devant leurs valets, devant
leurs vassaux et sèment à pleines mains des germes de rébellion.
Dans les cafés, dont le nombre s'accroît prodigieusement — de 380,

en 1723, ils passent, en 1788, à 1.800 — bourdonnent plus que jamais des propos séditieux.

Les *nouvellistes*, organisés en pelotons, sociétés, compagnies ou bureaux, font la chasse à tous les bruits, les concentrent et dans toutes les promenades publiques — aux Tuileries et au Palais-Royal, à l'hôtel Soubise et aux Célestins, au Luxembourg et aux Cordeliers — ils les discutent devant une foule avide, où se mêlent toutes les classes, jusqu'à des ouvriers, ou bien ils régalent leurs auditeurs des couplets satiriques où le Français, né malin, épanche son humeur railleuse sur le gouvernement. Aux carrefours, des orateurs d'occasion, juchés sur les bornes, commentent les ouvrages interdits.

Journaux.   Les journaux se multiplient : on n'en compte pas moins de dix-neuf en 1765; en 1777, apparaît le premier quotidien, le *Journal de Paris*. A l'officielle *Gazette de France,* au vieux *Mercure* et au respectable *Journal des savants* viennent se joindre, pour ne citer que les principaux, le *Journal encyclopédique* (1756-1793), que dirige quelque temps Chamfort, le *Journal étranger* (1754-1762), dont Grimm est un moment le directeur, la *Gazette littéraire* d'Arnaud et Suard, à laquelle Voltaire collabore, et les journaux d'information politique comme le *Journal de Bouillon* et le *Journal de Genève,* ou encore les recueils de nouvelles comme la *Correspondance littéraire secrète* de Métra (1774) et les *Mémoires secrets* de Bachaumont (1777), qui s'approvisionnent en partie chez les nouvellistes, etc. Tous ces journaux sont des périodiques, sauf le *Journal de Paris*. Ils coûtent fort cher. Leur chiffre d'abonnés est donc forcément assez faible (1.500, 2.000), mais des chambres de lecture en donnent communication à tous ceux qui désirent en prendre connaissance. Affaires commerciales avant tout et surveillés par le pouvoir, ils sont tenus à une certaine circonspection. Ils n'en œuvrent pas moins en faveur de la philosophie et par leurs comptes rendus, par leurs articles, par les envois qu'ils insèrent ou par le tour qu'ils donnent aux informations, racontars et potins, ils glissent prudemment, sournoisement ou, vers la fin, ils exposent hardiment les idées pour lesquelles militent les philosophes.

La province   Autant que Paris, la province est activement travaillée. Elle a, elle aussi, ses *Affiches* qui gardent au début une extrême prudence, mais finissent par être entraînées par le courant : leur contenu prouve « que des idées venues des philosophes sont entrées dans la pensée commune, qu'elles ont cessé d'être suspectes » (Mornet).

Le colportage.   Si elles sont peu lues et par suite n'ont que peu de portée, le colportage s'exerce sur un large rayon et se rit de tous les obstacles. En vain décrète-t-on contre ceux qui s'y livrent la prison, les galères et la mort. Le prix des ouvrages inter-

dits séduit les risque-tout : on paie un louis pour l'*Ingénu,* deux
pour l'*Emile,* trois pour l'*Imposture sacerdotale;* le *Christianisme
dévoilé* et le *Système de la nature* montent jusqu'à cent livres. D'ailleurs, en province même, avec le temps l'indulgence est de plus
en plus à l'ordre du jour. Les intendants ferment les yeux : « A
Fontainebleau même, Lefèvre, libraire du château, vend les *Mœurs,*
la *Pucelle,* l'*Antiquité dévoilée, Emile, Bélisaire, De la nature* ».

Académies   Et la pensée philosophique pénètre partout, jusque
et Sociétés   dans les collèges. Elle trouve un terrain de choix
de pensée.   dans les Académies et les Sociétés de pensée. Les
Académies pullulent au XVIII° siècle : on n'en compte que six en
1700, elles sont quarante vers 1770. Elles aident puissamment le
mouvement philosophique : comme les salons, elles rapprochent les
classes, elles substituent aux sujets de littérature et d'art des préoccupations scientifiques et pratiques; elles s'ouvrent à l'esprit, à
la méthode de la science, qui fraient la voie à la philosophie; elles
adjoignent aux grands problèmes métaphysiques les problèmes politiques et sociaux. On sait que c'est à l'Académie de Dijon que
Rousseau doit d'avoir pu se révéler. Les sociétés de pensée, terme
générique appliqué par M. A. Cochin à des associations de nature
variée, se consacrent à l'étude des questions politiques : elles sont
à l'affût de toutes les nouveautés, et leur esprit réaliste envisage
déjà les moyens de faire passer la doctrine dans les faits.

La Franc-   Mais tout cela peut sembler n'être qu'une poussière
Maçonnerie.   d'efforts, une Fronde sporadique. L'état d'esprit
hostile au régime a beau se généraliser, il reste impuissant s'il manque
d'un centre et d'un organe de direction. Ce centre, cet organe, la
philosophie le possède avec la Franc-Maçonnerie.

Sur le rôle au XVIII° siècle de cette association qui s'entoure de
mystère le débat reste toujours pendant. Mais la thèse du complot
maçonnique contre la monarchie et l'Eglise, que M. Mornet combat,
paraît avoir pris de la consistance depuis les recherches de M. Bernard Fay. Cette thèse, fort ancienne, a pour principal propagateur
l'abbé Barruel, l'auteur des *Lettres Helviennes,* qui l'expose dans ses
Mémoires pour servir à l'histoire du jacobinisme (1803). D'après
lui, la chute de l'Ancien Régime serait due à la conjuration secrète
des philosophes et des maçons de toute obédience — Grand Orient,
Grande Loge, Illuminés. Aprement discuté déjà de son temps, notamment par Mounier, l'abbé Barruel n'a cessé depuis d'être moqué par
de graves historiens, pour qui son livre est l'œuvre d'un sectaire
imaginatif et passionné. Une telle sévérité me paraît excessive.
Voyons en effet les choses. Des fiches nombreuses qu'il utilise
M. Mornet tire les conclusions suivantes : aucun texte n'établit la
collusion des philosophes et des maçons; jusqu'à sa réforme, accom-

plie en 1773-1774, laquelle met fin aux schismes qui la déchiraient,
crée l'unité d'esprit et d'influence entre les rites anglais et écossais
et la dote d'une organisation centralisée, la Maçonnerie s'est uniquement souciée de divertir ses membres de façon agréable; si par la
suite elle prêche le *credo* philosophique, c'est qu'elle est emportée,
elle aussi, par le courant du siècle : ce n'est pas un engin de pro-
pulsion, c'est une remorque; l'ouvrage de Barruel n'est qu'un
mauvais roman. Cette thèse se heurte à de sérieuses objections.
D'abord M. Monglond fait justement remarquer que Barruel n'a
pas dû tout inventer et que, parmi les confidences dont il fait état,
certaines doivent provenir de témoins dignes de foi. M. Viatte, hostile
à l'auteur des *Mémoires*, admet l'existence de contacts entre maçons
rationalistes et illuminés, et l'on sait la haine que ceux-ci ont
portée à la monarchie très chrétienne. Reste la question de priorité.
Assurément le rationalisme préexiste à la maçonnerie; le déisme
anglais lui est antérieur et il se rattache lui-même à toute une
lignée d'illustres et lointains ancêtres. Mais la campagne concertée,
tenace, enthousiaste contre l'ordre établi ne date chez nous que du
jour où la maçonnerie s'y est développée. Nous n'avons point de
texte contenant l'aveu du plan subversif ? D'accord. Mais Fustel
parfois n'a-t-il pas suppléé par la logique au manque de documents ?
Et ne peut-on appliquer à des gens férus de science la formule
connue des savants, *tout se passe comme si* ? A défaut de textes
nous avons des faits, que Bacon eût appelés privilégiés et qui sont
bien troublants. Les constitutions des francs-maçons qui s'imposent
à toutes les loges anglaises sont de 1723, donc bien antérieures à
l'*Encyclopédie*. Rédigées par le pasteur Anderson avec l'aide de
Désaguliers (celui-là même qui a fait dévier la maçonnerie du plan
professionnel sur le plan spéculatif), elles affirment la supériorité
de la religion naturelle; elles couvrent les mutins et les rebelles; elles
proclament l'égalité — au moins théorique — entre les frères; elles
leur assignent comme but le progrès mental, matériel et social de
l'humanité. En 1740 — toujours avant l'*Encyclopédie* — le duc
d'Antin, grand-maître de la Maçonnerie française, prononce un discours qui s'inspire de ces vues. Le libraire Le Breton est maçon; Montesquieu, Voltaire, Helvétius, Diderot sont maçons; les gens de
lettres peuplent la loge des *Neuf sœurs,* qui est le centre maçonnique
le plus actif de Paris.

Des maçons clairvoyants proclament dès cette époque l'étroite
communauté de principes entre leur société et la philosophie : dans
un discours *Sur l'origine, les projets et les révolutions de la F∴ M∴*
(1784), le frère Béquillet insère ces paroles suggestives :

J'ai cru devoir vous rappeler l'alliance qui a subsisté de tous les
temps entre la philosophie et la maçonnerie et vous convaincre que
l'une dérive de l'autre. Qu'est-ce donc qu'un F∴ M∴, si ce n'est un
philosophe pratique qui, sous des emblèmes religieux adoptés de tous les
temps par la sagesse et même par la haute philosophie (j'ose le dire

dans une assemblée de philosophes), construit sur des plans tracés par la nature et la raison l'édifice moral de ses connaissances ?

Décidément, j'ai peine à croire que, dans leurs tenues, les francs-maçons, joyeux drilles, se contentent de banqueter et de baller. Je suis pour Béquillet. La maçonnerie, qui essaime dans tout le royaume, qui possède une forte organisation, qui se recrute dans tous les ordres de l'Etat me paraît être, surtout à partir de 1774, l'instrument le plus puissant de la propagande philosophique.

Les   A quels résultats précis cette propagande a-t-elle *conséquences.*   abouti ? La religion, Mercier en témoigne, n'a pas beaucoup perdu dans le peuple. Mais la philosophie, sous une forme plus ou moins agressive, s'étale dans les hautes sphères, mord sur la bourgeoisie, a pénétré dans le clergé, s'est infiltrée dans les collèges. Ses apôtres, sur ce point, ont atteint leur but, qui était de conquérir la partie agissante de l'opinion et de s'assurer une descendance intellectuelle. Leur succès est encore plus étendu dans le domaine politique. Leurs principes libéraux et égalitaires, leur programme de réformes séduisent même ceux qui doivent en pâtir, et le peuple, qui ne se soucie guère des formules, mais veut améliorer sa condition, fait cette fois chorus avec eux : toute la nation exige de profonds changements.

La philosophie a-t-elle donc voulu, préparé, accompli la Révolution ? On le pensait jusqu'ici; M. Mornet en doute. Pour lui, Voltaire, Rousseau, Diderot n'ont été que les voix exprimant mieux que d'autres les aspirations du pays; ils ont « organisé » les conséquences du mécontentement général, mais ces conséquences ont dépassé leurs intentions.

On ne saurait, je crois, se rallier pleinement à cet avis, qui minimise le rôle et l'action des philosophes. Il est bien vrai que les grands écrivains sont les interprètes de leur temps, mais à leur tour ils agissent sur lui : ils informent les rêves vagues, précisent les tendances, stimulent les ardeurs. Il est non moins vrai qu'une doctrine, à elle seule, ne fait pas une Révolution, qu'elle a besoin pour cela de circonstances favorables. Mais, inversement, une Révolution pour réussir a besoin d'une doctrine : sans quoi elle avorte en émeutes. Il est exact encore que les philosophes n'ont ni souhaité ni même prévu la tournure que les événements ont prise, et l'on doit tenir pour sincères les protestations horrifiées de Marmontel, de Raynal, de Morellet, de La Harpe, devant les convulsions sanglantes auxquelles ils assistent. Mais les visées des philosophes sont plus vastes que ne le donnent à entendre leurs écrits : ne sont-ils point partisans de la double doctrine ? N'y a-t-il pas dans les ouvrages que Diderot tient secrets ou dans les lettres de Voltaire des propos lourds de sens ? Ne savent-ils pas l'histoire ? Et peuvent-ils s'aveugler sur les conséquences de leurs principes, alors que tant de leurs pâles adversaires les aperçoivent et les dénoncent ?

Encore s'ils étaient de purs théoriciens ! Mais ce sont des hommes d'action. Peu leur chaut de grossir le nombre des *Utopie*, des *Atlantide* et des *Cité du Soleil* : ce qu'ils veulent, c'est renouveler le monde. Ils mènent une propagande incessante; ils peuplent les administrations, les salons, les journaux, les Académies, les Loges; ils attirent par tous les moyens des disciples. Et ceux-ci à leur tour s'affairent au grand œuvre : ils jettent sur la France un réseau serré d'Académies, de Chambres de lecture, de Sociétés de tout genre; ils s'essaient à des manifestations de masses; ils se glissent aux postes de commande : vienne l'heure H, et la machine, sabotée, sautera.

CHAPITRE VIII

BUFFON

(1707-1788)

Buffon [1] est, au moins autant que Voltaire, un homme « représentatif » du xviiie siècle; il est vraiment un des derniers représentants de l'Ancien Régime. Cette situation privilégiée, il la doit à plusieurs causes.

Tout d'abord, aux dates entre lesquelles se situe son activité : né sous Louis XIV, mort à la veille même de la Révolution, Buffon a vécu dans leur intégralité les règnes de Louis XV et Louis XVI, alors que Voltaire est mort dix ans avant les prodromes de la Révolution. Ensuite, par sa naissance comme par sa situation sociale, il a été toute sa vie en liaison intime et profonde avec la société, tant dirigeante que littéraire et scientifique, du royaume aussi bien que de l'étranger. En outre, bien plus que Voltaire, il a été le conducteur reconnu d'une des disciplines préférées de son siècle : la Science; et non seulement de la Science pure, qui ne lui aurait valu qu'un nombre restreint de fidèles choisis, mais de la Science appliquée : singulièrement, de l'agronomie scientifique qu'il avait l'occasion de pratiquer dans ses domaines de Montbard, et qui devait prendre un si grand essor dans le dernier tiers du siècle avec Tessier, de Menon de Turbilly, Parmentier, le duc de la Rochefoucauld-Liancourt, etc.

Il faut de plus remarquer qu'il fut toute sa vie très admiré et suivi, peu critiqué; plus que Voltaire, il était donc parfaitement adapté à son temps, qui se reconnaissait en lui et dont il peut donc être considéré comme l'image.

C'est lui qui a créé le mouvement vers la Nature (avec un grand N), le vertueux sauvage, l'Etre suprême qui n'ose plus dire son

---

1. Ce chapitre est dû à M. Remi CEILLIER, professeur de Sciences naturelles, dont la mort prématurée est vivement ressentie par tous ses amis, et singulièrement par celui à qui il avait bien voulu assurer sa précieuse collaboration.

nom, bref le fonds où les trente dernières années du XVIII° siecle pui-
seront leurs invocations, prosopopées, trémolos mélodramatiques ou
idylliques, et sources intarissables de douces larmes.

Ce style fait horreur, mais Buffon n'en est guère responsable.

Seul en effet le ton de son langage ne sera guère celui de son
époque : également éloigné de la tumultueuse fébrilité de Diderot,
des agitations déclamatoires ou lacrymatoires de Rousseau, de l'élégante agilité de Voltaire et de Lesage, des petites notations hachées
de Montesquieu, des sèches expositions de d'Alembert ou de Volney,
son style procède du siècle précédent, s'apparente à celui de Bossuet
et aussi de Bourdaloue et des grands prédicateurs.

Il relie ces princes de la chaire à l'empreinte si profondément nouvelle que tracera Chateaubriand.

I. — BIOGRAPHIE-CARRIÈRE.

Enfance,   Georges-Louis Leclerc est né en Bourgogne, à
voyages   Montbard (actuellement en Côte-d'Or), le 7 sep-
et premiers   tembre 1707, aîné d'une vieille famille bour-
travaux.   geoise, propriétaire et fonctionnaire; son père
Benjamin-François était dans la gabelle; sa mère, Anne-Christine
Marlin, eut après lui quatre autres enfants. Son père étant nommé
conseiller au Parlement de Bourgogne en 1720, toute la famille se
fixa à Dijon, où Georges fit des études appliquées, mais sans éclat,
dirigées surtout vers les mathématiques. Etudiant à Angers en 1729,
il dut quitter la ville avant un an à la suite d'un duel. C'est alors
que la rencontre d'un riche Anglais, lord Kingston, qui visitait
le continent avec son précepteur Hinckmann, lui fera faire
son seul voyage hors de France et lui donnera cette teinture d'éducation anglaise que connurent aussi Voltaire, Montesquieu, Désaguliers, Maupertuis et diverses personnalités de l'école de 1730. Il
parcourut ainsi pendant un an le Midi de la France, puis l'Italie du
Nord, s'initiant à la botanique avec Hinckmann.

Mais une fois à Rome, Georges Leclerc, apprenant la mort de sa
mère, revint à Dijon (1732). Héritant de celle-ci, comme fils aîné,
une grande fortune, il racheta d'abord la terre de Buffon, jadis
vendue par son père, et qui sera pour lui érigée en comté, en 1771 :
il organise rationnellement et administre « à l'anglaise » l'exploitation du domaine : forêts et champs, mines et fonderies; à vingt-
cinq ans, il l'oriente déjà dans le sens de l'industrie scientifique qui
naissait des travaux de Vauban et de Bélidor, de Réaumur (*Traité sur
l'art de convertir le fer en acier*, 1722), de Svedenborg (1733), de
Désaguliers et de divers Anglais, et qui sera trente ans plus tard une
des grandes caractéristiques de l'*Encyclopédie*. Il étudie méthodi-
quement la résistance des bois à la flexion (1732), la puissance des
miroirs ardents d'Archimède (1733). Venu se documenter à Paris,

il fréquente les salons de Mme Geoffrin, de Mme Dupin, du baron
d'Holbach : ces relations lui sont aussi utiles que ses quelques Mémoires pour être reçu en 1733, à vingt-six ans, « adjoint » dans
l'Académie des Sciences, section de Mécanique. Ce n'est qu'en 1739
qu'il passera comme « associé » dans celle de Botanique, « digne
de s'asseoir dans l'Académie à toutes les places ».

Il est en effet alors physicien et mathématicien surtout : un Mémoire sur le jeu de « franc-carreau », la traduction en 1740 du
Traité des fluxions de Newton en témoignent (comparer ces travaux
à ceux de Mme du Châtelet et de Voltaire à Cirey). Il reviendra
d'ailleurs dans ses dernières années aux mathématiques appliquées :
des tables de statistiques, de mortalité, des calculs de probabilités, un
curieux *Essai d'Arithmétique morale* paraîtront dans sa vieillesse.
Mais ses recherches sur la structure des bois d'œuvre l'ont amené
à traduire, dès 1735, la *Statique des végétaux* de l'Anglais Stephen
Hales, parue en 1727, laquelle faisait ressortir cette idée, alors audacieuse, que les lois de la physique et de la chimie ordinaires commandent entièrement les phénomènes de la vie. Ajoutons que c'est
à cette époque que Linné venait à Paris et y rencontrait Bernard
de Jussieu; mais nous verrons que Buffon n'était pas « son homme ».

Ce travail sur la botanique a pu le détacher un peu de l'industrie et de la physique pour glisser vers la sylviculture : plusieurs
Mémoires de 1738 à 1742 sur l'amélioration des forêts, leur création, la croissance des bois, ont évidemment servi à former Bré-
montier. Il se flatte de « travailler pour l'utilité publique », pré-
parant l'école des « Economistes » et des « Physiocrates », qui
sera si active avant la Révolution.

L'adminis-   Ces travaux, rédigés partie à Montbard, partie à
tration du   Paris, lui firent fréquenter le Jardin Royal des
Jardin   Plantes Médicinales, et son directeur, ou plus
du Roi.   exactement intendant, Guillaume de Cisternay-
Dufay (1698-1739), membre de l'Académie des Sciences, où il pré-
senta des *Mémoires* aux six Sections qui la composaient (géométrie,
astronomie, mécanique, anatomie, chimie, botanique). Ce savant
universel a attaché son nom à de très importantes découvertes en
électricité : existence des deux fluides, leur attraction réciproque,
aptitude de tous les corps à s'électriser par frottement s'ils sont isolés, conductibilité de l'eau. C'est enfin lui qui tira la première
étincelle électrique du corps humain. Dufay, mourant à quarante et
un ans, recommanda Buffon au Roi comme successeur. La nomination fut signée le 26 juillet 1739 : Buffon allait avoir tente-deux
ans et administrer le Jardin des Plantes pendant un demi-siècle.
Désormais Buffon, venu au Jardin pour s'occuper de questions de
pépinières et d'Arboretum, y deviendra un naturaliste complet sinon
spécialisé.

Fondé cent ans auparavant par Guy de la Brosse pour la culture

et l'étude des plantes pharmaceutiques, le Jardin n'était qu'un vaste
enclos d'herboriste, et son « Cabinet » d'animaux et de minéraux
un entassement hétéroclite de curiosités, avec un herbier et un dro-
guier; comme personnel « enseignant », trois « démonstrateurs »,
avec trois préparateurs. Pendant quarante-neuf ans, Buffon l'agrandira, complétera les collections, édifiera des bâtiments, accroîtra le
personnel, créera des galeries et un amphithéâtre, ainsi que des
« Correspondants » à l'étranger, dont les envois enrichiront les
collections.

La vie   Cette administration si active et si vigilante
à Montbard.   s'exerçait à distance aussi bien que sur place : car
Buffon avait tenu à garder sa résidence principale à Montbard, ne
séjournant à Paris que pendant la mauvaise saison. Cette vie seigneu-
riale en province, mêlée d'activité industrielle et intellectuelle avec
correspondance abondante par tout le monde, ressemble de façon
frappante à celle que mènera Voltaire à Ferney. Buffon, riche, considéré, déjà célèbre, était vraiment le seigneur du pays. Grand et
vigoureux, de belle prestance, actif et courtois, il exerçait tout
naturellement une autorité irrésistible et pleine d'aisance. S'occupant des moindres détails dans ses domaines, ami de ses vassaux avec
lesquels il causait avec une familiarité et une verdeur toutes bourgui-
gnonnes, il recevait chez lui avec largesse et courtoisie, très soigné
de sa personne, haïssant instinctivement le sans-gêne, le débraillé et
la vie bohème que Rousseau, Diderot, Retif devaient étaler et qui
éclateront sous la Révolution.

Il fut un des rares grands hommes du XVIIIᵉ siècle qui ne quittèrent
jamais leur pays pour voyager : en Angleterre comme Voltaire,
Beaumarchais ou Montesquieu, en Italie comme de Brosses, en Prusse
comme Voltaire, Maupertuis ou d'Argens, en Russie comme Diderot,
en Turquie comme Liotard ou Maillet, dans de lointaines contrées
comme La Condamine, Bernardin de Saint-Pierre, La Fayette, un
peu partout comme Rousseau. Son cabinet de travail était installé
dans une tour de son château donnant sur le parc et la campagne :
peu ou point de livres, moins encore d'appareils scientifiques. Puissamment bâti, gros mangeur et grand dormeur, il se plia à une
inflexible discipline de travail; son valet de chambre avait l'ordre
formel de le réveiller tous les matins de bonne heure, sans égard
pour son maître, dût-il le jeter à bas du lit ou lui lancer une potée
d'eau froide au visage.

Ce grand travailleur put ainsi édifier l'œuvre qu'il avait entreprise
dès sa nomination au Jardin du Roi et son passage dans la section
de botanique de l'Académie des Sciences, l'*Histoire naturelle, générale et particulière,* sans pour cela abandonner la physique : en 1752,
il sera l'un des premiers à tirer des étincelles d'un paratonnerre
exposé à l'orage. Etant fort peu naturaliste encore, il lui fallut dix
années de préparation et de documentation avant de faire paraître,

en 1749, les trois premiers livres : l'*Histoire et la Théorie de la terre*, et l'*Histoire naturelle de l'homme* (en partie). L'œuvre mise en train et son premier collaborateur formé (son compatriote Daubenton, qu'il avait nommé garde-démonstrateur au Cabinet du Roi en 1745), il songea à se marier : il épousa en 1752 Marie-Françoise de Saint-Belin-Mâlin, de vingt-cinq ans plus jeune que lui, sans fortune, mais de bonne famille locale. Leur fille devait mourir très jeune, et leur fils être guillotiné sous la Terreur en jetant ce cri qui n'éveillait plus d'écho : « Citoyens, je me nomme Buffon ! » Mme de Buffon mourait elle-même à trente-sept ans, et son mari, désemparé, malgré sa puissance régulière de travail, cessa de rien faire paraître de son *Histoire Naturelle* entre 1770 et 1773. Il est vrai qu'à ce moment il quittait les *Quadrupèdes* pour aborder les *Oiseaux*, et que, Daubenton lui faisant défaut, il prenait deux nouveaux collaborateurs : Guéneau de Montbéliard et l'abbé Bexon.

Les dernières   Jusqu'en 1787, cette existence continua à se dérou-
années   ler régulièrement, dans le confort et le travail,
et la mort.   dans la célébrité aussi : l'Académie Française l'éli-
sait sans visites ni candidature et au premier tour, le 23 juin 1753; et il prenait séance le 25 août. Jean-Jacques Rousseau venait s'agenouiller devant la tour où travaillait le maître et en baisait le seuil; le surintendant des bâtiments, d'Angivilliers, ministre de Louis XVI, faisait élever sa statue à l'entrée du Jardin des Plantes, avec cette inscription : *Majestati Naturae par ingenium.* Catherine de Russie lui envoie des fourrures et des minéraux. Voltaire ose à peine se moquer de lui. Après une maladie consécutive à la mort de sa fille et de sa femme, il se remit et vécut encore une quinzaine d'années laborieuses, éclairées par l'affectueuse amitié de la jeune Mme Necker. Enfin, souffrant de la gravelle, qui vers 1787 s'aggrava, il recula jusqu'à janvier son départ annuel pour Paris; ce voyage acheva de le fatiguer. Sa dernière sortie fut pour inspecter son Jardin des Plantes, et c'est là qu'il mourut, le 16 avril 1788. Les obsèques furent somptueuses, le 18, à Paris; puis le corps fut inhumé à Montbard, où depuis longtemps Buffon avait fait préparer son caveau. Ses derniers volumes sur les *Minéraux* (1783-1788) et les *Époques de la Nature* (1778) avaient pu être terminés.

II. — Le milieu scientifique au temps de Buffon.

Ne nous étonnons pas outre mesure de ces affectations imprévues, de ces nominations pour le moins inattendues, qui font choisir un physicien pour en faire un naturaliste, et classer à l'Académie comme botaniste un homme qui a précisément omis cette seule branche dans une œuvre en 36 volumes in-quarto. Nous sommes

habitués aujourd'hui à voir des spécialistes redouter (quand ils sont
sincères) de n'être pas encore assez sous-spécialisés pour aborder
avec autorité une branche infime de quelque science déjà très particulière. Jadis, il n'en était pas de même : non seulement sous la
Renaissance, mais aux XVII° et XVIII° siècles, il était courant de voir
un « régent » passer à une chaire de mathématiques après avoir
enseigné dix années le grec, pour continuer par l'histoire romaine
et terminer sa carrière par la théologie. Nous avons dit que Dufay,
directeur d'un jardin d'herboristerie pharmaceutique et chercheur
en électricité statique, rédigeait des *Mémoires* pour les six sections
de l'Académie.

Les amateurs.   Que dire, alors, des amateurs ! Dans ce XVIII° siècle si ardemment curieux, si fureteur plutôt que
chercheur, et discuteur plutôt que raisonneur (quoi qu'il en crût),
tous se jugeaient doués pour toutes recherches, aptes à toutes sciences. Soit par naissance, soit par célébrité acquise, reconnus « gens
de qualité », ils en gardaient d'eux-mêmes la flatteuse opinion du
marquis de Mascarille et se poussaient dans les domaines les plus
divers de l'esprit avec une audace ingénue qui nous confond. Montesquieu, magistrat de métier, se juge tout naturellement assez bon
physicien en 1721 pour écrire, avec une aisance assurée et tranquille,
un *Discours sur la transparence des corps*, des *Observations sur l'Histoire naturelle* (encore se livrait-il à des dissections de grenouilles), et
dès 1720, à trente et un ans, il « voulait écrire un grand ouvrage sur
la cosmogonie, et demandait que, pour lui faciliter son entreprise,
on lui envoyât des renseignements aussi nombreux et aussi précis
que possible » (E. DOUBLET). De même Diderot, trente ans plus
tard, écrivait des *Eléments de physiologie,* où des idées très neuves
et très audacieuses sont parfaitement présentées, et que nous cite-
rons plus loin.

Cette ardeur scientifique un peu indiscrète, très générale dans la
société, remontait d'ailleurs au règne de Louis XIV : Philaminte et
Bélise ont dans leur grenier une « longue lunette à faire peur aux
gens », et voient clairement dans la Lune des hommes ou tout au
moins des clochers; dans la satire X de Boileau, une savante estimée
de Sauveur, de Roberval et de Cassini passe sa nuit à suivre Jupiter,

> *Puis d'une femme morte avec son embryon,*
> *Il faut, chez Duverney, voir la dissection.*

Cette curiosité se trouvait réalimentée périodiquement par les
découvertes sensationnelles de Cassini, de Huygens, de Leuwenhock,
de Dufay, de Musschenbroek, etc. : lunette astronomique, micro-
scope, machines pneumatique et électrique, bouteille de Leyde, sper-
matozoïdes, paratonnerre venaient l'un après l'autre émerveiller et
passionner le public.

Il semble que l'astronomie d'abord, puis la physique (électricité) avec les cours de l'abbé Nollet, et ensuite de Charles, aient eu la faveur jusque vers 1760. La passion de la botanique (J.-J. Rousseau) et des spectacles de la Nature (Bernardin de Saint-Pierre) sera plus tardive. Buffon a sans doute mis la nature végétale à la mode, mais il est remarquable que la botanique est la seule science qu'il n'ait pas traitée — et c'est comme botaniste qu'il siégera durant un demi-siècle à l'Académie des Sciences !

Peut-être parmi tant d'amateurs y avait-il des snobs, bientôt blasés sur ces plaisirs surtout spectaculaires — mais parfois austères aussi. Pourtant, il faut observer que l'astronomie d'amateurs fut cultivée dans toute la France pendant cent ans sans diminuer de vogue; et que des travaux extrêmement ardus et demandant un labeur considérable et très sévère (calculs d'orbites planétaires et cométaires) furent accomplis par des amateurs convaincus, comme la marquise du Châtelet, Mme du Pierry, Mme Hortense Lepaute, le Premier Président Bochart de Saron. Le duc de Chaulnes, pair de France et gouverneur du Roi en Picardie, fut un très grand savant, qui a laissé des travaux d'électricité et surtout d'optique de tout premier ordre, marqués d'un cachet tout à fait personnel. On sait que Lavoisier consacra ses laborieux loisirs de fermier général à des recherches immortelles, portant successivement sur la géologie, la physique, la physiologie animale et la chimie, sans compter d'autres branches encore. Observateur rigoureux, observateur acharné et attentif, il dépasse d'ailleurs Buffon d'aussi loin que le génie surpasse le talent.

La décen-   Ces amateurs de sciences si nombreux et si pas-
tralisation   sionnés se recrutaient donc aussi bien dans l'aris-
intellectuelle.   tocratie que dans la bourgeoisie, dans l'armée
comme dans la Finance, la Justice, le Ministère religieux ou l'Administration. Ils éprouvaient forcément le besoin de se grouper, tant pour s'aider par l'échange de leurs idées et de leurs discussions, que pour se communiquer les nouvelles de la « République des Lettres, Arts et Sciences », obtenues par lettres ou gazettes de Hollande ou d'Angleterre, principal moyen de s'instruire et de se tenir au courant, et presque toujours acquisition tout individuelle. Aussi existait-il un nombre prodigieux d'Académies et Sociétés savantes de province, les unes fort importantes comme celles de Dijon ou de Bordeaux, d'autres plus modestes, mais toutes actives et convaincues. Les Parlements fournissaient avec une abondance toute particulière quantité de magistrats érudits et travailleurs [1], d'esprit fort ouvert, savants et demi-sceptiques, grandioses et bien vivants, libéraux avec

---

[1]. Consulter l'ouvrage de Foisset : *Le Président de Brosses,* Histoire des Lettres et des Parlements au XVIIIe siècle, 1842.

tous les préjugés de leur caste et de leur profession, possesseurs de galeries de tableaux, de bibliothèques et de cabinets de curiosités, amis des arts classiques comme des petits vers libertins luxueusement imprimés « sous le manteau ».

Entre tous, à cette époque où la France entière fut si vivante et si libre de toute concentration intellectuelle (Voltaire n'a pas passé le quart de son existence à Paris, et il déclare dans une lettre à M. de Vaines, du 2 février 1778 : « Je ne crois pas avoir jamais demeuré trois ans de suite dans cette ville; je ne la connais que par un Allemand qui a fait son tour de l'Europe) », en cette époque donc les Bourguignons et les Francs-Comtois se distinguèrent par leur activité : l'Académie de Dijon était plus que toute autre « fertile en beaux esprits ». Les collaborateurs de Buffon furent tous pris par lui entre Suisse et Champagne, et le recrutement en fut aisé : Daubenton était, comme lui, de Montbard, Guéneau de Montbéliard natif de Semur (1720), l'abbé Bexon de Remiremont. Et le palmarès intellectuel de la Bourgogne et alentours s'enrichit alors de bien d'autres noms : Piron (1689) et Guyton de Morveau (1737), d'abord avocat au Parlement, sont de Dijon, Cuvier (1769) de Montbéliard, Diderot (1713) de Langres, le Président de Brosses (1709), Hugues Maret (1726) de Dijon, etc. Il est remarquable combien la région comprise entre la Marne, le Rhône et la Meuse, fut au XVIIIᵉ siècle un berceau et un foyer de l'esprit français : Cirey, Gex et Ferney sont les pôles attractifs de Voltaire pendant plus de la moitié de sa longue existence; la Suisse, qui nous donne J.-J. Rousseau, Necker, Mme de Staël, qui possède Lavater, Liotard, François Huber, Bonnet, Senebier, Haller, les Bernoulli, Euler, etc., se confond intellectuellement avec la France, qui déborde à l'Est jusqu'en Prusse, en Pologne et en Moscovie.

On peut donc estimer que Buffon, comme Voltaire, tira de cette longue vie, passée pour les trois quarts dans sa Bourgogne natale, de sérieux avantages pour le travail, et que les deux « rois » du XVIIIᵉ siècle n'eussent rien gagné à rester à Paris, au milieu des cabales, des potins, des chapelles littéraires et des parlotes de cafés ou de salons. Montesquieu, lui aussi, en resta toujours éloigné. Les grands travaux partent tous de province, au moins sous Louis XV : à Paris, on n'œuvre guère que des essais, ou bien l'on entre-choque des idées au Café Procope, au Club de l'Entresol, dans les salons célèbres. Seule, l'*Encyclopédie* sera une œuvre centralisatrice, mais elle paraît après 1750 : à ce moment, la Cour de la fin de Louis XV a perdu toute son importance, parce que depuis longtemps ce n'est plus là que se rencontrent les grandes personnalités intellectuelles.

Cette liberté d'esprit et de travail, laissant tout calme et toute sérénité, convenait, jusqu'à en être une nécessité, à Buffon, génie « statique » s'il en fut : sans elle, il n'aurait pu méditer et soigner sa rédaction à loisir.

Les
prédécesseurs
de Buffon.
Quels étaient, dans ce vaste domaine, quand il
commença son œuvre énorme, ses précurseurs
immédiats, dont les premiers avaient été Aristote
et Pline l'Ancien ? On doit citer l'Anglais John Ray (1628-1705),
auteur de nombreux *Traités* sur les Oiseaux, les Poissons, les Insectes
et les Plantes, dont plusieurs *Synopsis,* qui en font un prédécesseur
de Linné; et l'abbé Pluche (1688-1761), polygraphe laborieux et
hâtif, dont les neuf volumes du *Spectacle de la nature, ou Entre-*
tiens sur l'Histoire naturelle et les Sciences, parus en 1732, ont été
souvent réédités et traduits, jusque dans le début du XIX⁰ siècle.
Quant aux véritables savants contemporains de Buffon, qui font
paraître mémoires et traités, en latin ou dans leur langue maternelle,
il suffira de citer Réaumur, Haller, Daubenton et Linné parmi les
naturalistes, Dalembert, Nollet, Musschenbroek, Maupertuis, Bou-
guer, parmi les physiciens.

III. — L'HISTOIRE NATURELLE : SA CONCEPTION, SES COLLABORATEURS.

L'*Histoire naturelle générale et particulière* constitue presque
l'œuvre de Buffon, en dehors de quelques traductions, mémoires et
lettres et de courtes plaquettes académiques. Ses 36 volumes in-
quarto, parus à l'Imprimerie Royale, ont employé quarante années
de sa vie (1749-1788).

Discours
sur l'Histoire
Naturelle.
Le *Discours sur la manière de traiter et d'étudier*
l'Histoire naturelle ouvre le premier volume;
expose nettement le dessein formé par l'auteur de
retrouver l'ordre suivi par la Nature. D'aucuns auraient fondé cet
ordre sur la « raison suffisante », dont Voltaire se moque tant dans
Candide; d'autres (et plus tard Lamarck et Darwin) le jugeaient
établi « en vue de la perfection ». Mais qu'est-ce que la raison suffisante ? demande Buffon. Qu'est-ce que la perfection ? Ne sont-ce
pas des êtres moraux créés par des vues purement humaines ? Ne
sont-ce pas des rapports arbitraires que nous avons généralisés ?
Il estime, pour sa part, que, pour retrouver l'enchaînement des
faits et des êtres, il faut prendre la place de la déesse Isis et être un
homme nouveau, placé pour la première fois en face de l'Univers.
Cet homme distinguera bien vite l'animal, le végétal, et le monde
inanimé; dans ce dernier, la terre, l'air et l'eau; d'après ces trois
éléments, les animaux, qui s'y répartissent en trois groupes : Quadrupèdes, Oiseaux, Poissons. Lorsqu'il étudiera ces animaux, il com-
mencera presque forcément par les plus familiers, ceux qui sont
domestiqués, puis il connaîtra plus tardivement les sauvages, et en
dernier lieu les exotiques. Pour que ces observations aient engendré
une science, il lui aura enfin suffi de *généraliser.*
Dès lors, le plan de l'œuvre s'établira ainsi : *Histoire et Théorie*

de la Terre, Histoire des Minéraux, Les Epoques de la Nature (Buffon en admettra sept pour l'évolution du monde terrestre), *Histoire des Animaux, Comparaison avec l'homme, Quadrupèdes domestiques, sauvages, carnassiers, Oiseaux.* Les *Poissons, Reptiles,* etc., puis les *Végétaux,* ne seront traités que par ses successeurs : Lacépède, Cuvier, de Candolle.

Publication   Les trois premiers volumes (*Théorie de la Terre,*
et   *Histoire naturelle de l'Homme*) parurent en
collaborateurs   1749; les quinze volumes des *Quadrupèdes,* de
1749 à 1767. Les six volumes des *Oiseaux* (de 1770 à 1779, puis huit autres de 1780 à 1783, après les *Epoques*) sont suivis d'un volume sur les *Insectes,* trop facilement associés aux précédents, parce que volant comme eux. Les *Minéraux* paraissent à partir de 1774, suivis des *Epoques de la Nature.*

Buffon, qui avait le travail lent, ne rédigeait pas à lui seul une œuvre aussi considérable : chose curieuse, « ce qui l'ennuyait surtout, c'étaient les descriptions » (FLOURENS, *Journal des Savants,* août 1858, page 477). Après les trois premiers tomes, il s'était attaché comme collaborateur Daubenton, de sept ans son cadet, qu'il fit nommer garde-démonstrateur du Cabinet du Roi en 1745; et, un peu après, Philibert Guéneau de Montbéliard, plus jeune que lui de treize ans, qui avait dirigé en 1754 la *Collection académique* de Dijon avec le chevalier de Buffon (frère puîné de Georges), Daubenton et son frère. Celui-ci commença sa collaboration dès le premier volume de l'*Histoire des Oiseaux,* en 1770, alors que Daubenton venait de se séparer de Buffon, un peu blessé, semble-t-il, de voir celui-ci faire extraire par Panckoucke fils une édition réduite des *Quadrupèdes,* où il ne restait plus que les descriptions extérieures, et rien de l'anatomie interne, traitée par le seul Daubenton. Le public ne s'aperçut d'ailleurs pas du changement : l'habile Guéneau attrapa en effet du premier coup la manière, les procédés et même les préjugés de son patron. Il est vrai que Buffon, qui se jugeait lui-même peu doué pour le genre descriptif, revoyait et retouchait longtemps et minutieusement les pages livrées, aussi bien que les siennes propres. Il prévint d'ailleurs ses lecteurs de la collaboration de Guéneau, mais au troisième volume seulement (1775), indiquant en particulier que le *Paon* est dû à sa plume. Ce morceau brillant possède tout à fait le genre et le nombre du vrai Buffon, mais l'idée de couleurs y est plus appuyée. Les lettres de Buffon marquent toujours beaucoup de considération pour ce précieux second.

Un peu plus tard encore, il s'attacha comme collaborateur l'abbé Bexon, actif secrétaire-rédacteur, mais qui « avait plus d'imagination que de goût... le travail facile, l'expression brillante, mais vague » (FLOURENS, *loc. cit.,* p. 472). Aussi sa prose subit-elle de la part de Buffon de nombreuses retouches, corrections et suppressions, dont Flourens donne des exemples (*id.*). Il le traite en élève qu'il doit former, de quarante ans plus jeune que lui (et qui mourra d'ailleurs cinq ans avant Buffon), et là encore ne prévient qu'assez tardivement le public de la part qui revient à Bexon dans l'*Histoire des Oiseaux* : au septième volume, en 1780; « avertissement tardif et restreint », écrit François de Neufchâteau, la collaboration ayant commencé dès le milieu de 1777. Mais Buffon lui envoie beaucoup de notes, de rédactions toutes faites, de plans, d'observations, et ne manque pas dans ses lettres de le féliciter de son zèle et de le remercier, tout en lui recommandant : « Il faut tâcher d'être court et précis. » Et Flourens cite cette phrase qui étonnera bien des lecteurs par son allure... familière : « Oh ! Oh ! la clarification du style ! c'est une autre paire de manches ! » (*sic*).

Mais l'*Histoire des Oiseaux*, privée de Daubenton, « ne donne que la superficie de l'être, et n'en donne pas la structure » (FLOURENS, *loc. cit.*, p. 749). La maîtrise de Buffon, en pleine possession de son sujet et de ses moyens, et l'habileté de main de ses collaborateurs en font néanmoins une œuvre « plus complète, mieux fournie, et, pourrait-on dire, plus harmonieusement disposée que l'*Histoire des Quadrupèdes* » (ROULE). De même, des *Epoques de la Nature*, couronnement de l'œuvre et rédigée par Buffon seul, on peut dire ce que Flourens a écrit du premier tome (*Théorie de la Terre*), également signé du seul Buffon : « De tous les ouvrages du XVIIIᵉ siècle, c'est peut-être celui qui a le plus élevé l'imagination des hommes. » (*Id.*, p. 193.)

IV. — LE SAVANT.

1° *Les principes et la méthode.*

Avant d'apprécier la valeur « technique » de Buffon, il doit être bien entendu que l'on ne saurait exiger d'un homme de son époque la rigueur ni la richesse minutieuse des comptes rendus de recherches modernes : on n'en trouve alors que rarement, et chez les plus grands expérimentateurs, un Spallanzani, un Réaumur. Chez les autres compilateurs qui travaillent « sur pièces », les références bibliographiques sont absolument insignifiantes, comparées à la monstrueuse abondance qu'elles ont aujourd'hui. Les auteurs ont pour cette documentation (qui forme pourtant le fond de leur œuvre) l'indifférence de l'abbé Vertot, sacrifiant des renseignements importants mais trop tardifs à présent que « son siège est fait ».

Nature de son génie scientifique. Même sous ces réserves, on doit reconnaître qu'au fond, Buffon n'était pas un biologiste, dans le sens complexe et rigoureux où nous entendons aujourd'hui ce terme. Peu soucieux de l'anatomie, il ne semble même pas s'être rendu compte de ce que peuvent signifier la physiologie et l'embryologie, ni avoir soupçonné la liaison profonde entre ces trois branches d'une même science. On dira que les connaissances établies à son époque — en chimie, par exemple — restreignaient forcément les acquisitions et les progrès en ces domaines. Sans doute; mais il y a l'exemple de Spallanzani (1729-1799) et de Réaumur (1683-1757) dans le domaine de l'expérimentation, de Swammerdam (1637-1680) et de Leuwenhoek (1632-1723) dans celui de l'observation microscopique, — et ces derniers sont même d'une génération antérieure, aussi bien que Malpighi (1628-1694).

Ce n'est pas   Buffon n'avait aucunement la vocation de dé-
un chercheur.   couvreur. Il n'a presque jamais cherché âprement à établir solidement un fait; il lui a suffi tantôt d'exposer les connaissances tenues pour acquises à l'époque, tantôt d'émettre — et parfois avec bonheur — des hypothèses souvent intéressantes, mais purs produits de sa réflexion et de son imagination en cabinet bien plutôt que « sur le terain ». Il a possédé, sans doute à Montbard et certainement au Jardin du Roi, un « cabi-net » : il n'a jamais eu un « laboratoire ». « Le meilleur creuset », disait-il à Guyton de Morveau, « c'est l'esprit ». Il n'y a pas là seulement excessive confiance en soi-même, c'est une tournure natu-relle de son *ingenium.* Ce n'est pas à dire qu'il n'ait jamais disséqué ni expérimenté : nous en avons au contraire des relations probantes, dues à lui-même et à ses collaborateurs. Mais ces travaux, à peine suffisants pour s'initier à la technique élémentaire, sont absolument hors de proportion avec ce que nous exigeons aujourd'hui d'un chercheur et avec ce qu'accomplissaient déjà les grands investiga-teurs de la biologie au XVIIIe siècle. Pour nous, qui ne voyons pas aujourd'hui de science sans outillage et sans technique, ni sans bibliothèque spécialisée très complète, il y a là quelque chose qui nous confond. Non pas, répétons-le, que Buffon dédaignât l'expé-rimentation, et l'on compte par centaines ses expériences. Ce qu'il y a même de curieux, c'est la haute estime qu'il affiche, sur le papier, pour une discipline qu'il pratique si peu en comparaison d'un Lavoisier. Il avait admiré et traduit Hales, et dit dans sa pré-face : « Le seul moyen de connaître est celui des expériences rai-sonnées et suivies, car toutes les autres méthodes d'investigation n'ont jamais abouti. » Mais presque aucune des siennes n'est d'ordre biologique : elles s'exercent à peu près toutes dans le domaine de la physique. La cause m'en paraît due partiellement à l'opinion — peut-être inconsciente, non explicite, mais régnante alors — selon laquelle il n'y avait qu'à laisser agir sur les êtres vivants la Nature, alors que les objets inanimés exigeaient l'intervention active et arti-ficielle de l'expérimentateur. Mais au temps où un Réaumur et un Swammerdam expérimentaient de façons aussi variées et ingé-

nieuses sans qu'un Buffon pût l'ignorer, il faut voir là, je crois, un penchant naturel de son esprit.

Ni un   Buffon n'était pas biologiste. « Il ne devint
biologiste.   jamais anatomiste à proprement parler ». L'opinion est de Flourens, qui dit encore : « Buffon était l'homme du monde le moins propre à faire un anatomiste. » Ce traducteur de Newton, cet expérimentateur de métallurgie, ce capteur de foudre sur le câble des paratonnerres, cet assembleur de miroirs ardents pour fondre les métaux, cet essayeur de la résistance de divers bois, ce mesureur de la vitesse de refroidissement des boulets de fer rougis au feu, ce statisticien des jeux de hasard et des tables de mortalité était et fut toujours par vocation profonde un physicien, suffisamment frotté de mathématiques. Son modèle fut l'abbé Nollet ou Musschenbroek, non Harvey ou Malpighi. Au surplus, son prédécesseur au Jardin des Plantes, Dufay, fut surtout un physicien, et Réaumur l'était autant que naturaliste. Si de son temps eût existé le Conservatoire des Arts et Métiers — cet équivalent exact, dans le domaine physico-industriel, du Muséum pour les Sciences biologiques — Buffon en eût été un directeur incomparable, se passionnant pour les instruments de cuivre et de verre que les Nollet, les Musschenbroek, les Ramsden et les Franklin créaient chaque année : « J'ai appris trois fois la botanique, et je l'ai oubliée de même », avouait-il. A coup sûr, il n'avait pas la vocation. Pourquoi donc ce grand amateur d'expériences de physique, ce fidèle amoureux de la mathématique appliquée, de l'art de l'ingénieur, de l'optique et de l'électricité se trouva-t-il cinquante ans enfermé dans une science à laquelle il était peu préparé, et dont il s'évadait à chaque occasion ? Sans doute parce qu'il avait été nommé, à trente-deux ans, intendant d'un jardin de plantes médicinales et conservateur d'une collection de squelettes, pétrifications et animaux empaillés.

Nul d'ailleurs ne s'acquitta plus consciencieusement des devoirs qui s'offraient à lui dans une branche qui ne l'intéressait peut-être qu'à demi : avec la loyale et consciencieuse exactitude qui caractérise ce grand honnête homme, il administra, conserva, agrandit, enrichit bâtiments et collections, recruta de façon heureuse des savants et des démonstrateurs, et mit sa réputation, son temps, son style et sa puissance de travail au service de la science où il se trouvait placé un peu par hasard. Mais il ne la fit point avancer, sauf en géologie générale, où l'on doit saluer en lui un précurseur. Il serait sot de dire que, si Buffon n'eût point existé, la zoologie et la physiologie n'eussent en rien changé leur histoire : tout ici-bas laisse sa trace. Mais enfin, en zoologie et en biologie expérimentale tout au moins, Buffon n'a laissé aucune découverte, aucun essai même de découverte. Il n'y a aucune comparaison possible entre lui et les quelques contemporains dont nous avons déjà écrit plusieurs fois les noms, et auxquels il faut ajouter Maupertuis, Bonnet, de

Portrait de BUFFON
auteur de " l'Histoire Naturelle "

Haller. Un Malpighi tient dans la science une place incomparable
à celle du glorieux Buffon; un Lamarck a ouvert des portes aux mystérieuses et lointaines perspectives, auxquelles l'intendant du Jardin du Roi a heurté à peine au passage.

Son goût   Son mérite incontestable fut sa largeur ou sa hau-
pour   teur de vues, c'est-à-dire son goût pour la médi-
l'hypothèse.   tation et pour l'hypothèse, fût-elle hasardeuse et
fondée sur des postulats fort peu solides. Ses vues sur la Nature
viennent moins d'elle que de lui : « Voilà ce que j'aperçois par la
vue de l'esprit », écrit-il quelque part. Mais, après tout, les créateurs
de théories en sont tous là, faisant assez bon marché des points de
départ, pourvu que les points d'arrivée satisfassent l'esprit de synthèse — j'entends, en style mathématique : « satisfassent à l'ensemble des conditions connues par l'expérience et l'observation, qui
servent de départ à la nouvelle théorie ». Buffon va parfois jusqu'au sans-gêne dans sa manière d'écarter les points de départ qui
n'ont pas l'heur de lui agréer : « Il s'agit bien », écrit-il dans sa
Préface de la *Statique des végétaux*, « de savoir ce qui a lieu vraiment... et non pas ce qui arriverait dans telle ou telle hypothèse ».
Ceci est la négation même de l'esprit expérimentateur. Il faut de
l'imagination pour faire de la science, et Claude Bernard ou Lord
Kelvin sont des poètes. L'influence néfaste de Berthelot, qui a si
furieusement freiné cette tendance à la fin du XIXᵉ siècle, a lour-
dement pesé sur l'Ecole française, qui pendant quarante ans s'est
trouvée éliminée du magnifique mouvement de la Physique
moderne.

En dépit de la phrase citée plus haut, l'imagination ne manquait
pas à Buffon; aucune timidité même : « Tout ce qui peut être,
est », proclame-t-il audacieusement (v, 102). Et cette précieuse
faculté a partiellement compensé l'indifférence, et même la méfiance, qu'il professait à l'égard de l'étude des faits isolés, sa bête
noire, qu'il dédaigne, aussi bien que des méthodes, dont il se défie.
Cent passages de son œuvre en témoignent : « L'examen des petits
objets ne permet rien au génie », écrit-il près de cent ans après que
Malpighi a édifié à lui seul la moitié de l'anatomie moderne.

Quand il a voulu lutter avec un Needham pour les observations
microscopiques, il n'arriva qu'à accumuler des erreurs, tant par
manque complet de technique que parce que, de son propre aveu,
son système était déjà tout bâti dans sa tête avant de mettre l'œil
à l'oculaire, où il ne verra que ce qu'il veut bien. Aussi ne croit-il
plus guère à l'observation pure, et Flourens peut écrire avec exactitude : « Buffon ne veut plus juger les objets que par les rapports
d'utilité ou de familiarité qu'ils ont avec nous », ce qui est
proprement enfantin. Mais il en donne placidement pour raison
« qu'il nous est plus facile, plus agréable et plus utile, de considérer les choses par rapport à nous, que sous aucun autre point de

vue » (I, p. 34). Venant d'un autre que de ce grand travailleur,
un pareil anthropocentrisme serait taxé de paresse intellectuelle. A
coup sûr, Buffon n'était rien moins que paresseux; mais son dédain
pour l'attentive, humble et patiente recherche « qui veut beaucoup
d'amour » (« il faut du courage, soupire-t-il, pour s'occuper de
petits objets »), fruit peut-être d'une excessive confiance dans les
ressources de sa méditation personnelle, en tout cas conséquence de
sa tournure d'esprit et de ses goûts, ce dédain a fortement pesé
sur la valeur de sa production scientifique : il ne reste d'elle, en
dehors de descriptions tout extérieures, superficielles dans l'exact
et mauvais sens du mot, que des théories tout hypothétiques, discutables même pour son époque, et aujourd'hui presque toutes intégra-
lement périmées, alors que les découvertes et les descriptions contemporaines des microscopistes et anatomistes hollandais, italiens ou
anglais, sont demeurées en grande partie, et ont servi de points de
départ à leurs successeurs. Buffon écrit bien : « Assemblons des
faits pour nous donner des idées », mais des faits il ne prend que
ceux qui se présentent d'eux-mêmes au premier coup d'œil, ou qui
sont commodes pour ses idées personnelles.

Il se trouve d'ailleurs que cette tournure d'esprit l'a bien servi
dans la meilleure partie de son œuvre, la plus originale et la plus
forte, la *Théorie de la Terre* et sa conclusion, les *Epoques de la
Nature*. En géologie en effet, l'expérimentation est très réduite ou
impossible; d'autre part, l'observation y est en quelque sorte statique, plus contemplative que conduite en laboratoire à grand ren-
fort d'instruments et dessins. Enfin, puisqu'il s'agit de reconstituer
par la pensée des régions, des transformations ou des êtres inacces-
sibles ou disparus, l'imagination et l'esprit de synthèse prennent
une importance particulière. Or Buffon avait précisément étudié
de près les minerais, étant propriétaire de forges et fonderies; et il
avait également eu des facilités pour en recevoir de nombreux spé-
cimens de tous ses correspondants, tant roches que fossiles, de
conservation indéfinie et n'exigeant qu'un examen externe attentif.
Ajoutez qu'il avait procédé à des expériences serrées sur le refroidissement des scories et des métaux incandescents. Il s'est donc
trouvé très bien armé pour édifier sur la géogénie et l'évolution du
globe une œuvre de réelle valeur, qui fera autorité jusqu'à Laplace,
Cuvier, Lyell et d'Orbigny, c'est-à-dire pendant un demi-siècle, sans
d'ailleurs avoir encore aujourd'hui perdu toute valeur. De nos jours
même, bien des points nous restent aussi obscurs ou discutés que de
son temps, bien que nous disposions d'échantillons, sondages, documents d'exploration, de procédés d'investigation et de connaissances en minéralogie, chimie, radio-activité, météorologie et anatomie, tous inconnus il y a deux cents ans, ce qui suffit largement
à excuser ses erreurs et à justifier le magnifique éloge porté sur
la Terre par Flourens, que nous avons rapporté plus haut.

Défauts de sa méthode. Fait plus grave peut-être : ce savant, qui dédaignait aisément l'investigation matérielle en laboratoire, n'accorde pas non plus d'importance à l'esprit de méthode, qui doit relier les faits découverts pour en édifier logiquement une loi rendant compte de tous les phénomènes observés. Il n'en convient pas toujours, et parle volontiers comme un disciple de Bacon ou de Descartes : mais en fait il trouve plus commode (c'est lui qui le dit), plus congruent aussi à son génie très généralisateur, de tracer du premier coup de grands tableaux d'ensemble, et de laisser tomber de sa plume magnifique des lois décidées par lui, sinon *a priori*, du moins en négligeant les travaux d'approche intermédiaires et progressifs. Il est si sûr de lui qu'il n'engage ni ne poursuit jamais de polémique : il continue son chemin sans discussion, comme la Nature elle-même à travers les « Epoques », laissant la critique des doctrines, comme celle des faits, aux tâcherons de la science, qui dans leurs blouses salies dissèquent, dosent ou rivent leur œil à l'oculaire, dans la poussière des laboratoires. « Olympien », eût-on dit du temps de Gœthe; « pontife », dirions-nous à présent. Ce travers fréquent et presque naturel chez un auteur célèbre, n'est d'ailleurs pas particulier à Buffon; mais il lui a mérité ce reproche de Flourens, bon juge en la matière : « Buffon n'a jamais vu, d'une vue nette, ce que c'est que la méthode en histoire naturelle. » C'est une faible consolation que de penser que bien d'autres, contemporains ou non, ont connu la même carence, et ont émis en physique ou en biologie les théories explicatives les plus ahurissantes, inspirées par le seul désir de donner une raison, bonne ou mauvaise, et ne reposant au besoin sur rien du tout. La commodité, la facilité suffisent pour déterminer Buffon à adopter ou à rejeter : pour faire admettre une théorie personnelle absolument a-prioriste sur les molécules organiques, il propose (II, 20 sqq.) comme arguments : « Il me paraît très vraisemblable qu'il existe réellement... Il suffit de concevoir que dans la nature... » « On est confondu », dit Flourens avec une juste sévérité, « de voir un aussi beau génie, un esprit si net, se payer d'un mot; et parce qu'il dit ce mot, s'imaginer qu'il explique un fait ».

Hostilité aux classifications de Linné. Là où ce dédain presque agressif pour la méthode se montre le plus clairement, c'est évidemment en matière de classification. Celle-ci, auxiliaire assez humble, mais jusqu'à en être indispensable, du naturaliste (à telles enseignes que le public voit souvent dans celui-ci un simple expert mnémotechnicien capable de dire instantanément le nom de tout échantillon à lui soumis), celle-ci est essentiellement fondée sur l'indication précise des caractères anatomiques et leur association systématique (rappelons que la partie de la Zoologie et de la Botanique qui traite du groupement des formes voisines, de leur signalement individuel, et de leur dénomination s'appelle précisément la Systématique) : ce sont là les deux choses qui étaient le plus indifférentes à Buffon. On comprend dès lors qu'il se soit élevé contre un systématicien, un classificateur tel que Linné, à qui il reproche de sectionner et de compartimenter la nature. Son esprit est trop synthétique et trop peu assujetti aux embarras matériels que le travailleur rencontre au laboratoire ou dans les fouilles aux bibliothèques, pour comprendre et accepter l'utilité, la nécessité de ce travail de découpage et de rangement :

Il n'existe réellement dans la nature, dit-il, que des individus, et les genres, les ordres et les classes n'existent que dans notre imagination.

Personne n'a jamais dit le contraire, ni pris ces cadres artificiels pour autre chose que des artifices commodes pour classer et retrouver. Mais, comme répond très justement Flourens : « Les *groupes* sont l'expression des rapports des êtres, et ces rapports sont des choses réelles. » Les lois, dans la signification la plus étendue, sont « les rapports nécessaires qui dérivent de la nature des choses », avait dit Montesquieu avec une précision vraiment grandiose. Le dédain de Buffon pour les classificateurs marque à la fois son manque de pratique technique et son incompréhension de la méthode fondée sur l'observation — et non point mise au seul service de l'imagination pour exposer avec ordre ce que celle-ci enfante.

2° Sa classification.

Comme il faut pourtant bien créer un certain ordre, et même une certaine apparence de logique, dans l'enchaînement des conceptions et des expositions, Buffon admet pour son usage une sorte de classification : mais quelle classification ! Il se refuse à admettre avec Linné la notion de genre comme distincte de celle d'espèce, et feint de mal interpréter ce qu'entend le naturaliste suédois en créant les types synthétiques *Lupus* ou *Felis* :

Ne serait-il pas plus simple, plus naturel et plus vrai de dire qu'un âne est un âne et un chat un chat, que de vouloir, sans savoir pourquoi (?) qu'un âne soit un cheval et un chat un loup-cervier ?

Et après cette déformation de la pensée linnéenne, où l'on a de la peine à ne pas voir de la mauvaise foi, voici la solution qu'il trouve :

Il vaut mieux ranger les objets dans l'ordre et dans la position où ils se trouvent ordinairement (?), que de les forcer à se trouver ensemble en vertu d'une supposition. Ne vaut-il pas mieux faire suivre le cheval, qui est solipède, par le chien qui est fissipède, et qui a coutume de le suivre en effet (!!!), que par un zèbre, qui nous est peu connu (!) et qui n'a peut-être (!) d'autre rapport avec le cheval que d'être solipède ? (I, 36.)

Un pareil enfantillage était insoutenable. La vérité, comme l'écrivait dès 1749 Lamoignon-Malesherbes dont nous allons relater les justes critiques, c'est « le peu de connaissance que M. de Buffon a des auteurs systématiques... M. Linnæus, dont je crois qu'il a trop peu lu les ouvrages, et dont il n'a pas saisi l'esprit ».

Il est juste, d'autre part, de souligner ce qu'il y a de judicieux dans certains principes formulés par Buffon; mais ils ne vont point à l'encontre de ceux de Linné :

Il faut bien se garder de juger la nature des êtres par un seul caractère; il se trouverait toujours incomplet et fautif. Souvent même deux et trois caractères, quelque généraux qu'ils puissent être, ne suffisent pas encore, et ce n'est, comme nous l'avons dit et redit, que par la réunion de tous les attributs, et par l'énumération de tous les caractères, qu'on peut juger de la forme essentielle...

Rien de plus fautif que la distinction des espèces fondée sur des caractères aussi inconstants qu'accidentels.

Nos nomenclateurs modernes paraissent s'être beaucoup moins souciés de restreindre et de réduire au juste le nombre des espèces, ce qui néanmoins est le vrai but du travail du naturaliste, que de les multiplier, chose bien moins difficile et par laquelle on brille aux yeux des ignorants. Car la réduction des espèces suppose beaucoup de connaissances, de réflexions et de comparaisons; au lieu qu'il n'y a rien de si aisé que d'en augmenter la quantité; il suffit pour cela... d'admettre, comme caractères spécifiques, toutes les différences soit dans la grandeur, dans la forme et dans la couleur, et de chacune de ces différences, quelque légère qu'elle soit, en faire une espèce nouvelle et séparée de toutes les autres. Mais malheureusement, en augmentant ainsi très gratuitement le nombre nominal des espèces, on n'a fait qu'augmenter en même temps les difficultés de l'histoire naturelle.

Qu'aurait dit le malheureux Buffon devant les innombrables sous-espèces créées un siècle plus tard par Jordan et Timbal-Lagrave ? Sa bouderie à l'égard de la Systématique était d'ailleurs si puérile, et sa propre solution tellement dérisoire, qu'il lui fut impossible de ne pas suivre les principes linnéens, peut-être presque inconsciemment : dans son *Histoire des Oiseaux*, et même plus tôt (dès les *Singes*), il adopte tacitement les principes posés à partir de 1735 dans le *Systema naturae*, les *Fundamenta botanica* et autres ouvrages du grand savant suédois : « Ce qu'il avait condamné, il l'adopte alors », observe un peu narquoisement Geoffroy Saint-Hilaire. Linné d'ailleurs sut riposter aux dédains de Buffon : dans sa nomenclature, il réserva le nom de Buffonia à une plante peu engageante par son odeur.

Critiques qu'elle soulève. Les insuffisances et les erreurs où son mépris de la technique investigatrice laissait tomber Buffon, et qu'aggravait son renom éclatant, ne pouvaient passer sans être relevées : si les critiques à son endroit furent relativement peu nombreuses et de ton modéré, elles se produisirent pourtant. Une des plus pertinentes fut dressée par un de ces grands magistrats lettrés et philosophes, curieux d'économie politique et rurale, comme il y en eut tant : l'illustre Chrétien Guillaume de Lamoignon de Malesherbes, le défenseur de Louis XVI. Ses observations, parues en 1798 par les soins d'Abeille, sont pleines de sens, de force et de modération. Nous avons cité plus haut ce qu'il dit sur la manière de Buffon d'interpréter Linné. Dès le début, cet amateur fait le procès de l'amateurisme de Buffon :

> Lorsque l'ouvrage de M. de Buffon fut annoncé au public, il me parut que, sous ce titre d'*Histoire naturelle générale et particulière,* l'auteur promettait un Traité complet sur chaque partie de cette science, et ce projet me sembla d'autant plus hardi que M. de Buffon n'avait pas encore paru dans le monde savant comme naturaliste; il était déjà célèbre par plusieurs Mémoires lus à l'Académie des Sciences sur différents sujets d'agriculture, de physique et de géométrie, et par une traduction très estimable; mais ces différentes connaissances me paraissaient autant de diversions à l'étude de la science. (I, 3.)

Ce jugement est malheureusement juste. Et, pour s'en tenir au principe de la classification, Lamoignon de Malesherbes réplique à la parole de Buffon rapportée plus haut, par cette simple phrase : « Il suffit de choisir des caractères fixes, constants et invariables : il y en a dans la nature. » (I, 13.) Buffon n'en disconvient pas, mais on a vu qu'il se défie, non sans raison d'ailleurs, des subdivisions pratiquées d'après un seul caractère. Cuvier l'eût rassuré, une génération plus tard, par le principe suivant lequel l'existence d'un caractère important entraîne par répercussion la présence « corrélative » de plusieurs autres.

En résumé, il est permis d'estimer que M. Roule est peut-être trop indulgent ou trop admiratif, quand il écrit : « Il généralise avec ampleur, selon la forte trempe de son esprit, et ne perd jamais pied, ne s'abandonne point à la rêverie et à l'invention. » Qu'il généralise avec ampleur, c'est incontestable, et c'est là son mérite et son éloge. Qu'il ne perde jamais pied, ce n'est malheureusement que trop vrai, en ce sens qu'il édifie de bout en bout un système cohérent coûte que coûte, sans que le doute l'effleure jamais, sans qu'il relève les faits gênants et sans qu'il daigne discuter le pour et le contre : *magister dixit !* Mais on ne peut dire qu'il ne s'abandonne point aux plus insoutenables rêveries et à la pure invention, quand on voit ce qu'il affirme sur le climat qui suffit à modeler les diverses races humaines, sur l'hérédité des mutilations, sur la génération spontanée des vers, des champignons, etc. (« Tous ces corps n'existent que par une génération spontanée », affirme-t-il tranquillement (t. IV, p. 339), malgré les travaux presque décisifs de Rédi, de Swammerdam, de Réaumur, de Spallanzani, de Vallisneri), sur la reproduction vivipare, sur le système confus et fantaisiste des « molécules organiques » et du « moule intérieur ». Cardan ou le P. Kircher n'ont parfois pas plus divagué, ni soutenu de faussetés plus criantes.

3° *Les idées de Buffon.*

Nous venons de voir la méthode de travail et les conceptions de
Buffon sur l'histoire naturelle, certaines des vues d'ensemble qu'il
a émises, les principes qui l'ont dirigé, et nous avons relevé son
peu de souci de la technique d'investigation, son dédain pour les
« petits faits isolés », son mépris pour la classification systématique.
Il est maintenant indispensable de mettre en relief les principales
conclusions auxquelles il est arrivé, et les grandes hypothèses, trop
souvent sacrées lois ou principes, qu'il a formulées dans un style
toujours magnifique, dont l'ampleur sereine et la majestueuse précision conviennent à merveille à ces vastes ensembles. C'est avec raison
que M. Roule qualifie d'« invocations » ses hypotyposes sur les vues
de la Nature, au début des volumes XII et XIII.

Flourens a mis en valeur de la façon la plus exacte ces grandes
conclusions, générales ou particulières, de Buffon. On ne peut faire
autrement que de suivre dans son exposé cet illustre physiologiste.
Nous insisterons toutefois sur la place que tiennent ces conclusions
buffoniennes dans l'histoire de la Science, sur l'importance qu'elles
ont eue pour les successeurs, ou sur leur degré de nouveauté. Dans
le tourbillon d'idées qui fusaient de toutes parts au milieu du
XVIII° siècle, bien des théories nouvelles étaient « dans l'air » et se
sont trouvées présentées à peu près simultanément par plusieurs
« philosophes ». De telles rencontres sont fréquentes à toutes les
époques et l'on sait de reste la difficulté qu'il y a à établir exactement
une antériorité. L'originalité, souvent très marquée, de Buffon ne
saura donc se trouver atteinte, s'il nous arrive de lui trouver des
devanciers. Disons dès maintenant que, dans la première page de sa
magistrale étude, Buffon signale déjà avec raison la grande influence
qu'ont exercée sur sa formation Aristote, Descartes et Leibniz.

Généralité
du plan
de la Nature.
Tout d'abord, son idée maîtresse, la théorie fondamentale qui commande toute l'édification de
son œuvre, est la notion de *généralité* et de
continuité dans le temps et dans l'espace : la Nature ne connaît
ni l'erreur ni la fantaisie, elle a son plan, absolument général pour
toute la création, valable sur toute la terre et permanent à travers
les âges. Cela entraîne plus ou moins explicitement l'idée que tous
les animaux, pour ne pas dire tous les êtres vivants, sont réductibles
les uns aux autres et ne sont que des variations et des perfection-
nements d'un archétype général, dont les traits fondamentaux se
retrouvent chez tous et qu'il s'agit de dégager. Une phrase célèbre
et magnifique le proclame :

En créant les animaux, l'Etre suprême n'a voulu employer qu'une
idée, et la varier en même temps de toutes les manières possibles, afin

que l'homme pût admirer également et la magnificence de l'exécution et la simplicité du dessein. (IV, p. 379.)

Il est remarquable que quatre-vingts ans plus tard, la théorie cellulaire, édifiée par les micrographes Schwann, Schleiden, Dujardin, von Mohl, Purkinje, Nägeli, etc., conclura aussi que, dans son schéma essentiel et fondamental, tout être vivant est semblable à tout autre.

Réaumur approuva ce point de vue, non sans quelque restriction, car il pense, lui, aux Invertébrés, bien plus variés et plus hétérogènes. Ceux-ci étaient presque ignorés de Daubenton, et de Buffon plus encore. C'est Cuvier qui insista sur l'intérêt qu'ils présentent, et qui depuis cent ans leur a fait prendre en biologie une importance considérable. On n'aurait pas l'idée aujourd'hui de prendre comme base de la biologie zoologique les mammifères.

Il en résultera que les différences entre un type et un autre sont graduelles, insensibles, ne permettant pas de vraies classifications, et que les dérivations les plus audacieuses sont permises pour un large et profond esprit : c'est après avoir insisté sur la réelle ressemblance de la structure du Cheval avec celle de l'Homme (lui qui se refuse à laisser dans un même *genus* le Cheval et l'Ane), à la suite de la description anatomique faite par Daubenton, que Buffon écrit la phrase d'allure bossuétique que nous venons de citer.

Par cela même qu'elle reconnaît des différences de détail en nombre indéfini entre les animaux ou végétaux vivant à la même époque, cette unité de plan admettra aussi des différences de structure anatomique dans le cours du temps. Dans l'*Introduction*, vraiment magnifique, de ses *Epoques de la Nature* (1778), Buffon écrit :

Quoiqu'il paraisse à la première vue que ses grands ouvrages ne s'altèrent ni ne changent, et que dans ses productions, même les plus fragiles et les plus passagères, elle se montre constamment la même, puisqu'à chaque instant ses meilleurs modèles reparaissent à nos yeux sous de nouvelles représentations; cependant, en l'observant de près, on s'apercevra que son cours n'est pas absolument uniforme, on reconnaîtra qu'elle admet des variations sensibles, qu'elle reçoit des altérations successives, qu'elle se prête même à des combinaisons nouvelles, à des mutations de matière et de forme; qu'enfin, autant elle paraît fixe dans son tout, autant elle est variable dans chacune de ses parties; et, si nous l'embrassons dans toute son étendue, nous ne pourrons douter qu'elle ne soit aujourd'hui très différente de ce qu'elle était au commencement, et de ce qu'elle est devenue dans la succession des temps.

On le voit, la fermeté de plan que Buffon reconnaît à la nature et s'impose à son exemple (*Majestati Naturae par ingenium !*) ne laisse pas de permettre une grande souplesse dans l'interprétation. C'est même la précision et la rigueur qui pourraient être exposées à souffrir.

Cette double idée directrice, qu'il y a des transitions entre tous les êtres et que ceux-ci ont évolué au cours des siècles, n'était assurément pas nouvelle. On peut même dire que la plupart des grands penseurs avaient tenu à en faire des articles de foi. Si Buffon ne trouve avec raison, entre les animaux et les végétaux, que des différences assez faibles, s'effaçant même chez les plus simples, Aristote allait bien plus loin et admettait une gradation insensible entre toutes les créatures, depuis le plus bas de l'échelle des êtres, même minéraux. Il est fort remarquable d'ailleurs de constater, dans le monde savant contemporain, le renouveau d'admiration pour Aristote, plastron des railleries et du dédain depuis deux siècles, en réaction contre le Moyen Age. Sans reprendre à son compte les invraisemblables métamorphoses qu'admettait cette époque comme l'Antiquité (Pline, Aristote, Hérodote, le *Livre des Merveilles*...), Leibniz déclarait que « La *Loi de continuité* exige que tous les êtres naturels ne forment qu'une seule chaîne » : il est seulement fâcheux que cette « loi de continuité » ne soit qu'une indémontrable vue de l'esprit. Il devient amusant de trouver sous la plume de Buffon, écrivant : « La Nature marche par des gradations inconnues » (I, p. 13), à peu près la même phrase latine que son adversaire Linné : « *Natura non fecit saltus.* » Deux grands philosophes de la Nature ne peuvent pas n'avoir pas de points communs : « Toute espèce est intermédiaire entre deux autres », écrit encore Linné. En réalité, il semble bien — s'il y a en ce monde plus de choses que n'en connaît notre zoologie — que le monde des formes intermédiaires ne soit pas infini et que les transitions se fassent par échelons, par *quanta*, en laissant des lacunes morphologiques, qui n'ont pas et n'ont jamais eu de représentants : *Natura fecit saltus*, on l'admet aujourd'hui. L'idée fut d'ailleurs ramenée à sa juste valeur par Réaumur, observateur et expérimentateur d'une bien autre classe que Buffon. Celui-ci, par une sorte d'inconséquence, admet pourtant des espèces bien distinctes, constituant « une catégorie parfaite, entière, définie » (Roule); et il cherche un critère capable d'en déterminer les limites : ce sera, croit-il, la possibilité d'engendrer une descendance, elle-même fertile.

De cette unité de plan fondamental résulte la tendance de Buffon à n'employer « comme seul art » que la comparaison. Puisqu'il est un facteur commun chez tous les êtres, en les faisant défiler devant soi on finira par le reconnaître forcément :

Quelle connaissance réelle, dit-il, peut-on tirer d'un objet isolé ? Le fondement de toute science n'est-il pas dans la comparaison que l'esprit humain peut faire des objets semblables et différents ?...

Etonnons-nous une fois de plus qu'après cette profession de foi, et féru de comparer sans jamais décrire isolément, il ait méconnu à pareil point la Systématique, ne fût-ce que comme exercice intellectuel, puisqu'elle ne peut se faire qu'en s'adressant à plusieurs êtres à la fois et qu'elle est précisément la synthèse et l'aboutissement de « la comparaison des objets semblables et différents ». Mais il sem-

blait persuadé, et peut-être n'avait-il pas tout à fait tort, que les
« nomenclateurs » ne cherchent qu'à séparer et jamais à rassem-
bler, qu'ils n'insistent que sur les différences qui leur servent à
élever des cloisons, et jamais sur les ressemblances qu'ils utilisent
cependant pour enclore les espèces dans les genres, ceux-ci dans les
ordres, etc. Il semble n'avoir connu la Systématique que par les
Flores, qui sont des ouvrages purement analytiques à but tout spécial, des outils de travail créés pour la *détermination*, c'est-à-dire
la descente vers la plus petite unité. Lamoignon de Malesherbes, sans
doute formé par Bernard de Jussieu, n'avait pas tort en lui repro-
chant sa documentation très insuffisante en la matière.

Evolution morpho-logique. Quant à l'idée d'évolution morphologique des espèces au cours des temps, évolution pouvant aller jusqu'à transformer la descendance d'un animal du passé en un animal de notre époque et tout différent (ce
qu'on appelle, un peu sommairement, le *Transformisme* et que Buffon appelle la *Dégénération*), c'était une idée tout aussi ancienne,
et tout aussi formellement soutenue par maints auteurs, commençant à Lucrèce et dont le dernier en date était Guéneau de Monbé-
liard, le collaborateur de Buffon. On sait l'extension qu'elle a prise
avec Lamarck et Geoffroy Saint-Hilaire, Serres, Darwin, Haeckel,
bref dans tout le XIX⁰ siècle. Ce qui est remarquable chez Buffon,
c'est qu'il précède Lamarck par l'importance qu'il accorde (sans
être le premier) à l'influence exercée sur les êtres vivants par le
milieu où ils vivent. Aucun sans doute n'avait encore autant insisté
sur ce pouvoir « morphogénique » des circonstances ambiantes :

La forme des espèces vivantes n'est pas inaltérable, elle peut varier
et même se changer complètement, suivant le milieu où elles vivent.

Il reconnaît trois causes de modification morphique de l'animal :
climat, nourriture, domestication (ou mœurs s'il s'agit de l'homme :
III, p. 447). Il cite le chien comme l'animal le plus transformé par
ces trois facteurs — et, de fait, si l'homme se trouvait pour la
première fois mis en présence d'animaux aussi dissemblables qu'un
lévrier et un bouledogue, un basset et un terre-neuve, un carlin et
un chien-loup, au lieu d'avoir assisté depuis des milliers d'années à
la lente formation de ces races, nul doute qu'il en ferait non pas
même des espèces, mais des genres différents. Buffon va jusqu'à
attribuer à la domestication la bosse du chameau ! Il exagère beaucoup aussi la plasticité de la race humaine, qui n'aurait qu'un seul
type originel, dont les différentes variétés viendraient « de différents changements par l'influence du climat, par la différence de
nourriture, par celle de la manière de vivre » (III, p. 529). Il admet
un parallélisme rigoureux entre la couleur et le climat : « L'homme
est teint de la couleur du climat. » M. Topinard a longuement réfuté

cette assertion, absolument mal fondée et insoutenable : les Esquimaux, Samoyèdes et Lapons sont aussi basanés de teint et foncés de
cheveux et de prunelle que leurs voisins scandinaves ou canadiens
sont blonds et roses de peau.

On connaît le passage célèbre de Diderot dans son *Rêve de
d'Alembert* :

> Tous les êtres circulent les uns dans les autres, et par conséquent
> toutes les espèces... Tout est en flux perpétuel. Tout animal est plus ou
> moins homme; tout minéral est plus ou moins plante; toute plante
> est plus ou moins animal. Ne concevez-vous pas que tout se tient dans
> la nature, et qu'il est impossible qu'il y ait un vide dans la chaîne ?

Buffon n'est guère moins audacieux et moins net : il formule, mais
pour ne pas l'accepter, cette hypothèse que les animaux pourraient
être « venus d'un seul animal qui, dans la succession des temps, a
produit, en se perfectionnant et en dégénérant, toutes les races des
autres animaux. » Il exprime même cette idée tout à fait remarquable qu'il ne serait pas impossible que « tous les animaux du Nouveau Monde ne fussent en définitive les mêmes que ceux de l'Ancien, dont ils auraient autrefois tiré leur origine », et qui se seraient
modifiés sous « les effets d'un climat nouveau lui-même ». Ce qui
encourageait à admettre ces transformations d'une espèce en une
autre, c'était l'opinion, encore peu démontrée, mais de plus en plus
admise, que des espèces peuvent disparaître :

> Tout semble démontrer, dit-il, qu'il y a eu des espèces perdues, c'est-
> à-dire des animaux qui ont autrefois existé et qui n'existent plus.
> (*Epoques de la Nature*, V, p. 27.)

On ne peut s'empêcher de citer encore une phrase de Diderot,
ce tumultueux et prodigieux entraîneur, le véritable animateur de
la seconde moitié du XVIIIe siècle, qui, outre des *Eléments de Physiologie*, a écrit (1754) des *Pensées sur l'interprétation de la Nature* :

> De même que, dans les règnes animal et végétal, un individu com-
> mence pour ainsi dire, s'accroît, dure, dépérit et passe, n'en serait-il pas
> de même des espèces entières ?

Cette idée de la mort d'espèces jadis vivantes, que compléterait
si bien la notion d'espèces nouvelles faisant leur apparition aux dépens
d'autres, Buffon n'hésite pas à l'admettre, voire à en préciser les
causes dans les termes mêmes qu'emploiera Darwin cent ans plus
tard en invoquant la « concurrence vitale » :

> Les espèces les moins parfaites, les plus délicates, les plus pesantes,
> les moins agissantes, les moins armées, etc. ont déjà disparu ou dispa-
> raîtront avec le temps.

C'est le grand principe de la « sélection naturelle ». Partant de
ce principe, et oubliant son ancienne opinion sur les insensibles

transitions entre les formes vivant à la même époque, il essaie de
ramener les espèces d'un très grand groupe à un assez petit nombre
de types « standard », d'« espèces premières », qu'il monographie
en détail et auxquelles il rattachera les autres comme en descendant :

Les deux cents espèces dont nous avons donné l'histoire peuvent se
réduire à un assez petit nombre de familles ou souches principales,
desquelles il n'est pas impossible que toutes les autres soient issues.
(XIV, p. 358.)

Il trouve ainsi chez les mammifères quinze de ces genres primitifs
ou souches, plus neuf irréductibles formant espèces isolées (éléphant,
rhinocéros, hippopotame, girafe, chameau, lion, tigre, ours, taupe).
Ce choix nous semble presque burlesque aujourd'hui. Mais les qualités un peu vagues que Buffon prête à la sacro-sainte Nature lui
permettent commodément d'admettre toute évolution dans l'espace
comme dans le temps : « La Nature marche toujours et agit en
tout par degrés imperceptibles et par nuances », écrit-il, et cette
patience s'accordait bien avec la sienne. Il ne fait d'exception et
n'admet de brusque hiatus, nous le dirons plus loin, que lorsqu'il
arrive à l'homme. Il n'aurait point adopté les vues excessivement
hardies de son contemporain Charles Bonnet, qui, « en deux ouvrages
dont le succès fut grand, la *Contemplation de la Nature* et la
Palingénésie, décrivit une chaîne des êtres, commençant par les
minéraux, aboutissant à l'homme en passant par la plante et l'animal, et franchissant même cette limite pour se terminer par des
créatures supérieures et voisines de la Divinité. » (L. ROULE).

Unité   Si les êtres vivants sont bâtis sur le même plan,
de matière.   et, avec le temps, peuvent être transformables les
uns en les autres, il devient permis de dire qu'ils sont en somme inter-
changeables, et par suite qu'ils sont tous faits de la même matière.
Sans aller jusqu'à une aussi sèche et formelle affirmation, qui trouvera
quelque créance dans tout le milieu du XIXᵉ siècle, Buffon s'enhardit
jusqu'à proposer, dans son deuxième volume, une audacieuse théorie
destinée à répondre à un point particulier (la succession indéfinie des
générations, par germes minuscules et dont chacun semble cependant devoir contenir tous les descendants ultérieurs : théorie de
« l'emboîtement des germes »). Cette théorie, un peu vague si on
l'examine dans son détail, est dite « des molécules organiques »
et du « moule intérieur ». Voici comment on peut à peu près la
résumer.
   Buffon admet que la matière animée de toute la Nature vivante
est ici-bas en quantité limitée et permanente; qu'elle disparaît des
êtres morts, par leur décomposition, pour servir à en refaire d'autres,
vivants : « Ces molécules passent de corps à corps. » Il expose ainsi,
dans une « magnifique période progressive et cadencée » (ROULE),
cette vue générale :

A prendre les êtres en général, le total de la quantité des vies est donc toujours le même, et la mort, qui semble tout détruire, ne détruit rien de cette vie primitive et commune à toutes les espèces d'êtres organisés..., la mort n'attaque que les individus, ne frappe que la surface, ne détruit que la forme, ne peut rien sur la matière, et ne fait aucun tort à la Nature qui n'en brille que davantage, qui ne lui permet pas d'anéantir les espèces, mais la laisse moissonner les individus et les détruire avec le temps, pour se montrer elle-même indépendante de la mort et du temps, pour exercer à chaque instant sa puissance toujours active, manifester sa plénitude par sa fécondité, et faire de l'Univers, en reproduisant, en renouvelant les êtres, un théâtre toujours rempli, un spectacle toujours nouveau.

Cette idée sera plus tard reprise et très précisée par Liebig et par d'autres chimistes, mais qui restreindront ce « cycle vital » à un échange de molécules chimiques bien déterminées, des corps simples en dernière analyse. Mais, à l'époque de Buffon, l'on n'avait encore aucune idée des principes fondamentaux de la chimie. Il va donc d'emblée au complexe, ce qui était le plus simple en supposant qu'

il existe, répandue dans toute la nature, une matière organique, animée, commune à tous les êtres, tant animaux que végétaux, et qui sert à leur nutrition et à leur développement... (elle) se compose de parcelles indestructibles, incorruptibles, qui sont les « molécules organiques ». Introduites dans le corps par l'alimentation, elles ne peuvent opérer la nutrition et le développement qu'en pénétrant intimement la forme des parties où elles s'incorporent, en se moulant sur le moule intérieur. (J. ROSTAND.)

Il ajoute que les molécules non utilisées se concentreront en éléments mâles et femelles qui assureront la génération. Ce système procède à la fois de Leibniz (les monades) et de Maupertuis, dont il admirait l'originale *Vénus physique* (1745).

Idées sur l'homme. Il est important de connaître les idées de Buffon sur l'homme. Avant tout, il lui assigne une place absolument à part dans la Nature, où il est le seul « qui fasse en même temps espèce et genre » (XIV, p. 353). Il se rend bien compte que, du point de vue anatomique, les différences entre l'homme et les anthropoïdes sont médiocres, mais c'est aux facultés spirituelles qu'il demande une distinction entre le règne humain et le règne animal :

Il y a une distance infinie entre les facultés de l'homme et celles du plus parfait animal, preuve évidente que l'homme est d'une différente nature, que seul il fait une classe à part, de laquelle il faut descendre en parcourant un espace infini, avant que d'arriver à celle des animaux... On passe tout d'un coup de l'être pensant à l'être matériel, de la puissance intellectuelle à la force mécanique, de l'ordre et du dessein au mouvement aveugle, de la réflexion à l'appétit. »

Une des plus fortes différences est la présence ou l'absence du langage, comme aussi celle de l'invention et du progrès : l'animal est incapable de communiquer ses idées aux autres, fût-ce par la parole, ni d'inventer ou de perfectionner quoi que ce soit :

> Il ne se passe à leur intérieur rien de suivi, rien d'ordonné... Ils n'ont donc pas la pensée, même au plus petit degré,

écrit-il dès 1749.

« Pourquoi l'imitation servile nous coûte-t-elle plus qu'un nouveau dessein ? C'est parce que notre âme est à nous, qu'elle est indépendante de celle d'un autre. »

Caractères du corps. Enfin : « La langue du singe a paru aux anatomistes aussi parfaite que celle de l'homme; le singe parlerait donc s'il pensait... C'est parce qu'une langue suppose une suite de pensées que ces animaux n'en ont aucune. » (*Hist. nat. de l'homme.*)

Nous n'insisterons pas sur les théories que Buffon a cru devoir proposer, comme tout biologiste ou philosophe, sur la génération, l'hérédité ou la commande du corps : elles n'ont à peu près aucune valeur. Par exemple, il remplace les « esprits animaux » de Descartes par des « ébranlements organiques » fantaisistes et sans aucune précision (IV, pp. 34-40). Ses idées sur l'instinct sont « une sorte de mécanisme plus inintelligible peut-être que celui de Descartes » (Cuvier). Il dénie toute importance au spermatozoïde sous prétexte que ni sa taille ni son abondance ne satisfont la logique, et compose l'être nouveau par des « molécules » arbitrairement choisies chez les parents. Quant à l'hérédité, problème qui passionnait aussi Maupertuis, il assure que des mutilations infligées à un animal se transmettent à ses descendants.

En revanche, peut-être à cause de l'influence exagérée qu'il attribue au milieu extérieur comme modificateur du type humain, il marque une date en anthropologie, en promulguant le dogme de l'unité de l'espèce humaine, cent ans avant de Quatrefages. Hérodote, Aristote, Pline, et force auteurs jusqu'à Mandeville, Olaüs Magnus, etc. croient à l'existence d'hominiens invraisemblables : androgynes, êtres à un seul œil, ou sans bouche, ou sans tête et les yeux sur les épaules, ou à un seul pied, ou aux pieds tournés vers l'arrière, ou terminés en poisson, ou porteurs d'une queue, etc. Tout en proclamant qu'il n'existe réellement qu'un type humain, Buffon en étudie les variétés ou races en un chapitre (III, p. 371) très admiré par Flourens. Il en reconnaît six : hyperboréenne (réunissant les Lapons et les Esquimaux, extrêmement différents par le crâne), tartaro-mongole, australasienne, européenne, noire, américaine, marquant un progrès sur les quatre qu'admettait en 1684 Fr. Bernier. Il distingue avec raison les Hottentots des autres nègres. Bref, il se montre aussi bon anthropologiste qu'on pouvait l'être avant Retzius (créateur de la crâniométrie) et Blumenbach, et il faut lui passer de rapporter toutes les particularités raciales au climat.

Ses vues sur chaque race sont souvent fort justes; il trouve de nombreuses variétés dans la race noire, mais une grande homogénéité chez l'américaine, « une seule race d'homme », précisant les limites de la race blanche (caucasique) et montrant son homogénéité : « Les anciens Perses ont la même origine que les Indiens (c'est-à-dire Hindous), » dit-il (III, p. 433), annonçant la notion d'Aryens. Signalons en passant qu'il s'attendrit sur les nègres :

> Ils ont le cœur excellent, ils ont le germe de toutes les vertus; je ne puis écrire leur histoire sans m'attendrir sur leur état. (III, p. 469.)

Buffon est bien, autant que J.-J. Rousseau, le créateur du « bon sauvage », sur qui les « sensibles » lecteurs de *Paul et Virginie* verseront des larmes, sans d'ailleurs avoir la moindre idée de renoncer à acheter, vendre ou fouetter le « bois d'ébène ».

Géographie animale. Cuvier n'a pas hésité à qualifier de « véritable découverte » l'apport de Buffon en Géographie animale. Bien renseigné et documenté par de nombreux voyageurs et correspondants fixés à l'étranger, Buffon abonde en vues justes et neuves sur la distribution des genres sur le globe. Il insiste sur l'absolue différence des faunes du Nouveau et de l'Ancien Monde, surtout dans la région tropicale et australe de celui-là, même pour les singes, rongeurs et oiseaux, avec des Marsupiaux qui lui sont propres. La série américaine est moins variée, et les animaux en sont moins grands que dans l'Ancien Monde; mais surtout, ces deux séries sont parallèles, collatérales et correspondantes, et Buffon les a fort bien comparées. Il a subdivisé avec une sagacité remarquable l'hémisphère sud faunistique en provinces : Nouvelle-Hollande, Madagascar, Terres Australes, et Océan Indien.

Corrélation des formes. Buffon a été un précurseur de Cuvier — mais quelque peu timide et flou, faute de formation anatomique suffisamment solide — en pressentant l'interdépendance des caractères, que Cuvier devait exposer avec éclat sous le titre de la corrélation des formes, et qui revient à ceci, que la morphologie de tout organe commande en quelque mesure celle de tous les autres. C'est ainsi qu'il dit en parlant du cœur :

> Une légère différence dans ce centre de l'économie animale est toujours accompagnée d'une différence infiniment plus grande dans les parties extérieures. (IV. p. 12.)

Il devrait plutôt dire que des animaux très différents d'une même famille ou classe ne diffèrent que peu par le cœur. Une très bonne conclusion est que « les parties les plus constantes sont les plus essentielles » (IV, p. 14) : on voit qu'il pressent même la subordination des caractères, mais cet important principe ne sera nette-

ment formulé que par Cuvier. Si Buffon estime que le cerveau est
plus important que le cœur, parce qu'il y a une sorte de cerveau
chez les insectes, on pourrait lui répliquer qu'ils ont aussi « une
sorte de cœur ». « Ce qui a manqué à Buffon », dit Flourens, « c'est
l'Anatomie comparée. »

Histoire   Mais on peut bien dire que le principal titre de
géologique.   gloire que Buffon puisse revendiquer dans l'histoire
de la Science, c'est celui de fondateur, ou de bien peu s'en faut, de
l'histoire géologique : il a été un des tout premiers de ces « Prophètes du Passé », qui reconstruisent les temps écoulés et morts
d'après l'aspect actuel qui paraît lui-même mort aux profanes. Il a
exposé son but et ses principes avec une singulière grandeur, à la
première page de ses *Epoques de la Nature* :

> Comme dans l'histoire civile on consulte les titres, on recherche les
> médailles, on déchiffre les inscriptions antiques, pour déterminer les
> époques des révolutions humaines..., de même dans l'histoire naturelle
> il faut fouiller les archives du monde, tirer des entrailles de la terre
> les vieux monuments... C'est le seul moyen de fixer quelques points
> dans l'immensité de l'espace, de placer un certain nombre de pierres
> numéraires sur la route éternelle du temps. (V.)

Bien que la géologie, surtout telle que la conçoit Buffon, soit le
type même de la science consacrée à l'étude de l'évolution continue,
on peut dans son œuvre distinguer deux parties se faisant suite :
dans sa *Théorie de la Terre*, parue dès 1749, il s'occupe de la formation même de notre globe et de ses caractères géologiques. Trente
ans plus tard, dans ses *Epoques*, il fera parler non un solide astronomique, mais des restes fossilisés, pour leur faire raconter l'évolution de la surface de ce globe, et la leur propre.

Buffon part d'un terrain vierge : ni Strabon ni Bernard Palissy
n'avaient pu obtenir de quelques justes observations des données
fondamentales même élémentaires, et les historiens philosophes ou
géographes de l'Antiquité classique n'avaient raconté que des fantaisies mythologiques : « On a mêlé la fable à la physique », dit-il
(I, p. 67). Il se vantera donc, quant à lui, d'éliminer les facteurs
exceptionnels et imprévisibles, indémontrables, immesurables :

> Choc ou approche d'une comète, absence de la lune, présence d'une
> nouvelle planète, etc., ce sont des suppositions sur lesquelles il est
> aisé de donner carrière à son imagination : de pareilles causes pro-
> duisent tout ce qu'on veut, et d'une seule de ces hypothèses on va tirer
> mille romans physiques que leurs auteurs appelleront *Théorie de la
> Terre*. (I. p. 98.)

Mais il n'empêche qu'il bâtit, lui aussi, son roman, et avec le
concours d'une comète, laquelle, tombant sur le soleil, « en aura
séparé quelques petites parties, auxquelles elle aura communiqué un
mouvement d'impulsion dans le même sens » (I, p. 433). Donc,

Vue du Jardin des Plantes
après les travaux d'agrandissement dus à BUFFON

« la terre et les planètes, au sortir du soleil, étaient brûlantes et dans un état de liquéfaction totale » (I, p. 149). Comme suite à cette première phase — que Kant et Laplace admettront — vient la période de refroidissement. Buffon, dans ses forges de Montbard, avait fait des expériences sur des boulets chauffés à blanc : compte tenu des volumes et surfaces des astres, et de leur température initiale malheureusement tout hypothétique, il admettra des durées fort précises, sinon très exactes, de 74.832 ans pour la formation d'une croûte, et de 34.270 ans pour « pouvoir être touchée sans brûler ». Mais dans son *Introduction à l'histoire des minéraux,* puis dans les *Epoques,* voyant combien les périodes d'évolution climatique et animale exigent de lenteur, il multiplie ces valeurs par 30 ou 40.

Dès qu'il quitte ces évaluations par trop incertaines et qu'il a les fossiles et les couches de dépôts stratifiés pour le guider, Buffon devient un maître beaucoup plus sûr, et c'est à juste titre que d'Alembert (*Discours préliminaire de l'Encyclopédie*) le loue d'avoir vu qu'il y a des lois dans l'évolution de la terre. S'il commet encore quelques erreurs, en estimant par exemple que la chaleur du soleil ne suffirait pas à maintenir vivante la nature à côté de celle que le globe possède en propre dans son intérieur, il reconnaît que cette dernière « paraît augmenter à mesure qu'on descend » (V, p. 8). Il pense aussi que le refroidissement du globe y anéantira la vie (V, p. 241).

Maintenant que le globe est habitable, Buffon reconnaît tout d'abord la présence très générale de coquilles marines : donc la mer a recouvert les terres et même toute la terre. Puis, que « les couches sont posées parallèlement les unes sur les autres » (I, p. 75) : donc seule l'eau a pu amener et déposer ces matières. Enfin, que « les angles saillants d'une montagne (ce que l'on appelle aujourd'hui des anticlinaux) s'opposent aux angles rentrants » (aujourd'hui, synclinaux) : il pense, d'ailleurs à tort, que c'est l'eau des mers qui a pu, par ses courants, former ces angles; mais on peut dire que ces trois observations sont les points de départ de ce qui constitue aujourd'hui la tectonique : « ceci est la Nature en grand », dit-il (I, p. 65) avec raison, à propos de ces grands traits de l'architecture géographique de l'écorce. Il est juste d'ajouter que sa phrase sur les angles saillants et rentrants est presque textuellement empruntée du pétrographe et archéologue Louis Bourguet (1678-1742) dans son *Mémoire sur la théorie de la Terre.*

On sait assez que Voltaire s'empressa de plaisanter là-dessus, assurant que ces coquilles avaient dû être jetées par des pèlerins revenant de Syrie au temps des Croisades (*Lettres italiennes*). Buffon s'indigna d'abord (I, p. 281), sans savoir quel était l'auteur de cette facétie, regrettable de la part de « personnes éclairées, et qui se piquent même de philosophie », faisant remarquer à l'appui de sa thèse que « c'est par montagnes qu'on les trouve et par bancs de

18

cent et deux cents lieues de long » (I, p. 266). Ce n'est qu'après
avoir publié sa réfutation qu'il apprit que son contradicteur était
M. de Voltaire, qu'il célèbre aussitôt pompeusement. D'ailleurs sa
première indignation s'était calmée :

> J'aurais mieux fait de laisser tomber cette opinion que de la relever
> par une plaisanterie, d'autant que ce n'est pas mon ton et que c'est
> peut-être la seule qui soit dans mes écrits.

Il reconnaît aussi que les hauts sommets n'ont point de coquilles,
comme l'avait dit Woodward, et que de plus ils « sont composés
de granit et de roc vitrescibles. Cela prouve que ces montagnes n'ont
pas été composées par les eaux, mais produites par le feu primitif. »
(V, p. 535). D'où cette conclusion générale, qui distingue le tectonique et le modelé, mettant au point dans les *Epoques* ce que laissait
entrevoir la *Théorie* :

> Toutes les montagnes et toutes les collines ont eu deux causes pri-
> mitives : la première est le feu, et la seconde l'eau... Le feu a produit
> les premières et les plus hautes montagnes, qui tiennent par leur base
> à la roche intérieure du globe... Ensuite..., lorsque les eaux ont couvert
> toute la surface de la terre..., les mouvements des eaux ont formé des
> collines dans les vallées. (V, p. 311.)

Buffon attribue d'ailleurs aux agents externes, « qui arrivent tous
les jours » (flux et reflux, courants, eau de pluie), toute la cause des
révolutions du globe : c'est la théorie des causes lentes, ou actuelles,
opposées à celles qu'invoquera plus tard Cuvier dans son *Discours
sur les révolutions de la surface du globe* : « Aucun des agents
qu'elle (la Nature) emploie aujourd'hui ne lui aurait suffi pour produire ses anciens ouvrages. »

Ces considérations se rapportent à la géographie physique. Buffon
passera à la Géologie proprement dite, en s'appuyant sur la distribution des fossiles dans le temps (couches successives) et l'espace
(régions diverses) : ce sera un « monument », ou testimonial, d'un
déplacement des mers, climats ou altitudes, que le fait de trouver
fossilisés des animaux ne vivant plus ou ne pouvant plus vivre
dans les régions où on les déterre : éléphants, hippopotames ou
coquilles. Il expliquera la présence des éléphants, aujourd'hui bêtes
tropicales, dans la glaciale Sibérie par le fait que ce pays, plus tôt
refroidi sur notre globe à ses débuts, a été le premier habitable, puis
la faune a reculé vers le Midi au fur et à mesure du refroidissement.

Se fondant sur ce raisonnement, Buffon trouve sept époques à
distinguer dans l'Histoire de la Terre : 1° fluidité et incandescence;
2° refroidissement et solidification; 3° les mers couvrent toute la
surface et la vie y apparaît; 4° régressions marines, premiers êtres
terricoles, premiers volcans; 5° période où les éléphants, les hippopotames et les autres animaux du Midi ont habité les terres du
Nord; 6° séparation en deux continents d'un monde jusqu'alors

uni, puisque dans l'Ancien comme dans le Nouveau l'on trouve
des os d'éléphants et d'hippopotamês; 7° enfin la dernière période
commence avec l'apparition, très tardive, de l'homme :

> L'homme est en effet le grand et dernier œuvre de la Création... Il
> n'est venu prendre le sceptre de la Terre que quand elle s'est trouvée
> digne de son empire. (V, pp. 187-189.)

Telle est, fort résumée, cette magnifique fresque, où la fermeté
du dessin s'égale à la puissance de la composition et à la sobre
vigueur du coloris. Que bien des erreurs de détail s'y rencontrent,
cela n'est ni étonnant ni même important, car les découvertes ultérieures se chargent de remettre les choses au point; mais les vices
fondamentaux y sont, en somme, rares : Buffon a vraiment eu l'honneur d'être le maître de Cuvier.

VI. — BUFFON ÉCRIVAIN.

Buffon est plus un styliste qu'un écrivain : la technique du métier
d'auteur lui a pesé beaucoup, et il a reforgé et limé les phrases, que
lui « livraient » ses collaborateurs, avec une conscience obstinée,
parfois pénible et douloureuse : car il n'avait point le travail facile,
et il était naturellement peu doué pour la description, tous ses
contemporains en témoignent. Il se livre à d'innombrables retouches
et essais jusqu'à l'adoption du mot propre : Flourens a cité des pages
bien curieuses de certains passages en divers « états », dans le *Journal des Savants* de novembre 1858 (pp. 694-697). Le manuscrit des
Epoques de la nature fut recopié jusqu'à onze fois d'après Cuvier et
Buffon lui-même, et dix-huit fois, si l'on en croit Hérault de Séchelles.

Un style aussi travaillé n'est cependant pas raide; mais il ne
laisse pas, en général, d'être un peu tendu, et il vaut plus par la
fermeté que par l'aisance. Cela lui laisse quelque teinte d'archaïsme
dans son ordonnance générale, et ce contemporain de Voltaire rend
parfois le son des sermonnaires de 1690. Sa parenté avec Bossuet,
Bourdaloue plus encore, peut-être, est évidente. Mais nul ne peut
manquer d'être frappé par l'ampleur et la noblesse de ces périodes,
dont l'allure évoque plus l'architecture que la musique, la sculpture que la peinture. Buffon a certes le sens plastique, mais son
style est plus fait pour être parlé que pour être lu. Il est curieux
de lui comparer ceux de Bernardin de Saint-Pierre et de Chateaubriand : les notations de couleurs y prennent aussitôt une importance
beaucoup plus grande que chez Buffon.

Qu'on lise, dans la VIIe Epoque, le tableau des origines de la civilisation et de la vie collective : « Les premiers hommes, témoins
des mouvements convulsifs de la terre... » : on a de gigantesques
phrases, superbes, nombreuses et déroulées, où des points-virgules

séparent les périodes pour reprendre haleine. Essentiellement « tonal »,
conduisant tout son discours jusqu'à la cadence parfaite qui le
finira, Buffon fait penser irrésistiblement à ses deux illustres contemporains, Haëndel et surtout Glück. Comme eux, il est aisément
pastichable, et nous avons vu que Guéneau et Bexon faisaient d'excellent Buffon.

On conçoit qu'un auteur aussi soucieux du nombre et de l'allure
générale n'ait pu cacher son antipathie polie pour le style « sautillant », haché et découpé de Montesquieu, insoucieux des larges
plans d'ensemble, de l'art de la composition, de la liaison et de la
transition des idées; tout de même que pour le style sec et anatomique
de d'Alembert. On conçoit, en revanche, que Voltaire ait ricané à
l'idée de cette Histoire « pas si naturelle ! » Mais on comprend aussi
que la large sonorité des périodes buffoniennes ait fait impression
sur le public du règne de Louis XV, accoutumé à une forme plus
cursive, et que l'Académie, en l'élisant, « ait pris un maître à
écrire » (« elle a bien fait, et elle en avait besoin », ajoute cette
bonne pièce de Grimm).

Discours   Ce Discours de réception à l'Académie, écrit sur
sur le style.   le style, est en effet quelque peu impertinent par
l'allure assurée et didactique qui le marque : l'auteur, expédiant en
deux lignes finales un souvenir à son obscur prédécesseur, qui ne
méritait pas plus, feint modestement de ne présenter aux Académiciens que

quelques idées sur le style, que j'ai puisées dans vos propres ouvrages :
c'est en vous lisant, c'est en vous admirant qu'elles ont été conçues.

Mais après cette pure clause de style, c'est un cours de construction rhétorique en règle qu'il professe : voici ce qu'il faut, voilà
ce qui ne doit pas être.

Le style n'est que l'ordre et le mouvement qu'on met dans ses
pensées.

Il faut savoir les présenter, les nuancer, les ordonner...

Le plan n'est pas encore le style, mais il en est la base; il le soutient,
il le dirige, il règle son mouvement et le soumet à des lois.

Ici un coup de patte à Diderot :

Sans cela le meilleur écrivain s'égare, sa plume marche sans guide et
jette à l'aventure des traits irréguliers et des figures discordantes... C'est
par cette raison que ceux qui écrivent comme ils parlent, quoiqu'ils
parlent très bien, écrivent mal. — Pourquoi les ouvrages de la Nature
sont-ils si parfaits ? C'est que chaque ouvrage est un tout, et qu'elle
travaille sur un plan éternel dont elle ne s'écarte jamais.

Toujours didactique, Buffon donne des conseils impératifs sur la
façon de répartir et de faire les divisions, « interruptions, repos et

sections » dans son sujet : compartimentage assez facile, à vrai
dire, lorsqu'il s'agit d'un ouvrage du genre de l'*Histoire Naturelle*.
Ensuite, c'est une critique du « désir de mettre partout des traits
saillants... ces étincelles qu'on ne tire que par force, en choquant
les mots les uns contre les autres ». On doit d'ailleurs reconnaître
que tout ce paragraphe, qui exploite à fond une image tirée de l'optique, est justement lui-même un morceau de virtuosité. Viennent
alors de nombreux apophtegmes, et presque des recettes, pour tout
ce qui concerne la mise en œuvre et le développement :

Les idées seules forment le fond du style (insiste Buffon), l'harmonie
des paroles n'en est que l'accessoire, et ne dépend que de la sensibilité
des organes : il suffit d'avoir un peu d'oreille pour éviter les dissonances...
Le ton n'est que la convenance du style à la nature du sujet.

Et Buffon, constatant que le « style est l'homme même » (phrase
qui n'apparut que dans une rédaction ultérieure) et que « le style
ne peut donc ni s'enlever, ni se transporter, ni s'altérer », déclare :

Les ouvrages bien écrits seront les seuls qui passeront à la postérité.

Passons sur la dernière page, classique « Adresse à MM. de l'Académie » avec éloge du Roi, et force hypotyposes effroyablement
ampoulées : on jurerait d'une parodie écrite tout exprès par
M. Georges-Armand Masson. Quand le style de Buffon est mauvais,
il va jusqu'à l'horrible, annonçant le style bouffi et lâche qui sévira
de 1780 à 1820. Dans ses discours de réponse à des Académiciens
prenant séance (genre ingrat, il est vrai), l'abus de l'épithète et le
cliché déclamatoire exercent les pires ravages. Mais parfois, comme
dans sa réponse à La Condamine, une période majestueuse sans
bouffissure et une phrase pleine de grandeur rendent le son d'un
métal magnifique. Buffon, bel et grand ouvrier du verbe, a beaucoup
fait pour maintenir jusqu'à la fin de l'Ancien Régime la puissante
et noble armature de l'art classique et la « tenue » de la forme
comme des idées : il a vraiment fait sienne la phrase écrite cent
ans auparavant par Bossuet (*Sur la formation du style par les Pères
de l'Eglise*, 1669) : « Former le style, apprendre les choses. »

CHAPITRE IX

La propagande et la polémique n'absorbent pas toute l'activité littéraire de la période qui nous occupe. On a écrit beaucoup, en ces temps où la diffusion croissante de l'enseignement, les facilités relatives d'ascension sociale, le mécénat des privilégiés, le prestige de l'intelligence forment un climat favorable à l'éclosion des vocations artistiques. Mais toute cette production est aussi médiocre qu'abondante et, réserve faite des maîtres et de Chénier, trois ou quatre livres seulement émergent de cette mer plombée d'ennui et conservent encore quelque lustre. Voltaire ne cesse de gémir sur la platitude de ses petits émules, candidats malchanceux au *Temple du goût*, et Fréron, pour une fois, lui donne la réplique : l'accord est éloquent. Il faut dire cependant que ni l'un ni l'autre n'a connu les œuvres les plus notoires de cette trentaine d'années : les *Liaisons dangereuses* sont de 1782; le *Mariage de Figaro* de 1784, *Paul et Virginie* de 1788.

Si petite qu'en soit la valeur d'art, cette littérature n'en présente pas moins un vif intérêt pour l'historien, sinon pour le critique. Elle vérifie le mot célèbre de Bonald : « La littérature est l'expression de la société. » Elle ne se contente pas de traduire fidèlement les tendances profondes de l'époque : désir d'indépendance et d'égalité, goût du plaisir, culte de la science, optimisme naïf, persiflage élégant, fade sensiblerie ou sensibilité convulsive et théâtrale. Elle porte les caractères dont sont marquées les mœurs et les aspirations contemporaines : elle reflète le même travail de renouvellement, la même lutte confuse, le même essai de compromis entre la tradition et le besoin de nouveauté. Sans verser dans le système, on peut établir un étroit parallélisme entre les transformations de l'esprit politique et les modifications des idées littéraires. A la prérévolution correspond le préromantisme.

Ce mot de *préromantisme* est de création récente: c'est M. Béclard, je crois, qui s'en est servi le premier dans sa thèse sur Mercier. L'adjectif *romantique*, avec sa double valeur pittoresque et morale, est beaucoup plus ancien. Attesté dès 1675 et peut-être aussi 1694, il entre définitivement dans la langue en 1776, patronné par le traducteur de Shakespeare, Letourneur. Il ne désigne pas seulement les premières révoltes de l'individualisme contre les contraintes qui le brident, il s'applique encore aux tentatives timides du goût pour élargir la conception de l'art et en enrichir les procédés. La vie morale changeant, les moyens de l'exprimer doivent changer, eux aussi. Mais ces modifications ne sont pas brutales. Le culte du passé, la crainte d'errer, en s'en écartant, l'indolente routine sont autant d'obstacles qui freinent les impatiences et contiennent les ardeurs. Il en résulte une situation mouvante, où les courants tantôt s'opposent, tantôt s'efforcent de se mêler. Quelques fanatiques veulent raser la Bastille littéraire. Mais la plupart des critiques, plus pondérés, tentent de concilier leur attachement à l'idéal traditionnel et leur désir des réformes nécessaires. Période de transition, le préromantisme est fatalement une période d'éclectisme.

I. — RÉSISTANCE DU CLASSICISME.

« Classicisme pas mort », aurait-on pu écrire à ce moment. Le classicisme vit en effet, malgré les attaques dont il est l'objet depuis la Querelle des Anciens et des Modernes. Il se défend même vigoureusement, plus vigoureusement que ne le font les institutions, car les pires adversaires du régime en sont les champions. La chose n'a rien qui étonne. Taine, comme toujours, a outré, en la systématisant, une idée juste : il existe d'indéniables affinités entre la philosophie et le classicisme, issus tous deux de la doctrine de Descartes.

Survivances   On a vu les persistances classiques qui se ren-
classiques   contrent chez Voltaire, comme chez Diderot.
Rousseau lui-même n'arrive pas à se libérer complètement : çà et là dans son œuvre, il défend les principes d'art traditionnels, affirme la primauté de l'intelligence dans la création littéraire, la nécessité des règles, l'heureuse action sur « les arts aimables » du beau monde et de la cour — et la critique, enchantée, oppose le bon goût de l'enfant perdu au goût corrompu de la troupe philosophique. Les mêmes idées s'expriment dans l'*Encyclopédie* et dans son *Supplément*, par la plume de d'Alembert, de Jaucourt, de Marmontel, de Chastellux, de Sulzer. Tous sont d'accord sur le culte des Anciens, sur l'existence d'un bon goût, « sens exquis des convenances », sur le rôle primordial de l'intelligence, sur le but de l'art, qui est la

représentation du général et de l'éternel (Art. *Anciens, Beau, Génie, Goût, Règles,* etc.; Marmontel, *Essai sur le goût*).

Influence de l'enseignement   Aussi bien le classicisme — ou ce que l'on prend pour tel — occupe-t-il des positions solides. Il règne toujours dans l'enseignement. Dans les collèges des Jésuites (jusqu'en 1762), des Oratoriens ou de l'Université, la pédagogie suit les normes éprouvées, impose les modèles traditionnels, a recours aux exercices séculaires. Les écoliers continuent à se limer la cervelle aux chefs-d'œuvre de Cicéron, de Virgile et d'Horace, d'Homère, de Sophocle et de Démosthène; on propose aussi, à leur admiration, les grands poètes du siècle précédent, qui ont reproduit les beautés éminentes des anciens. La rhétorique leur fournit, comme par le passé, les procédés éprouvés pour trouver des idées, la méthode infaillible pour ranger ces idées dans un ordre logique, les règles classiques pour les exprimer en une langue pure et nette. Une fois échappés des mains des régents et devenus auteurs, ils gardent le pli de leur formation première. Leur ambition est d'atteindre à l'idéal que leurs maîtres ont défini et qui se borne aux mérites de clarté, d'élégance et d'esprit. Si grands soient-ils, même lorsqu'ils s'essaient à rendre les soubresauts de l'âme et les rêveries confuses, ils bâtissent leurs œuvres ou leurs développements suivant la belle ordonnance qu'on leur a enseignée.

Influence de la vie mondaine.   Le monde renforce l'action de l'école. Il exige de celui qui veut y réussir une psychologie délicate, indispensable pour éviter les bévues, un art de la conversation qui permet à l'ingéniosité de se déployer. Comme les salons sont alors une force et que les écrivains veulent les conquérir, par ambition et par prosélytisme tout ensemble, ils se plient aux règles du jeu. Ils emploient les ressources de leur esprit lucide et souple à ne rien dire qui ne soit clair, net et direct; ils donnent à leurs idées l'expression générale qui les rend facilement accessibles, ou le tour oratoire dont la chaleur conquiert; ils agrémentent leurs œuvres de saillies et de traits. S'il leur arrive d'user d'expressions enveloppées — métaphore, périphrase, allusion — c'est comme d'une parure piquante à l'idée : telle l'agacerie d'un loup sur un minois « intéressant ». Par le respect des bienséances, par le souci de noblesse, de limpidité et d'esprit qu'elle impose, la vie mondaine maintient à son rang — le premier — le rôle de l'intelligence, contrebalance l'influence grandissante des facultés affectives et sert ainsi indirectement la cause du classicisme.

Le renouveau antique.   Les solides positions que celui-ci occupe sont encore consolidées par un fait de grande conséquence : le renouveau de l'antiquité. Ce renouveau a deux causes bien différentes. Certains philosophes, comme Mably, s'enthousiasment pour les institutions grecques et romaines et les proposent en modèles; d'autres, comme Boulanger, suivi par Dupuis, utilisent la mythologie contre la religion. D'autre part, l'antiquité semble cette fois vraiment renaître. Depuis la Renaissance, on n'a jamais cessé de remuer la vieille terre italique, pour lui arracher les vestiges d'un passé prestigieux. Au xviiiᵉ siècle, les travaux prennent une ampleur inconnue. Des fouilles sont commencées à Herculanum (1719), à Pompéi (1748), et des villes sortent lentement de leur cendre millénaire, offrant aux yeux le cadre de la vie romaine : on voit, on touche ce qu'on ne pouvait que rêver. Les esprits en reçoivent une secousse qui les stimule. L'intérêt qu'on porte à Rome s'étend à la Grèce.

L'archéologie n'est pas seulement une mode, elle devient une manie. Les mœurs, les croyances, les arts des Anciens sont étudiés avec une curiosité passionnée. Les publications savantes se succèdent. Le comte de Caylus (1692-1765) donne l'exemple avec son *Recueil d'antiquités égyptiennes, étrusques, grecques, romaines et gauloises* (sept volumes, 1752-1767). Peu après, l'architecte Julien-David Leroy va en Grèce étudier l'art antique et ramène de son voyage, avec les matériaux de son ouvrage, *Ruines des plus beaux monuments de la Grèce* (1758), les principes qui, pendant quarante ans, inspireront ses cours à l'Académie d'architecture. Winckelmam (1717-1768) fonde une nouvelle esthétique, étroitement tributaire de l'antiquité, avec son *Histoire de l'art chez les Anciens* (deux volumes, 1764). P.-A. Guys publie son *Voyage littéraire de la Grèce* (1771). L'érudit strasbourgeois Brunck (1729-1803) exhume l'*Anthologie* dans ses *Analecta veterum Graecorum* (trois volumes, 1772-1776). Le comte de Choiseul-Gouffier (1752-1817) visite et fouille la Grèce en compagnie d'artistes et communique les résultats de ses recherches dans un récit intéressant et clair, *Voyage pittoresque en Grèce* (trois volumes, 1782, 1809, 1820). J.-B. d'Ansse de Villoison (1750-1805) se consacre à Homère, dont il découvre et publie, avec prolégomènes érudits, un manuscrit de l'*Iliade*. Et, à l'extrême fin de l'Ancien Régime, l'abbé J.-J. Barthélemy (1716-1795), grand voyageur et savant de mérite, donne son célèbre *Voyage du jeune Anacharsis* (quatre volumes, 1788) où, dans le cadre de la fiction romanesque d'un Scythe, qui, de 363 à 337 av. J.-C., parcourt le monde grec, l'Egypte et la Perse, il accumule, sans fatigue pour le lecteur, les notions et les faits les plus variés sur l'histoire religieuse, civile, littéraire et philosophique de la Grèce.

Le classicisme dispose donc de puissants moyens de défense, et cela explique sa résistance prolongée, dont les épisodes principaux sont le succès prodigieux des *Géorgiques* de Delille, la faveur brillante de l'héroïde et de l'élégie galante, le retour de la tragédie aux sujets de l'histoire ancienne, et, plus généralement, la seconde renaissance de l'Antiquité dans les arts, illustrée par les noms de Chénier, de David et de Percier.

II. — LE PRÉROMANTISME.

Pour robuste qu'il est encore, le classicisme n'en est pas moins ébranlé. Le loyalisme de ses sujets chancelle; ses dogmes fondamentaux un à un s'effritent sous l'influence de l'esprit nouveau.

1° *Caractères nouveaux de l'œuvre d'art*

Le rôle de l'écrivain. La philosophie change d'abord, en se l'asservissant, les visées de l'œuvre.

L'homme de lettres maintenant n'a plus l'humilité de Malherbe. Il prétend rendre plus de services à l'Etat qu'un bon joueur de quilles : c'est un apôtre, qui répand la bonne parole et concourt au triomphe de la vérité. La littérature s'assigne dès cette époque le but utilitaire que les romantiques viseront à leur tour. Et, sans doute, les grands classiques se sont toujours refusés à ne voir dans l'art qu'une simple activité de jeu : Corneille, Racine, Molière, Boileau, La Bruyère, Fénelon en ont toujours affirmé au contraire la haute dignité et l'utilité profonde. Mais ils le font servir à la morale, à l'élévation de l'âme, au perfectionnement de l'homme intérieur. Les écrivains du XVIII° siècle l'emploient, avec beaucoup moins de discrétion, à la transformation de la société, à l'amélioration de la condition humaine. La littérature devient prédicante. Poètes, dramaturges, romanciers, historiens, critiques, auteurs de pastorales ou de discours académiques, tous répandent le nouvel évangile de liberté, de tolérance, de bienfaisance, et rivalisent d'ardeur avec les faiseurs de systèmes dans l'accomplissement de cette mission sacrée.

L'art matérialiste. Les théories qu'ils propagent contribuent pour une large part au renouvellement de la littérature dans son fond comme dans sa forme. Les classiques, cartésiens et chrétiens, bannissent du champ de l'art les parties animales de notre être, le corps, pure mécanique ou instrument de péché. Leur réalisme, que bornent déjà les bienséances mondaines, est encore et surtout limité par le sentiment profond de ce qui fait la prééminence de l'homme sur les autres êtres : l'activité intellectuelle et morale. La passion, si furieuse qu'ils la peignent, reste clairvoyante, et les buées de l'instinct n'en offusquent pas la lucidité. Le sensualisme philosophique, en ramenant toute notre vie psychique à la sensation, réhabilite le corps et en fait un objet digne d'étude. « Tout ce qui est dans la nature est dans l'art », murmurent déjà, en attendant que Hugo le claironne, nos esthéticiens philosophes. Ils engagent la littérature dans la voie du matérialisme, font de la psychologie une physiologie supérieure, montrent une fâcheuse tendance à remplacer l'étude de l'âme par la photographie de l'instinct, la noblesse de l'émotion morale par la brutalité de l'impression nerveuse.

2° *Elargissement du goût*

D'autres conceptions classiques sont atteintes, et, en premier lieu, celles de la beauté et du goût.

Relativisme   Le classicisme professe qu'il existe une beauté abso-
esthétique.   lue, s'imposant à tous les temps et à tous les pays, saisissable par le goût, faculté universelle, sorte d'intuition assez semblable à l'évidence cartésienne et percevant d'une vue immédiate la parfaite conformité de la copie au modèle, de l'expression à l'idée. Le beau idéal et immuable, tel est le but qui s'impose à l'effort de l'artiste, dirigé par le goût.

La philosophie altère profondément ces principes. En sapant la tradition, en exaltant les lumières du siècle où elle triomphe et en affirmant la supériorité de ce siècle sur les âges précédents, elle répand un esprit de modernisme, et cet esprit se traduit en art par la conviction qu'à des temps nouveaux doit correspondre une littérature nouvelle, bref, que tout art est tributaire de son époque. L'idée de progrès qu'elle vulgarise aboutit au même résultat. Progrès implique changement. Admettre que l'humanité progresse, c'est reconnaître qu'elle ne cesse de varier, et, pour le prouver, c'est étudier l'homme, non plus dans ce qu'il a d'éternel, mais dans ce qu'il offre de passager; c'est assigner une valeur propre à chacun des stades de son évolution; c'est, par voie de conséquence, substituer comme matière de l'art et comme critère du jugement esthétique à l'absolu le relatif, à l'immuable le transitoire, à l'universel l'accidentel, à l'un le divers.

On croit encore, au XVIII° siècle, à la réalité de la beauté éternelle; on se propose d'imiter la « belle nature »; on tient pour l'universalité du bon goût. Mais on admet aussi que la beauté peut prendre les formes les plus variées. Après Voltaire et son *to kalon*, Sulzer exprime la même opinion balancée :

Les règles fondamentales du goût sont les mêmes dans tous les siècles, puisqu'elles découlent des attributs invariables de l'esprit humain. Il y a néanmoins beaucoup de variétés dans les formes accidentelles sous lesquelles le beau peut se présenter. (*Encyclopédie*, Supplément, art. *Anciens*.)

Marmontel s'ingénie à distinguer, à côté des convenances essentielles et immuables, des convenances accidentelles. Le juge des premières est le « goût naturel et antérieur à toute espèce de convention »; celui des secondes est « un goût soumis aux mêmes variations que les mœurs et les conventions sociales ». Il est vrai qu'il ajoute, comme effrayé de son audace :

La règle de celui-ci sera toujours de garder avec l'autre le plus d'affinité possible et de s'attacher aux objets qui peuvent les concilier. (*Essai sur le goût*.)

Sulzer est plus catégorique :

Un morceau d'éloquence ou de poésie peut être parfaitement beau et s'écarter néanmoins beaucoup de ce qui chez les modernes passe pour être la plus grande beauté. Si l'on néglige de faire cette réflexion, on risque de porter à tous moments des jugements faux. (*Encyclopédie*, Supplément, art. *Anciens*.)

Ainsi se précise et se renforce la notion de relativisme esthétique, déjà en germe dans les ouvrages de Perrault et dans ceux de ses disciples.

Cosmo-   Le relativisme reçoit une forte impulsion de l'in-
politisme.   fluence exotique. On s'engoue pour les littératures
étrangères, dont les œuvres échauffent les imaginations et les cœurs et dont l'art, très différent du nôtre, ouvre aux esprits de nouveaux horizons.

Les faits politiques, le rythme accru de la vie économique, la connaissance agrandie de l'univers grâce aux missions, aux navigateurs, aux Compagnies de commerce éveillent des curiosités qui se dispersent sur tous les points du globe. Traducteurs et journalistes rivalisent pour satisfaire l'attente du public. Turgot traduit Shakespeare, Addison, Johnson, Hume, Klopstock, Gossner, Guarini. Le *Journal étranger* et la *Gazette littéraire* qui en forme la suite (1754-1764), sous les directions successives de Grimm, de Toussaint, de Prévost, de Fréron, de Deleyre, enfin et surtout des deux inséparables, Suard et l'abbé Arnaud, donnent des analyses et des extraits des ouvrages étrangers les plus variés et quelquefois les plus inattendus : Fréron ne cite-t-il pas du chinois et du groënlandais ? De 1754 à 1790, l'*Année littéraire*, par la plume de Fréron et de ses successeurs, ne consacre pas moins de 552 articles à des annonces, comptes rendus ou discussions de livres exotiques. Le *Journal encyclopédique* de Pierre Rousseau marche sur leurs traces. Des journaux se spécialisent dans la diffusion des œuvres de certains pays, comme l'*Espagne littéraire* de La Dixmerie ou la *Bibliothèque du Nord* de Roussel, qui s'intéresse à l'Allemagne, ou le *Journal Anglais* et le *Courrier de l'Europe* de de Latour et Brissot, qui se bornent aux choses et aux affaires de Grande-Bretagne, etc.

C'est l'Angleterre qui tient le premier rang dans cette invasion de notre littérature par l'étranger, et cela se conçoit, si l'on songe qu'elle possède comme un droit de priorité, puisque Voltaire, Marivaux, Prévost ont de longue date fait connaître à la France ses dramaturges, ses poètes, ses journalistes et ses romanciers, et que ses destins sont fort liés aux nôtres par la politique, l'économie et la pensée. A partir de 1750, une véritable marée d'œuvres anglaises déferle sur notre pays.

Ce sont d'abord, faisant suite à *Paméla*, connue dès 1742, les deux autres grands romans de Richardson (*Clarisse Harlowe*, 1751; *Grandison*, 1755, 1758), qui bouleversent les âmes par leur pathétique puissant ou leur mélancolie sensuelle, cette « mélancolie qui plaît et qui dure », comme l'écrit Diderot dans son enthousiaste *Eloge de Richardson* (1762). Shakespeare, traduit une première fois par La Place (1745-1748), l'est à nouveau par Le Tourneur (1776-1782), dont l'œuvre est un des événements capitaux de notre histoire littéraire. En 1759 paraît la traduction des *Saisons* de Thomson, qui suscite la fâcheuse école descriptive. La même année, les *Nuits* de Young, révélées déjà en partie par la *Gazette littéraire*, sont traduites par Le Tourneur, puis imitées, mises en vers, et leur poésie sépulcrale donne naissance au genre sombre, dont Baculard d'Arnaud s'institue le théoricien. Leur effet est prodigieusement amplifié par l'*Ossian* de Macpherson, dont Turgot, dès 1760, traduit deux petits poèmes, que Diderot et Suard font connaître plus amplement (1761-1762), et dont Le Tourneur donne en 1775 une traduction à peu près complète. C'est encore Le Tourneur qui retraduit après Prévost la *Clarisse Harlowe* de Richardson (1785), tandis que d'autres abrègent ou imitent *Robinson Crusoé* et vulgarisent les romans de Johnson (1760), de Fielding (1762-1768) et de Sterne (1776-1786).

Après l'Angleterre, c'est l'Allemagne, à la voix de Grimm, que l'on découvre. Les *Poésies* de Haller (1752-1759), la *Mort d'Adam* (1762) et la *Messiade* (1769) de Klopstock, les *Fables* de Lessing (1764) et sa *Dramaturgie* (1785), les poèmes de Wieland (1771, 1784) et de Zacharie (1764-1781), le *Werther* de Gœthe (1776-1777) sont traduits, puis commentés et appréciés par les critiques. Les *Idylles* de Gessner (1760-1762) connaissent un succès éclatant et ramènent chez nous le goût de la pastorale. Les *Choix de poésies* se multiplient, de même que les *Recueils des meilleures pièces dramatiques* et les *Théâtre allemand*, qui révèlent entre autres les drames de Lessing, le *Gœtz de Berlichingen* de Gœthe et les *Voleurs* (*sic*) de Schiller.

La littérature italienne, dont on sait les étroits rapports avec la nôtre au cours de l'Histoire, n'est pas délaissée pour autant. On retraduit naturellement les poèmes de Pétrarque, de l'Arioste et du Tasse, qui font figure de classiques. Mais on revient aussi à la *Secchia rapita* de Tassoni (1759, 1766), au *Pastor fido* de Guarini (1759), à l'*Adone* de Marini (1750). Les poésies et les opéras de Métastase, certaines comédies de Goldoni (1761-1776) et de Zéno (1758) sont l'objet de traductions, d'imitations et d'études. Et, fait symptomatique, on remonte jusqu'à Dante : une version de la *Divine Comédie* paraît en 1776, et l'*Année littéraire* répartit équitablement ses éloges entre l'auteur et son interprète.

Les autres pays éveillent moins d'intérêt, mais quelle diversité révélatrice ! De l'Espagne on exploite à peine le théâtre, dont Linguet traduit « 15 comédies et quelques intermèdes » (1771). Les *Nouvelles* et la *Galathée* de Cervantès (1775-1783), deux romans de Quevedo (1756, 1775), les *Mémoires* d'Ulloa (1787) complètent la maigre contribution d'une littérature qui, depuis le XVIᵉ siècle, n'avait jamais cessé d'inspirer nos auteurs. La Harpe, par personne interposée, traduit, ou plutôt défigure, car il ignore le portugais, les *Lusiades* de Camoëns, et l'*Année littéraire* le tance vertement pour sa « belle infidèle ». La Hollande et la Suède figurent pour peu de chose au catalogue des ouvrages inspirés ou traduits de l'étranger. Mais il faut citer la Russie, représentée par le *Théâtre* du prince Chénerzow, que traduit Carmontelle, et, aux deux pôles, les *Chansons madécasses* de Parny (1776) et les très importants ouvrages de Paul-Henri Mallet (1730-1807), professeur de belles-lettres françaises à Copenhague, *Introduction à l'histoire du Danemark* (1755) et *Monuments de la mythologie et de la poésie, des lettres et particulièrement des anciens scandinaves* : ces études vulgarisent l'*Edda* et constituent, avec Ossian, les éléments essentiels, qui entrent dans la notion de la « poésie du Nord », si répandue dans le dernier tiers du XVIIIᵉ siècle.

Il faut enfin signaler l'attrait passionné qu'exerce la *Bible* sur ce siècle incrédule. Déjà, au XVIIᵉ siècle, le très catholique La Bruyère s'était hasardé à la juger comme l'œuvre « d'un homme qui a écrit » et à en signaler les beautés d'expressions et d'images, et le protestant Lecler avait composé tout un *Essai* pour tâcher « de montrer en quoi consiste la poésie des Hébreux ». Ils font école : au XVIIIᵉ siècle, croyants et incroyants s'accordent pour admirer cette poésie audacieuse, qui méprise toutes les règles et donne l'exemple incomparable de l'enthousiasme et du sublime. Hugo et Michelet mettront leurs pas dans ceux de L. Racine, de Marmontel et de Thomas.

Ce cosmopolitisme n'est le plus souvent, suivant l'heureuse expression de M. Van Tieghem, qu'un « humanisme élargi ». Fréron, par exemple, a beau dire qu'« il y a de l'injustice à fermer les yeux sur les beautés des écrits de nos voisins », sous la diversité bariolée des siècles et des climats, ce qu'il recherche constamment, c'est l'homme de tous les temps et de tous les lieux, et l'on se prend à sourire lorsqu'on voit son effarement — égal à celui de Voltaire — devant les singularités de Milton ou de Shakespeare, comme sa naïve conviction que la tragédie chinoise, sans les connaître *probablement* (!), respecte les règles d'Aristote. Pour un petit nombre, au contraire, le cosmopolitisme sert d'aliment à leur relativisme.

Les règles   Libertaire et égalitaire, l'esprit philosophique souf-
et les procédés fle un vent de révolte contre toutes les règles, si
d'expression.   dévotieusement acceptées par le XVIIᵉ siècle et
codifiées par Boileau. Tout le monde est à peu près d'accord pour
n'y voir que d'insupportables entraves, qui astreignent le « génie ».
Mais les uns exigent la suppression radicale de ces formules périssables, les autres n'en réclament que l'atténuation.

Turgot compte sur ces rapports internationaux pour

persuader à chacune des *différentes nations de l'Europe* qu'il peut y
avoir des genres admissibles sur quoi elles ne se sont pas exercées.

Le collaborateur de Fréron, Geoffroy, s'emporte contre les traductions qui habillent à la française les écrivains étrangers et conclut par ces mots significatifs :

Cette manie de mutiler les ouvrages... me paraît extravagante. Notre
goût et nos mœurs sont-ils donc la règle du beau ?

Et c'est ainsi que le cosmopolitisme, tout en ébranlant l'imagination et en enrichissant la sensibilité, travaille à l'émancipation de
l'art.

Déclin de   Naturellement les Anciens pâtissent du succès de
l'autorité   ces concepts et de ces modèles nouveaux. La que-
des Anciens.   relle qui, depuis près d'un siècle, les oppose aux
Modernes se termine à leur détriment. On évalue sans fétichisme
leurs mérites :

L'avantage que Fontenelle attribue aux modernes, d'être *montés sur
les épaules des anciens,* est donc bien réel du côté des connaissances
progressives, comme la physique, l'astronomie, les mécaniques... Les
observations, les découvertes, les travaux des Anciens ont aidé les
modernes à pénétrer plus avant qu'eux dans l'étude de la nature et
dans l'invention des arts.
Mais en fait de talent, de génie et de goût, la succession n'est pas
la même. La raison et la vérité se transmettent, l'industrie peut s'imiter;
mais le génie ne s'imite point, l'imagination et le sentiment ne passent
point en héritage. (MARMONTEL, *Encyclopédie,* Supplément, Art. *Anciens*):
Un des avantages de la philosophie appliquée aux matières de goût
est de nous guérir ou de nous garantir de la superstition littéraire; elle
justifie notre estime pour les anciens en la rendant raisonnable; elle
nous empêche d'excuser leurs fautes; elle nous fait voir leurs égaux
dans plusieurs de nos bons écrivains modernes, qui, pour s'être formés
sur eux, se croyaient par une inconséquence modeste fort inférieurs à
leurs maîtres. (D'ALEMBERT, *Encyclopédie,* art. *Goût.*)

On rend donc hommage à leurs qualités admirables; on leur
reconnaît « un goût plus naturel et plus mâle que celui de la plupart des modernes », plus de « grandeur de sentiment », une « mâle
vigueur d'esprit », une « grande manière » et une « noble liberté

de penser » (toutes ces expressions sont de Sulzer). Mais on ne les
tient plus pour parfaits ni inégalables; on cesse de les considérer
comme les arbitres suprêmes du beau : ceux qui doivent jouer ce
rôle, ce sont les philosophes, qui sont remontés aux principes premiers des choses. On veut juger les œuvres des Anciens en se plaçant
au point de vue de leurs mœurs, de leurs institutions :

> Il ne suffit pas, en lisant les ouvrages de goût des anciens, de ne
> jamais perdre de vue le but auquel ils étaient obligés de subordonner
> tout le reste (la religion et la politique); il faut encore avoir constam-
> ment sous les yeux leurs mœurs, leurs lois et leurs usages; sans cela il
> n'est pas possible d'en juger sainement. (SULZER, *Encyclopédie*, Supplé-
> ment, art. *Anciens*.)

Les défenseurs de l'Antiquité montrent ainsi qu'ils ne la comprennent plus comme le faisaient un Racine ou un Boileau. Ceux-ci
l'aimaient en humanistes, ceux-là l'aiment en archéologues. Hormis
le cas de Chénier, exceptionnel, l'Antiquité n'agit plus guère que
comme source d'émotions érudites. Ce qu'on lui demande maintenant, ce sont des sensations particulières; ce qu'on y cherche, c'est
une tonalité propre, un aspect éphémère du drame humain, à moins
qu'on ne l'exploite comme un trésor de lieux communs politiques
et d'attitudes avantageuses pour démocrates enfiévrés. L' « Antiquo-
manie » est une des formes de l'exotisme dans le temps, et sa grande
vogue n'atteste pas du tout un retour offensif du classicisme, mais
bien plutôt un succès du modernisme, qui force la tradition à lui
céder sur le plan artistique, comme elle le fait déjà sur le terrain
des institutions.

Il est même des esprits plus absolus, qui traitent les Anciens
comme des idoles vermoulues qu'il faut abattre. Beaumarchais, Mercier, Cubières formulent à maintes reprises le vœu que Berchoux
résumera bientôt dans son vers fameux :

Qui me délivrera des Grecs et des Romains ?

Déclin de   Ce discrédit et cette déformation de l'idéal antique
l'autorité   entraînent de fâcheuses conséquences pour ses
de Boileau.   tenants du Grand Siècle et nommément pour
celui qui en était le défenseur attitré et qui en avait codifié les
principes, pour Boileau. On loue bien les classiques; on les critique
aussi, et on les imite mal : on dessèche en momie exsangue le corps
plein de suc, de couleur et de vie du classicisme. Il y a en outre
une querelle, et une querelle fort vive, de Boileau. Voltaire recommande « de ne pas dire de mal de Nicolas, parce que cela porte
malheur ». Mais le bon apôtre ne se gêne pas à l'occasion pour lui
décocher maint coup de griffe. Clément de Dijon, Palissot, Saba-
tier de Castres s'efforcent de le défendre. Mais que peuvent-ils contre d'Alembert, Marmontel, Condorcet, Thomas, Mercier, Cubières,

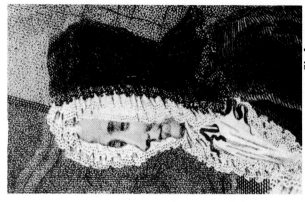

Madame DU DEFFAND

Mademoiselle DE LESPINASSE

Madame GEOFFRIN

qui lui reprochent à l'envi son manque de sentiment, son rationalisme étroit, son ignorance totale de la poésie, son action pernicieuse sur le génie indépendant ? On revise bon nombre de ses arrêts. Certaines de ses victimes sont réhabilitées, et Voltaire, le « défenseur des mal jugés », prend aussi bien en main la cause du Tasse et de Quinault que celle des Calas et des Sirven. On redécouvre Ronsard, et, si l'on fait toujours sur lui des réserves, on republie un choix de ses œuvres; Roucher le cite; Lebrun égale l'*Ode à Michel de l'Hôpital* aux chefs-d'œuvre de Pindare et d'Horace; Geoffroy éprouve « un étonnement inexprimable » des beautés qu'il y rencontre, reconnaît son génie et déclare que « personne n'a été plus vivement inspiré ». On porte enfin une main sacrilège sur les règles sacrosaintes de l'*Art poétique* : on multiplie les infractions aux préceptes révérés touchant les unités, la composition, le style, la langue, la versification.

Renversement   Un autre dogme classique est celui de la pri-
des valeurs.   mauté de la raison dans l'œuvre créatrice, et ce
dogme, lui aussi, est ruiné. De même que, dans l'ordre politique, le Roi, expression de la conscience nationale, est réduit à entériner les aspirations confuses de la nation, de même, sur le plan littéraire, la faculté de coordination, la raison, cède le pas maintenant aux facultés irréfléchies, l'imagination et la sensibilité.

Primauté   *Aimez donc la raison,* disait Boileau, car seule
du   elle est capable de percevoir et de créer la vraie
sentiment. beauté. Le sentiment maintenant la remplace.
Faculté critique, il est le guide infaillible en matière d'art :

L'impression est le juge naturel du premier moment, la discussion l'est du second. Dans les personnes qui joignent à la finesse et à la promptitude du tact la netteté et la justesse de l'esprit, le second juge ne fera pour l'ordinaire que confirmer les arrêts rendus par le premier. (D'ALEMBERT, *Encyclopédie,* art. *Goût.*)

Faculté créatrice, le sentiment joue le premier rôle dans la production de l'œuvre littéraire. Pour Boileau, la poésie est chose complexe, à laquelle collaborent le génie, l'art et le goût. Les nouveaux critiques lui donnent pour source l'enthousiasme, l'exaltation quasi mystique, la « fureur » du génie spontané. Diderot enseigne que « la poésie veut quelque chose d'énorme, de barbare, de sauvage », et qu'elle ne fleurit jamais mieux qu'après les époques de crises et de convulsions. Il s'essaie à une analyse physiologique de l'enthousiasme :

Il s'annonce en lui (*le poète*) par un frémissement qui part de sa poitrine et qui passe d'une manière délicieuse et rapide jusqu'aux extrémités du corps.

Il serait sacrilège d'entraver cette faculté divine. Aussi, en même temps que les droits de l'homme, proclame-t-on les droits du génie. Tout compte fait, ces droits se résument en un seul : l'indépendance complète. Le génie déborde toutes les limites, fait craquer tous les cadres. Nulle loi, nulle règle ne lui est applicable. Comme dit le gentil Dorat, « il s'échappe, il se répand, il s'ignore ».

Indivi-   Cette émancipation des facultés affectives a pour
dualisme.   premier résultat d'imprimer à la nouvelle litté-
rature un caractère très net d'individualisme : ne sont-elles pas en effet ce qui marque le mieux la personnalité ? Les auteurs se prennent eux-mêmes pour objets de leur art, et le *moi* se glisse dans les œuvres ou s'y étale avec une impudeur effrontée. Le public fête ces expansifs, dont les aveux piquent sa curiosité, dont les traits de ressemblance chatouillent sa vanité.

Exotisme.   Autre conséquence importante : en s'affranchis-
sant, l'imagination développe une soif d'évasion, que satisfait l'exotisme sous ses deux formes, dans le temps et dans l'espace. Comme on ne peut se soustraire complètement au monde où l'on vit, on s'évade en pensée, remontant le cours des âges ou franchissant les distances pour trouver enfin une époque, un endroit où ne règne point l'odieux conformisme que l'on subit dans la pratique. On éprouve une sensation bienfaisante de rafraîchissement à revivre ces époques bénies, où les mœurs avaient encore tant de rude franchise ou de laisser-aller bonhomme, à pénétrer dans ces régions où la nature maternelle prodigue ses féeries et ses dons à une humanité voisine de l'antique innocence. De là en partie la vogue du Moyen Age, que le Romantisme est loin d'avoir découvert, dont les érudits d'alors vulgarisent les Chansons de geste, les romans, les œuvres facétieuses, et que les écrivains travestissent dans leurs horrifiantes élucubrations ou dans l'imagerie douceâtre du *genre troubadour*. De là aussi le succès des récits de voyage, des romans d'aventures, des bergerades exotiques, cet engouement tenace pour le bon sauvage, cette curiosité passionnée pour la nature des lointains pays. De là enfin, en partie tout au moins, la fortune d'œuvres plus graves, comme celle de Buffon, qui ravit l'esprit au-delà des temps et lui fait parcourir l'immensité des espaces. Toutes ces productions, si diverses de caractère et de mérite, ont ceci de commun qu'elles répondent aux besoins impatients des imaginations et des cœurs.

3° *Elargissement de la technique.*

Les genres.   La philosophie modifie profondément certains
genres littéraires, qui connaîtront, au temps du romantisme, une éclatante fortune.

L'histoire.   Et d'abord l'histoire. Préoccupée de réformes dans l'Etat et dans la société, la philosophie incite les auteurs, désireux d'appuyer sur une base solide leurs revendications, à tourner les yeux vers le passé, et nous avons vu les Encyclopédistes fouiller nos archives pour y retrouver les véritables institutions nationales, que l'absolutisme monarchique a déformées ou détruites. L'idée de progrès sert aussi, à sa façon, l'histoire. Elle avait déjà, comme on l'a vu plus haut, transformé la notion de beauté et substitué, dans la critique, le relativisme au dogmatisme, frayant ainsi la voie à Mme de Staël, à Chateaubriand, à Villemain. Elle agit de même en histoire. Essentiellement relativiste, elle ne peut qu'être favorable à un genre dont l'objet est étroitement lié à des circonstances uniques de temps et d'espace : jamais deux événements ne se reproduisent, malgré les analogies, en des conditions strictement identiques; s'il y a des « constantes », il n'y a pas de lois proprement dites en histoire. Sous son influence, et pour en affirmer la vérité, les écrivains sont donc portés à étudier les civilisations changeantes, apparues au cours des âges, et à saisir dans cette évolution les signes de l'amélioration graduelle de l'humanité. Malgré son « pyrrhonisme » et ses sautes d'humeur, Voltaire restera jusqu'au dernier jour féru d'histoire et conquis à l'idée de progrès : il n'est, pour s'en convaincre, que de lire son *Essai sur les mœurs*, ou le dernier chapitre de son *Précis du Siècle de Louis XV*.

L'épopée.   En même temps que la critique et l'histoire, la philosophie, toujours par cette idée de progrès, va renouveler l'épopée. A l'imitation de Pascal et de Fontenelle, les philosophes aiment à considérer l'humanité comme un seul et même homme, à mettre en lumière ses efforts plus ou moins heureux pour atteindre à la connaissance et au bonheur, à suivre les péripéties de la lutte qu'elle soutient sans relâche contre l'ignorance et le mal. Cette grandiose conception aurait animé l'*Hermès* d'André Chénier. Elle a fourni, on le sait, aux Lamartine, aux Hugo, aux Leconte de Lisle, le héros, la matière et l'esprit de leurs réalisations épiques. Elle est en germe chez de Jaucourt, qui définit l'épopée :

un récit poétique de quelque grande action qui intéresse tout un peuple, ou *même tout le genre humain*.

Le lyrisme.   Ne peut-on penser aussi que le lyrisme romantique n'est pas sans devoir quelque chose aux philosophes ? Cela est trop évident, en ce qui concerne Diderot et Rousseau, pour que j'y insiste. Mais le sensualisme lui-même a influé pour sa part sur le lyrisme. Sa conception matérialiste de l'homme, son renoncement désinvolte à la primauté que celui-ci exerce sur tous les êtres créés, son acceptation joyeuse de ne voir en lui que la modalité suprême de la matière n'ont-elles pas eu un effet décisif

sur la transformation du sentiment de la nature, ce thème fondamental des romantiques ? Comment expliquer ces correspondances
profondes entre l'homme et l'univers sinon par la conscience plus
ou moins claire d'une foncière identité entre les deux éléments ?
Et comment cette conscience se serait-elle créée, si le matérialisme
philosophique n'avait détrôné l'homme d'une royauté qu'il prétendait illusoire et ne l'avait réintégré à ce qu'il estimait être sa vraie
place, s'il ne l'avait inséré dans le tissu mouvant des atomes,
qu'éternellement varient les forces obscures du monde ? On peut
même aller plus loin et prétendre que le fameux « mal du siècle »
trouve dans ce matérialisme sa source principale. Faire briller aux
yeux des hommes un bonheur sans limites dans un avenir imprécis,
et, comme terme à leurs espoirs et à leur avidité de jouissance, ne
leur offrir que la tombe et le néant, quelle désespérante contradiction ! Et comme l'on conçoit que chez des âmes exaltées elle se
traduise par un dégoût de la vie et un mortel déséquilibre ! Tout
le monde n'a pas le stoïque détachement de Taine qu'enivre l'idée
d'aller, après sa mort, nourrir de sa substance la sève des arbres et
la verdure des gazons. En tout cas, il convient de noter que Bachaumont, en 1762, signale qu'une « frénésie » s'est emparée de Paris,
entraînant la mort de plus de dix personnes connues. Il ajoute :

Ce *tædium vitæ* est la suite de la prétendue philosophie moderne,
qui a gâté tant d'esprits trop faibles pour être vraiment philosophes.
(*Mémoires secrets*, XVI, p. 146.)

Le théâtre.   Au théâtre, la philosophie, en tant que doctrine
égalitaire, favorise le même nivellement que les
mœurs commencent à opérer dans la société et dont elle fait le but
principal de son effort. Comme la noblesse, la tragédie perd de son
prestige. Elle a beau affirmer sa prééminence avec la même hauteur
que l'aristocratie : elle ne parvient pas à éviter les contestations
brutales. Ni les efforts désespérés de Voltaire, ni les concessions
qu'elle consent à l'esprit du siècle ne lui servent de rien. Elle peut
se dégager des sujets antiques, faire appel à l'histoire moderne et
nationale, secouer les nerfs par un pathétique brutal, charmer les
yeux par le pittoresque du décor, échauffer les esprits par d'incessantes allusions aux préoccupations de l'heure : tous ses efforts restent vains. C'est que ni ses règles étroites ni sa noblesse de ton
ne répondent plus au mouvement général qui porte les esprits vers
l'indépendance et l'égalité. Les spectateurs l'abandonnent de plus
en plus pour se tourner vers de nouvelles formes dramatiques, qui
ne tardent pas à connaître un triomphal succès. Ces nouveaux
genres sont le drame bourgeois et le mélodrame, dont l'ascension
se terminera avec le triomphe d'*Hernani*. Jusque-là le peuple et la
bourgeoisie n'avaient apparu sur la scène que sous leurs aspects
comiques. Mais leur condition s'est relevée, et on les peint désormais avec le sérieux, la dignité ou la simplicité naïve qu'ils mon-

trent dans la vie. Les révolutions et les héros antiques, les monarques et les princes modernes suscitent maintenant beaucoup moins d'intérêt que le rôle utile du commerçant ou les fraîches amours de Bastienne et de Lubin.

Poèmes   Utilitaire et positive, la philosophie s'empare
didactiques   naturellement du grand principe classique : ins-
et   truire et plaire. Copiant La Fontaine, l'abbé
descriptifs.   Mallet proclame que « plaire est un moyen, ins-
truire est la fin ». Mais, à cette heure, l'instruction se porte sur d'autres objets : les idées subversives envahissent tous les genres; la nature et la science alimentent poèmes didactiques et poèmes descriptifs, qui déplorablement foisonnent dans ce siècle altruiste.

Les règles   Libertaire et égalitaire, l'esprit philosophique
et les   souffle un vent de révolte contre toutes les rè-
procédés   gles, si dévotieusement acceptées par le XVIIᵉ siè-
d'expression   cle et codifiées par Boileau. Tout le monde est à
peu près d'accord pour n'y voir que d'insupportables entraves qui ligotent le « génie ».
Mais les uns exigent la suppression radicale de ces formules périssables, les autres n'en réclament que l'atténuation. Sulzer déclare insoutenable la séparation des genres fondée sur Aristote :

La nature, dit-il, ne connaît pas ses limites; le seul principe qui légitime cette séparation est le degré de verve de l'inspiration.

Les règles particulières des genres sont tout aussi bien bouleversées. Marmontel s'élève et Mercier fulmine contre les unités de temps et de lieu, qui, d'après ce dernier, « ont perdu l'art en France ». Les merveilleux païen et chrétien sont également bannis de l'épopée, l'un comme anachronique, l'autre comme froid ou indécent. Marmontel et Sulzer ne font même pas grâce à l'allégorie, si chère à l'auteur de la *Henriade*. Ils admettent fort bien que l'épopée se passe de tout merveilleux, car il y a assez de grandeur dans les actions humaines. Poussant dans cette voie, Marmontel accorde que le héros épique soit du peuple : les *Pauvres gens* de Hugo l'eussent comblé d'aise.
Egalitaire, sensualiste et cosmopolite, la philosophie transforme profondément la composition, le style, la langue, la versification. D'oratoire et de logique qu'elle était, la composition tend à devenir plastique, à accorder les impressions plutôt qu'à lier les idées, à reproduire dans leur désordre bégayant le trouble ou l'égarement des âmes. Le style perd ses qualités de convenance et de sobriété. Il s'engonce dans les périphrases, s'échauffe ou se brillante, recourt aux prestiges des autres arts, s'adresse aux sens plus qu'à l'esprit. La langue se corrompt : des termes impropres, des tours vicieux se

relèvent jusque sous la plume de grands écrivains comme Buffon et Rousseau. Pour obvier à la pauvreté de cette « gueuse fière », on nationalise des termes étrangers : tel ce mot de *confort*, destiné à une si grande fortune. On propose le retour à d'anciens mots injustement rebutés : Marmontel fait campagne en faveur d'*oublieux*, de *labeur*, d'*ombreux*, etc. (art. *Usage*). Mercier, dans sa *Néologie*, préconise à la fois l'archaïsme et le néologisme. La réforme sera reprise par le Romantisme, qui bouleversera la langue, comme la Révolution aura bouleversé la société. Concurremment à sa pureté, la hiérarchie de la langue est attaquée. On s'insurge contre la noblesse des termes, et c'est Delille lui-même qui se plaint de l'inégalité des mots, classés iniquement en nobles et roturiers (l'expression est de lui dans le *Discours préliminaire* à sa traduction des *Géorgiques*, et non de Hugo) et qui, dans son poème des *Jardins*, donne l'exemple de l'affranchissement. La versification enfin rejette ses plus gênantes entraves : l'enjambement, le déplacement des coupes commencent à être largement pratiqués. Voltaire a beau tempêter : Marmontel et Florian — *Tu quoque, nepos !* — suivent l'exemple de Fénelon et composent des poèmes en prose. Turgot, lui, remonte plus haut pour trouver un modèle : c'est de Baïf qu'il s'inspire, et il traduit, en un mètre calqué sur l'antique, le livre IV de l'*Enéide*.

Conclusion.   Cette vue d'ensemble suffit à montrer que, à partir de 1750, les nouveautés littéraires ne sont pas moins nombreuses que les nouveautés politiques.

Le classicisme est frappé à mort, comme les institutions. Rien d'étonnant à cela. Les tendances de l'époque sont trop opposées à l'essence du classicisme, pour que celui-ci puisse survivre. Le classicisme est ascèse : pour atteindre la beauté, il se plie au renoncement, aux contraintes, aux mortifications intellectuelles. Comment fleurirait-il en un siècle de mollesse de vivre ? Le classicisme est politesse : l'écrivain s'efface; il veut être clair pour épargner toute gêne à son lecteur. Son intervention reste discrète. Point de méticuleuse description, l'essentiel en quelques traits suggestifs; faisant confiance à celui qu'il se propose d'atteindre, il l'invite comme par un geste courtois à collaborer avec lui. Comment une telle retenue pourrait-elle être de mise en un siècle de laisser-aller, où le « moi » commence à se produire avec tant de suffisance ?

Le romantisme n'est pas seulement en germe, il pointe déjà dans les quarante dernières années de l'Ancien Régime. Mais il ne triomphera que bien après la Révolution, et cela pour des raisons multiples. C'est que, d'abord, il est beaucoup plus facile de changer les lois que les mœurs, que celles-ci soient intellectuelles ou sociales : or, dès 1800, la société se reconstitue et impose de nouveau son empire aux écrivains; et d'un autre côté, malgré les réformes dans l'enseignement suggérées par certains philosophes, l'Université réorganisée renoue la tradition et oppose son influence aux audaces des novateurs. En second lieu, une doctrine littéraire ne triomphe qu'autant qu'elle crée une poésie — et les premiers grands romantiques, Mme de Staël, Chateaubriand, sont des prosateurs. Phénomène fort explicable, si l'on songe aux événements qui se déroulent de la prise de la Bastille à l'abdication de l'empereur : on ne pouvait chanter, quand brûlaient la France et l'Europe. Faut-il ajouter qu'il y a eu deux romantismes, et que le premier, d'inspiration nettement royaliste et catholique, s'est heurté à l'hostilité des épigones de Voltaire, réactionnaires en art et libéraux en politique ? On sait comment, après 1825, les chantres officiels du dernier sacre en France, Hugo et Lamartine, vinrent à résipiscence et adhérèrent aux idées de leurs ennemis : l'union une fois scellée, les obstacles s'aplanirent, et le Romantisme passa.

CHAPITRE X

La poésie du XVIIIe siècle est de nos jours sévèrement jugée; André Chénier lui-même a ses détracteurs. On reproche à cette poésie sa fadeur, sa froideur, sa convention, sa monotonie, de sacrifier le sentiment à la raison, de n'être qu'un divertissement de mondains spirituels. Si fondées que soient en partie ces critiques, elles ne doivent pas cependant entraîner une condamnation sans appel. D'abord la poésie de ces quarante années a créé d'authentiques chefs-d'œuvre — en petit nombre, il est vrai — mais on en doit tenir compte. De plus ses badinages renferment des merveilles de vivacité piquante, de grâce coquette ou d'émotion sincère. Enfin, au point de vue historique, elle présente le plus grand intérêt. Elle ouvre des voies nouvelles, invente des modes d'expression, genres éphémères, mais aussi formules d'art réservées à une éclatante fortune : sur bien des points ces poètes honnis sont des précurseurs.

I. — DISCUSSIONS ET DOCTRINES.

Deux choses frappent, lorsqu'on étudie la poésie de cette époque : d'une part l'intérêt passionné que suscite tout ce qui la concerne, d'autre part les tentatives qu'elle fait pour se renouveler.

La querelle de la poésie, soulevée au début du siècle par La Motte et Fénelon, et entretenue par Marivaux et l'abbé Prévost, se continue avec une vigueur accrue. Les assaillants sont maintenant Buffon, dont les blasphèmes horrifient La Harpe; Duclos, qui croit louer les beaux vers en les qualifiant de bonne prose; l'abbé Trublet, qui reproche à la mesure et à la rime d'entraver l'expression de la pensée. La défense est assurée par Voltaire, Lebrun, Marmontel, La Harpe — pour ne citer que les principaux. Tour à tour ils

s'insurgent contre « les abus de la philosophie », négative de la
poésie; ils s'élèvent contre « le froid géomètre », qui vient « avec
sa petite règle et son étroit compas toiser la marche audacieuse de
nos géants lyriques » (Lebrun); ils rappellent les titres de noblesse
de la poésie et la justifient par sa convenance à certaines exigences
de l'esprit, par sa supériorité éminente sur la prose, par ses bienfaits intellectuels et moraux. Ils sont ainsi amenés à serrer de près
le problème de la poésie, à s'interroger sur sa nature, à la définir
avec précision. Les éternelles questions touchant à l'essence, à la
matière, à la forme de la poésie, sont par eux posées, traitées et
provisoirement résolues, et, si le goût personnel met entre eux
quelque divergence de détail, sur l'essentiel l'accord est unanime.

Précisons d'abord que, dans leurs discussions, il s'agit de la grande
poésie, celle de l'épopée, de la tragédie et du lyrisme; quant à celle
de la comédie et des petits genres, ils partagent à son égard l'opinion classique, déjà formulée par Cicéron, dans son *Orator* et par
Horace, dans sa satire IV : réserve faite de la cadence, c'est de la
pure prose.

Pour eux, la poésie est un combiné d'enthousiasme et de raison.
Point de poésie sans enthousiasme, mais aussi point de grand poète
sans raison. Voltaire revient inlassablement sur cette union indispensable d'éléments qui semblent s'exclure :

L'enthousiasme raisonnable est le partage des grands poètes... la perfection de leur art; c'est ce qui fit croire autrefois qu'ils étaient inspirés
des dieux.
Point de poésie sans une grande sagesse. Mais comment accorder cette
sagesse avec l'enthousiasme ? Comme César, qui formait un plan de
bataille avec prudence et combattait avec fureur. (*Dict. phil.*, art. *Enthousiasme* et *Poètes*.)

Marmontel reprend ces idées, s'essaie à définir l'enthousiasme et
conclut :

Dans le poète, c'est l'imagination et le sentiment qui dominent, mais
si l'esprit ne les éclaire, ils s'égarent bientôt l'un et l'autre. (*Eléments de
Littérature*, art. *Imagination, Enthousiasme, Poète*.)

La théorie de Diderot est autrement riche, mais ne diffère point
de la précédente. Dans le *Second entretien de Dorval et moi*, il tente
l'analyse physiologique de l'enthousiasme et décrit les lieux les
plus propres à l'exciter :

Le séjour sacré de l'enthousiasme est la nature solitaire et sauvage...
où le poète mêle sa voix au torrent qui tombe de la montagne... sent
le sublime d'un lieu désert.

Dans son essai *De la poésie dramatique* (XVIII), il fixe les conditions de la grande poésie :

La poésie veut quelque chose d'énorme, de barbare et de sauvage...
Quand verra-t-on naître des poètes ? Ce sera après les temps de désastre
et de grands malheurs, lorsque les peuples harassés commenceront à
respirer.

Anticipation étonnante et vision prophétique, car la confidence
élégiaque n'est pas le seul élément du lyrisme romantique et ne doit
rejeter dans l'ombre ni la poésie sociale ni l'épopée humanitaire,
pourpre floraison que fit germer le sang de l'échafaud et des guerres,
et que firent éclore les ardeurs de Juillet et le soleil d'Austerlitz.

Tout cela est donc très original, mais Diderot ne s'en déclare
pas moins pour la thèse de l'enthousiasme dirigé :

Le poète sent le moment de l'enthousiasme : c'est après qu'il a
médité (*Dorval et moi*)... C'est au sang-froid à tempérer le délire de
l'enthousiasme (*Paradoxe sur le comédien*).

On s'est beaucoup gaussé de cette doctrine de l'inspiration réfléchie. Et pourtant elle a eu depuis lors, elle a encore de nos jours,
des répondants de marque. N'est-ce pas Henri Heine qui écrit :

C'est derrière le poêle qu'on trouve les meilleures chansons de mai ?

Flaubert constate :

Plus je suis dans un milieu contraire et plus je vois l'autre.

Baudelaire attend l'hiver pour se plonger dans cette volupté

D'évoquer le Printemps avec sa volonté.

et dans un projet de préface pour les *Fleurs du mal*, dégageant l'inspiration de la transe, il la fait naître du travail, des règles sévères
et de la raison. Edgar Poe s'amuse à analyser les éléments qu'un
froid calcul assemble pour faire jaillir l'émotion. P. Valéry donne
ce conseil narquois :

Méfions-nous des transports; ils transportent mal,

ou formule cet impérieux précepte :

Celui même qui veut écrire son rêve se doit d'être infiniment éveillé...
Le chef-d'œuvre de l'attention poussée à l'extrême sera de surprendre ce
qui n'existe qu'à ses dépens.

Soyons donc justes envers les poètes du XVIII° siècle, qui, à la
suite de Boileau, ont vu dans le « beau désordre » lyrique un effet
de l'art. Leur position théorique est aussi défendable, plus défendable même que celle des tenants de l'inconscient ou du subconscient, et, à y bien réfléchir, leur seul tort est d'être venus en leur
temps, à une époque où les sources modernes de la poésie commen-

çaient seulement à s'ouvrir et où la langue ne disposait pas encore
des ressources qu'elle offrit libéralement à l'auteur de *Vertige* et
à celui de *Narcisse.*

Œuvre sublime, la poésie ne saurait s'exprimer comme l'humble prose : Voltaire, La Harpe, Marmontel l'affirment à tout propos. Outre les qualités nécessaires à tout écrivain, prosateur ou poète,
— et qui sont la pureté de la langue, la propriété des termes, l'élégance et la clarté — la poésie doit présenter d'autres mérites, en
quelque sorte spécifiques : la noblesse, l'éclat, l'harmonie. Pour cela
elle doit recourir à des procédés particuliers, qui détonneraient partout ailleurs : termes généraux, périphrases et inversions, qui
relèvent et ennoblissent le style, mouvements impétueux qui
l'échauffent, images hardies et figures qui le colorent. Mais dans
ce domaine aussi, la raison doit exercer son contrôle sévère. Rien
de plus facile, pour éviter la grisaille, que de tomber dans le clinquant. Et Voltaire de railler les plagiaires indiscrets de la Bible, de
la Perse ou d'Ossian, mais d'exalter en revanche les poètes au goût
délicat qui pratiquent sans faux pas un art semé d'embûches.

Car, plus que toute autre langue, le français hérisse d'obstacles
la carrière poétique : sa monotonie, ses *e* muets (!!!), ses constructions régulières, sa pauvreté, sa timidité à créer des mots et des
tours, tout cela rend particulièrement ardu le métier de poète.
Aussi n'est-on digne de ce titre que si l'on parvient à triompher
dans cette lutte incessante contre une langue rebelle. La difficulté
vaincue est une parure essentielle de la vraie poésie.

On a souri, et j'ai souri moi-même, de ces préceptes et de ces
recettes. Et pourtant, à y bien réfléchir, qu'est-ce autre chose que
l'expression, à une certaine date, d'une loi de la création littéraire,
qui impose à chaque époque son vocabulaire, sa syntaxe, son style
particuliers ? Tous ces poncifs que recommandent et emploient les
poètes du XVIIIᵉ siècle, c'est leur « alchimie verbale », à eux, et
l'on ne saurait leur tenir rigueur de ce que la chimie était alors
en enfance. Quant à la difficulté vaincue, elle a eu de tout temps
ses zélateurs. On sait la joie enfantine que Boileau éprouvait à faire
entrer dans ses vers des objets qui répugnaient à la poésie. Plus
tard, Th. Gautier en fera le mérite suprême de l'œuvre d'art, et
Mallarmé poussera le principe jusqu'à la torture.

D'ailleurs, si vigilants que soient les Voltaire et les La Harpe
à maintenir la pure doctrine, le respect des bienséances et le souci
de la noblesse commencent à fléchir. On se libère timidement de
scrupules jugés désuets, et le vocabulaire poétique, que ses ennemis
(et Voltaire après eux) reprochent à Racine d'avoir « embour-
geoisé », se démocratise avec une audace hésitante. Les goûts rustiques du temps, le sentiment de la nature, les *Géorgiques* de Delille
et les *Idylles* de Gessner sont à l'origine de cet affranchissement
progressif de la langue, que jalonnent les œuvres de Delille et des
poètes descriptifs. Déjà, dans le *Discours préliminaire* de ses *Géor-*

giques, Delille se plaint que la barrière qui sépare les grands et le peuple ait séparé leur langage :

Les préjugés, ajoute-t-il, ont avili les mots comme les hommes, et il y a eu, pour ainsi dire, des termes nobles et des termes roturiers.

Aussi n'ose-t-il risquer les mots *vache* et *cheval*, qu'il remplace par *génisse* et *coursier*, ni les termes techniques *serpe* ou *sécateur* qu'il faut découvrir sous le *fer* ou l'*acier*. Mais sa peur « d'être bas » n'est point telle qu'elle le fasse reculer devant des mots comme *soc, orillon, râteau, faulx, fléau, concombre, charançon,* voire *taupe* et *crapaud !* Son exemple est suivi par Saint-Lambert dans les *Saisons* (1769), Roucher dans les *Mois* (1779), et lui-même, dans les *Jardins,* faisant le pas décisif, ouvre son vers au *bœuf,* et à la *vache* « qui ne le dégrade plus ».

La technique des vers offre une autre preuve de cette révolte contre des règles trop strictes. Sauf les routiniers auteurs de *Manuels* et de *Poétiques* à l'usage des collèges ou des salons, tout le monde cette fois s'entend pour donner plus de souplesse à la versification. On déplace la césure, on pratique le rejet et l'enjambement. A une condition toutefois : c'est que ces licences soient « expressives », et c'est le goût, là encore, qui reste l'arbitre souverain. L'alexandrin se « déniaise » et se « disloque » avant Hugo :

> Il rassemble ses flots, les entasse, et plus prompt
> Que le feu de l'éclair allumé par l'orage,
> Pousse leur vaste amas vers le pont qui l'outrage.
>
> (ROUCHER.)

Le décasyllabe recule sa césure au sixième et même au septième pied :

> Elle vous traite mal : mais la nature...
> Je ne suis point mariée, et l'affaire...
>
> (VOLTAIRE.)

Ce n'est donc point à A. Chénier, quoi qu'en dise l'opinion courante, que l'on doit l'assouplissement du rythme malherbien. On sait de reste que Boileau a violé lui-même, à maintes reprises, la règle qu'il avait formulée. Nos grands classiques l'ont imité, et l'évolution s'est précipitée au XVIIIᵉ siècle : M. Mornet a prouvé par une statistique judicieusement établie, qu'« il y a chez Racine une coupe nettement irrégulière tous les 192 vers, tous les 86 vers chez Lebrun, tous les 28 chez Delille, tous les 23 chez Roucher, tous les 21 chez Fontanes, tous les 15 dans les *Feuilles d'Automne.*

Reste à libérer la poésie de sa dernière entrave, le vers. Le pas suprême est franchi : on dissocie la notion de vers et celle de poésie, et le poème en prose apparaît.

C'est une grande audace en ce temps où le goût est aussi timoré que la pensée est hardie, et l'on conçoit qu'elle ait soulevé des protestations véhémentes. Les novateurs ont beau s'appuyer sur l'autorité d'Aristote, qui conçoit fort bien une épopée en prose et sur l'exemple du *Télémaque*, Voltaire n'a que sarcasmes pour cette tentative « paradoxale » :

> Pour les poèmes en prose, je ne sais ce que c'est que ce monstre. Je n'y vois que l'impuissance de faire des vers. (*Dict. phil.*, art. *Epopée.*)

La Harpe lui fait écho, sur le ton rogue qui lui est habituel :

> Le *Télémaque*, tout admirable qu'il est, n'a pas pu obtenir parmi nous le titre de poème, que l'auteur lui-même n'avait jamais songé à lui donner.... Si l'on pouvait être poète en prose, trop de gens voudraient l'être, et l'on conviendra qu'il y en a déjà bien assez. (*Lycée*, I, p. 14.)

Chénier affirme, lui aussi, l'incompatibilité radicale de la poésie et de la prose :

> La poésie anime et personnifie tout... elle peint tout, elle embellit tout, et vit d'images et de hardiesses; la prose vit d'exactitude et de raison... sort de ses limites en se parant de lambeaux poétiques. (*Discours sur la langue et la poésie françaises.*)

En face de ces tenants opiniâtres de la tradition, Marmontel se dresse et prend en main la cause de la prose poétique. Il pose en principe que la poésie, consistant en un ébranlement exceptionnel de l'âme, n'est pas indissolublement liée à la forme métrique. Tout style vibrant, hardi et coloré, tout rythme harmonieux est capable de la traduire :

> J'admire autant qu'il est possible les poètes qui excellent dans l'art d'écrire des vers..., mais je croirai toujours que l'écrivain auquel il ne manque que ce don-là pour être poète, aura le droit de dire encore, en exprimant en prose harmonieuse tout ce que la nature a de plus animé, de plus touchant, de plus sublime : « Et moi aussi, je suis poète. » (*Elém. de lit.*, art. *Vers*, fin.)

La prose lui paraît même supérieure au vers, comme instrument d'expression :

> Les mouvements qu'on emploie dans les vers peuvent tous passer dans la prose. Sa liberté la rend même susceptible d'une harmonie plus variée, et par conséquent plus expressive, que celle des vers dont la mesure limite les nombres. (*Poétique française*, p. 183.)

D'Alembert est de cet avis; il préfère la mélodie de la prose comme « moins monotone et par conséquent moins fatigante que celle des vers ». Diderot fait de « la véritable harmonie que Nature et Nature seule dicte » une nécessité aussi impérieuse pour la prose que pour le vers. Le chevalier de Jaucourt exprime l'idée qu'« il est de beaux poèmes sans vers ». Lebrun, dans ses *Réflexions sur le génie de l'ode*, proclame que « parmi nos prosateurs, nous avons eu deux génies vraiment lyriques ». Le premier est Bossuet, que Lebrun — avant Villemain — rapproche de Pindare. Le second est Montesquieu qui, dit-il, « s'élance en tumulte et par bonds dans tous ses ouvrages » et qui a « donné à sa prose le ton dithyrambique ». Tout cela prépare le mot de Mme de Staël sur « nos véritables poètes qui ont été des prosateurs ».

Le fâcheux de l'affaire, c'est que ces vues toutes modernes n'aient inspiré aucune œuvre de valeur. La théorie ne s'est alors appuyée que sur des œuvres falotes comme les *Incas* de Marmontel, ou comme le *Gonzalve de Cordoue* et le *Numa Pompilius* de Florian — pour ne rien dire de Bitaubé et de son *Joseph*, la première tentative de ce genre (1767), de Pechméjà et de son *Télèphe* ou de S. Mercier et de son *Bonnet de nuit*. Mais la vivacité même de la querelle montre bien l'importance que l'on attribue à son objet, et ne faut-il pas toujours que l'apprentissage précède la maîtrise ?

II. — CARACTÈRES.

Avant d'aborder l'étude détaillée de la production poétique, il convient d'en prendre une vue d'ensemble et d'en dégager les caractères marquants.

Grand nombre des œuvres. Elle est, en premier lieu, d'une abondance exubérante. *Magnum proventum poetarum aetas illa attulit,* dirait quelque pédant, en modifiant à peine le mot de Pline le Jeune. Que la récolte renferme plus d'ivraie que de froment, c'est possible. Mais là n'est pas la question. Le fait est celui-ci : cette génération réputée antipoétique a produit et consommé une quantité stupéfiante de poèmes. Le phénomène a de multiples causes. Dans le peuple, l'instruction qui se développe, le prestige des grands noms, les avantages de toutes sortes que la célébrité procure, le mécénat de l'Etat, de l'Eglise et des grands, les prix académiques, cette sorte de noblesse que confère le talent reconnu, autant de raisons qui éveillent les vocations poétiques et suscitent les ambitions. Aux autres échelons de la société, c'est la formation des précepteurs et des collèges, la fréquentation des hommes de lettres, l'habitude du monde, la lecture. Du grand seigneur au plébéien, de la bourgeoise à la duchesse, toutes les classes se piquent au jeu, un duc de Nivernais-Mancini comme un Chamfort, une Fanny de Beauharnais comme une Mme Dufrénoy ou une Mme Pipelet. Les vers envahissent tout, et les périodiques spécialisés comme l'*Almanach des Muses*, le *Mercure* ou le *Journal des Dames* trouvent des concurrents dans les autres publications.

Variété.   Elle est en outre extrêmement variée. Tous les genres consacrés s'y rencontrent, le poème héroïque et le madrigal, le grand lyrisme et l'épigramme, le poème didactique et le conte, la satire et la stance rêveuse et tendre. Des genres inconnus l'enrichissent, qui sont l'héroïde, l'élégie, le poème descriptif, le genre troubadour. Tous les courants d'idées et de sentiments qui traversent l'époque s'y entrecroisent et la fécondent : elle est en même temps philosophe et vaguement religieuse, dévote de science et passionnée de mélancolie, raisonneuse et instinctive, enthousiaste et inquiète, libertine et prédicante, moderne et férue d'antiquaille; elle mêle le rire aux larmes, accouple la moquerie et le soupir. Image fidèle de cette société désaxée qui tourne à tous les vents, de cette société condamnée, qui masque ses angoisses de dehors tapageurs et farde d'un éclat factice la pâleur de la mort qui approche.

Manque   Elle manque totalement d'originalité. Il semble
d'originalité.   que l'atmosphère surchauffée où elle se développe énerve en elle la faculté créatrice. Aussi, sans nulle vergogne, elle pille, elle plagie, elle imite. Quand le poète ne se raconte pas lui-même, il met en vers une œuvre en prose (le *Temple de Cnide* de Montesquieu est deux fois versifié), il adapte un poème paru, ou exploite l'actualité. Les modèles sont empruntés à tous les temps et à tous les pays, au Nord comme au Midi, à l'Occident comme à l'Orient, aux anciens comme aux contemporains. Une marque frappante de ce cosmopolitisme et de ce goût composite se relève dans les genres nouveaux que la poésie se met à cultiver : l'héroïde et l'élégie viennent de Rome par le détour de Londres, le genre troubadour du Moyen Age, le poème descriptif de l'Angleterre encore. Autre aspect de cette société avidement curieuse, qui se plaît à promener ses rêveries dans un parc à l'anglaise qu'un temple grec décore et où contrastent des blancheurs de statues à l'antique et des blocs patinés de ruines médiévales.

Elle annonce enfin le romantisme. Timidement ou gauchement par la forme, ainsi que nous l'avons vu. Par le fond surtout. Elle ébauche les thèmes que le romantisme va développer : le moi, la nature, Dieu, la mélancolie, l'Orient, le Moyen Age, la philosophie politique et sociale, et plus d'une fois l'occasion se présentera de rapprocher tel ou tel poétereau oublié d'un de ses grands successeurs, dont le rayonnement l'a éclipsé.

III. — GENRES ET ŒUVRES.

Deux noms se détachent de la foule de ces poètes : Voltaire et Chénier. J'ai déjà parlé du premier, je traiterai à part du second. Il ne sera donc question ici que des poètes secondaires, mais je les insérerai, à titre d'exemple, dans l'étude de chaque genre : aucun

d'eux en effet ne mérite de notice particulière. Car, s'ils sont d'habiles rimeurs, s'ils trouvent assez souvent des vers dignes de mémoire,
s'il leur arrive même par cas de se révéler de vrais poètes, ils ont
de trop vastes ambitions, dispersent leurs dons dans tous les genres,
montrent des défauts et des qualités si semblables qu'avec le recul
du temps ils ne forment plus qu'une masse confuse, baignée d'un
clair-obscur où s'estompent les individualités.

On ne doit qu'un bref souvenir au poème héroïque, où Voltaire
s'est illustré, et où Thomas (1732-1785), Chapelain au petit pied,
très honnête homme, mais plat poète, tente de se distinguer. Efforts
perdus, car son *Juminville* (1766), récit de la mort de notre envoyé
massacré au Canada par les Anglais, n'est que de la prose boursouflée, et sa *Pétréide*, relation du séjour de Pierre le Grand en
Occident, malgré une scène — anachronique mais belle — entre
le tsar et Louis XIV, dégage bien une impression de labeur conscien-
cieux, mais stérile. Le style, tout supérieur qu'il est à celui du *Juminville*, n'est même pas de l'Homère somnolent.

Le grand   S'ils renoncent à concurrencer Homère, Virgile
lyrisme.   et Voltaire, les poètes se prennent pour autant de
Pindares : le nombre d'odes qui paraissent alors est littéralement
prodigieux. L'illusion fait sourire : elle est sincère du moins, et
pour certains, à leurs bonnes heures, se transforme presque en réalité.
Ce grand lyrisme est au premier chef oratoire : il développe éloquemment, brillamment parfois des lieux communs de science, de morale
ou de politique; le transport, l'ivresse demeurant sous l'œil de la
raison, qui compose le désordre et calcule l'effet.

Le premier de ces poètes, par la date comme par le mérite, est
J.-J. Lefranc, marquis de Pompignan (1709-1784), la victime de
Voltaire et des Encyclopédistes, qu'il avait du reste provoqués dans
son discours de réception à l'Académie (1760). Ses *Poèmes sacrés*
(1751 et 1755), ses odes profanes, parmi lesquelles brille au premier
rang l'*Ode sur la mort de J.-B. Rousseau*, classent Lefranc parmi
les vrais poètes et, à certains moments, parmi les grands poètes.
Connaissant l'hébreu, il veut et sait rendre les qualités du texte
sacré qu'il traduit fort intelligemment, sans s'y asservir, mais en
en rendant avec justesse les mouvements fougueux, les tours hardis,
l'énergique concision, la couleur éclatante. Il sait construire une
strophe, lui imprimer un mouvement sûr, la dérouler avec ampleur,
la faire tomber sur un vers qui frappe par la vision offerte où la
résonance éveillée. Longtemps méconnu, il doit à La Harpe, peu de
temps avant sa mort, de connaître la grande gloire qu'il mérite.
La malice de Voltaire l'a compromis devant la postérité, mais il
conviendrait de le tirer de l'oubli et de le remettre à son rang, qui
n'est pas loin du premier.

Ecouchard-Lebrun (1732-1807) est le digne émule de Lefranc,
qu'il lui arrive d'égaler. C'est un auteur de talent, doublé d'un

homme sans caractère. Son esprit se guinde dans le sublime, son cœur s'abaisse jusqu'au vil. Sa vie privée et ses palinodies politiques écartent de l'homme les sympathies que suscite le poète. Ses contemporains l'appellent Lebrun-Pindare, surnom qui nous paraît ridicule, mais qui témoigne et de son ambition et de la qualité de son effort. De ses odes assez nombreuses pour former plusieurs livres, deux seulement sont encore connues — faut-il dire : parce qu'elles sont liées à l'histoire littéraire ou politique ? La première est l'*Ode*, habile et chaleureuse, qu'il adresse à Voltaire pour lui recommander Mlle Corneille, la seconde, longtemps fameuse, est l'*Ode au vaisseau « Le Vengeur »*, encombrée de rhétorique et de mythologie, mais dont quelques strophes palpitent vraiment de fière émotion et de patriotique ardeur. On doit leur adjoindre les deux *Odes à M.* de Buffon, sortes d'épinicies, qui chantent en fort beaux accents les triomphes du génie scientifique sur la Nature mystérieuse. Lebrun possède à fond la technique du lyrisme, telle qu'elle est alors codifiée : netteté de ligne, vivacité de l'attaque, abondance — prolixité de temps à autre — du développement, bonheur de la chute, il fait preuve dans la composition de toutes ces qualités. Son style a de l'énergie, une cadence large et sonore, de l'ardeur et de l'éclat; mais le souci de l'élégance et de la noblesse se traduit fâcheusement par d'énigmatiques périphrases :

> La colline qui, vers le Pôle,
> Borne nos fertiles marais,
> Occupe les enfants d'Eole
> A broyer les dons de Cérès.
> Vanves qu'habite Galatée,
> Fait du lait d'Io, d'Amalthée,
> Epaissir les flots écumeux,
> Et Sèvres, d'une pure argile,
> Compose l'albâtre fragile
> Où Moka nous verse ses feux.

Cela veut dire tout simplement qu'à Montmartre il y a des moulins à vent, que Vanves fabrique du beurre et Sèvres des tasses à café !

A la suite ou à côté de Lefranc et de Lebrun, de nombreux rimeurs tendent une main avide vers le « laurier d'Apollon »; Dorat lui-même, le poète petit-maître, a cette convoitise : aucun ne le cueille; peu y atteignent. Aussi me suffira-t-il de citer les poèmes qui ont eu de la célébrité en ce temps-là et dont certains vers ornent encore la mémoire des lettrés. Malfilâtre (1732-1767), qui ne meurt pas de faim et n'est pas ignoré, quoi qu'en dise Gilbert, mais qui gaspille dans les plaisirs ses forces et le produit rondelet de ses vers et qui n'est sauvé de l'indigence que par une de ses créancières à l'âme de Kitty Bell, Malfilâtre écrit une ode *Sur le soleil fixe au milieu des planètes*, où la grandeur du sujet est desservie par l'exécution. Gilbert, que nous allons retrouver, compose d'étranges

20

platitudes lyriques, mais il a son heure d'inspiration. Son *Ode sur le jugement dernier* mérite d'être mise aussi haut que les *Poèmes sacrés* de Lefranc, plus haut même, si l'on tient compte à l'écrivain de son originalité : il ne copie plus cette fois, mais traduit sa vision et son émotion personnelles. Ce poème, de conception grandiose, d'ordonnance sûre et de mouvement majestueux, de style plein, vigoureux et sonore, est de tous points admirable. A défaut d'autres, que j'ai le regret de ne pouvoir citer, je veux au moins rappeler les derniers vers, qui donnent une impression saisissante de tragique silence et d'infini :

> L'Eternel a brisé son tonnerre inutile;
> Et, d'ailes et de faulx dépouillé désormais,
> Sur les mondes détruits le Temps dort immobile.

Lemierre (1733-1793), poète polygraphe, est un habile tourneur de vers, un *poeta* plutôt qu'un *vates*. Son ode *Sur l'accord des armes et des lettres* renferme quelques strophes très estimables, et l'image qui la termine est aussi large que juste :

> Vrai symbole d'un peuple instruit et redouté,
> L'aigle porte la foudre, et sa prunelle altière
>   Fixe encor la lumière
> Dans les plaines du vide et de l'immensité.

Thomas conclura notre liste avec son *Ode sur le temps*. Le poème a de belles qualités de conception, de mouvement et de rythme. Il offre de plus cette particularité d'avoir été « pillotté », comme eût dit Montaigne, par Lamartine, Hugo et Musset. Lamartine y a pris l'*océan des âges* et la fameuse invocation : *O temps, suspends ton vol*, plus un vers presque entier :

Je parcours tous les points de l'immense durée (*étendue*, chez Lamartine).

Hugo et Musset ont refait à leur manière (légèrement supérieure) quelques-unes des expressions qu'il contient. Petit détail sans doute, mais qui prouve que nos grands romantiques tiennent de plus près qu'on ne croit à leurs humbles prédécesseurs et qu'ils imitaient Virgile exploitant Ennius.

Le poème didactique. Le poème didactique, illustré par Boileau, maintenu à une certaine hauteur par L. Racine, reste en faveur, on n'en doute pas, auprès des lecteurs de l'*Encyclopédie* : s'instruire en se distrayant est un de leurs vœux les plus chers, et c'est à quoi ce genre de poésie répond. D'un autre côté, les poètes y rencontrent à chaque pas des difficultés à vaincre, et ils saisissent avec empressement ces occasions de montrer leur dextérité de rimeurs.

Le cardinal de Bernis (1715-1794), le faiseur de petits vers musqués, le *Babet la Bouquetière* de Voltaire, consacre sa maturité à la composition d'un grand poème en dix chants, la *Religion vengée*. Il marche dans la même voie que L. Racine et le cardinal de Polignac, mais non du même pas. S'adressant à un siècle raisonneur, c'est par la raison seule qu'il attaque l'impiété; il ne fonde son apologie ni sur l'autorité des Pères, ni sur Bossuet, ni sur Pascal. Dans une argumentation solide et juste, il montre que l'athéisme, issu de l'idolâtrie, a pour ancêtres l'orgueil et la volupté; il réfute les différents systèmes négateurs de la divinité, et il établit, pour conclure, les titres historiques et rationnels de la religion. Bernis écrit dans une langue élégante, et son style, généralement d'une fluidité aisée, prend, quand il le faut, une énergique fermeté et atteint en quelques passages à l'éloquence et à la poésie.

Watelet (1718-1786), haut fonctionnaire des finances, artiste et mécène tout ensemble, Académicien, est le premier, en France, qui ait mis en vers, dans un poème continu et ordonné, les préceptes d'un art autre que la poésie : c'est donc un précurseur et, comme tel, il mérite déjà de ne pas être passé sous silence. C'est de plus un écrivain qui n'est pas méprisable. Son poème en quatre chants, *la Peinture* (1759), a été malmené par Diderot. Il offre pourtant de réelles qualités d'ingénieuse précision dans les vers didactiques et, dans les tableaux qui le parsèment, d'agrément pittoresque. Lemierre s'attaque au même sujet, mais le resserre en trois chants (*la Peinture*, 1769). Inférieur à Watelet dans la partie technique, qu'il avoue ne pas connaître — admirons en passant la présomptueuse légèreté des poètes de ce temps — il prend sa revanche dans les épisodes; chez lui la description s'échauffe de sentiment. Lemierre a encore écrit d'autres poèmes didactiques d'importance inégale : les *Fastes*, imités d'Ovide, calendrier poétique de l'année; le *Commerce*, qui remporte le prix de poésie à l'Académie française; *Sur l'utilité des découvertes*, couronné par l'Académie de Pau, etc. Lemierre est souvent prolixe, prosaïque et rêche. Mais il a des idées ingénieuses ou profondes, il sait enlever un tableau, il peut dans ses bons moments toucher à la grandeur. Son œuvre abonde en vers heureux, que l'on cite encore, sans savoir la plupart du temps qu'il en est l'auteur :

Le trident de Neptune est le sceptre du monde. (*Le Commerce.*)
L'allégorie habite un palais diaphane. (*La Peinture.*)
Même quand l'oiseau marche, on sent qu'il a des ailes. (*Les Fastes.*)
Tout change; un Dieu renaît, la nature avec lui. (*Id.*)
Croire tout découvert est une erreur profonde :
C'est prendre l'horizon pour les bornes du monde. (*Sur l'utilité des découvertes.*)
Mon espoir est trop grand pour n'être qu'une erreur. (*Id.*)

Faguet remarque justement que ce dernier vers, « **délicieux** », qui exprime la foi du poète dans l'avenir de l'électricité, « pourrait tout à fait bien trouver sa place dans un poème sentimental ou religieux ».

Dorat, esclave de la mode en sa qualité de poète mondain, se devait d'écrire un poème didactique : il publie donc une *Déclamation théâtrale*, en quatre chants (1770). A l'inverse de Lemierre, il connaît fort bien son sujet, puisqu'il commet tragédies et comédies, et fréquente chez les artistes. L'intérêt littéraire de ce poème, un peu froid mais élégamment écrit, est inférieur à son intérêt documentaire. C'est une œuvre d'actualité, un écho de la lutte menée par la jeune école d'interprètes, que conduisent Mlle Clairon et Lekain, contre la tradition du débit monocorde et chanté. Dorat y prend position, avec les novateurs, en faveur du naturel.

Signalons enfin que Lebrun a ébauché un grand poème lucrétien *De la nature*, et Fontanes écrit sur l'*Astronomie* des vers qui ont longtemps orné les anthologies.

L'épître et la satire.   Ces deux genres sont des variétés du poème didactique : ne se proposent-ils point chacun à sa manière, l'un par le conseil, l'autre par le blâme, d'enseigner l'art suprême, l'art de vivre ? Ils sont tous les deux fort cultivés à cette époque, l'épître surtout, forme cadencée et piquante de la correspondance, où le XVIII° siècle est passé maître.

Les *Epîtres* de Voltaire comptent, on le sait, parmi ses œuvres les plus charmantes. Mais les *minores*, les *minimi* eux-mêmes ont laissé dans ce genre des œuvres très agréables pour l'invention et le style. On griffonne alors des épîtres à tout propos; on en adresse à tous et à tout, aux morts comme aux vivants, aux choses comme aux personnes. On y sème l'esprit à pleines mains, on y étale des trésors de fantaisie et de raison, d'impertinence fringante et de flatterie délicate, de grâce alerte et de raillerie incisive, d'audace gaillarde et d'émotion pudique. Peut-être l'abandon, qui est de mise dans une lettre, favorise-t-il une diffusion un peu jaseuse. Mais c'est là petit défaut, que les autres mérites font aisément pardonner. Il est impossible d'étudier en détail ces milliers de badinages, parés de charme pimpant ou de vivacité spirituelle. J'en veux du moins signaler quatre, que le sort injuste semble vouloir plonger dans une obscurité définitive. La première fut longtemps célèbre et figura dans toutes les anthologies : c'est l'*Epître à mon habit* de Sedaine, œuvrette ingénieuse, fort joliment tournée. Les deux suivantes sont de La Harpe. L'une s'intitule *Sur les talents des femmes* : elle est très intéressante, cette Epître, ou plutôt cette dissertation morale, de contexture assez lâche, honnêtement écrite, où la louange se fait courtoisement discrète, et elle est digne de s'insérer dans la suite de la littérature féministe, entre l'*Apologie des femmes* de Ch. Perrault et le *Mérite des femmes* du premier Legouvé. L'autre est l'*Epître à M. le comte de Schowaloff*, où La Harpe attaque la poésie descriptive et semble pressentir l'influence rénovatrice que le sentiment de la nature aura sur la poésie. Le quatrième ouvrage, qui est beaucoup plus développé et fait alterner la prose et les vers, a joui, lui aussi, d'une durable notoriété, complètement éteinte aujourd'hui : ce sont les *Lettres à Emilie sur la mythologie* de Demoustiers (1760-1801), œuvre amusante et fine, un peu maniérée toutefois, d'un sincère admirateur de l'antiquité, mais qui madrigalise et prend avec l'objet de son culte les mêmes libertés qu'Aristophane avec Dionysos. Et, puisque je viens de citer cette production ménippée, qu'on me permette d'ajouter à ma liste la relation en prose coupée de vers d'un voyage en Languedoc de Lefranc de Pompignan, réplique et correctif au célèbre *Voyage* de Chapelle et Bachaumont, plus spirituel, mais hélas ! bien peu pittoresque dans l'ensemble : c'est là que se trouve la tirade monorime, que beaucoup connaissent, tout en en ignorant l'auteur :

> Nous fûmes donc au château d'If.
> C'est un lieu peu récréatif
> Défendu par le fer oisif
> De plus d'un soldat maladif,
> Qui de guerrier jadis actif
> Est devenu garde passif,
>   etc.

La satire. La décadence des mœurs, la lutte philosophique, les querelles littéraires créent un climat favorable à l'épanouissement de la satire. Ici encore Voltaire est le maître, mais ici aussi il trouve dans ses confrères en poésie des émules de valeur. Le mieux doué de tous est sans conteste Gilbert (1750-1780). La satire est le climat naturel de ce génie inquiet et âpre, de ce romantique avant la lettre, dévoré d'ambition, ulcéré de sa vie médiocre, souffrant dans sa foi insultée autant que dans ses espoirs déçus. La haine des philosophes et le dégoût de vivre dans ces temps corrompus lui inspirent deux admirables poèmes, *Le XVIII* *Siècle* (1774) et *Mon Apologie* (1778). Il veut être le Boileau de son siècle, qu'il attaque à la fois dans son immoralité et dans son mauvais goût. Mais son indignation véhémente, sa mordante raillerie, sa fougue oratoire le rapprochent plutôt de Juvénal, de d'Aubigné et de Hugo. La satire de Gilbert a d'éminentes qualités. Elle est courageuse; il faut en effet du courage pour s'attaquer pauvre, inconnu, sans protecteur, à la société qui dispense argent et gloire, à la coterie holbachique et au roi Voltaire, qui exercent de terribles représailles. Elle est lucide : il est rare que la passion embue son regard et émousse son acuité; toutes ses critiques portent d'habitude; tous ses jugements ou presque se sont imposés à la postérité. Elle est littérairement du premier ordre. Ecrivain de race, Gilbert a le don de l'invention bouffonne, de l'ironie feutrée comme du sarcasme direct, de la concision fulgurante comme de la période emportée. La violence de ses convictions entraîne son œuvre dans un

mouvement lyrique, qui rappelle les *Tragiques* ou les *Châtiments*.
Non qu'il soit constamment parfait : il n'évite pas toujours la diffusion, la mollesse, la platitude. Mais cela est rare, et l'ensemble reste
de fort belle qualité. Que de causticité malicieuse, par exemple, dans
ces distiques à l'emporte-pièce :

> Saint-Lambert, noble auteur dont la Muse pédante
> Fait des vers fort vantés par Voltaire qu'il vante.
>
> Ni ce vain Beaumarchais, qui, trois fois avec gloire,
> Mit le mémoire en drame et le drame en mémoire...
>
> Ni ce lourd Diderot, docteur en style dur,
> Qui passe pour sublime à force d'être obscur...
>
> Ni ce froid d'Alembert, chancelier du Parnasse,
> Qui se croit un grand homme et fit une Préface.
>
> (*Le XVIIIe Siècle.*)

Quelle raillerie cinglante dans ce portrait à l'eau-forte de La Harpe:

> Dois-je, au lieu de La Harpe, obscurément écrire :
> C'est un petit rimeur, de tant de prix enflé,
> Qui, sifflé pour ses vers, pour sa prose sifflé,
> Tout meurtri des faux pas de sa Muse tragique,
> Tomba de chute en chute au trône académique ?
>
> (*Mon Apologie.*)

Et ces vers qui brillent et qui sifflent comme des balles tra
ceuses :

> Et l'on prêche les mœurs jusque dans la *Pucelle*...
> On récite déjà les vers qu'il fait encore...
>
> Prêché par eux, le vice eût perdu ses appâts...

On accuse souvent Gilbert de méchanceté. Le reproche est fondé
quelquefois. Mais sa méchanceté est fort drôle, et, s'il est licite de
rire aux goguenardises iniques de Voltaire, il n'est pas interdit de
le faire aux malices, même injustes, de son ennemi.

La Harpe n'est pas seulement le critique du *Lycée*, que j'étudie-
rai en son lieu. C'est aussi un auteur qui tâte de tous les genres.
J'ai signalé son *Épître sur les femmes*. Je dois maintenant mentionner les *Satires*, où il mêle un peu de morale à beaucoup d'épigrammes
littéraires. Intelligent et versificateur habile, La Harpe montre dans
ce genre des qualités de goût, de trait, de mordant, de mouvement,
et ses vers coulants, d'une langue très pure, devraient lui ramener
de nombreux lecteurs. Bien d'autres ombres me sollicitent, que
j'écarte à regret, mais il faut terminer cet article. Et ce sera par
l'exhumation de trois pièces, qui amusèrent la malignité contemporaine. P. Clément de Dijon, classique renchéri et pédant, tourne

cependant d'assez agréable façon une *Réponse de Boileau à Voltaire*,
contrepied de l'*Epître à Boileau*. Dorat (encore et toujours !) intervient dans la querelle avec son *Dialogue de Pégase et de Clément*,
où, sous couleur de défendre Voltaire, il insère dans une rapide
histoire de la poésie un jugement plutôt ambigu sur l'illustre poète;
mais il entretient avec lui des relations aigres-douces. Rulhière rime
un *Discours sur les disputes*, dont Voltaire s'entiche et se fait une
arme contre le mauvais goût de son temps. On peut y relever, dans
la vive coulée de vers jolis et prestes, quelques alexandrins sentencieux assez bien venus :

> Plus on s'est disputé, moins on s'est éclairci...
> Le vrai peut quelquefois n'être point de saison
> Et c'est un très grand tort que d'avoir trop raison.

La fable. — La fable, forme primitive et populaire du poème
didactique, mais que La Fontaine a élevée à la
dignité de genre littéraire, tente alors presque tous les poètes. A
l'exemple du Bonhomme, et sans se soucier d'une comparaison redoutable, ils veulent « instruire et plaire » à leur tour.

Le plus célèbre de ces imitateurs est Florian (1755-1794). Il
n'égale certes pas le Maître; mais il ne manque point de solides
mérites. Il est original dans les sujets, dessine d'un crayon sûr
ses personnages, les fait agir et parler avec naturel, peint la vie
avec franchise, sans brutalité, mais sans enjolivement. Il joue
son petit rôle dans la guerre aux abus, et sa morale judicieuse se
teinte de sensibilité. Son style, un peu diffus par endroits, est très
varié : simple et facile le plus souvent, il devient au besoin énergique et fier, épigrammatique et sentencieux, se colore de pittoresque, se pare de grâce poétique, s'échauffe d'émotion. Quelques
fables de Florian sont aussi connues que celles de La Fontaine : elles
sont dignes de cet honneur, et d'ailleurs tout son recueil procure
encore un plaisir d'une réelle qualité.

Avant lui, dans le temps, mais après lui, dans l'ordre des valeurs,
viennent Pesselier et Dorat. Ch.-Estienne Pesselier (1712-1763) a
écrit des *Fables nouvelles*, bien oubliées aujourd'hui et qui méritent
cette disgrâce par leur prolixité et leurs prétentions philosophiques.
Cependant l'auteur a du bon : une originalité accusée, de l'agrément,
de l'esprit et, dans quelques pièces, une vigueur incisive. Loin d'avoir
échoué dans l'apologue, comme le prétend La Harpe, Dorat y a
trouvé une occasion nouvelle de montrer la souplesse de son talent.
Ses fables, où il critique les institutions et le train du monde, ont
les défauts et les qualités de ses autres œuvres : une abondance un
peu lâche, de la recherche, une pointe de préciosité, compensées dans
une certaine mesure par la facilité, la vivacité, le piquant; et elles
ne dépareraient pas un fablier bien composé.

Le poème   Le poème descriptif, autre variété du genre didac-
descriptif.   tique, est une création du XVIII° siècle, et, chez
nous, une première importation anglaise. Les *Saisons* (1726 à 1730),
de l'Ecossais James Thomson, que Mme Bontemps traduit en 1759,
obtiennent un succès triomphal et déclenchent une avalanche de
poèmes destinés à chanter la nature et les travaux des champs.
Cette vogue est encore aidée par les circonstances. A ce moment,
la société commence à quitter boudoirs et salons, à aimer la nature,
à fréquenter les champs, à se mêler de près ou de loin à la vie rustique : seigneurs et grandes dames se plaisent à ouvrir le bal avec
leurs vassaux. C'est alors que florissent les doctrines des physiocrates, que l'on se passionne pour la liberté du commerce, et que
les jolies femmes, entre deux madrigaux ou deux épigrammes, discutent gravement de la circulation des grains.

Thomson n'a donc pas de peine à faire école, et ses élèves français
mettent religieusement leurs pas dans les siens. Il y a dans Thomson
des épisodes — scènes champêtres ou idylles campagnardes — des
descriptions, des déclamations, des prosopopées : tous ces éléments
se retrouvent chez ses scrupuleux imitateurs. En même temps, amusés par l'effort qu'ils déploient pour rendre poétiquement, c'est-à-dire
noblement, maint détail commun ou bas de la vie rustique, ils
l'étendent à toutes sortes d'objets, répugnant par nature à la poésie.
Ainsi naissent les vers descriptifs, application du précepte de la
« difficulté vaincue », qui est, on le sait, pour eux une parure de
la belle poésie.

L'introducteur, et en même temps le théoricien du genre, est
Colardeau (1732-1776). Très estimé de ses contemporains, aujour-
d'hui plongé dans la nuit, Colardeau n'est pas sans talent, mais
intéresse surtout par son rôle littéraire : promoteur du poème descriptif et technique, il l'est encore de l'héroïde, et il remet en
faveur l'idylle un peu délaissée. Ses *Hommes de Prométhée*, succession de tableaux peignant l'enfance du monde, ont une certaine couleur épique et peuvent passer, avec quelque bonne volonté, pour une
timide promesse des *Fossiles* de L. Bouilhet. L'*Epître à M. Duhamel*
se lit encore avec plaisir, pour ses mérites d'ordre divers. A côté de
vers bien frappés ou d'une jolie note sentimentale :

> Par l'orage effrayé, j'en admire l'horreur :
> Le philosophe observe et l'homme seul a peur...
> Nous goûtons le bonheur sans l'économiser,
> Et notre art d'en jouir est l'art d'en abuser...
> Des heureux que l'on fait on reçoit le bonheur :
> La main donne... elle achète un plaisir par le cœur;
> Plaignons l'être isolé qui dans lui se renferme, etc...

on relève des vers descriptifs, d'un pittoresque paré de grâce ingénieuse :

> L'insecte (le papillon), tout à coup détaché de la tige,
> S'enfuit... et c'est encor une fleur qui voltige.

et des vers techniques — description de la boussole, du baromètre,
du thermomètre, du paratonnerre, de la cornue, du cadran solaire, etc.
— d'une facture habile, où la périphrase ne nuit pas trop à la précision :

> Ici, sur un pivot vers le Nord entraîné,
> L'aimant cherche à mes yeux son point déterminé...
> Là du haut de tes toits inclinés vers la terre
> Un long fil électrique écarte le tonnerre....
> Et, plus haut, je vois l'aube errante sur un mur
> Faire marcher le temps d'un pas égal et sûr.

Dans la voie ouverte par lui, Colardeau est suivi par trois poètes
qu'on ne lit plus guère aujourd'hui, bien qu'ils figurent toujours
dans les Manuels et que l'un d'eux même ait été, à son heure, une
manière de poète national.

Saint-Lambert (1716-1803) vient en tête avec ses *Saisons* (1769).
Il commence par être un fringant officier, aux bonnes fortunes
retentissantes : il enlève à Voltaire le cœur de la divine Emilie, et
garde contre Rousseau ce charmant laideron de Mme d'Houdetot
avec qui, pendant près d'un demi-siècle, il vit dans la plus régulière irrégularité. L'apparition de son poème soulève admirations
éperdues et dénigrements fielleux : Voltaire et La Harpe le portent
aux nues; Mme du Deffand, Horace Walpole, Buffon le jugent fade,
ennuyeux et froid, et c'est à ceux-ci que la critique moderne se
rallie. Elle loue certes le noble dessein du poète, qui prêche aux
courtisans — sans en donner l'exemple — le « retour à la terre ».
Dans cette suite de tableaux, coupés des pastorales, déclamations et
prosopopées rituelles, elle signale équitablement des développements
soignés, des tirades bien venues, de brefs éclairs de sentimentalité
presque romantique, de l'adresse à tourner le vers large ou gracieux.
En compensation, elle note aussi de la froideur, de la fausse élégance,
du prosaïsme et de la sécheresse, et la balance se solde en définitive par un gros déficit.

Roucher a plus de valeur. Né à Montpellier, en 1745, il meurt
sur l'échafaud, le 25 juillet 1794, le premier de la funèbre fournée
qui comprend A. Chénier. Sympathique par son tragique destin,
sympathique par ses qualités d'homme, il l'est encore par ses mérites
d'écrivain. Son poème en douze chants, les *Mois*, est supérieur aux
Saisons. La Harpe, qui le déchire avec délices, lui reproche sa composition décousue, ses platitudes, sa rhétorique creuse, son mauvais
goût, ses périphrases obscures, son étalage d'individualisme, son
rythme audacieux et souvent pénible, son vocabulaire. Il y a là
quelque excès. Pas plus que le critique, nous ne nous dissimulons
maintenant les défauts de Roucher : faiblesses d'agencement et de
style, philosophie provocante, déclamatoire et sensible. Mais, mieux

que lui, nous tenons compte des qualités. Roucher s'est assimilé la science de son temps et l'utilise avec adresse dans ses descriptions ingénieuses ou brillantes. Il a souvent l'imagination, le sentiment, la vigueur d'un poète philosophe. Il varie avec opportunité le mouvement, la couleur et la musique de ses vers. Nous goûtons le charme intime de ces confidences répétées, où le poète célèbre sa petite patrie, ses parents, son foyer. Loin d'en être horrifiés, nous prenons plaisir à ses coupes hardies, à ses rejets, aux vieux mots dont il émaille déjà sa langue, comme le feront un Chateaubriand, un Courier ou un Nodier, et ces prémices d'avenir nous rendent indulgents pour l'ivraie, les fruits coulés, les fleurs flétries que ce poème rustique peut contenir.

Delille commence par un triomphe une carrière qui se terminera en apothéose. Sa traduction en vers des *Géorgiques* (1766) le sacre grand homme, et les quatre chants des *Jardins* (1782), malgré quelques attaques, confirment sa réputation. Il s'y montre tel qu'il restera, versificateur virtuose plutôt que vrai poète, avec parfois une échappée d'émotion sincère, comme dans ce croquis notamment :

> Bientôt les aquilons
> Des dépouilles des bois vont joncher les vallons...
> J'aime à mêler mon deuil au deuil de la nature.
> De ces bois desséchés, de ces rameaux flétris,
> Seul, errant, je me plais à fouler les débris.

Ce n'est pas tout à fait Millevoye, moins encore Lamartine ou Verlaine. Mais après Saint-Lambert et Roucher, qui ont le sens plutôt que le sentiment de la nature, des impressions plutôt que des sensations, Delille a du moins ce mérite d'avoir associé le paysage à son état d'âme et d'avoir perçu, même étouffés, les « sanglots longs des violons ».

La poésie   Avec la poésie mondaine, on quitte les champs
mondaine.   pour revenir au salon, au boudoir, trop souvent
à l'alcôve. Je désigne par ce terme commode cette pluie d'opuscules
— poésies fugitives, poésies légères, poèmes didactiques polissons —
qui, de 1750 à 1780, inonde la société. Toutes ces œuvrettes
expriment une préciosité nouvelle, affectant comme l'autre, mais
de façon bien différente, l'être tout entier, mœurs et manières, esprit
et cœur. L'impertinence chasse le respect, l'inconstance la soumission, le persiflage la pointe, la dureté la tendresse, le plaisir l'amour :
Lovelace détrône Céladon. Rien de plus banal, de plus monotone, de
plus faux. Point ou peu d'invention personnelle : on traduit, on
copie anciens et modernes, on se plagie sans vergogne, on ressasse à
satiété la même fable d'érotisme provocant. C'est toujours le même
thème, le même hymne à la jouissance, la même cantate pour Paphos,
sur une musique grêle et sautillante d'épinette, sans ligne mélodique
caressante, sans accent vibrant. Toujours le même décor, les mêmes

personnages : temple pseudo-grec, où trône une Vénus accueillante, auréolée d'amours voltigeants et potelés, au regard oblique, au sourire fripon; Orient de convention avec derviches aux lèvres fleuries de sentences et harems où s'énervent des sultanes; nature d'opéra-comique avec bocages peuplés de gémissantes tourterelles, ruisseaux jaseurs, moutons frisés, bergers pressants, bergères nées pour la chute. Et, dans toutes ces scènes que l'on veut suggestives, jamais rien de la fougue sensuelle ni des tons chauds de Fragonard, mais un libertinage à froid, brillanté de clinquant, ou laqué de blanc laiteux, si ce n'est de rose groseille.

Est-ce à dire qu'elle soit totalement dénuée d'attraits, cette Muse fardée et minaudière en déshabillé galant ou en robe à la Pompadour ? Non : tout n'est pas exécrable dans ce qu'elle inspire. On y peut avoir l'heureuse surprise d'un détail pittoresque, d'une vive description, d'une fusée d'esprit, d'une mince coulée de sentiment. Mais la fadeur y domine, et le lecteur actuel, ce balourd, s'en lasse rapidement. Dorat (1734-1780) est le maître incontesté de cette poésie — doublement impure — de plaisir et d'esprit. C'est, comme on a pu déjà s'en rendre compte, un rimeur polygraphe, un chasseur de succès mondains, à l'affût des goûts du public. Un moment mousquetaire, il quitte l'épée pour ménager les scrupules d'une vieille tante janséniste, dont il attend l'héritage. Il prend la plume, réussit et, pendant vingt ans d'une carrière fortunée et glorieuse, disperse dans les genres les plus divers sa prodigieuse facilité. Trop exalté de son temps, il est peut-être trop rabaissé du nôtre, car ses poésies fugitives, si elles ont les défauts du genre, en ont aussi au plus haut point les qualités. Son mérite ressort mieux, lorsqu'on le compare à ses émules : l'*Art d'aimer* de Gentil-Bernard est illisible, le *Temple de Gnide* de Colardeau ne l'est guère moins; quant au *Narcisse* de Malfilâtre, c'est charité que de le laisser à l'onde où il se noie.

L'épigramme et le madrigal.　　Deux petits genres, en revanche, demandent et doivent obtenir grâce : miroirs de bonbonnière finement ouvragés, où se reflètent la courtoisie câline et la malice caustique de la société : l'épigramme et le madrigal. L'épigramme, condensé de méchanceté, nourrit la médisance des salons. L'atrabilaire Lebrun en est le roi, et il n'en compose pas moins de deux livres. Il manie supérieurement le tour marotique, lance d'une main sûre le trait qui siffle et s'enfonce. Sa verve envieuse se délecte surtout à piquer ses confrères. Voici Fanny de Beauharnais, coquette achevée et avorton de poétesse, dont les vers passaient pour être de son amant Dorat-Cubières :

> Eglé, belle et poète, a deux petits travers :
> Elle fait son visage et ne fait pas ses vers.

Sur Dorat, son ennemi :

Phosphore passager, Dorat brille et s'efface :
C'est le vers luisant du Parnasse.

Et sur le bon Colin d'Harleville :

Chez les nymphes d'Aonie,
Colin d'Harleville, au hasard
Voulant attraper le génie.
Me semble un peu Colin-Maillard.

Le madrigal, vérité caressante ou mensonge poli, est monnaie courante chez les mondains, qui ont fait un art exquis de la vie en société. En voici deux, adressés à deux reines. Le premier est du président Hénault, qu'une sorte d'amitié amoureuse unissait à Marie Leczinska. A une lettre particulièrement tendre de la Reine, il répondit par ce quatrain d'un tact adorable :

Ces mots tracés par une main divine
Ne m'ont causé que trouble et qu'embarras :
C'est trop oser si mon cœur le devine,
C'est être ingrat de ne deviner pas.

Le second, de Lemierre, fut gravé sur un éventail que le comte d'Artois offrit à Marie-Antoinette :

Dans les temps de chaleurs extrêmes,
Heureux d'amuser vos loisirs,
Je saurai près de vous attirer les Zéphyrs :
Les amours y viendront d'eux-mêmes.

Ce ne sont que des bluettes, mais elles sont ravissantes, et l'éventail de Marie-Antoinette peut faire concurrence à l'*Eventail de Mlle Mallarmé*.

Toute cette poésie n'est propre à satisfaire qu'aux tendances intellectuelles et frivoles de la société. Or, à partir de 1760 environ, l'évolution morale qu'ont amorcée les œuvres de La Chaussée, Marivaux et Prévost se précipite sous l'action combinée de l'Angleterre, de la Suisse et des philosophes. Pope et son pittoresque sombre, Young et sa rhétorique funèbre, Thomson et ses tableaux champêtres, Gessner et son optimisme idyllique, Rousseau et sa passion exaltée, l'*Encyclopédie* et ses rêves généreux ouvrent aux imaginations des horizons insoupçonnés et font palpiter les cœurs de frissons inconnus. Ni le déchaînement de Voltaire ni les protestations de Dorat ne parviennent à endiguer les influences du Nord. La poésie répond à ces besoins nouveaux : elle le fait en partie, comme on l'a vu, avec le poème descriptif; elle crée en outre l'*héroïde*, et elle transforme l'élégie et l'idylle.

L'héroïde est une autre importation anglaise. D'origine latine, le genre a été adapté au XVIIIe siècle par l'Anglais Pope, introduit chez nous par Feutry et mis à la mode par Colardeau. Chez Ovide, qui en est à Rome à peu près l'unique représentant, l'héroïde est une épître amoureuse, spirituelle et coquette, écrite par un personnage de la mythologie ou de la fable. Pope en modifie le décor et le ton. Sa *Lettre d'Héloïse à Abélard* (1738) met en scène une femme célèbre du Moyen Age et alourdit la plainte langoureuse de rhétorique scolaire, d'allusions voilées et de ténébreuse sensibilité. Feutry la traduit librement (1751), sans éveiller d'écho. Colardeau la paraphrase à son tour (1758), et son succès est tel que l'héroïde devient l'un des genres les plus exploités : pendant trente ans, les poètes s'y adonnent avec autant de fidélité qu'à la tragédie, à l'épître ou à l'apologue; on en publie des recueils.

Le genre a ses lois fixes. Le sujet peut être légendaire ou vécu, ancien ou moderne, voire contemporain, pourvu qu'il soit à base de pathétique ou d'horreur. La passion s'y exalte jusqu'à la frénésie, associant Dieu et la nature à ses transports. Dans un décor de tombeaux ou de ruines monastiques, les personnages se livrent à des méditations funèbres, à des déclamations anticléricales, à une molle religiosité.

Feutry, dont la plume élégante atténue un peu le noir de son modèle, donne ensuite à plein dans le sombre et le sinistre avec le *Triomphe de la mort* (1753), les *Tombeaux*, traduits d'Hervey (1755), et les *Ruines* (1767). Ses tableaux semblent inspirés de la Danse Macabre et son réalisme dépasse celui de Villon. Evoquant une jeune fille morte, il écrit :

> O ciel !... De tant d'éclat... quel changement funeste !
> Une masse putride est tout ce qui lui reste !

L'adaptation de Pope par Colardeau a une agréable fluidité de style, offre quelques beaux vers, mais aussi que de longueurs et de platitudes ! Et quelle chaleur factice dans l'expression du sentiment ! Dorat a de l'aversion pour le « génie indiscipliné » et les « convulsions » des Anglais, mais, esclave du goût contemporain, il compose des héroïdes — c'est même lui qui en écrit le plus — empruntant ses sujets de toutes mains et se pliant aux lois du genre avec une telle exactitude que c'est de ses poèmes que l'on en peut tirer les éléments. La Harpe imite ses deux devanciers dans les héroïdes par lesquelles il débute. Le mélancolique Léonard affadit dans ses vers l'éloquente lettre de milord Edouard à Saint-Preux sur le suicide. Gilbert, à défaut d'autres mérites, a celui de l'originalité dans les sujets qu'il tire de faits divers : la *Lettre de la marquise de Jauge* raconte l'histoire d'une femme assassinée par ses beaux-frères; la *Lettre de d'Orval à Mélida* contient les confidences d'un adultère assassin.

L'élégie prend pour modèle l'élégie latine et, comme elle, se donne pour but principal de chanter les joies et les tristesses de l'amour. Mais elle ne se borne pas à ces objets : le sentiment de la nature, le moi, la mélancolie, la rêverie lui fournissent des thèmes

féconds. D'autre part, elle ne s'asservit point à un rythme fixe;
le lyrisme élégiaque est un état d'âme plutôt qu'un genre codifié,
et il revêt les formes les plus variées : épîtres, stances, poèmes,
petites odes, etc.

Quand déferlent le spleen anglais et la sentimentalité germanique, l'élégie jouit d'une faveur qu'elle n'a jamais connue. Journaux
et recueils se remplissent de poèmes attendris, d'imitations et d'adaptations de Tibulle et de Properce. L'élégie se glisse dans l'œuvre des
poètes les moins pourvus des qualités qu'elle exige : on la découvre
chez le mousquetaire Dorat, chez le frivole Gentil-Bernard, chez
le froid Saint-Lambert, chez le hargneux Lebrun, chez le véhément
Gilbert. Mais tous la traitent sur le mode cavalier, avec esprit, sans
grande émotion, sauf Gilbert, dont les *Adieux à la vie* ou plutôt l'*Ode tirée de plusieurs psaumes*, si poignante dans son effusion
discrète, a immortalisé son nom. Elle commence à revenir à son
véritable caractère avec Colardeau, qui, le premier, murmure de
mélodieuses confidences, et avec La Harpe, le classique ultra, dont
certaines stances d'une sensibilité sincère ont une teinte presque
romantique : ce n'est pas encore l'aurore, c'est l'heure indécise et
charmante, où « n'étant plus nuit, il n'est pas encore jour ».
L'aurore ne vient, colorée et déjà chaude, qu'avec Parny, Bertin et
Fontanes.

Evariste Desforges, chevalier de Parny, est né à l'île Bourbon, en
1752, d'une famille à prétentions nobiliaires, mais qui ne sera confirmée dans ses titres qu'en 1784, après procès. Envoyé jeune en France,
il est successivement élève au collège de Rennes, puis au séminaire
de Saint-Firmin, à Paris, où il a pour camarade Sieyès. Il perd la
foi, comme Renan, à la lecture de la Bible, se tourne vers l'armée,
entre aux dragons de la Reine, et revient un moment à l'île Bourbon, où il pousse vivement une idylle avec une jeune créole de
treize ans, Esther Troussaille, qu'il chante sous le nom plus poétique d'Eléonore. Son père s'opposant au mariage, il retourne en
France, guerroie dans les Indes, mène surtout une vie d'épicurien
lettré, partagée entre le plaisir et les Muses. La Révolution le ruine :
il s'adapte avec insouciance à ce changement de fortune. Ses amis
d'ailleurs ne l'abandonnent pas et font de lui un codirecteur de
l'Opéra, puis un fonctionnaire aussi peu ponctuel que l'officier. Il
se marie en 1801 et meurt en 1814.

Le cas Parny est déconcertant. Cet enfant des îles, qui a connu
l'Inde, est fermé à tout exotisme. Ce maître de Lamartine est un
voltairien forcené. Ce poète de l'amour vrai est le plus souvent un
chantre du plaisir. Mais, dans sa vie jouisseuse, une heure sonne
où il connaît la douleur, où il l'exprime simplement, intensément,
et ses purs sanglots sont devenus immortels. Ses *Poèmes érotiques*,
dans leur forme primitive (1778), ne comprenaient que trois livres
et ne différaient guère des recueils galants de l'époque : c'étaient
les mêmes thèmes de stratégie amoureuse, les mêmes exhortations à

suivre la nature, la même divinisation de l'amour, la même fatuité
impertinente, la même imagerie libertine; la petite créole y coudoyait plus d'une rivale. Et voilà que Parny apprend qu'Eléonore
s'est mariée : une blessure s'ouvre alors dans son cœur, qui ne se
cicatrisera jamais complètement. Il écrit son quatrième livre (1781) :
tel un héros romantique, il se repaît de sa souffrance, l'associe à
la nature, en cherche l'oubli dans la solitude :

> J'ai cherché dans l'absence un remède à mes maux;
> J'ai fui les lieux charmants qu'embellit l'infidèle;
> Caché dans ces forêts dont l'ombre est éternelle,
> J'ai trouvé le silence et jamais le repos...

> Le volcan dans sa course a dévoré ces champs;
> La pierre calcinée atteste son passage :
> L'arbre y croît avec peine; et l'oiseau par ses chants
> N'a jamais égayé ce lieu triste et sauvage.
> Tout se tait, tout est mort; mourez, honteux soupirs !...

Le siècle est bouleversé par ces accents qu'il n'a jamais entendus,
et Ginguené traduira plus tard avec bonheur l'impression de profonde nouveauté alors éprouvée :

> L'esprit et l'art avaient proscrit le sentiment...
> Tu vins, tu fis parler le véritable amour.

Cependant, comme si la douleur épurait son cœur, Parny reprend
son œuvre, que pendant vingt-cinq ans il va sans cesse remanier :
il en retranche les pièces les plus vives, en bannit les amours de
rencontre, et sa fidélité rétrospective en fait une sorte de mausolée
du souvenir, où seule se dresse l'image embellie d'Eléonore. Grâce à
ce pieux travail, le doux fantôme de la jeune créole ne s'est pas,
comme celui d'Eurydice, évanoui dans les airs : il a longtemps hanté
les imaginations, il flotte encore — mais pour combien de temps ?
— dans la mémoire de plus d'un lettré, à côté de la jolie som-
meilleuse du *Manchy*, qu'un autre enfant de la Réunion, parent
éloigné de Parny, mais plus grand poète que lui, Leconte de Lisle,
a chantée en des strophes qui, elles, ne périront pas.

Son désespoir exhalé, Parny n'a plus fait entendre qu'une fois
la note émue, dans l'adieu touchant qu'il dépose sur la tombe d'une
jeune fille, et dont les derniers vers s'exhalent comme un soupir :

> Ainsi le sourire s'efface;
> Ainsi meurt sans laisser de trace
> Le chant d'un oiseau dans les bois.

Je toucherai plus loin un mot de ses autres œuvres.
Parny est un excellent écrivain. Il use d'une langue un peu pâle
et sèche, mais d'une élégante pureté. Son style est remarquable surtout par la rapidité, la légèreté ailée, la grâce piquante, le rythme

onduleux. Mais il sait être aussi, quand il le faut, large, ample et même majestueux.

Antoine de Bertin (1752-1790) est, lui aussi, originaire de la Réunion. Ami d'enfance et compagnon de plaisir de Parny, il veut être, de dessein arrêté, ce que celui-ci est de génie. Ses trois livres d'*Amours* (1780) montrent que des dons appréciables ne comblent pas la distance qui sépare l'application de la spontanéité. Fort peu original, encombrant ses vers de réminiscences et d'allusions antiques, sans grande force dans l'expression de ses joies et de ses douleurs, plat et entortillé, il a du moins le don du pittoresque. Il trace de ses deux maîtresses, l'experte Eucharis et la novice Catilie, des portraits vivants et bien contrastés. Il a le sentiment de la nature, dont il rend avec charme les lignes, les musiques et les teintes. Ses poèmes ont de jolis coins de poésie rustique ou se colorent d'un exotisme un peu pâle, mais méritoire :

> Le roseau savoureux, fragile amant des ondes,
> Le manguier parfumé, le dattier nourrissant,
> L'arbre heureux où mûrit le café rougissant,
> Des cocotiers enfin la race antique et fière,
> Montrant au-dessus d'eux sa tête tout entière (!)
> Comme autant de sujets attentifs à mes goûts,
> Me portaient à l'envi les tributs les plus doux.
>
> (II, xx.)

C'est faiblement écrit, c'est du Bernardin délavé, mais c'est une grande nouveauté à l'époque.

Fontanes (1757-1821) est surtout pour nous le grand Maître de l'Université impériale. On a oublié ses odes anacréontiques, et c'est dommage, car ce pontife officiel est, dans le privé, un aimable épicurien, ami des belles formes et tournant fort galamment le vers. On a oublié aussi ses poèmes de début, et cette fois c'est injuste, car, à sa petite mesure, Fontanes est un précurseur. Protégé de Dorat, il ne subit l'influence de son maître que quand celui-ci donne dans le funèbre et le sépulcral. Encore son imitation est-elle très indépendante. Il chante les infortunes réelles de sa vie et déjà, comme le *Qaïn* de Leconte de Lisle, querelle l'injustice de Dieu :

> Toi qui, sans mon aveu, me donnas l'existence,
> Grand Dieu, parle... A souffrir m'aurais-tu destiné ?...
> Pouvais-je être coupable avant que d'être né ?
>
> (*Le cri de mon cœur*, 1778.)

Avant Chateaubriand, il éprouve l'horreur sacrée des forêts mystérieuses :

> L'ombre de ces grands bois...
> S'entasse à chaque pas, s'agrandit, se prolonge,
> Et, dans la sainte horreur où mon âme se plonge,
> Au palais d'Herminsul je me crois transporté.
>
> (*La forêt de Navarre*, 1780.)

P. A. CARON DE BEAUMARCHAIS.

Cl. Larousse

Portrait de CARON DE BEAUMARCHAIS

célèbre les beautés et les grandeurs de la vie monastique (*La Char-treuse de Paris*, 1783) ou les splendeurs des pompes religieuses :

> Cette lampe d'airain qui...
> Luit devant le Très-Haut, jour et nuit suspendue...
> Cet orgue qui se tait; ce silence pieux,
> L'invisible union de la terre et des cieux,
> Tout enflamme, agrandit, émeut l'homme sensible.
>
> (*Le jour des morts*, 1783.)

Il écoute et transcrit la mélancolique chanson de l'automne :

> Oh ! comme avec plaisir la rêveuse douleur,
> Le soir, foule à pas lents ces vallons sans couleur,
> Cherche les bois jaunis, et se plaît au murmure
> Du vent qui fait tomber leur dernière verdure !
> Ce bruit sourd a pour moi je ne sais quel attrait.
>
> (*Id.*)

Quelques-uns de ses vers pourraient même servir d'épigraphe au *Cimetière marin* :

> Non loin s'égare un fleuve, et mon âme attendrie
> Vit, dans le double aspect des tombes et des flots,
> L'éternel mouvement et l'éternel repos.
>
> (*Id.*)

Voilà des thèmes destinés à une grande fortune : Fontanes les indique à Chateaubriand, dont il sera l'ami et le conseiller littéraire, à Millevoye, qui mourra avant lui, à Lamartine, dont il pourra lire les *Premières Méditations*.

Il y aurait encore beaucoup à glaner dans la production élégiaque du temps. On peut, sans être inique, passer sur Deguerle (1766-1824), disciple et copiste de Parny, dont les *Amours* (1789) sont l'œuvre d'un écolier bien appliqué. Mais Ginguené, ce brave homme d'anticlérical farouche, a droit à un petit souvenir : fournisseur attitré de l'*Almanach des Muses*, il donne à ce recueil une *Confession de Zulmé*, qui est un événement (1776), et, l'année suivante, des stances touchantes et mélodieuses où sans trouble il évoque sa fin qu'il veut celle d'un sage :

> Ses jours coulent comme un ruisseau
> Qui, par des routes vagabondes,
> Porte nonchalamment ses ondes
> Au lieu marqué pour son tombeau...
>
> Et dans l'instant trop redouté,
> Dernier bienfait de la nature,
> J'irai me perdre sans murmure
> Dans les flots de l'éternité.

Le chevalier de Bonnard (1744-1783) sème, lui aussi, dans les périodiques ses petits poèmes sans prétention, traversés d'une veine familière, sincère de sentiment, sobre de style :

> Ah ! que me font à moi les champs et les bocages ?
> Les beaux lieux ne sont beaux que par l'objet aimé.

Léonard, que nous allons voir, mêle, dans de poignantes *Stances au bois de Romainville*, quelques taches de couleur rustique et son incurable mélancolie :

> Les voilà ses jonquilles d'or,
> Ses violettes parfumées !
> Jacinthes, que j'ai tant aimées,
> Enfin, je vous respire encore !...
>
> Amours, plaisirs, troupe céleste,
> Ne pourrai-je vous attirer,
> Et le dernier bien qui me reste
> Est-il la douleur de pleurer ?

Cette fois, c'est Musset que l'on entend : preuve nouvelle qu'il n'y a point coupure entre les romantiques et ceux qu'avec dédain on appelle les pseudo-classiques.

L'idylle.   Négligée pendant la première moitié du siècle (on ne peut guère en signaler que du président Hénault, dans la manière spirituelle et galante de Fontenelle), elle est subitement remise à la mode vers 1760. C'est alors un véritable engouement. On ne se contente pas de l'écrire, on la vit : bergères, nymphes, naïades, deviennent des poncifs littéraires et l'on connaît les divertissements champêtres de Marie-Antoinette à Trianon.

Cette vogue relève des mêmes causes que celle du poème descriptif : besoin du temps, influences littéraires. L'une de ces influences est celle de Colardeau : son idylle *Hylas et Myrtile* met en scène un amant trompé, qui se plaît au mystérieux accord de son âme endeuillée et du paysage hivernal :

> Ce spectacle, en un mot, conforme à ma tristesse,
> En m'affligeant encor, me touche et m'intéresse.

Cette première expression du sentiment de la nature, si pâle qu'elle soit, émeut alors délicieusement les cœurs. La seconde influence, capitale, est celle d'un Suisse de langue allemande, le Zurichois Salomon Gessner (1730-1788), dont les poèmes (*Daphnis*, 1754; *Idylles*, 1756 et 1772; la *Mort d'Abel*, 1758) sont traduits dès 1762, sous le pseudonyme de Huber, et vont aux nues. On s'éprend follement de cet ambigu d'antiquité factice, de fausse naïveté, de vertu ostentatoire, de rhétorique justicière ou revendicatrice, de sensibilité douceâtre et larmoyante qui somme le charnier d'Young de l'urne lacrymatoire. Turgot lui-même ne croit pas perdre son temps en collaborant à la traduction de Huber. Et les premiers imitateurs apparaissent, prosaïques comme Blin de Saint-More (1733-1808), melliflus comme Berquin (1749-1791), dont les *Idylles* ont du moins quelque gentillesse.

Léonard (1744-1793), que j'ai cité à plusieurs reprises, est plus digne qu'eux de nous arrêter. Créole de la Guadeloupe, il voit sa vie, passablement voyageuse, bouleversée par un chagrin d'amour : une jeune fille qu'il aime et dont il est aimé est contrainte par sa mère d'épouser un autre homme, et elle en meurt. Son désespoir, son origine, ses voyages, son admiration pour Gessner et Rousseau expliquent la variété et le ton général de son œuvre, dans laquelle figurent encore des *Idylles et poèmes champêtres*. Léonard puise chez les Alexandrins, chez Horace, chez Catulle, et par-dessus tout chez Gessner. Il est donc peu original, et de plus, il n'échappe pas à la fadeur. Mais il aime et sent la nature dont il évoque avec prédilection les aspects attristés et les retraites voilées d'ombre. Il introduit dans l'idylle la méditation philosophique et la rêverie; il l'émeut de cette mélancolie douce, dont sa vie s'enveloppe :

> Celle que j'adorais n'est plus :
> Mes mânes dans ces lieux gémiront inconnus,
> Et sur ma tombe solitaire
> Les pleurs d'aucun ami ne seront répandus.

Il y a bien du charme dans ces plaintives cantilènes, et elles font pardonner à Léonard bien du fatras.

Ainsi, jusque dans le genre le plus artificiel, l'idylle, il est possible de déceler des germes de romantisme. C'est aussi vers le romantisme — celui de Béranger — que s'achemine la chanson, avec l'abbé L'Attaignant (1697-1779). Sémillant abbé de salon, en coquetterie avec Voltaire qu'il admire, il se convertit, la septantaine passée, ce qui lui vaut à son tour d'être chansonné. On lui attribue le populaire *J'ai du bon tabac*. Béranger n'a pas dédaigné de refaire deux de ses chansons, la *Chasse* et l'*Eloge des vieux,* dont on peut déjà apprécier le tour vif et piquant. Faguet rapproche ses *Réflexions sérieuses* de l'*Espoir en Dieu* de Musset. J'y reconnais pour ma part une certaine gravité éloquente, que me gâte toutefois le rythme de l'octosyllabe et l'emploi du quatrain.

Ainsi s'achève, sur une dernière évocation du romantisme, cette revue des poètes secondaires. Ils ont des défauts indéniables, mais leurs mérites ne le sont pas moins. On peut ne pas les goûter, mais on doit reconnaître le rôle important qu'ils ont joué dans l'évolution de notre poésie. Ils sont comme les navigateurs, qui, à la même époque, explorent l'Océanie. Eux aussi, ils vont à la découverte de terres nouvelles : certains font naufrage, mais d'autres abordent, s'installent petitement, et leur comptoir modeste, aux mains de leurs successeurs, s'agrandira en florissante exploitation.

III. — André Chénier.

L'élargissement et l'enrichissement de la poésie, que ces auteurs pressentent, un autre en a la claire vision et en indique les moyens : André Chénier.

Sa vie.   Il est né à Galata (Constantinople), le 30 octobre 1762, de Louis de Chénier, consul général, originaire du Languedoc, et d'Elisabeth Santi-l'Homaca, une Grecque de l'est de Chypre, fort intelligente et fort belle. Il était le troisième fils d'une famille qui compta huit enfants; le dernier fils, Marie-Joseph (1764-1811), a acquis quelque renom dans la politique et dans les lettres.

A trois ans, André quitte l'Orient, qu'il ne doit plus revoir, et suit ses parents qui retournent en France et se fixent à Paris. M. Louis de Chénier est alors nommé résident au Maroc, et l'éducation de l'enfant se déroule sous l'heureuse direction de sa mère, artiste-peintre et femme de lettres à ses heures. En 1773, il est mis avec ses frères au collège de Navarre, y lie avec les Trudaine et les de-Pange une amitié étroite et y marque son passage par d'assez beaux succès scolaires : en 1778, il obtient, au concours général de rhétorique, le premier prix de composition française et un accessit de version latine.

Ses études finies, il entre dans l'Armée (1781) et sert comme cadet-gentilhomme au Régiment d'Angoumois, qui tient garnison à Strasbourg. Le savant Brunck y est à ce moment occupé à l'édition des *Analecta veterum poetarum Graecorum* : André, que le grec a toujours attiré, fait sa connaissance, très fructueuse pour lui. En même temps, il devient l'ami du jeune marquis de Brazais, soldat-poète et comme lui féru d'antiquité. Mais son caractère indépendant, son peu d'inclination pour le métier des armes, les premières atteintes de la gravelle, dont il souffrira toujours, l'amènent à donner sa démission.

Suivent six ans de « studieux loisirs » et de « passions fougueuses », coupés d'une absence d'une année, pendant laquelle Chénier, invité par ses amis Trudaine, visite avec eux la Suisse et l'Italie jusqu'à Naples. Pendant cette période, entre les intrigues et les soupers galants, il conçoit ou ébauche mille projets de poèmes. Il paraît aux réceptions de sa mère, dont le salon rassemble une société choisie de grands seigneurs, d'étrangers de marque, de poètes comme Lebrun, qu'André admire fort, et comme Fontanes, d'artistes comme Mme Vigée-Lebrun et David, de magistrats comme Malesherbes, de savants comme Lavoisier. Il fréquente dans les salons amis des Trudaine et des Pange, de Mme Pourrat et de la comtesse d'Albany, prenant part aux conversations et aux discussions que nourrissent les événements littéraires et politiques.

A la fin de 1787, il part pour Londres, en qualité de secrétaire particulier de notre ambassadeur, le marquis de la Luzerne. Il est heureux d'abord de connaître l'Angleterre, pays de la pensée et des institutions libres, et d'en pouvoir étudier les mœurs, les lois et les arts. Mais il s'y sent bientôt mal à l'aise, et son séjour se transforme en exil. Il reste cependant plus de trois ans à son poste, d'autant plus impatient qu'en France, sur ces entrefaites, la Révolution éclate, cette Révolution qu'il a tant souhaitée et dont les premiers actes comblent ses vœux, comme ceux de sa famille et de ses amis.

Il retourne à Paris de temps à autre, et c'est là qu'on le retrouve, en 1791, définitivement fixé et logeant chez son père, rue Saint-Sauveur. La situation politique s'est assombrie. Aux inquiétudes qui l'assaillent s'ajoute le chagrin des dissensions domestiques : sa famille est divisée d'opinions, fait banal en temps de crise. Il s'inscrit à la *Société de 1789* et tient avec son père pour la politique modérée; sa mère et Marie-Joseph sont du parti des démagogues. Incapable de se borner à des regrets et à des vœux, il se lance dans la lutte, devient publiciste et orateur de club, écrit dans le *Journal de Paris* et parle à la tribune des Feuillants, stigmatise les violences anarchiques, s'attire la haine de Robespierre et de Collot d'Herbois. Le combat le met aux prises avec son frère et, le 15 avril 1792, les Parisiens qui goûtent l'ironie peuvent se régaler à la fois de l'*Hymne* sarcastique qu'André publie dans son journal et où il attaque avec tant de virulence les Suisses de Châteauvieux — assassins et pillards — et de l'Hymne officiel qu'on exécute en l'honneur de ces mêmes brigands et dont Marie-Joseph a écrit les paroles.

Après le 10 août, la presse d'opposition est muselée. Chénier fait un court voyage en Normandie, d'où il se hâte de revenir, en octobre, pour s'offrir à défendre le Roi, mais le discours qu'il compose à cet effet n'est pas retenu par les avocats. Sans se soucier du danger, quelques jours avant le 21 janvier, il publie un *Manifeste aux Français*, qui ne fait que le désigner davantage aux représailles. Sa famille prend peur; Marie-Joseph lui trouve un petit logement à Versailles, rue de Satory, et le force à s'y cacher. Mais André quitte son refuge, rend visite à ses amies de Louveciennes, Mme Pourrat et ses filles, ou de Passy, les Piscatory et les Pastoret. Le 7 mars 1794, il sortait de la maison de ces derniers, lorsqu'il fut arrêté par des sans-culottes du comité de Passy. On sait la suite : l'interrogatoire haineux, l'incarcération à Saint-Lazare, la détention de quatre mois, qu'illumine un dernier rêve d'amour, les démarches inconsidérées de M. L. de Chénier, l'intervention impuissante de Marie-Joseph, le procès-éclair, le verdict de mort et, au soir d'une journée radieuse, sous l'œil sanglant du soleil de Thermidor, la chute de l'infâme couperet. Le corps du poète fut jeté, avec ceux de ses vingt-quatre compagnons de supplice, dans l'une des deux fosses communes — on ignore laquelle — creusées dans le Jardin de

Picpus. C'était le 7 thermidor (25 juillet) : le 9, la Terreur succombait avec Robespierre et ses partisans. M. de Chénier, averti par Marie-Joseph, fut foudroyé par la terrible nouvelle et ne survécut que peu de mois à André.

Son portrait.   Ce fils d'une belle Grecque n'était pas beau : ses contemporains s'accordent à le dire, et le portrait de Suvée le confirme. De taille moyenne et trapue, il avait la tête grosse et ronde, la narine mal dessinée, le cheveu rare, le teint olivâtre. En revanche, il possédait le charme, plus séduisant que la beauté : dans ses moments d'ardeur exaltée, de ses yeux profondément enfoncés dans les orbites jaillissait une flamme fascinatrice. Toute sa vie, il souffrit de la gravelle, les « sables brûlants » dont il parle dans ses vers. Il avait un tempérament fougueux et se ruait du même élan au plaisir et à l'étude. Son intelligence était vive et curieuse : il aime à se comparer à l'abeille qui, dans sa quête errante, amasse le butin varié dont elle compose son miel. Il n'a peut-être pas dit le mot que lui prête Hérault de Séchelles : « Je suis athée avec délices. » Mais son rationalisme s'attaquait à tout surnaturel, dogmes religieux ou prestiges des magiciens. Avec cela, mystique à sa façon, à la façon de Diderot, dévôt de l'Isis mystérieuse, amant passionné de la Nature, à laquelle il brûlait d'arracher ses voiles.

Son âme était tendre au fond et, le feu de la jeunesse une fois amorti, révéla les trésors de sentiment qu'elle cachait. Il eut toujours le culte de l'amitié : les vers où il la chante comptent dans son œuvre parmi ceux qui nous émeuvent le plus. Il était très indépendant d'humeur et incapable de se plier à un effort soutenu : il entreprenait cent poèmes à la fois, reconnaissant de bonne grâce ce que cette méthode de travail présentait de capricieux et de fantasque. D'ailleurs cette impatience de toute contrainte a eu ses bons côtés. Elle lui a inspiré ses goûts simples, cet idéal de vie modeste mais libre, qu'il réalisa et qu'il célèbre à plus d'une reprise. Elle a allumé en lui ses colères généreuses contre les abus de l'Ancien Régime, sa foi utopique dans la Révolution, sa haine de toute tyrannie, royale ou populaire. Elle a commandé son action incessante en faveur de la liberté.

Homme de son temps, Chénier en a partagé les faiblesses, mais aussi les grandeurs : cet épicurien sensuel, ce disciple de Lucrèce, répudiant l'abstention politique de son maître, sut, quand il le fallut, s'arracher à la vie égoïste, se jeter stoïquement dans la mêlée, s'affirmer tenacement, et vaillamment mourir.

Son œuvre.   Outre ses poèmes, Chénier a laissé quelques morceaux en prose, dont un mot sera dit plus loin.
Son œuvre poétique comprend, avec un petit nombre de pièces achevées, une poussière d'ébauches, d'esquisses, de canevas, de tirades

et de vers isolés, effet de sa méthode fantaisiste et de sa mort prématurée.

L'état fragmentaire de cette production en rend le classement presque impossible, et l'on comprend les hésitations et les divergences des éditeurs sur un grand nombre de points. On peut toutefois la diviser en quatre groupes distincts de poèmes : les *Idylles antiques* ou *Bucoliques*, les *Elégies*, les *Poèmes didactiques* et les *Poèmes civiques*.

Influences   Cette classification, qui ne fait état que de l'essen-
et modèles.   tiel, a du moins le mérite de mettre en lumière
et les influences que le poète a subies, et les modèles dont il s'est inspiré. Chénier suit la plupart des grands courants de l'époque : le goût de l'antiquité, le penchant à la confidence, l'amour de la science, la passion des choses de la cité. Ses modèles sont à peu près les mêmes que ceux de ses émules. En premier lieu, les Anciens : « Je veux qu'on imite les Anciens ! » écrit-il quelque part. Puis, les classiques, et, parmi les contemporains, Gessner, à qui sa naïve admiration pour un aîné et un ami vénéré lui fait ajouter Lebrun.

Deux remarques s'imposent : Chénier n'offre nulle trace de l'attrait exercé par le Moyen Age sur son siècle; parmi ses modèles, aucun poète du Nord. Rationaliste, indépendant et voluptueux, il ne peut éprouver que répulsion pour une époque de foi totale, de stricte obéissance et de mortification. Génie méditerranéen, s'enivrant de vie, de lumière, de netteté et d'eurythmie, il ne saurait aimer les brouillards, les convulsions, le halo funèbre, l'*aura* de sépulcre et de mort. Il a sur les Anglais la même opinion que Voltaire ou Dorat. Son intelligence en reconnaît les mérites, son instinct d'artiste en sent l'originalité. Il parle avec respect de Milton,

> Grand aveugle, dont l'âme a su voir tant de choses.
> > *(Suzanne.)*

Il loue des beautés éparses chez des poètes,

> ... quelquefois dans leurs écrits nombreux,
> Dignes d'être admirés par d'autres que par eux.

Il est sensible à la farouche grandeur d'Ossian, à qui, fils de peintre et peintre lui-même, il demande des sujets de toiles et dont il projette de tirer parti pour une *Bataille d'Arminius*. Au scandale de Marie-Joseph, qui l'en tance aigrement, il est indulgent pour Shakespeare, dont le théâtre renferme des « scènes admirables ». Mais, si l'intelligence s'incline, le goût refuse la chaude adhésion. Les Anglais restent pour Chénier les « durs chanteurs du Nord nébuleux », qui

> Ont même du bon sens rejeté les entraves.

Son éclectisme le rapproche de La Fontaine : il lit des écrivains
« qui sont du Nord », sans que l'on voie qu'il songe à les imiter.

Idées   C'est La Fontaine aussi — dont, soit dit en
littéraires.   passant, il a encore le caractère indépendant,
l'imagination voluptueuse, l'instabilité ailée — et, avec La Fontaine,
ce sont les classiques du Grand Siècle qu'il rappelle par sa doctrine
littéraire, tout en différant d'eux sur des points d'importance. Cette
doctrine se trouve éparse dans le *Discours sur la poésie*, l'*Epître à
Lebrun*, l'*Invention* et les brouillons. Elle peut se résumer ainsi :
    La poésie est d'essence divine. Comme la Sibylle virgilienne, le
poète est un possédé qui

> S'agite, se débat, cherche en d'épais bocages
> S'il pourra de sa tête apaiser les orages
> Et secouer le dieu qui fatigue son sein.
>
>   (*Invention.*)

    La poésie vit de sincérité :

> L'art ne fait que des vers; le cœur seul est poète...
> Son cœur dicte, il écrit.
>
>   (*Elégies*, I, xix.)

Son domaine, immense, embrasse l'homme, l'univers, le fictif :

> Elle seule connaît ces extases choisies...
> D'un monde imaginaire aimables visions.
>
>   (*Invention.*)

    Mais, jusque dans ces « mobiles fantaisies d'un esprit tout de
feu », il convient de garder la mesure, car

> ... Inventer n'est pas, en un brusque abandon,
> Blesser la vérité, le bon sens, la raison.

    Divine par son origine, la poésie s'exprime en « langage des
dieux ». Le poète doit manier en maître cette langue céleste : à
l'inspiration il lui faut joindre le métier. Travail ardu, qui ne sera
pour lui qu'un « aiguillon de plus » :

> Il faut savoir tout craindre et savoir tout oser.
>
>   (*Id.*)

    Il est d'ailleurs aidé dans sa tâche, soit par la force de l'inspi-
ration, qui lui fait « rencontrer », comme dit La Bruyère, l'expression définitive :

> Malgré lui, dans lui-même, un vers sûr et fidèle
> Se teint de sa pensée et s'échappe avec elle.
>
>   (*Elégies*, I, xix.)

Un langage imprévu, dans son âme produit,
Naît avec sa pensée, et l'embrasse et la suit,

(*Invention.*)

soit par l'imitation des Anciens:

Volons, volons chez eux retrouver leurs modèles...
Allumons nos flambeaux à leurs feux poétiques...

(*Invention.*)

Mais cette imitation ne doit pas être servile, et c'est ici que Chénier, jusqu'ici en complet accord avec eux, se sépare nettement des classiques. Ceux-ci empruntaient aux Anciens et la forme et le fond; Chénier borne l'imitation à la forme : les Anciens resteront toujours des maîtres à écrire, mais non à penser. La loi du progrès s'étend à la poésie :

Tous les arts sont unis : les sciences humaines
N'ont pu de leur empire étendre leurs domaines
Sans agrandir aussi la carrière des vers.

(*Id.*)

La philosophie moderne, les conquêtes de la science, les inventions, les découvertes maritimes, voilà ce dont la poésie doit maintenant s'inspirer. C'est en parcourant cette carrière sans limite que les poètes s'égaleront à Homère et à Virgile : la seule épopée viable à l'heure actuelle est celle de la Nature, de la Vie, du Progrès humain :

Que la nature seule, en ses vastes miracles,
Soit leur Fable et leurs dieux, et ses lois leurs oracles.

(*Id.*)

La seule manière convenable d'imiter les Anciens, c'est de

Faire, en s'éloignant d'eux avec un soin jaloux,
Ce qu'eux-mêmes ils feraient, s'ils vivaient parmi nous.

(*Id.*)

Et le poète, ramassant sa pensée, formule en un vers justement célèbre cette nécessité d'unir une manière antique à une matière moderne :

Sur des pensers nouveaux faisons des vers antiques.

(*Id.*)

Cette doctrine a toujours été celle de Chénier, quoi qu'en disent certains de ses commentateurs. D'après eux, il y aurait divergence entre la théorie de l'invention, exposée dans l'*Epître à Lebrun*, et celle de l'*Invention* : dans la première, il reprendrait simplement les idées sur l'imitation originale, émises par La Fontaine dans son *Epître à Huet*; dans l'*Invention*, il se dégagerait davantage de ses modèles et ne recommanderait plus qu'une imitation formelle, portant non plus sur l'« idée », mais sur « les tours et les lois ». Cette interprétation me semble ruineuse. Chénier n'a pas évolué : dès l'*Epître à Lebrun*, il se sépare de La Fontaine. Celui-ci s'assimile ses emprunts,

Tâchant de rendre *sien* cet air d'antiquité.

Chénier veut donner

...à ses fruits nouveaux une antique saveur.

Certes, il augmente encore sa dette à l'égard de la pensée antique, et il le dit. Mais il dit aussi que, tout comme La Fontaine, qui

Parfois à marcher seul ose se hasarder,

il lui arrive de s'affranchir des lisières anciennes. Son aveu est singulièrement explicite :

Tantôt je ne retiens que les mots seulement;
J'en détourne le sens et l'art sait les contraindre
Vers des objets nouveaux qu'ils s'étonnent de peindre.

A cette époque, en effet, il n'écrit pas seulement des idylles : il s'est mis à la composition de son *Hermès*; il l'annonce formellement. Bien plutôt donc qu'une conception juvénile et transitoire de l'art, l'*Epître à Lebrun* esquisse déjà, en même temps qu'une méthode de travail, une théorie littéraire mûrement réfléchie, qui trouvera dans l'*Invention* son expression achevée.

On reproche à cette théorie, d'une part, de contredire le conseil incessamment répété de trouver des expressions « nouvelles, inattendues », et, d'autre part, de créer une disparate choquante entre le fond et la forme. La première de ces critiques se réfute aisément : on peut renouveler un tour déjà employé; c'est le fait des grands maîtres. La seconde est plus sérieuse par suite du vague de l'expression *vers antiques*. Si Chénier entend par là des poèmes ayant la composition harmonieuse et les qualités de style des chefs-d'œuvre anciens, le reproche tombe. S'il entend, au contraire, les ornements de style — mythologie, périphrases, épithètes d'excellence — empruntés à l'antiquité, le précepte est évidemment pernicieux : c'est une mascarade d'habiller d'oripeaux grecs ou latins une pensée moderne. Or, à lire les vers où Chénier célèbre les merveilles de la science, telle est bien, semble-t-il, sa pensée. Je dis *semble-t-il*, car elle est bien suggestive, cette note hâtive d'un de ses brouillons : « Me faire une mythologie probable et poétique. » Probable signifie manifestement vraisemblable. Chénier sentait donc tout ce qu'il y avait d'artifice dans ce placage d'une parure antique sur un fond actuel et songeait à s'en libérer. Qu'aurait été cette mythologie, ce merveilleux nouveau qu'il estimait indispensable à la grande poésie ? Nul ne l'a su, mais certains de ses essais en ce genre permettent de supposer que son génie eût donné mieux qu'une promesse de ce que réalisa plus tard le grand créateur de mythes que fut Victor Hugo.

Les Idylles. Chénier est surtout pour nous le poète des *Idylles* : cela tient à l'état d'achèvement de ces pièces, à leur valeur intrinsèque, à leur rôle dans notre évolution littéraire. Elles sont d'une grande variété de genres et de tons. On y distingue des poèmes, des élégies, des bucoliques, des épigrammes au sens grec du mot, des études. L'idylle s'y fait tour à tour passionnée (*Le Jeune Malade*), voluptueuse (*Oaristys*), dramatique (*La Liberté*) ou plaintive (*Néère*). L'épopée de *l'Aveugle* y voisine avec le thrène de *la Jeune Tarentine*, le tableau de mœurs du *Mendiant* avec le poème plastique de *Jupiter et Europe,* le croquis familier avec l'ode anacréontique, etc.

Dans toutes ces pièces, que la renaissance antique lui suggère, Chénier veut faire revivre la Grèce. Mieux que tout autre, grâce à son hérédité maternelle et à ses études, il possède le tour d'esprit et la qualité d'âme nécessaire à ce dessein. Cet érudit, descendant d'Hellènes, a une psychologie de païen. Par un phénomène commun chez les artistes, son imagination accueille ce que sa raison repousse. Il croit à la réalité de ses rêves; les dieux vivent pour lui et j'imagine que, sur les coteaux boisés où il cherchait l'inspiration, il entendait le ricanement d'un satyre, voyait pointer l'oreille d'un faune, suivait du regard, dans un taillis, l'éclair fuyant d'un beau corps de dryade. Il a le sens de la mythologie, qui n'est pas à ses yeux un coffret d'ornements ou un portefeuille d'allégories, mais la personnification des forces mystérieuses du grand Pan. Sur la vie, sur la mort, sur l'amour, sur l'amitié, sur l'hospitalité, sur la cité enfin, il pense et sent comme un fils authentique de l'Hellade ancienne, qu'il se propose de ressusciter.

Que vaut sa tentative ? Peu de chose d'après quelques bons juges. Cette poésie savante, disent-ils, rappelle plutôt les Alexandrins grecs et latins que le chanteur de Kymé, cette mosaïque industrieuse évoque Pompéi plutôt que l'Ionie ou Mycènes. Et que dire du modernisme de certains traits ? On doit concéder que le poète ne pille pas seulement Homère et Hésiode : il met concurremment à contribution Théocrite, Callimaque, Bion et Moschos, Catulle, Virgile, Horace, Ovide et Properce, Gessner et Jean-Jacques. Dans cette reconstitution de l'antique, il est vrai qu'il introduit la sensibilité et les préoccupations de son temps : *le Mendiant, la Liberté, l'Aveugle* même en administrent la preuve. Chénier n'est donc pas un pur Homéride : il y a en lui des parties d'Alexandrin latinisé et de philosophe revendicateur, réformiste et attendri.

Et pourtant, son œuvre laisse une profonde impression de vérité.

Tout ce que cette poésie peut avoir de composite, d'artificiel et
de concerté disparaît. Les emprunts sont harmonieusement fondus.
La nature est peinte avec une sobriété tout attique. Les personnages
sont dessinés en traits nets et incisifs; leurs sentiments, leurs attitudes, leurs gestes, leurs paroles, leurs actes donnent la même impression de vie que ceux des héros d'Homère et des bergers de Théocrite.
C'est que, chez le poète, tout n'est pas réminiscence et copie : il
observe la réalité et la fixe, convenablement transposée, dans de
vastes compositions ou de jolis cadres (pour me servir de son terme),
comme cette scène rustique « vue à Catillon, près Forges, le 4 avril
1792 », et dépeinte le lendemain, à Gournay :

> Fille du vieux pasteur, qui d'une main agile
> Le soir emplit de lait trente vases d'argile,
> Crains la génisse pourpre, au farouche regard
> Qui marche toujours seule et qui paît à l'écart.
> Libre, elle lutte et fuit intraitable et rebelle.
> Tu ne presseras point sa féconde mamelle,
> A moins qu'avec adresse un de ses pieds lié
> Sous un cuir souple et lent ne demeure plié.
>
> (*Epigrammes*, IX.)

Plus que d'être factice, la poésie des *Idylles* a le défaut d'être
savante, aristocratique, réservée à une élite de lettrés : encore ceux-ci
n'en goûtent-ils pas tout le charme. Et ce m'est un étonnement
qu'on puisse être insensible à cette œuvre, toute peuplée des créations
les plus suaves et des plus grandioses du génie hellénique, colorée
comme devait l'être la peinture d'un Zeuxis ou d'un Apelle, plastique comme les bas-reliefs et les frontons de Delphes ou d'Athènes,
mélodieuse au point qu'elle retrouve sans effort les inflexions

> Du langage sonore, aux douceurs souveraines,
> Le plus beau qui soit né sur des lèvres humaines.

Les Elégies.   Les *Elégies* sont divisées en trois livres : le premier est un recueil d'impressions et de méditations;
le second est consacré aux amours volages du poète et principalement à sa liaison avec Camille; le troisième renferme les poèmes à
Fanny, auxquels on joint *la Jeune Captive*. D'après G. de Chénier,
fort soucieux de la vertu de son oncle, les femmes chantées par le
poète ne seraient que des « Iris en l'air », mais la gent indiscrète
des fureteurs n'a pas eu de peine à établir que Camille et Fanny
ont bel et bien existé. Camille — et probablement aussi D. R. —
serait Mme de Bonneuil, une créole de l'île Bourbon, comme l'Eléonore de Parny et l'Eucharis de Bertin : plus âgée que Chénier, elle
tenait plus d'Eucharis que d'Eléonore. Fanny est Mme Laurent
Le Coulteux, l'une des deux filles de Mme Hocquart — *matre pul-
chra filia pulchrior* — à qui Chénier rendait souvent visite, à Louveciennes, pendant son séjour à Versailles.

Les poèmes du second livre valent mieux que leur réputation. Leur pédantisme, leur phraséologie galante, leur rhétorique, leurs périphrases ingénieuses — si agaçants soient-ils — n'autorisent pas à taxer le poète d'insincérité. Properce, lui aussi, est pédant et rhéteur : en touche-t-il moins pour cela ? De même pour André. Son badinage folâtre et ses transports d'amant comblé, ses sursauts d'angoisse, sa rage jalouse, ses hallucinations torturantes rendent un son juste, ont des accents qui ne trompent point. A chaque page ou presque, brille une idée de poète, un détail charmeur ou émouvant : vision d'un Elysée d'amour, gracieuse métamorphose :

> ... Protée insidieux,
> Partout autour de toi je veille, j'ai des yeux.
> Partout, sylphe ou zéphyr, invisible et rapide,
> Je te vois.   (II, II.)

vibrant aveu d'un amour que rien ne rebute :

> Rien à mes yeux n'est beau que de sa seule image...
> ... Elle est toujours Camille.
> Et moi, toujours l'amant trop prompt à s'enflammer,
> Qu'elle outrage, qui l'aime, et veut toujours l'aimer.
>   (II, IV.)

rêve de vie idyllique et désir d'évasion dans la nature sauvage :

> O lac, fils des torrents ! ô Thun, onde sacrée !...
> Salut, monts chevelus, verts et sombres remparts
> Qui contenez ses flots pressés de toutes parts !
> Salut, de la nature admirables caprices,
> Où les bois, les cités pendent en précipices !
> Je veux, je veux courir sur vos sommets touffus...
>   (II, XIX.)

Il y a encore de la convention dans les élégies inspirées par Fanny, mais l'expression y est plus nette, l'amour plus épuré : il est surtout tendresse, rêverie, câlinerie délicate, attachement respectueux, sourire du cœur, s'exprimant en strophes allègres et lumineuses :

> Mai de moins de roses, l'automne
> De moins de pampres se couronne,
> Moins d'épis flottent en moissons,
> Que sur mes lèvres, sur ma lyre,
> Fanny, tes regards, ton sourire
> Ne font éclore de chansons.
>   (III, II.)

Mais le poète qui se cache ne peut échapper à l'obsession du sanglant aujourd'hui et, dans Versailles, la « chanson bien douce » du début s'achève en grondement de colère. La Jeune Captive date aussi par certains détails, mais son charme reste impérissable. Mystérieuse alchimie des poètes ! Le vil métal s'est transmué en or,

et la divorcée facile a pris les traits d'une vierge candide, parée
de fraîcheur, exhalant un parfum d'idylle et soupirant mélodieuse-
ment son effroi de la mort.

Les élégies du premier livre mériteraient d'être mieux connues,
car elles renferment des morceaux du premier ordre. Ce sont des
impressions de voyage, des méditations qui, toutes, aboutissent à
de mélancoliques pensées. Mais la mélancolie de Chénier n'a rien
du tourment romantique. C'est celle d'un païen tour à tour épicurien ou stoïque. Il raille avec la tristesse hautaine d'un Lucrèce
l'amour immodéré de la vie :

> Il a souffert, il souffre : aveugle d'espérance,
> Il se traîne au tombeau de souffrance en souffrance,
> Et la mort, de nos maux ce remède si doux,
> Lui semble un nouveau mal, le plus cruel de tous.
>
> (I, XXV.)

Il se résigne à l'inévitable, caresse l'idée du suicide, module une
plainte discrète sur sa mort prématurée et donne ses instructions
pour l'élection de son sépulcre :

> Je meurs. Avant le soir, j'ai fini ma journée...
> La vie eut bien pour moi de volages douceurs :
> Je les goûtais à peine, et voilà que je meurs.
>
> Vous-mêmes choisirez à mes jeunes reliques
> Quelque bord fréquenté des pénates rustiques,
> Des regards d'un beau ciel doucement animé,
> Des fleurs et de l'ombrage et tout ce que j'aimai.
>
> (I, IX.)

C'est encore la mélancolie d'un artiste, passionnément épris de
la nature, pénétré du charme crépusculaire, s'enchantant d'une rêverie voluptueuse où s'exhalent les regrets d'un âge d'or édénique ou
patriarcal, l'aspiration à la vie champêtre, et où flottent de gracieux
fantômes d'héroïnes blessées d'amour. C'est enfin la mélancolie d'un
dévôt de l'amitié qui, seul, malade, tourne sa pensée vers les êtres
que sa tendresse a choisis :

> Où donc sont mes amis ? Objets chéris et doux !
> Je souffre, ô mes amis ! Ciel, où donc êtes-vous ?
>
> (I, XXIII.)

> Auprès d'un noir foyer, seul, je me plains du sort,
> Je compte les moments, je souhaite la mort,
>   Et pas un seul ami dont la voix m'encourage,
> Qui près de moi s'asseye et, voyant mon visage
> Se baigner de mes pleurs et tomber sur mon sein,
> Me dise : « Qu'as-tu donc ? » et me presse la main.
>
> (I, XXVIII.)

La mélancolie plane sur toutes ces pièces et l'on conçoit que, comme La Fontaine à la Solitude, Chénier lui dresse un autel et la célèbre dans un hymne en mineur, d'une ravissante suavité :

> Douce mélancolie, aimable mensongère,
> Des antres, des forêts déesse tutélaire,
> Qui viens d'une insensible et charmante langueur
> Saisir l'ami des champs et pénétrer son cœur,
> Quand, sorti vers le soir des grottes reculées,
> Il s'égare à pas lents au penchant des vallées,
> Et voit des derniers feux le ciel se colorer,
> Et sur les monts lointains le beau jour expirer !

(I, IV.)

Les poèmes. Très nombreux et très variés de ton et de genre, les poèmes se présentent pour la plupart sous la forme de fragments, de plans ou d'ébauches. Les plus intéressants sont les *Epîtres* et les *Poèmes didactiques.*

Chénier a laissé sept épîtres : trois sont adressées au poète Lebrun, une à Lebrun et au marquis de Brazais, une au marquis de Brazais, deux à l'aîné des frères de Pange. Les trois dernières sont d'aimables billets sans plus.

L'*Epître à Lebrun et au marquis de Brazais,* plus développée, est une admirable dissertation sur l'amitié, pleine de conviction ardente, de mouvement et d'émotion. Dans les épîtres à Lebrun, Chénier se montre l'ami déférent, modeste et admiratif de son aîné, glorieux au double sens du mot, mais à peu près indigne et de ces éloges et de ces sentiments. Celle où il décrit sa méthode de travail m'a servi, ainsi que le poème l'*Invention,* à exposer ses idées littéraires. Je ne reviendrai ni sur l'un ni sur l'autre de ces poèmes, mais il convient de signaler l'intérêt capital que présente l'*Invention* : l'œuvre marque un tournant décisif dans la carrière du poète, montre l'autre face de son génie, moderne autant et peut-être plus qu'antique, indique la voie où Chénier s'est déjà engagé et par laquelle il espère parvenir à la gloire. La vivacité de l'attaque contre la routine, la netteté du conseil, le souffle d'éloquence conquérante font songer à la *Deffense* de du Bellay. Avec une note personnelle toutefois : on sent que le poète sacrifie avec peine sa chère antiquité aux exigences de l'esprit contemporain.

Chénier a voulu être le nouveau Lucrèce, qu'il appelle de tous ses vœux : son *Hermès* devait rivaliser avec le *De natura rerum.* Il ne nous en reste qu'un plan très résumé et quelques morceaux. Le titre, emprunté à un poème de l'Alexandrin Eratosthène, est déjà par lui-même bien significatif : Hermès n'est-il pas le dieu inventeur par excellence, le père des Arts et de l'Industrie, le promoteur de la vie sociale ? Le poème eût, semble-t-il, compris trois chants : origine de la terre, de la vie et de l'homme; constitution de l'homme, naissance des sociétés et des religions; développement politique, moral et artistique de l'humanité. L'esprit eût été celui qu'on peut attendre

d'un admirateur de Lucrèce et de Buffon, d'un disciple de Condillac
et de l'Encyclopédie : à l'enthousiasme pour la nature, à la philosophie sensualiste, à l'apothéose de la raison et à l'hymne au progrès se seraient jointes la haine antireligieuse, les invectives contre
le fanatisme, l'ardeur iconoclaste.

L'*Hermès* pose deux problèmes, l'un général, l'autre particulier
à Chénier : celui de la poésie scientifique, celui de la forme que le
poète eût adoptée. Un siècle avant le Parnasse, Chénier réclame
et veut réaliser l'indispensable union de la science et de la poésie.
On a nié qu'une telle union fût possible ni même souhaitable. Mais
est-il logique d'admirer le lyrisme d'un Pascal, frissonnant d'horreur
sacrée devant le silence des espaces infinis, et de refuser toute valeur
poétique à des œuvres qu'inspire le mystère du monde ? Ne sent-on
pas palpiter une enivrante poésie cosmique dans Lamartine, dans
Hugo, dans Leconte de Lisle, dans Sully-Prudhomme, dans L. Bouilhet,
dans J. Richepin et dans les vastes compositions lyrico-épiques, trop
peu connues, d'un Warnery et d'un Strada ? Sans creuser plus avant
le problème, qu'il suffise de noter que le XIX° siècle a répondu à
l'appel de Chénier.

Qu'eût donné l'association des « pensers nouveaux et des vues
antiques » ? J'ai répondu plus haut à cette question. Je suis persuadé que, soutenu par son sujet, aiguillonné par la difficulté, Chénier y aurait porté au plus haut degré ses admirables dons, et j'appuie ma confiance sur un autre de ses poèmes : l'*Amérique*. Sous
un pesant didactisme d'historien et de géographe, le poète eût malgré tout percé, comme le prouvent les morceaux conservés, si remarquables par le sentiment, la couleur locale, l'éclatante poésie même.
L'un d'eux contient une invocation à la Muse Nocturne, qui est
de toute beauté :

> Salut, ô belle nuit, étincelante et sombre...
> Muse, muse nocturne, apporte-moi ma lyre,
> Comme un fier météore, en ton brûlant délire,
> Lance-toi dans l'espace; et pour franchir les airs
> Prends les ailes des vents, les ailes des éclairs,
> Les bonds de la comète aux longs cheveux de flamme.

Les poèmes   Ces poèmes, inspirés par l'actualité politique, com-
civiques.   prennent deux hymnes, des odes et des iambes,
mais, sous une forme différente, ont une inspiration commune :
l'amour de la liberté. Deux d'entre eux : l'*Ode sur le Jeu de Paume* et
l'*Hymne aux Suisses de Châteauvieux*, sont les seules œuvres que
Chénier ait lui-même publiées.

Les deux hymnes se font antithèse. L'*Hymne à la France* (dont le
vrai titre est : *A la Justice*) imite librement, au début, l'*Eloge de
l'Italie* de Virgile, puis tourne à la satire des abus de l'Ancien Régime,
à la glorification de Turgot et de Malesherbes, à l'exaltation de la
« Sainte Egalité et de l'Equité sainte, vierge adorée ». Il a du souffle,

de la fermeté, de la grandeur, mais il ne laisse pas d'être çà et là
flou et déclamatoire. L'*Hymne aux Suisses de Châteauvieux*, au
contraire, est remarquable d'unité dans son emportement passionné :
la haine de l'anarchie y prend déjà l'ironie cinglante, le rythme
heurté des *Iambes*, dont le poème a la forme, et ce chef-d'œuvre
de courage civique en est un aussi de mâle et fière poésie.

Parmi les *Odes*, diverses de ton, d'ampleur et de mérite, deux
révèlent le désir de rivaliser avec Lebrun-Pindare : malheureusement, elles tiennent plus de Lebrun que de Pindare. Elle a pourtant
quelque chose de pindarique, l'ode-fleuve du *Jeu de Paume*, dédiée
à David, par le large déroulement de ses vingt-deux strophes de
dix-neuf vers, par le souffle de son inspiration, l'entrelacement des
tableaux et des conseils, les figures, les mouvements et le rythme.
Mais l'art y est trop apparent; on a l'impression du factice, et le
résultat est disproportionné à l'effort. Elle est pindarique aussi,
pindarique jusque dans l'emploi de la triade, l'ode *O mon esprit, au
sein des cieux...*, mais la modestie de ses proportions a mieux servi
le poète, et l'on est encore ému par la tristesse désabusée, la douleur
hautaine qu'il éprouve devant les excès de la « cavale » effrénée.
On peut toutefois lui préférer les stances *A M.-J. Chénier, A
Byzance, Un vulgaire assassin...*, où résonne la même note pathétique et méprisante, et les strophes admirables *A Charlotte Corday*,
vibrantes comme une épinicie de la Vertu triomphant du crime.

Les heures sombres sont venues; Chénier est prisonnier et ce n'est
plus à Pindare qu'il s'adresse : il ressuscite Archiloque, mais cette
fois, c'est Lycambé qui aura raison d'Archiloque. Claustré dans son
préau, séparé d'opinion de certains de ses amis, le « stupide David »
et Lebrun

> Inhabile aux vertus qu'il sait si bien chanter,

ulcéré du lâche oubli des autres, écœuré du libertinage de ses
codétenus, abattu comme son rêve d'indépendance et de justice, la
mort déjà sur la nuque, il griffonne hâtivement, fébrilement ses
Iambes, où tout ce qui peut tenir de colère, de rage, de désespoir,
de dégoût, de révolte dans un homme jeune, avide de tendresse et
conscient de son génie, dans un citoyen épris d'un noble idéal, s'épanche en quelques pièces de vers libérateurs. Nous sommes loin des
« trois mille vers de haine » des *Châtiments*, mais les clameurs
furieuses de l'exilé de Guernesey n'ont pas recouvert la plainte, malgré tout plus discrète, du prisonnier de Saint-Lazare.

*Le génie
de Chénier.*   Chénier domine de haut tous les poètes, ses contemporains, par son génie et par son art.

Au fond, pas plus qu'eux, il ne brille par l'invention personnelle.
Grand « pilloteur » du bien des autres, cet aristocrate des Lettres,
comme Horace, a pris l'abeille pour figure héraldique, et c'est Horace
encore qui lui fournit sa devise : *proprie communia dicere*, expri-

22

mer d'une manière à soi les pensées de tous. Il tranche par là sur
le troupeau d'automates plagiaires et fait figure de créateur.

Il y parvient d'abord par sa sincérité. C'est un passionné, dont
l'âme ardente fond les métaux empruntés et frappe de son balan-
cier l'amalgame en fusion. Sincère, il l'est dans les *Idylles,* car l'Hellade et la Rome hellénisée sont le climat naturel de son génie, et
ses poèmes industrieux semblent l'écho des chants d'Apollon exilé
chez Admète. Il l'est dans ses *Elégies,* car l'amour n'est pas uniquement chez lui coquetterie galante, frisson d'une minute, passe-temps
libertin : c'est encore la douce palpitation du cœur, l'émoi rêveur
et tendre, la passion délicieuse et torturante, cet « Eros mêlé de
plaisir et de chagrin », dont Platon parle dans son *Timée.* Il l'est
dans ses *Poèmes,* car la science est pour lui autre chose que prétexte à exposés didactiques, source de piquantes descriptions : c'est
le livre entrouvert de la Grande Nature, les premières lettres de feu
jaillies du mystérieux sanctuaire, et le poète qui chante doit s'égaler
au *vates* antique, prêtre des Muses, interprète des dieux, dont le
front, auréolé de rayons, sert de phare à l'humanité. Quant au poète-
citoyen, qui donc en contesterait la sincérité, alors qu'il a payé de
sa tête la fidélité à son idéal ?

Il parvient encore à cette originalité seconde — celle des classiques — par ses dons exceptionnels. Les autres poètes de son temps,
si je puis dire, entrent en poésie, comme alors trop souvent dans
les ordres, sans vocation, par intérêt et par choix : lui, il a entendu
l'appel. Les autres atteignent par chance à la vraie poésie : il s'y
installe comme dans un fief. Il a l'imagination naturellement poétique : l'image recouvre l'idée, la vision la vue de l'esprit. La métaphore, la comparaison, l'allégorie, le mythe fleurissent tous ses
poèmes. Ceux de *la Jeune Captive* et des *Iambes* parent toutes les
mémoires. Mais, c'est à chaque pas que, dans son œuvre, ils s'offrent
à l'œil ravi, dans leur grâce ou leur vigueur, dans leur grandeur ou
leur charme :

> Le Ciel rit à la terre, et la terre fleurit...
> O flambeau de l'amour, j'ai vu fondre mes ailes...
> Cette rose au matin sourit comme sa bouche...

> Et les héros armés, brillant dans les campagnes
> Comme un vaste incendie aux cimes des montagnes...

Il personnifie et anime tout. Voici, telle une théorie des Pana-
thénées, tout un cortège d'allégories aux lignes harmonieuses, bai-
gnant dans une fraîche lumière:

> L'Automne au front vermeil, ceint de pampres nouveaux...
> La Récolte et la Paix, aux yeux purs et sereins,
> Les épis sur le front, les épis dans les mains...

et la « Muse timide » du poète,

> Qui, parmi ses sœurs,,,
Vient, le regard baissé, solliciter sa place...

fuyant les batailles, dont le sang

> Souillerait la blancheur de sa robe de lin.

Voici le chœur brillant des poèmes d'amour :

> Partout autour de moi mes jeunes Elégies
> Promenaient les éclats de leurs folles orgies;
> Et, les cheveux épars, se tenant par la main,
> De leur danse élégante égayaient mon chemin.

Voici, enfin, car il faut se borner, le groupe de Corinthe, un peu imparfait, je le concède, mais d'un puissant effet :

> ... La Liberté
> Fut, comme Hercule, en naissant, invincible.
> Ses yeux, ouverts d'un jour, dictaient sa volonté,
> Et son vagissement était mâle et terrible.
> De rampants messagers des dieux
> Espéraient, l'attaquant dans ses forces premières,
> Etouffer en un jour son avenir fameux.
> Ses enfantines mains, robustes, meurtrières,
> Teignirent de sang venimeux
> Son berceau formidable et ses langes guerrières.

Dussé-je faire frémir les détracteurs de Chénier, je dirai mon avis : cela se dresse, cela sonne comme du Hugo. Créateur de mythes comme le grand romantique, il est, comme lui, un voyant. Oui, je le sais, les visions de Chénier n'ont ni la même nature, ni le même caractère : c'est le plus souvent le tableau de genre au lieu de la fresque, l'élégie au lieu de l'Apocalypse, Cythère au lieu de Pathmos. Mais le tour d'esprit est le même. Après Horace et avant Corot, il esquisse cette jolie scène, bleuie de clarté lunaire :

> Soit que, parmi les chœurs de ces nymphes du Rhône,
> La lune, sur les prés où son flambeau vous luit,
> Dansantes vous admire, au retour de la nuit.

Il s'enchante à l'évocation d'un Elysée d'amour :

> Là, les danses, les jeux, les suaves concerts,
> Et la fraîche Naïade, en ses grottes de mousse,
> S'écoulant sur les fleurs, mélancolique et douce.

*L'art
de Chénier.* Cette ardeur à sentir, ce penchant à personnifier les abstractions et les choses, cette propension au rêve, cette faculté visuelle disposent pour s'exprimer de qualités techniques éminentes.

Non que Chénier soit de tous points admirable et qu'il faille le goûter « comme une brute », ainsi que le disait Hugo de Shakespeare. Il y a chez lui des imperfections, passagères défaillances, ou concessions à la mode, et l'on souffre à voir le divin poète, trop fidèle imitateur de Lebrun, affubler sa fraîche muse d'oripeaux usagés. Il recourt tout comme un autre aux termes nobles, aux périphrases : celle de l'horloge, dans les *Iambes*, est célèbre, mais il écrit encore :

> Des filets d'Arachné l'ingénieuse trame (la toile d'araignée)...
> Du muet de Samos qu'admire Métaponte (Pythagore)...
> Le quadrupède ailé (Pégase), etc...

Il abuse de la mythologie et transforme par exemple l'Amérique en une Cybèle neuve et les explorateurs modernes en Jasons.

Il n'évite pas toujours la fadeur, la mollesse, le relâchement, le prosaïsme. Il use d'épithètes vagues ou de mots impropres, sans cette intention d'art que l'on trouve chez Verlaine. Il fait un emploi excessif de l'apposition, bras fraternel sur lequel s'appuie le vers claudicant. Il accuse trop, à l'antique, et au grand préjudice du rythme, le parallélisme des termes à l'aide de la conjonction *et* :

> A cette mer trompeuse *et* se livre *et* s'engage...
> Qui, tour à tour convive *et* de Gnide *et* des cieux...

Mais quoi ! Chénier est un homme, et un homme de son temps. Passons sur ces vétilles, en considération de ses mérites, et n'oublions pas la guillotine, qui l'a fauché dans sa force.

Chénier sait construire, équilibrer, développer ses poèmes et les conclure sur un effet habilement retardé : *l'Aveugle, le Mendiant* et leur coup de théâtre final, *la Liberté* et son alternance de couplets apaisés et grondants, *la Jeune Tarentine* et son diptyque harmonieux, sont, parmi beaucoup, des exemples de cette architecture adroite, à la séduisante eurythmie. Il sait, comme Hugo, dérouler une ample tirade et lui donner pour base un dernier vers, qui ébranle l'imagination et produit de longues résonances :

> Je remplis lentement ma ruche industrieuse.
> Les siècles prosternés aux pieds de sa mémoire.
> Grand aveugle dont l'âme a su voir tant de choses.

Appliquant son précepte, il crée des expressions hardies, des alliances de mots suggestives :

> Humains, nous ressemblons aux *feuilles d'un ombrage*...
> Et, *nonchalant du terme* où finiront mes jours...
> L'harmonieux démon descend et *m'environne*...
> De l'ambre, enfant du ciel, *distille* l'or fluide...
> *Germent* des mines d'or, de gloire et d'harmonie.
> ... Des nobles insensés
> *Ensevelis dans leurs ancêtres.*

Il frappe le vers-sentence, sonore et plein, souvent antithétique :

> Qui ne sait être pauvre est né pour l'esclavage...
> Travaille : un grand exemple est un puissant témoin...
> Sans penser écrivant d'après d'autres qui pensent...

Il a la fraîcheur, la joliesse, l'enjouement ailé, et son œuvre, parterre d'Armide, est émaillée de vers d'une grâce enchanteresse :

> Le baiser jeune et frais d'une blanche aux yeux noirs...
> Le buisson à ses yeux rit et jette une rose...
> Les Grâces, dont les soins ont élevé Racine,
> Aiment à répéter ses écrits enchanteurs,
> Tendres comme leurs yeux, doux comme leurs faveurs.

Mais il a aussi l'énergie, la passion, la fougue, l'enthousiasme : son vers alors se bande ou s'élance et plane, se fond de tendresse, brûle de haine, ricane d'ironie sarcastique, se colore de réalisme brutal :

> La sainte Liberté, fille du sol français,
> Va parcourir la terre en arbitre suprême...
> O France, sois heureuse entre toutes les mères...
> Mourir sans vider mon carquois !
> Sans percer, sans fouler, sans pétrir dans leur fange
> Ces bourreaux barbouilleurs de lois,
> Ces vers cadavéreux de la France asservie,
> Egorgée !

Son art est surtout plastique et musical. Comme Gautier, Chénier est à la fois peintre et poète, et il lui arrive plus d'une fois d'hésiter entre le pinceau et la plume pour traiter un sujet. Comme Gautier, il est « un homme pour qui la nature extérieure existe » et il rend les aspects statiques ou mobiles des choses et des êtres avec une pureté de lignes, une précision de traits, une exactitude de tons, une souplesse frémissante qui donnent la sensation du réel. Peu d'exotisme : c'est à peine si, dans l'Amérique, apparaissent le cacao, le doux coco, la mielleuse banane et la mangue et, dans A Byzance, les janissaires, le harem et les minarets. Ce sont la Grèce, l'Italie et la Suisse; c'est la France, c'est Montigny et « ses antiques bois », c'est la « Marne lente », ce sont les coteaux bordant la Seine qu'il se plaît à décrire. Les Idylles sont remplies de paysages, de portraits et de scènes en mouvement, qui imposent à l'imagination les lignes, les teintes, les gestes, les attitudes. Les autres poèmes en contiennent qui les égalent pour la justesse de l'observation et la vérité du rendu. Témoin ce seul exemple :

> Vois, sur sa couche encor du soleil ennemie,
> Errer nonchalamment une main endormie,
> Ses yeux prêts à s'ouvrir et sur son teint vermeil
> Se reposer encor les ailes du sommeil (Art d'aimer).

Chénier peint aussi par les sons. La valeur sonore des mots, la distribution des accents n'ont pas de secrets pour lui. Il a l'oreille délicate d'un musicien, et son rythme, d'une ductilité admirable, se modèle sur l'objet ou l'idée à traduire. Dans les passages de douceur, il se creuse et se renfle, flexible et ferme comme un beau corps de Nymphe au repos; dans les moments de force et de passion, il se ramasse, se raidit, se brise, habité de fougueuse impatience :

> Bel astre de Vénus, de son front délicat
> Puisque Diane encor voile le doux éclat,
> Jusques à ce tilleul, au pied de la colline,
> Prête à mes pas secrets ta lumière divine.

> Et le bois porte au loin des hurlements de femme,
> L'ongle frappant la terre, et les guerriers meurtris,
> Et les vases brisés, et l'injure et les cris.

> O ma plume ! Fiel, bile, horreur, dieux de ma vie !
> Par vous seuls je respire encor...

> J'aurais flatté, gémi, pleuré, prié, pressé.

Avant Baudelaire, Chénier trouve de ces cadences alanguies, incantatoires, comme dans ces vers où la palpitation du cœur s'harmonise au tremblement des étoiles :

> J'aime : je vais trouver des ardeurs mutuelles,
> Une nymphe adorée et belle entre les belles,
> Comme, parmi les feux que Diane conduit,
> Brillent tes feux si purs, ornement de la nuit.

ou comme ce début de méditation, qui évoque l'incomparable sonnet :

> Souffre un moment encor; tout n'est que changement.
> L'axe tourne, mon cœur; souffre encor un moment.

Avant Hugo et Baudelaire, il a le sens des transpositions et des correspondances :

> Il (l'Aveugle) les entend, près de son jeune guide,
> L'un sur l'autre pressés, tendre une oreille avide...
> Le toit s'égaie et rit de mille odeurs divines...

La versification de Chénier présente les mêmes innovations métriques que celle de ses contemporains. Il faut noter toutefois que, dans les Elégies et les Epîtres, il ne se permet guère que les licences que s'octroyaient nos grands classiques eux-mêmes. Dans les Idylles et les Iambes, il accumule — presque toujours dans un dessein artistique — les dérogations à la règle.

Il déplace la césure :

Belle encor, l'Italie attire l'univers...
Oui, ma fille; chacun fera ce que tu veux...
L'insolent quadrupède en vain s'écrie; il tombe, etc...

Il pratique parfois le rythme ternaire :

Morts et vivants, il est encor, pour nous unir,
Un commerce d'amour et de doux souvenir.

Les rejets abondent :

Mon âme vagabonde, à travers le feuillage,
Frémira...
                    ... l'agile Crantor,
Le bras levé, l'atteint...
              D'espérance un vaste torrent
Me transporte...

Les déplacements de césure se combinent aux enjambements :

Tous, boiteux, suspendus, traînent; mais je les vois
Tous bientôt sur leurs pieds se tenir à la fois.
Ainsi donc, dans les arts, l'inventeur est celui
Qui peint ce que chacun peut sentir comme lui...
On le dit. Sur mon seuil jamais cette volage
N'a mis le pied, etc...

Conclusion. L'art de Chénier est si complexe que l'on hésite encore sur l'école à laquelle le rattacher. Pour certains, qui mettent l'accent sur son culte des Anciens, sur ses théories littéraires, sur son rationalisme, il serait le dernier des classiques. Mais sur tous ces points, il diffère de ceux-ci. Son amour de l'antiquité a pour objet une forme transitoire de la civilisation; sa doctrine littéraire est, pour l'essentiel, à l'opposé de la leur; son rationalisme est de nature scientifique. D'autres font de lui un précurseur du romantisme. Romantique, il l'est, si l'on veut, par un certain individualisme, quelques touches de sensibilité, le goût des thèmes politiques et sociaux, la liberté de sa versification. Mais le mal du siècle ne l'a pas effleuré, il ignore l'inquiétude métaphysique, il est fermé à toute religiosité. Il semble plutôt, si l'on tient à voir en lui un ancêtre, un « sachem », que ses authentiques descendants soient les Parnassiens. Il les annonce par son idéal de beauté hellénique, par sa poésie archéologique, son exploitation artistique de la science, le caractère pictural, sculptural et musical de son art.

Est-il d'ailleurs nécessaire de perpétuer la discussion ? Et, pour Chénier, comme pour d'autres, le grand mot n'a-t-il pas été dit par Moréas mourant à Barrès : « Classiques, romantiques... tout cela, des bêtises ! » Les grands poètes sont au-dessus de toutes les écoles,

— et c'est pourquoi on a pu écrire un *Romantisme des classiques* et un *Classicisme des romantiques*.

Que Chénier soit, qu'il se fût de plus en plus affirmé l'un de ces grands poètes, c'est le goût personnel qui, seul, en décide. Pour moi, à considérer son œuvre inachevée et les magnifiques promesses qu'elle contient, j'incline vers l'affirmative, et j'aime à me flatter de l'idée que Chénier eût été l'un de ces nobles artistes, qui se mesurent avec un haut idéal et qui, de cette lutte avec l'Ange, sortent infirmes, mais grandis.

CHAPITRE XI

LA PROSE DE 1750 A 1789

Supériorité de la prose sur la poésie. L'éminente dignité de la poésie par rapport à la prose exigerait sans aucun doute qu'elle occupât la première place dans cette revue des auteurs que je dois à présent entreprendre.

Mais le XVIIIe siècle a connu cette disgrâce d'être le siècle le plus étranger à la poésie que l'Histoire nous présente. C'est en vain que le cœur et l'imagination s'affranchissent et que se crée le climat favorable à l'éclosion des poètes. C'est en vain que les critiques, comme nous venons de le voir, dissertent sur l'enthousiasme et les hardiesses légitimes du génie ou que Chénier proclame que « le cœur seul est poète » :

On ne voit point l'effet répondre à ces paroles.

Le rationalisme, la mondanité, l'utilitarisme étouffent en pratique la vraie conception de la poésie, qui se borne à de piquants jeux d'esprit ou à un didactisme linéaire et glacé. Chénier lui-même s'embarrasse d'érudition et de philosophie, et la partie la plus appréciée de son œuvre, malgré ses incontestables mérites, n'est qu'un recueil de centons, une suite de pastiches fort réussis. Méconnue dans son fond, la poésie est en outre critiquée dans sa forme. La croisade antipoétique qu'ont prêchée, au début du siècle, La Motte et Fénelon, ne cesse de recruter des partisans, dont quelques-uns sont illustres. Après Montesquieu qui reproche aux poètes d'avoir pour métier « de mettre des entraves au bon sens et d'accabler la raison sous les ornements » et de faire de leur art « une harmonieuse extravagance », les Encyclopédistes arrivent, qui font le procès de la technique du vers et veulent en assouplir les règles, source « d'affectations et d'impropriétés ». Ils vont plus loin. Pour eux comme pour Voltaire, la prose est l'étalon auquel on doit ramener les vers, pour en estimer justement la valeur :

Le *siècle* ne reconnaît plus pour bon en vers que ce qu'il trouverait excellent en prose. (D'ALEMBERT, *Réflexions sur la poésie*.)

Mais, contre Voltaire, ils affirment qu'il peut y avoir des poèmes en prose, invoquant le *Télémaque* en faveur de leur assertion. Marmontel se déclare un moment partisan de la prose rythmée. Buffon va jusqu'à soutenir que « la prose *peut* peindre mieux que la poésie ».

A ces fâcheuses dispositions, qui lèsent la poésie, s'ajoute l'humeur belliqueuse des temps : les nécessités de la lutte postulent l'emploi d'une arme souple et rapide, et, de ce point de vue, la prose l'emporte sans conteste. Aussi est-elle supérieure à la poésie, en qualité comme en richesse : les grandes œuvres de cette période sont écrites en prose; les écrivains du second rang les plus connus sont, eux aussi, des prosateurs. J'ai traité des suzerains; je vais parler des vassaux, en tâchant de concilier dans l'accomplissement de cette tâche indispensable, sinon attrayante, la conscience et l'équité.

I. — L'ÉRUDITION ET L'HISTOIRE.

L'érudition.   La science domine tout le XVIIIᵉ siècle : il est donc juste de commencer par les genres où elle joue un rôle important, c'est-à-dire par l'érudition et l'histoire.

L'érudition est alors traitée en parente pauvre, et l'on dédaigne l'effort des savants qui s'y livrent. L'injustice est criante. D'inlassables chercheurs fouillent les archives, les bibliothèques et les chartriers, ouvrent des voies où le XIXᵉ siècle à leur suite s'engagera. Le plus illustre de ces pionniers est Lacurne de Sainte-Palaye (1697-1781); le Moyen Age est son fief. L'héroïque savant et l'aimable érudit ! A la plus vaste littérature il joint les qualités morales les plus hautes, uniquement dévoué à la science, à laquelle il consacre sa longue vie et sacrifie sa fortune et sa santé. Rompant avec l'injurieux mépris de son siècle et du siècle précédent pour les « temps gothiques », il entreprend d'en montrer la grandeur littéraire et sociale. Il exhume les poèmes des troubadours, qu'il traduit en partie, dresse un glossaire général de la langue d'oïl et compose son *Mémoire sur l'ancienne chevalerie* (3 vol., 1759-1786), dont la substance est tirée de nos vieux romans. Cette œuvre, à la fois agréable et solide, n'a que le tort d'annoncer plus qu'elle ne tient. La vie qu'elle retrace avec tant d'érudition et de charme est celle des chevaliers français, et non de tous les féodaux. A vivre au milieu des troubadours et des trouvères, au milieu des chambres d'amour, Sainte-Palaye en transporte dans l'existence les mœurs chevaleresques et courtoises, assidu auprès des dames et faisant sienne

la devise fameuse : *Toutes servir, toutes honorer pour l'amour d'une.*
Le Moyen Age suscite d'autres admirateurs passionnés. C'est
d'abord l'ex-Jésuite Legrand d'Aussy (1737-1800), qui, outre trois
volumes de *Fabliaux ou contes des* XIIe *et* XIIIe *siècles* (1779), publie
une *Histoire de la vie privée des Français depuis l'origine de la
nation jusqu'à nos jours* (3 vol., 1770-1781), ouvrage plein de
science, mais vide de style. C'est Feudrix de Bréquigny (1716-1795),
qui prélude aux vastes recueils historiques du XIXe siècle par sa
Collection des lois et ordonnances des rois de la troisième race et par
celle des *Diplômes, chartes, titres et autres monuments intéressant
l'histoire de France* (3 vol. 1763-1790); qui annonce Augustin Thierry
par deux *Dissertations*, où il étudie le mouvement communal, et
qui se délasse de ces arides travaux par des *Mémoires* sur les Arabes
ou les Chinois. C'est à Michelet plutôt et à ses « psychomachies »
que fait penser Mlle de la Lézardière, dont la *Théorie des lois politiques de la monarchie française* ramène à une lutte de principes la
guerre des Francs et des Romains, où la liberté germanique finit
par triompher du despotisme impérial. Ce n'est donc pas seulement
sur le terrain de l'art, c'est sur celui de l'histoire que cette époque
précède le romantisme.

Les Bénédictins de Saint-Maur se montrent les dignes successeurs
des Mabillon et des Rivet de la Grange. Dom Clémencet (1703-
1778) et dom Clément (1714-1793) continuent une des œuvres
qui font l'orgueil de la science française, cette célèbre *Histoire
littéraire de la France*, que le dernier mène jusqu'au treizième volume.
L'oncle et le neveu, dom Martin (1694-1751) et dom Brésillac travaillent de concert à une *Histoire des Gaules* (2 vol., 1752-1754),
fort érudite, mais gâtée par l'esprit de système et la fantaisie.

Guilhem de Sainte-Croix (1746-1809) clôt la liste de ces grands
érudits, dont le seul but est de faire progresser la science. Savant
sérieux, fin critique, sagace observateur, il exerce ses qualités remarquables sur les sujets les plus variés. Il fraie le chemin à Droysen
par son *Examen critique des anciens historiens d'Alexandre* (1775-
1804), à Burnouf par son *Ezour-Vedam*, à M. Foucart par ses
Recherches historiques sur les mystères du paganisme (1784). Il
donne des articles aux journaux, des dissertations aux *Mémoires de
l'Institut*, joignant toujours les aperçus profonds à des faits solidement établis.

L'histoire.   Tout ce mouvement d'érudition, que grossissent
les communications des missionnaires, les récits des
voyageurs, les travaux de savants étrangers, n'aboutit cependant à
aucune œuvre historique digne de ce nom, celles de Voltaire exceptées. C'est que certaines circonstances, générales ou particulières,
sont peu favorables à l'histoire. L'histoire veut être libre, et les institutions restreignent l'indépendance. Elle exige un ensemble de qualités très variées; mais à tel écrivain c'est le jugement qui manque,

à tel autre la patience; aux uns le sens de la diversité des époques, aux autres le talent. Elle postule surtout l'impartialité, et les passions déchaînées font d'elle une arme que l'on dirige contre le trône ou contre l'autel, parfois contre les deux. Voltaire, on l'a vu, n'échappe pas à la critique; ses pâles émules n'ont droit qu'à de rares éloges.

La production historique est assez active, mais ne saurait longtemps arrêter. Il y a d'abord tout un lot de pseudo-historiens dont on peut se défaire à bon compte. Qui se soucie encore de l'abbé Velly (1709 ou 1711-1759), qui commence une *Histoire de France*, où il accumule les erreurs, travestit les époques, fait de Chilpéric un petit-maître, habille Frédégonde en robes Pompadour ? Que dire de ses continuateurs, l'ancien comédien Villaret (1715-1766) et le professeur d'hébreu Garnier (1729-1805), sinon que le premier, tout en étant supérieur à Velly, manque encore d'exactitude et d'impartialité et qu'il écrit dans le style ampoulé et sensible de l'époque, tandis que le second, érudit judicieux, est en revanche un écrivain prolixe, terne et réfrigérant ? Le génovéfain Anquetil (1723-1808), malgré sa fécondité, ne mériterait pas une mention, n'était que son *Histoire de la Ligue*, où il ne voit dans le soulèvement des catholiques qu'« un mélange de fureur et de ridicule », a fourni à A. Dumas le sujet de son drame célèbre, *Henri III et sa cour*.

L'abbé Raynal (1713-1796) a fait un moment trop de tapage pour ne pas mériter quelques lignes. D'abord jésuite, puis prédicateur apprécié, bien qu'il ait « un assent de tous les diables », il renonce au sacerdoce, se lance dans la philosophie, obtient ainsi le privilège du *Mercure* et demande aux lettres des moyens d'exister. Il donne successivement l'*Histoire du Stathoudérat* et l'*Histoire du Parlement d'Angleterre* (1748), deux volumes d'*Anecdotes* littéraires ou historiques (1750, 1753), mais les critiques que ces ouvrages soulèvent le découragent de plus rien publier. Il écrit toutefois dans le silence, et, en 1770, paraît sous le couvert de l'anonymat son *Histoire philosophique et politique des établissements et du commerce des Européens dans les deux Indes* (4 vol.), qui obtient un tel succès qu'on en fait quarante contrefaçons en quatre ans. Il signe alors, en 1780, l'édition retouchée de Genève, et le voilà célèbre. L'ouvrage est interdit et brûlé; l'auteur est décrété de prise de corps, et s'exile. Mais l'opinion est pour lui, et, partout où il se rend, il recueille les témoignages les plus flatteurs d'admiration. Il rentre en France en 1788, refuse la députation que lui offre Marseille, et ne tarde pas, devant la marche des événements, à éprouver de vives craintes, qu'il exprime dans une belle *Lettre au président de l'Assemblée Nationale* (31 mai 1791). Il est maintenant honni de ses amis de la veille, mais il reste courageusement en France pendant la Terreur, qui ne l'inquiète pas, et meurt paisiblement, peu de temps après avoir été nommé membre de l'Institut (classe d'histoire). Le succès de scandale qui accueillit l'*Histoire philosophique*

ne doit pas donner le change sur sa valeur. L'ouvrage a des mérites :
Raynal réhabilite le commerce, proteste contre la traite des noirs
et l'esclavage, marque avec précision l'influence du Nouveau Monde
sur l'Ancien. Mais elle a aussi de graves défauts. Désordonnée et
décousue, elle est bourrée d'erreurs, de contradictions, de paradoxes, mouillée de sentimentalisme libertaire, farcie « d'hymnes
dithyrambiques et extatiques sur les plaisirs des sens » (Palissot),
ou de déclamations frénétiques contre le clergé et les monarques.
Cet homme, que ses contemporains nous représentent comme « un
ami chaud », « un bonhomme aisé à vivre », « le plus affectueux,
le plus aimé des vieillards », se transforme, la plume à la main,
en fanatique sanguinaire, qui appelle l'ange exterminateur pour
abattre tout ce qui s'élève et mettre tout au niveau, et qui professe qu'une nation « ne se régénère que dans un bain de sang »
ou que, « tant qu'on ne mènera pas un roi à Tyburn avec aussi peu
d'appareil que le dernier coupable, les peuples n'auront aucune idée
de la liberté ».

C'est la même veine que celle des *Eleuthéromanes* de Diderot, et
l'on serait tenté, sur la foi de Grimm, d'attribuer à ce dernier la
paternité de ces gentillesses, s'il est vrai, comme le journaliste l'affirme, que Diderot consacra deux années entières à l'*Histoire philosophique* et que le tiers de cet ouvrage lui appartient. Ecrit dans un
style boursouflé, emphatique, faussement chaleureux, il ne trouve
plus maintenant de lecteurs. Mais son ancienne fortune reste un
document singulier du trouble des esprits.

C'est aussi la philosophie qui assure le succès éphémère de Mably,
de Gaillard et de l'abbé Millot. Mably réduit l'histoire en système
dans sa *Manière d'écrire l'histoire* (1782), où il propose Tite Live
en modèle et couvre courageusement de sarcasmes Voltaire décédé.
Ses *Observations sur l'Histoire de France* (1765-1788), qu'il fait
suivre après coup de *Remarques et preuves* destinées à les étayer,
sont remplies d'assertions erronées sur le caractère démocratique de
l'ancienne constitution française et d'attaques virulentes contre
le despotisme et le clergé. Mais ces défauts mêmes assurèrent à cet
ouvrage, nous dit Augustin Thierry, une vogue extraordinaire au
moment de la Révolution. Gaillard (1726-1806) est un disciple de
Voltaire, dont il applique la méthode analytique dans son *Histoire
de François I*er (7 vol., 1766-1769) et dans son *Histoire de Charlemagne* (4 vol., 1782). Ce sont des ouvrages parfois judicieux, mais
la manie dissertante s'y donne trop libre cours et leur style ne rappelle pas souvent la manière du maître. L'abbé Ernest Millot (1726-
1785) s'attire les louanges de d'Alembert et de Grimm pour ses
Eléments d'histoire générale ancienne et moderne (9 vol., 1772-
1783), où « il combat avec fermeté, en observant le respect qu'un
homme de sa robe doit à la religion reçue, l'erreur et la superstition ». Son *Histoire des troubadours* n'est qu'une habile mise en
œuvre des matériaux rassemblés par Lacurne de Sainte-Palaye.

De la philosophie on passe à un autre sectarisme avec l'abbé
Etienne Mignot (1698-1771), érudit aux vastes connaissances, mais
janséniste farouche, qui écrit dans un esprit de gallicanisme outré
une *Histoire du démêlé de Henri II avec Thomas Becket* et une
*Histoire de la réception du Concile de Trente dans les différents
Etats catholiques* (1756). Un autre abbé Mignot (1728-1790), propre neveu de Voltaire, n'a point la science de son homonyme, mais
il apporte dans son *Histoire de l'impératrice Irène* (1762), dans son
Histoire de Jeanne Ire, reine de Naples (1764), etc., d'estimables
qualités de vivacité spirituelle, de bon sens, de naturel et d'élégance,
— bien de famille sans aucun doute.

Rulhière (1735-1791) est certainement, après Voltaire, le meilleur
historien de l'époque. Il est l'auteur d'*Eclaircissements historiques
sur les causes de la révocation de l'Edit de Nantes*, qui parurent de
son vivant (2 vol., 1788), et de deux ouvrages posthumes, dont le
second est inachevé, *Anecdotes sur la révolution de Russie en 1762*
(1797) et *Histoire de l'anarchie de Pologne* (4 vol., 1807).

Rulhière prête à la discussion. On peut trouver qu'il mêle plus
qu'un grain de fantaisie dans ses *Anecdotes*, différer d'avis avec lui
sur la conduite, qu'il noircit, de Mme de Maintenon ou sur la diplomatie, qu'il exalte, de Choiseul en Pologne, critiquer son penchant
pour la période, les harangues et les portraits. Mais son information
est généralement sûre, étant puisée dans des pays qu'il a visités ou
des archives qui se sont ouvertes devant lui. Il a le coup d'œil pénétrant, l'intelligence des affaires; il peint les individus et les peuples avec couleur et avec vie, et son style élégant et rapide communique à son œuvre un intérêt qui ne se dément point. Rulhière est
un auteur digne d'être plus connu.

Les Mémoires.   L'importance des événements qui se produisent
et l'affranchissement du *moi* expliquent le grand
nombre de *Mémoires* que nous a légués l'Ancien Régime finissant :
durant tout le XIXe siècle, on n'a cessé d'en publier; on en publie
encore, et la tâche serait longue de parler de tous, même succincte-
ment. Il faut donc se borner à signaler ceux dont la valeur documentaire ou morale mérite de fixer l'attention.

Besenval, le soudard (1722-1792), Lauzun, le roué (1747-1793)
et Tilly, le page effronté (1760-1822), ces trois mousquetaires félons
de la reine, qu'ils tentent de séduire, et, rebutés, s'appliquent à salir,
écrivent des *Mémoires* scandaleux et futiles, qui jettent une lumière
crue sur les mœurs dissolues de la noblesse. Une vue plus large et
plus juste de la société est donnée par les charmants *Mémoires, souvenirs et anecdotes* du comte L.-Ph. de Ségur, qui fourmillent de
curieux renseignements, font revivre les multiples aspects de l'époque et donnent l'impression la plus fidèle de ce que put être « la
douceur de vivre », célébrée par Talleyrand. Mécomptes matrimo-
niaux, amour coupable, vie mondaine, dérèglements, grandeurs et

petitesses des philosophes, tels sont les éléments qui s'amalgament
dans les *Mémoires* de l'amie de Grimm, Mme d'Epinay. Mémoires
singuliers d'ailleurs, écrits d'abord sous forme de roman à clefs,
remaniés par Grimm et par Diderot, faisant alterner le récit et le
dialogue, et qui, prudemment consultés, peuvent rendre plus d'un
service.

C'est aussi le monde des salons littéraires, c'est l'action subversive des philosophes, ce sont les tribulations de ceux d'entre eux
qui assistent à l'effondrement du régime que relatent les alertes et
savoureux *Mémoires sur le* XVIIIe *siècle* de l'abbé Morellet (1818)
ou les curieux *Mémoires sur M. Suard* de Garat (1818). Collé, dans
son *Journal historique* (1807), tient registre de tout ce qui concerne
les lettres, se répand en propos fielleux contre ses confrères ou s'admire béatement. Marmontel enfin écrit dans sa vieillesse et pour
l'instruction de ses enfants les *Mémoires* peut-être les plus intéressants de l'époque. Variés comme les sociétés où l'auteur fréquente,
ils sont comme un tableau de la France d'alors et renferment des
croquis et des peintures fort réussis de la vie à la campagne, des
collèges, du théâtre, de la finance, du journalisme, du grand monde.
Certains passages, comme les années de collège ou la détention à
la Bastille, sont de véritables morceaux d'anthologie. Une seule
réserve, mais de poids. Marmontel se souvient trop qu'il fut jeune,
beau, chéri des belles; il insiste sur ses bonnes fortunes, et le grave
patriarche fait songer trop souvent à un Noé qui rejetterait son
manteau. L'intention sans doute est excellente, et il dissuade ses fils
de l'imiter. Cette façon de dire, sur un sujet aussi délicat : « Ne
faites pas ce que j'ai fait » n'est peut-être pas de la pédagogie la
plus saine.

II. — ROMANCIERS ET CONTEURS.

On a vu, au volume précédent, comment et pourquoi le roman
avait connu, dans la première moitié du XVIIIe siècle, une brillante
renaissance. Dans la seconde moitié, sa vogue s'accroît encore, et il
produit quelques chefs-d'œuvre définitivement classés. Le goût des
Français pour les récits, l'influence des romanciers anglais entrent,
et pour beaucoup, dans cet engouement, mais aussi le fait que le
roman n'a pas de règles définies, et que, libre d'allure, il peut aisément se plier à toutes les sollicitations de la pensée, de l'imagination
et du cœur. Mieux qu'aucun autre, un genre aussi souple se modèle
sur la courbe et reproduit les aspects d'une époque. C'est dire qu'il
se divise en multiples variétés. Cette classification sans doute comporte quelque arbitraire : il est bien certain que le roman, avant
tout image de la vie, en a la complexité et qu'à cette époque, par
exemple, il mêle le réalisme, le moralisme, la philosophie, l'exotisme
et le sentiment. Mais le plus souvent un élément domine, justifiant
ainsi ce que le procédé peut avoir de scolaire.

Les facilités mêmes que le roman offre à l'écrivain entraînent une fâcheuse contre-partie : l'abondance de la littérature romanesque. Le fait se vérifie déjà au xviii° siècle. Ici encore, il faut se limiter. Je ne reviendrai point sur les maîtres et ne signalerai que les œuvres dont la valeur intrinsèque ou historique est hors de discussion.

Le roman licencieux. Débarrassons-nous rapidement d'une forme de roman, peu honorable, mais alors très achalandée : le roman licencieux, où sont peints les désordres du temps. Crébillon fils termine sa carrière de moraliste graveleux par des romans médiocres, aussi pauvres d'intérêt que de style. Louvet de Couvray (1764-1797) acquiert, à vingt-trois ans, la célébrité avec sa trop fameuse *Vie du chevalier de Faublas* (1787), bizarre ambigu de cynisme et d'emphase romantique.

Le roman sentimental. Le sentiment, l'un des rois de l'époque, se manifeste dans le roman sous les formes les plus diverses. Il y a d'abord le roman de confidences, issu de l'expérience personnelle. Des femmes y triomphent, dont la première est Mme Riccoboni (1714-1792). La vie lui est cruelle, et elle verse dans ses œuvres (*Lettres de Fanny Buller*, 1757; *Histoire du marquis de Cressy*, 1758; *Ernestine*, 1759, etc.) ses chagrins de jeune fille abusée et ses rancœurs d'épouse trahie. Très goûtée de son vivant, louée par La Harpe, admirée encore par Veuillot, elle n'est plus maintenant qu'un nom, que le temps achève d'effacer. Mme de Charrière (?-1805) a une tout autre valeur : cette sympathique victime de B. Constant a laissé deux romans, *Lettres neufchâteloises* (1784) et *Caliste* (1786), qui n'ont guère perdu, *Caliste* principalement, de leur charme exquis : l'observation piquante des mœurs, la psychologie délicate, l'allure dramatique en font encore une lecture des plus agréables.

Le besoin d'émotions se satisfait dans le *genre sombre*, dont Baculard d'Arnaud (1718-1805) est le parrain tout à la fois et le théoricien, et qu'exploitent à l'envi, avec son créateur, les Loaisel de Tréogate, les Léonard, les Mercier, etc. Qu'on lise les *Epreuves du sentiment* de Baculard ou la *Comtesse d'Alibre* et *Dolbreuse* de Tréogate, pour s'en tenir à des exemples typiques, ce ne sont qu'actions effroyables, amours frénétiques, contorsions de possédés. Le décor et le style s'adaptent à ces délires d'imagination et à ces orages de passion. Ruines lugubres et landes désolées, fantômes blafards et farouches solitaires, vents mugissants et nuits sans lune, exclamations et apostrophes, épithètes outrées et mouvements désordonnés, tout se rassemble pour produire le frisson et la secousse. Nous sourions aujourd'hui de ces excès délirants et de ces tumultes tapageurs. On s'y laisse prendre alors; la drogue ouvre des enfers artificiels, où les sceptiques blasés se plongent avec délices.

Portrait de Bernardin DE SAINT-PIERRE

Le roman   Après les cuivres, le hautbois et la petite flûte;
pastoral.   après les convulsions, la détente. On s'évade des
salons dans la paix de la campagne. La vie agreste est en honneur,
choses et gens de la terre sollicitent l'attention, flattent doucement
la sensibilité. On se passionne pour la question des grains; on exalte
l'homme des champs, si près de la nature, si bon, si vertueux. Les
écrivains n'ont garde de négliger cette veine, et le roman pastoral
redevient à la mode. Florian (1755-1794), le *Florianet* de Voltaire,
qui est son parent et son maître, adapte la *Galatée* de Cervantès
(1783) et compose son *Estelle et Némorin* (1788). Genre faux,
genre fade, genre froid, dit-on. Si l'on veut, et je ne défends point
cette nature pomponnée, ces bergères Trianon et ces moutons des-
cendus des trumeaux de Lancret ou de Boucher. Genre mélancoli-
quement désuet plutôt, qui teinte de rose tendre le crépuscule d'une
société. Lebrun-Pindare s'exaspérait de cette « moutonnerie » que
ne troublait aucun loup. Patience ! Les loups vont venir; ils aigui-
sent leurs crocs, et Florianet, dont le derme ne sera qu'entamé,
mourra de peur.

Le roman   La philosophie, qui, dès le début du siècle, vas-
philosophique.   salise le roman et le conte avec Voltaire et
Montesquieu, les soumet plus étroitement encore à son empire.
On ne saurait nombrer les fictions, qui, sous le couvert de l'exotisme ou de la fantaisie, traitent des questions actuelles, proposent des changements dans l'Etat plus ou moins radicaux avec
une hardiesse qui va croissant d'année en année. Le *Chinki* de l'abbé
Coyer (1765) s'élève contre la noblesse et contre les iniquités
sociales. Il engendre le *Naru, fils de Chinki* de du Wicquet d'Ordre
(1776), lequel vilipende l'administration financière. Le *Compère Mathieu* de l'ancien trinitaire Dulaurens outrage du même
cœur impavide le despotisme, la religion et la morale (1766).
L'*Ile inconnue* de Grivel (1783-1787) combine Rousseau et l'Encyclopédie. Le bon sauvage étale sa face camuse et son niais sourire
un peu partout, par exemple dans les anonymes *Deux amis* (1770)
et dans les larmoyantes, et par endroits fort libres *Lettres tahi-
tiennes* de Mme de Montbard (1786). De ces auteurs le temps a fait
prompte et équitable justice; seules survivent, sinon les œuvres, du
moins les noms de Marmontel, de Mercier et de Retif.
   Marmontel (1723-1799) n'est pas sans talent, mais il n'a pas
celui de créer. Critique judicieux, « qui sait lire et apprend à
lire », il échoue dans les autres genres; il se situe, dans l'ordre des
temps, comme dans celui des valeurs, entre d'Aubignac et Sainte-
Beuve. Ses deux romans *Bélisaire* et *Les Incas* en sont la preuve
manifeste. Le succès tapageur du premier, que j'ai rappelé plus
haut, n'est plus qu'un incident de l'histoire littéraire, et ses seize
chapitres ne se lisent aujourd'hui qu'avec une curiosité polie. C'est
une pâle et grêle imitation du *Télémaque*, où l'infortuné Bélisaire

joue le rôle d'un Mentor aveugle et casqué. Le brave général, qui a lu Sénèque et les Pères de l'Eglise, bien plus que Végèce, dilue une suite de banalités sur la royauté, les impôts, le luxe, la tolérance : *Bélisaire* est le manuel du « despote éclairé ». L'affabulation est squelettique, les personnages — Bélisaire, Justinien, Tibère — sont d'un David au dessin flou, le style est mol et tiède comme un « crachin ». Les *Incas* sont plus intéressants. J'en devrais plutôt parler au paragraphe du roman exotique, si l'intention philosophique n'en était la caractéristique essentielle. En écrivant cette fiction romanesque, Marmontel entend faire le procès du fanatisme, auquel il attribue exclusivement les atrocités de Pizarre et de ses compagnons. Les dernières lignes de l'ouvrage sont significatives à cet égard :

Le Fanatisme, entouré de massacres et de débris, assis sur des monceaux de morts, promenant ses regards sur de vastes ruines, s'applaudit et loue le ciel d'avoir couronné ses travaux.

Gâté par le parti pris, par la déclamation et, çà et là, par un faux brillant de style, l'ouvrage a pourtant des mérites. Marmontel s'est soigneusement documenté dans les historiens espagnols Garcilaso de la Vega, Las Cases, Herrera. Il s'efforce à l'impartialité et il oppose la noble conduite de Las Cases à la férocité de ses compatriotes. Les amours de l'Espagnol Alonzo et de l'Indienne Cora se lisent encore avec émotion. Les figures de Pizarre, d'Almagro, de Davila ne manquent ni de relief ni de vigueur. Quelques épisodes comme le supplice du vieux cacique (ch. XVII) sont empreints d'une sombre grandeur. La couleur locale, assez exacte, répand sur tout l'ouvrage une teinte pâle et douce. On est agréablement surpris de tomber sur des phrases comme celle-ci :

Le doux savinte, le palta, d'un goût plus ravissant encore, la moelle du coco, son jus délicieux, furent les mets de ce festin. (Ch. XXVIII.)

Un souffle d'épopée soulève par endroits l'ouvrage, auquel les tours et les procédés poétiques qui le parsèment, le souci du rythme et du nombre communiquent l'allure d'un poème en prose.

J'ai déjà parlé de Sébastien Mercier (1740-1814), ce disciple très indépendant de Rousseau. Son cerveau en perpétuelle ébullition ne cesse d'enfanter idées, paradoxes, aperçus bizarres ou anticipations saisissantes. Il les répand généreusement en une foule d'écrits, au nombre desquels figurent plusieurs romans, ou tout au moins plusieurs œuvres d'imagination. Deux, entre autres, valent la peine d'être mentionnés. Le premier, *L'an 2440, rêve s'il en fut jamais* (1771), est une fantaisie prophétique, où Mercier imagine qu'il se réveille après un sommeil de 672 ans et note les transformations survenues en France et au cours de ces six siècles. La France est devenue une monarchie constitutionnelle à tendances égalitaires et peuplée de

gens respectueux et discrets. Paris s'est assaini, régularisé et embelli.
La science s'est prodigieusement développée, et des inventions étonnantes — où l'on peut trouver avec quelque bonne volonté un
pressentiment du télégraphe, du phonographe et de l'aviation —
augmentent la prise de l'homme sur la nature, et autorisent tous
les espoirs. L'ouvrage est confus, prolixe, mal écrit, mais il se lit
encore avec plaisir, tant est communicative l'ardente conviction de
l'auteur. Dans l'*Homme sauvage* (1767), Mercier se livre à une
étude psychologique de l'homme primitif, dont les conclusions
contredisent les idylliques affirmations de Rousseau. Certaines pages
de ce livre curieux, par leur pittoresque et leur lyrisme, annoncent
Bernardin et Chateaubriand.

L'ami de Mercier et son rival heureux en fécondité, comme en
créations fantasques, Retif de la Bretonne, nous est déjà connu.
La masse de ses romans contient une œuvre effarante, mais
attrayante, *La découverte australe par un homme volant* (1781).
On sent que Montgolfier va venir, à cette préoccupation des choses
de l'air. C'est un mélange de fiction, de réalisme et d'utopie, qui
fait songer à Wells, à Balzac et à Cabet. On y voit des hommes-
singes, des hommes-ours, etc., à peu près comme dans l'*Ile du docteur Moreau;* on y assiste à des « scènes de la vie privée »; on s'y
instruit des moyens infaillibles de faire régner en ce monde le
bonheur par la vertu.

Le roman   O vertu, que de vices on flatte alors en ton nom!
moral   Ce siècle immoral a la manie de moraliser, et l'on
ne compte point les romans qui se proposent de réformer les mœurs.
Certains d'entre eux pensent y arriver en lavant d'eau douceâtre
de vertueuses aquarelles, d'où tout détail équivoque est scrupuleusement banni. Le théoricien du genre est Marmontel, dont l'*Essai
sur les romans*, très sévère pour *Manon*, ce qui se conçoit, pour la
Nouvelle Héloïse, ce qui se comprend encore, mais aussi pour la
Princesse de Clèves, ce qui ne laisse pas d'étonner, pose comme
critère de la valeur d'un roman son effet moral — Taine dira plus
tard le « degré de bonté du caractère ». Il écrit, suivant ce principe, des *Contes moraux*, qui soulèvent l'enthousiasme de l'Europe,
mais qui sont bien oubliés aujourd'hui. Ces récits, différents de
longueur et d'intérêt, au cadre ingénieusement varié, et relevés de
piquants emprunts à l'actualité, sont parsemés de dissertations sur
le spiritualisme, de chastes idylles, de scènes familiales à la Greuze,
de traits d'héroïsme et de vertu, mais aussi de situations risquées
et d'images libertines. Cette crème poivrée surprend fâcheusement
le goût, et l'on ne reconnaît plus guère aux *Contes moraux* que
le mérite d'avoir été une mine que les comiques du temps ont exploi-
tée. Ainsi Favart y a pris le sujet de ses *Trois sultanes*, Beaumarchais
l'épisode de Chérubin (tiré du conte *Heureusement*), etc.

Mme de Genlis (1746-1840) s'apparie par le but à Marmontel,

mais le dépasse par le mérite. Cette « gouverneur » des petits
princes d'Orléans, dont le père la gouverne, a la passion de la pédagogie, et elle ne cesse d'écrire, d'écrire pour les « jeunes personnes »
des ouvrages d'éducation, qu'elle relève d'allusions aux mondains et
aux faits du jour, au point que l'on s'amuse, à l'époque, à en
rechercher les « clefs ». Après avoir usé du théâtre, elle se tourne
vers le roman. *Adèle et Théodore* (1782) et les *Veillées du château*
(1784) adaptent avec assez d'habileté et d'attrait les principes de la
morale aux jeunes cerveaux qu'il s'agit de munir d'idées saines :
c'est l'œuvre d'une comtesse de Ségur pour « bons petits diables »
jouvenceaux et pour Sophies grandelettes.

   A côté du keepsake, l'album de Callot. Voici Retif de la Bretonne qui, d'une voix canaille, chante son hymne à la vertu. Il est
de ces romanciers qui pensent purifier l'homme en le roulant dans
la boue. Et son siècle, extasié, avalise ses prétentions. *Le paysan
perverti* (1776), *M. Nicolas*, les *Nuits de Paris* (1787), les *Contemporaines*, et tant d'autres ouvrages dont le nombre défie l'énumération, ne sont qu'une longue priapée, où l'auteur tient activement
son rôle. Mais ce sous-Diderot, plus fangeux que son modèle, est
aussi, comme lui, un psychologue, un peintre, un écrivain d'humeur : il sait analyser, composer un personnage, brosser un décor.
Les êtres qu'il aime à peindre, certes, ne sont guère beaux. Ce ne
sont que gars râblés et louches, femmes de moyenne, de petite et
de minime vertu, cabotines vicieuses et grandes dames perverses.
Guère beaux non plus les milieux où ils se meuvent : soupentes,
guinguettes et locatis. Des villes et de Paris Retif ne voit que les
« verrues ». Les scènes lubriques s'entremêlent de déclamations, de
prêches vertuistes, de spéculations d'un panthéisme vulgaire : on
croirait entendre un de ces « storetz » mystiques et saouls de
luxure, dont Raspoutine reste le type. Mais une vie chaude, animale, soulève cette rhétorique verbeuse et ce réalisme brutal. De
jolis tableautins, d'aimables figures, comme cette Mme Parangon,
dont l'image n'a pas quitté Retif, égaient l'œuvre de ce grapho-
mane, d'où monte une aigre odeur de suint, de taudis et de ruisseau.
Mieux encore : un jour Retif se reporte vers le pays natal, et il
écrit cette *Vie de mon père* (1779), livre plein de charme, qui
fleure l'air pur et l'honnêteté des champs.

   Choderlos de Laclos (1741-1803), à l'entendre, vise au même but
dans ses *Liaisons dangereuses* (1782) : étaler l'infamie du vice pour
en inspirer le dégoût. Mais les héros, le cadre, le style diffèrent
de ce qu'ils sont chez Retif. Celui-ci est le chantre de l'instinct,
celui-là l'analyste de la froide perversité. L'inquiétant personnage
et le sombre roman ! Bon époux, bon père, serviteur ingénieux et
dévoué du pays, Laclos est en revanche officier indiscipliné, puis,
en qualité de secrétaire du duc d'Orléans, machinateur ténébreux
des premières « journées » de la Révolution. Son œuvre est à la fois
un terrifiant document de mœurs et comme un traité de machia-

vélisme amoureux. Les *Liaisons* mettent en une lumière crue la
gangrène morale d'une partie de la noblesse et notent avec une
sèche précision les mille stratagèmes qu'un couple de roués, Valmont et Mme de Merteuil, emploient pour corrompre des âmes
jeunes et saines. Nul sentiment, nulle sensualité même chez ces Tar-
tuffes de l'amour, mais la volonté calculée de semer la honte et la
douleur. Virtuoses du mal, ils se moquent de l'amour et ne songent
qu'à vaincre : le but atteint, ils se tournent vers d'autres conquêtes,
sans se soucier de leurs victimes. Ils opposent leurs triomphes avec
une joie ricanante, dans une lutte de vanité, où Valmont finit par
avoir le dessous et devient la dupe de Mme de Merteuil. Le « premier des romans d'analyse » au jugement de P. Bourget, les *Liaisons dangereuses* ont les qualités d'une œuvre classique : simplicité
du sujet, impersonnalité, acuité de pénétration, généralité des types,
nudité du style. Elles ont aussi une éminente valeur historique :
disciple de Racine, Laclos est le maître de Stendhal, qui lui emprun-
tera son amour du petit fait et son goût de l'anatomie morale et
qui fera de son Julien Sorel un Valmont plébéien.

Le roman   Nouveau contraste. La même société qui se dé-
troubadour.   lecte à la peinture de sa vie artificielle et à l'infâme manège des séducteurs professionnels, éprouve l'impétueux
désir d'échapper à l'actuel, au connu, d'errer par la pensée dans
l'espace comme dans le temps, de communiquer avec la fraîcheur
native des terres vierges ou des peuples enfants. L'exotisme sous son
double aspect, historique et géographique, fait face à ces deux
exigences.

C'est vers le Moyen Age que la curiosité se tourne, et ce n'est
pas une nouveauté. Les *Antiquités* de Pasquier, la longue survivance des Mystères, le *Dialogue sur la Lecture des vieux romans* de
Chapelain, les pastiches de La Fontaine et de Racine, les protestations de La Bruyère en faveur des anciens mots prouvent que ni
la Renaissance ni le classicisme, malgré leur mépris pour un « âge
barbare », n'ont complètement tué le goût de nos « vieux romanciers », de leurs légendes et de leur langue. Ce goût s'avive au
xviiie siècle, sous l'influence des prétentions nobiliaires, des travaux
érudits et de cette tendance naturelle qui porte, comme les individus, les corps sociaux sur leur déclin à se pencher sur leur berceau.
On se passionne pour le bon vieux temps, on s'attendrit à sa naïve
simplicité, on exalte son héroïsme. Un genre nouveau apparaît, le
genre troubadour, qui fleurit dans toutes les formes d'art, roman,
théâtre, lyrisme, chanson : le jeune et beau Dunois s'apprête à partir
pour la Syrie. La couleur, à vrai dire, n'est pas toujours très chaude,
ni même toujours fidèle. On se croit quitte envers elle avec quelques
traits de mœurs, quelques détails d'institutions, quelques vieux
termes. Si un petit nombre d'auteurs montrent un zèle touchant à
parer d'un style artificiellement archaïque leurs fictions surannées,

la plupart prennent de grandes libertés avec le décor et les caractères; le roman a de faux airs de bal travesti.

Florian, dans son *Gonzalve de Cordoue* (1791), habille d'atours
chevaleresques ses éternels bergers, qu'il vient de grimer en vieux
Romains dans son *Numa Pompilius* (1786). Le comte de Tressan
(1705-1793) obtient d'éclatants succès avec sa *Bibliothèque des
romans*, où il taille habilement dans l'étoffe médiévale, adoucissant,
adaptant, rendant assimilable à sa clientèle encore timide l'*Amadis
des Gaules* aussi bien que le *Petit Jehan de Saintré*. Le marquis
Paulmy d'Argenson, ce « noble amateur de livres », ainsi que l'appelle Sainte-Beuve, le seconde dans sa tâche de vulgarisation; plus
savant et plus soucieux des originaux, il a le tour moins heureux.

**Le roman
exotique :
Bernardin
de
Saint-Pierre.** Dès les Croisades, l'exotisme géographique s'est
manifesté dans nos lettres, mais son domaine
s'est agrandi de concert avec la connaissance
que l'on prenait du globe. Dans la seconde moitié du XVIIIe siècle, le roman exotique, que Montesquieu, Voltaire, Marivaux, Le Sage et Prévost ont plus ou moins
cultivé, produit des fruits très abondants et très variés. La religion,
le commerce, la politique, les voyages d'exploration contribuent
comme toujours à favoriser son essor. Il trouve en outre de précieux adjuvants dans le cosmopolitisme, qui développe la curiosité
de l'étranger, dans la philosophie, qui cherche partout des traits éternels de l'homme en soi et les traces de la religion naturelle, dans la
publication de la *Bibliothèque des voyages*, dans l'accueil chaleureux fait aux œuvres antérieures, comme par exemple au *Robinson*
de Defoe. Et sa carrière maintenant a pour limites les limites mêmes
du monde : l'Europe, l'Afrique, l'Orient, l'Extrême-Orient, l'Amérique, les îles, les pôles ouvrent aux « âmes vagabondes » d'innombrables lieux d'asile et havres de repos.

Le roman philosophique, on l'a vu, aime à dépayser le lecteur :
c'est moins une précaution, qui ne saurait tromper personne, qu'un
condiment qui assaisonne la leçon; mais le goût de terroir en est
trop souvent affadi. La couleur locale est plus vraie et le ton mieux
assorti aux climats et aux lieux dans les *Nouvelles* et *Nouvelles nouvelles* de Florian : les choses de l'Espagne notamment sont rendues
avec assez de bonheur et d'agrément et montrent que l'auteur, fils
d'une Espagnole, n'a pas oublié ses origines. Il s'en souvient même
trop bien, car il compose des *Mémoires d'un jeune Espagnol*, sa
propre biographie, et il espagnolise, à l'aide d'anagrammes, de traductions et de pseudonymes, d'authentiques gens et choses de France :
il devient Niaflor, Voltaire est Lope de Vega, Mme Denis Dona Nisa,
Ferney Fernizet, etc.

Le plus illustre représentant de l'exotisme en ce temps-là est Bernardin de Saint-Pierre. Il écrit deux romans de fortune très diverse,
Paul et Virginie (1787), que l'on tient encore pour un chef-d'œuvre,

et la *Chaumière indienne* (1791), qui depuis longtemps a croulé sous
les ans. C'est un petit livre, mais gonflé de choses, que ce *Paul et
Virginie* où confluent quelques-uns des principaux courants du siècle.
L'influence de Rousseau s'y marque non seulement dans de nombreux
détails, réminiscences ou adaptations de la *Nouvelle Héloïse*, mais
encore et surtout dans l'esprit qui l'anime. Ce roman est une thèse,
et, comme Rousseau, Bernardin oppose l'homme naturel à l'homme
civilisé; il montre combien le premier l'emporte par le bonheur et
la vertu. C'est ce que nous y goûtons le moins. Il y a là un « bon
vieillard » à la 'faconde chevrotante, doué d'un curieux sens de
l'inopportunité, qui, chaque fois que le malheureux Paul est dévoré
par l'angoisse, l'accule dans un coin et lui assène d'impitoyables
homélies sur des lieux communs de morale sociale. Ce roman est
tout imprégné de christianisme : les deux enfants sont élevés religieusement; ils vont à la messe, et le splendide décor où ils vivent
s'embellit à leurs yeux et se magnifie de la divine présence. Faut-il
insister sur l'influence de la pastorale ? Ce roman est une idylle et,
comme toutes les idylles, il n'est pas sans fadeur et sans mièvrerie;
on peut trouver que la jeune Virginie est parfois minaudière. Mais
tout est pur, innocent, candide, et Bernardin retrace avec délicatesse
l'émoi de la puberté. Les influences diverses qui tendent à renouveler l'art s'exercent aussi sur ce roman. Telles scènes rustiques sont
directement empruntées à la Bible et en reproduisent la noble simplicité; tels groupes sont d'une plastique néo-grecque et font songer
à Chénier; Virginie meurt en Polyxène, mais une Polyxène que
Greuze a retouchée. Pour la première fois, l'exotisme utilise toutes
ses ressources, déploie toute sa puissance d'évocation. C'est que Bernardin est un voyageur, doublé d'un grand artiste. Il a vu ce qu'il
suggère, noté ses impressions, disposé pour les rendre d'un admirable
talent d'écrivain. Peu philosophe, peu psychologue, il est un peintre et
un musicien. Il évoque, en tableaux animés et pittoresques, la société
bigarrée de l'Ile de France, avec ses officiels, ses colons, ses créoles, ses
planteurs et ses noirs, ses coutumes curieuses, ses usages savoureux. Les
paysages tropicaux, dont les couleurs et les formes ont ébloui ses
regards, sont rendus avec une précision dans le dessin, une netteté de
lignes, une magie chatoyante jusqu'alors inconnues : sa palette, d'une
richesse somptueuse, est aussi habile à rendre les dégradés de nuances
que les tons chauds et vifs. Il dégage subtilement le charme intime que
recèlent les phénomènes, les éléments et les choses : ce prosateur est
le plus grand poète descriptif d'une époque où l'on décrit tout. Il
est aussi, chez nous, le premier chantre de la mer, dont il exprime
avec un bonheur égal la caresse sournoise ou le courroux dévas-
tateur. Autant que de plastique, il est soucieux d'harmonie : il sait
le pouvoir suggestif des mots; il les choisit et les groupe, pour leur
musique, avec un sens exquis de l'effet à produire, une adresse con-
sommée à éveiller dans l'âme de longues résonances. Plus que Rousseau, c'est un maître de la période et du rythme et quelques-unes de

Chamfort. Chamfort (1741-1794) est fils d'un épicier, comme Voiture l'était d'un marchand de vins; comme lui, il doit à son esprit ses succès de salon. Mais Voiture n'a pour ses protecteurs que politesses et madrigaux, Chamfort que moqueries et sarcasmes. Voiture leur reste fidèle dans le malheur, Chamfort les attaque aux jours sombres : il se fait jacobin. Mais la justice immanente veille : il frise la guillotine, tente de se tuer et ne recouvre la liberté que pour mourir quelques mois après de sa blessure. Trop d'impatience : l'Empire l'aurait fait comte. Ses *Pensées, Maximes et 'Anecdotes* (1795) sont d'un La Rochefoucauld roturier, dont le pessimisme puise sa source, non dans l'ambition déçue, mais dans la basse envie. Sa haine des grands éclate dans ces anecdotes amères qu'il leur attribue; sa misanthropie s'épanche dans ces maximes fielleuses, où il bafoue l'humanité. Petit caractère et petit esprit, il a du moins le trait incisif, la pointe acérée, la flèche vibrante. Il trouve sans peine la formule qui frappe ou qui pique. Il fournit à Sieyès le titre de sa brochure *Qu'est-ce que le Tiers-Etat ?* Il lance le mot d'ordre : « Guerre aux châteaux ! Paix aux chaumières ! » Il raille la devise révolutionnaire, trop connue, sous cette forme : « Sois mon frère ou je te tue. » Voici quelques autres pensées qui donnent une bonne idée de sa manière cinglante et concise :

Il y a des sottises bien habillées, comme il y a des sots bien vêtus.
L'opinion est la reine du monde, parce que la sottise est la reine des
[sots.
La fausse modestie est le plus décent de tous les mensonges.

Il faut être juste. La sensibilité tempère par instants cette amertume :

L'amitié extrême et délicate est souvent blessée du repli d'une rose.
Il y a des redites pour l'oreille et pour l'esprit; il n'y en a pas pour le
[cœur.
La pire des mésalliances est celle du cœur.

Rivarol. Tête haute, nez au vent, yeux moqueurs, moue railleuse, impertinent, fringant, piaffant, Rivarol (1753-1801) traverse les salons, qu'il illumine des fusées de son esprit. Il ameute contre lui les auteurs par son *Petit almanach des grands hommes* (1788), il s'attire mille avanies par sa causticité. Peu lui chaut. Il est d'une autre trempe que Chamfort. Il prouve son intelligence par son *Discours sur l'universalité de la langue française* (1784), que nous allons retrouver; il prouve son cœur par son attitude à la Révolution. Il prend le parti des vaincus, nasarde les puissances nouvelles, n'émigre qu'au moment où la situation lui devient intenable. Il erre de Bruxelles à Londres, à Hambourg, à Berlin, prodiguant vainement les avis éclairés et les conseils aux émigrés et terminant sa vie trop courte en qualité d'agent officiel du futur Louis XVIII : le bel esprit s'est mué en grand esprit. C'est ce double aspect de sa personnalité que l'on retrouve dans les réparties et les bons mots ingénieux ou mordants de ce causeur étincelant, de cet homme intègre et courageux et de ce politique, j'oserai même dire de ce penseur, souvent profond. Je n'en citerai que quelques-uns qu'il faut connaître :

Delille est l'abbé Virgile.
Mirabeau était capable de tout pour de l'argent, même d'une bonne [action.
Il n'est rien de si absent que la présence d'esprit.
L'imprimerie est l'artillerie de la pensée.
Le peuple donne sa faveur, jamais sa confiance.
Les passions sont les orateurs des grandes assemblées.
Il faut attaquer l'opinion avec ses armes; on ne tire pas des coups de [fusil aux idées.
Les coalisés ont toujours été en retard d'une journée, d'une armée et [d'une idée.
L'homme est le seul animal qui fasse du feu, ce qui lui a donné [l'empire du monde.
Tout homme qui s'élève s'isole.
Je suis peut-être acheté, mais je ne suis pas payé.
(On l'accusait de s'être vendu aux royalistes.)

La critique littéraire. Après le roman, la critique littéraire est le genre en prose le plus cultivé au XVIIIᵉ siècle. On a vu la place qu'elle occupe dans l'œuvre de Voltaire, de Diderot et de Rousseau. Leur exemple est suivi par une foule de littérateurs, plus ou moins compétents, qui s'arrogent le droit de légiférer sur l'art en soi ou de prononcer sur les productions du temps. La critique revêt les formes les plus diverses : traités, articles de journal ou de dictionnaire, brochures, cours publics, mémoires, correspondances, etc. Ceux qui s'y livrent ont souvent à pâtir de leur audace : l'amour-propre des auteurs qu'ils égratignent se rebiffe en épigrammes et propos méprisants; certains « folliculaires » et « polissons de la littérature », comme Voltaire les appelle courtoisement, s'attirent même de méchantes affaires et se voient menacés de perdre leur gagne-pain.

La critique manque en général d'ampleur et d'impartialité. Elle dogmatise avec étroitesse, montre pour les règles un esprit fétichiste, se perd dans un détail méticuleux. Rarement elle se dégage de l'atmosphère de bataille où s'agitent les esprits, et ses appréciations sont trop souvent dictées par l'esprit partisan.

Je ne reviens pas ici sur Marmontel, dont les *Eléments de littérature* et la *Poétique* m'ont servi pour tracer la physionomie littéraire de l'époque. Outre ce recueil d'articles, Marmontel est l'auteur de *Réflexions sur la tragédie* (1759), que nous retrouverons plus loin, au chapitre du théâtre.

La Harpe. Après Marmontel dans l'ordre des temps, mais avant lui dans l'ordre des valeurs, se place La Harpe (1739-1803), dont la réputation a éclipsé celle de son devancier. Protégé de Voltaire, qui l'héberge longtemps et qu'il paie d'un tour pendable, coryphée de la philosophie, ouvrant un jour, sous la Révolution, son cours du *Lycée*, bonnet rouge sur la tête et pique en main, par un hymne à la liberté, il n'en est pas moins emprisonné, sent déjà le froid du couperet et se convertit. Mais cette conversion ne le ramène ni à la modestie ni à la charité. Libéré par le 9 thermidor, il affiche avec un éclat tapageur ses croyances retrouvées, mais il continue à heurter le public par sa vanité insupportable et sa rageuse acrimonie. Il préfigure un peu Sainte-Beuve : il remâche l'amertume de n'être pas un créateur. Ses échecs au théâtre restent enfoncés dans sa mémoire : alors il secrète ses « poisons » et les distille en jugements venimeux.

La Harpe est sans conteste le premier critique du dernier quart du siècle. Son œuvre en ce genre comprend, outre de nombreux articles de journaux, les Conférences qu'il donne au *Lycée*, de 1786 à 1793, puis, après la Terreur, de 1794 à sa mort. C'est une œuvre originale par le but, la matière, la méthode et le ton. Adaptant ses visées à son auditoire, La Harpe ne se propose pas d'offrir un traité scolaire de littérature, mais une sorte de cours supérieur, permettant aux gens du monde qui l'écoutent de parachever leurs études littéraires. Il ne se borne pas aux œuvres contemporaines ni même aux seuls auteurs français. Son vaste dessein embrasse le déroulement général des lettres : le *Lycée* de La Harpe est la première histoire raisonnée de tous les arts de l'esprit et de l'imagination. Sa méthode aussi est nouvelle; il ne part pas des règles pour en chercher l'application dans les œuvres; il s'élève des œuvres jusqu'aux principes du goût; il s'efforce de juger les écrivains par ce qu'ils ont de meilleur. Le ton enfin n'est plus sèchement didactique, mais très varié, très souple, habilement approprié à la matière, allant de « la familiarité décente de la conversation des honnêtes gens... jusqu'au style oratoire ».

L'œuvre n'est pas sans défauts. Elle est d'abord inachevée : les genres secondaires du XVIIIe siècle ne sont pas traités. Je sais que la mort a prévenu La Harpe : mais il eût pu réaliser complètement son dessein, s'il ne s'était pas appesanti sur des points d'intérêt médiocre, comme la tragédie contemporaine, l'opéra, l'opéra-comique, les sermons de l'abbé Poulle, etc. : le manque de proportions est le second défaut que l'on relève dans le *Lycée*. De plus la critique de La Harpe est étriquée : il est le prisonnier de son goût classique et beaucoup moins accueillant que ne l'est Marmontel aux idées de réforme. Elle n'est pas toujours assez éclairée : La Harpe ne sait pas le grec, connaît peu le latin, ignore l'anglais, l'espagnol, n'a sur le Moyen Age et sur Ronsard que les lumières vacillantes de Boileau. Elle n'est pas impartiale : entachée au début de philosophisme, elle s'échauffe ensuite d'une hostilité presque maniaque contre les « sophistes ». Elle n'est pas sereine : trop souvent, La Harpe règle leur compte à ses ennemis — et Dieu sait s'il en a ! — les accable d'injures, sans distinguer toujours « le poète de l'homme d'honneur ». Son goût n'est pas d'une sûreté infaillible, et certains de ses jugements frisent le scandale : il met Voltaire au-dessus de Corneille et de Racine, d'Alembert au-dessus de Pascal, Massillon au-dessus de Bourdaloue et de Bossuet, dédaigne Malherbe, méconnaît le génie poétique de La Fontaine, etc. La forme elle-même n'est pas toujours très heureuse : La Harpe prend parfois le ton rogue et tranchant d'un vieux régent de collège; il déclame, disserte à longueur de pages, use d'une fâcheuse rhétorique; ce puriste qui relève minutieusement chez les autres les fautes de langue et de syntaxe s'accommode fort bien pour son compte de maintes incorrections.

Tout compte fait cependant, le *Lycée* reste un ouvrage de valeur. Si La Harpe n'a pas toutes les qualités du vrai critique, il a des mérites qu'on ne doit pas dédaigner. Il est, comme on l'a vu, le premier à étudier les lettres dans leur développement historique. Lorsqu'il ne cède à aucune prévention, son esprit unit la justesse à la pénétration, la vigueur à l'ingéniosité. Ses défauts mêmes ne sont point sans utilité : moins soucieux des productions contemporaines, il n'eût point fourni à l'histoire des lettres tant de précieux renseignements sur les *poetae minores* (et même *minimi*) de son temps; moins vaniteux, il n'eût point mis dans ses cours tant d'ironie cinglante et de chaleur; moins étroitement classique, il n'eût peut-être point parlé avec autant de ferveur de nos grands écrivains, ni consacré à leur gloire des pages qui sont restées et que l'on peut toujours relire avec agrément et profit.

Palissot, Il faut dire au moins un mot de Palissot (1730-
Clément 1814), personnage peu intéressant, circonspect et
de Dijon. versatile, respectueux de Voltaire, mais ennemi de la philosophie qu'il attaque dans ses *Petites lettres sur de grands philosophes*, dans sa comédie des *Philosophes*, puis, sur le tard, quand la secte a triomphé, chantant la palinodie et cherchant à faire oublier ses coups de plume par une inconcevable platitude. Son œuvre critique comprend de bons *Mémoires sur la littérature*, un peu timides de goût, mais judicieux, quand l'auteur ne se laisse pas dominer par sa vanité ou égarer par ses préventions. Son *Génie de Voltaire* (1806) ne les vaut pas : Palissot louvoie et ne condamne ni ne loue avec assez de fermeté et de décision.

Je m'en voudrais de clore ici cette revue des critiques proprement dits, sans évoquer rapidement le nom de Clément de Dijon (1742-1812) — *Clément l'inclément*, disait Voltaire. C'est un converti lui aussi, mais dans le sens inverse de son ami Palissot. Il commence par donner avec fougue dans les idées du temps, puis il s'assagit et rivalise avec Fréron de sévérité envers Voltaire, Delille, Saint-Lambert, La Harpe, etc. C'est un critique au goût étroit et sévère, dont le style tendu cause de la fatigue. Ses *Satires* valent mieux que sa prose.

L'éloge   Philosophie et critique se mêlent aussi dans les
académique.   éloges, que composent alors les candidats aux prix
d'éloquence des diverses Académies. Le genre est très goûté : une
récompense confère la célébrité. Il s'agit de louer tantôt une grande
figure historique — Charles V, Henri IV, Fénelon, Catinat, L'Hospital — tantôt un auteur illustre, comme Racine, La Fontaine, Molière. Trois écrivains se distinguent dans ces joutes oratoires : Thomas,
Chamfort et La Harpe. Homme de cœur, mais piètre écrivain, Thomas (1732-1785) gonfle de rhétorique verbeuse le tissu flasque de
sa pensée, si bien que Voltaire voudrait qu'on dît *gali-Thomas* et
non gali-Mathias (!). *L'Eloge de Molière* (1769) et l'*Eloge de
La Fontaine* (1774) par Chamfort sont de bons morceaux de critique
littéraire, remarquables par la finesse des aperçus, la distinction et
l'agrément du style. Les éloges composés par La Harpe en l'honneur
de Charles V (1767), de Fénelon (1771) et de Catinat (1775) sont
bourrés de traits contre le régime, comme ceux de Thomas, mais
ont au moins le mérite d'être bien écrits. L'*Eloge de La Fontaine*
(1774), précieux et guindé, est bien inférieur à celui de Chamfort;
l'*Eloge de Racine* (1772), le plus travaillé et le plus soigné d'expression, est malheureusement gâté par un parti pris déplaisant d'injustice à l'égard de Corneille.

La presse.   La polémique d'idées et la judicature littéraire
s'exercent de concert dans les journaux, dont le
nombre ne cesse d'augmenter. Cette luxuriance de périodiques ne
laisse pas de surprendre, lorsqu'on pénètre dans les coulisses du journalisme du temps. La direction d'un organe n'est pas une sinécure.
Il faut d'abord obtenir un privilège — mais la chose est relativement facile. Il faut ensuite acquitter l'impôt que l'usage destine
au *Journal des savants,* quelquefois même payer une redevance à
certains ministères, servir des pensions à des gens de lettres; les
feuilles de Fréron sont ainsi grevées de plusieurs milliers de livres
au bénéfice d'auteurs besogneux. A ces obligations financières s'ajoutent les préoccupations morales. La censure ne dort pas toujours,
et il faut se garder d'attirer son attention. Il faut veiller surtout
à ne froisser ni un grand, ni un homme en place, ni un auteur
bien en cour, ni même un comédien, sans quoi l'on s'attire des ennuis :
le journal est supprimé, et son directeur enfermé au For-l'Evêque
(c'est le cas de Fréron qui égratigne la Clairon) ou dans toute
autre « maison royale ». Il suit de là que la périodicité, fastueuse-
ment annoncée, est très irrégulière et que certains journaux ont une
durée plutôt courte. Mais cela ne décourage ni les chevaliers de la
plume ni le peuple moutonnier des lecteurs, à qui les contretemps
susdits font payer plusieurs fois la valeur de leur abonnement.
Il est vrai que le journalisme conquiert ses lettres de noblesse.
Les écrivains les plus en renom ne dédaignent point de diriger un
périodique ou d'y collaborer : Marmontel et La Harpe président un

moment aux destinées du *Mercure;* Voltaire donne des articles au
Mercure, au *Journal littéraire,* au *Journal encyclopédique,* etc. Il est
vrai aussi qu'apparaissent les premiers grands brasseurs d'affaires
journalistiques, Panckouke et Pierre Rousseau, hommes d'audace et
d'entregent, qui « contrôlent » et mènent au succès de multiples
publications. Il est vrai enfin que le journalisme revêt toutes les
formes propres à capter la curiosité insatiable du public. Journaux
politiques, littéraires, scientifiques, fantaisistes, journaux de voyages
et journaux techniques s'empressent à satisfaire aux désirs d'une
clientèle étonnamment variée.

Les nécessités de mon exposé m'ont amené à signaler, chemin faisant, plusieurs de ces journaux : le solide, impartial et courtois *Journal de Trévoux,* le sérieux et neutre *Journal des savants,* le *Mercure,*
que La Harpe porte un moment à un haut point de prospérité; les
Mémoires de Bachaumont, la *Correspondance secrète* de Métra, le
Journal étranger et la *Gazette littéraire* de l'abbé Arnaud et de
Suard, qui font tant pour la connaissance des littératures étrangères, le
Journal Encyclopédique de Pierre Rousseau, les *Affiches de province,* etc. Je dois encore signaler, peu d'années avant la Révolution,
les *Annales politiques* du fougueux Linguet (1777-1792), un moment
suppléé par le grave et scrupuleux Mallet du Pan : aussi passionné
et indépendant dans ce domaine que sur le terrain politique, Linguet
est notamment l'auteur d'un *Essai sur les œuvres de M. de Voltaire*
(1788), d'une impartialité vraiment remarquable pour l'époque. Je
dois aussi revenir sur l'*Année littéraire,* dont je n'ai fait qu'esquisser
le rôle dans la lutte antiphilosophique et dont il sied de faire connaître
l'influence sur les lettres.

On a vu que Fréron est loin d'être, en politique, un conservateur
intransigeant : il sent les concessions qu'il faut faire, et il les fait.
Sa position est la même en littérature. Il se proclame sans doute
le défenseur du bon goût, rompt des lances en faveur des règles, des
Anciens et de leurs inimitables imitateurs, les grands classiques. Il
proteste au nom des principes, du patriotisme et des mœurs contre
l'abus des importations étrangères, abus qui a fait de nous, dit-il,
« de petits marchands, des espèces de pirates qui courent les mers ».
La lutte qu'il soutient sans trêve contre Voltaire s'alimente autant
à son aversion pour le corrupteur du goût qu'à sa haine contre le
sectaire antireligieux. Mais il reconnaît malgré tout les avantages
de cette pénétration des littératures modernes. Il leur ouvre largement son journal. S'il abîme le Tasse et goûte médiocrement Métastase, il n'a que des éloges pour Goldoni. Il exalte Milton, Shakespeare, Addison, Pope, Locke même, et Richardson et Fielding, dont
il assure qu'« on baise aujourd'hui la trace de ses pas ». Fréron
n'est donc pas le critique buté que l'on se représente trop souvent,
et Voltaire lui rendait meilleure justice, si l'on en croit le prince de
Ligne, qui lui prête ces paroles :

C'est un grand coquin que cet âne littéraire; mais il a bien du goût;
ii peut le former; il saisit bien toutes les nuances.

Fréron n'est pourtant qu'un écrivain du second ordre. Il a de
la vigueur, de la finesse, une malice pinçante qui fait crier. Il sait
décocher le trait mordant; il dit, par exemple, en parlant d'une
Histoire de Charlemagne :

Cette histoire est comme l'épée de Charlemagne, longue et plate.

Il écrit dans l'ensemble une langue assez pure, réserve faite d'inad-
vertances échappées à la hâte, dans un style plein et nourri. Son
procédé habituel est l'ironie, une ironie moqueuse et bon enfant,
lorsqu'il s'amuse, mais, lorsqu'il s'échauffe, nerveuse et cinglante
comme un fouet. Le malheur est qu'il abuse de cette figure; il lasse
à la longue. On ne peut plus le lire que par extraits.

Geoffroy. Parmi les collaborateurs de Fréron, le plus célèbre
est Geoffroy (1742-1814), qui deviendra, sous
l'Empire, une puissance redoutée grâce à son *feuilleton* dramatique.
Geoffroy « suit la ligne » du journal auquel il collabore, mais il
apporte à sa tâche une largeur de vues, une intelligence et un esprit
critique supérieurs peut-être à ceux de Fréron, certainement à ceux
de Voltaire. Ses préférences vont nettement aux classiques, et il
s'attache à remettre en honneur l'antiquité trop longtemps décriée.
Mais il a le sens historique, le sentiment profond de la diversité des
époques et des milieux; il multiplie les professions de foi relativistes;
il se dégage du chauvinisme artistique et rend justice aux auteurs
étrangers, si heurté que soit son goût par leurs « monstruosités ».
Il est ainsi le précurseur de Mme de Staël. De même, sa méthode,
encore gauche, d'éclairer une œuvre par la vie de son auteur sera
reprise par Sainte-Beuve, qui la portera à sa perfection.

Le genre Il me reste à parler d'un genre qui a donné au
épistolaire. xviii° siècle quelques-uns de ses chefs-d'œuvre
incontestés, le genre épistolaire. On a vu plus haut tout ce que leur
Correspondance avait ajouté à la gloire de Voltaire et de Diderot,
sinon de Rousseau. D'autres nous sont parvenues, qui ne peuvent
être comparées à celles de ces maîtres, mais qui présentent d'assez
grands mérites pour qu'il en soit traité ici. Le genre convient parfaitement à l'époque. La lettre est une conversation écrite, et la conversation est un art où triomphe cette société pétillante d'esprit. La
lettre est une confidence, et les mondains y trouvent un moyen
d'épancher leurs sentiments et leurs rêves. La lettre souffre un laisser-
aller de bon ton, et les habitués des salons s'y délassent de la surveillance perpétuelle que la vie d'apparat leur impose.

Les plus intéressantes de ces correspondances du second rang sont écrites par des femmes. Ce sont des documents humains d'une inappréciable valeur, qui, presque toutes, nous montrent ce que recélaient de froissements, de tristesses et de rancœurs les âmes de ces reines brillantes et fêtées. La comtesse d'Egmont (1740-1773), fille du maréchal de Richelieu, cherche dans la politique un dérivatif à la mélancolie qui la ronge et verse dans ses lettres au roi de Suède Gustave III tous ses désirs passionnés de régénération nationale. La marquise de Créqui (1714-1803), femme de sens et d'esprit, appréciatrice sévère de son temps, prolonge dans ses *Lettres à Sénac de Meilhan* le charme de son étincelante conversation. Les lettres de Mme du Deffand sont d'abord le journal d'une âme qui analyse avec perspicacité la sécheresse sentimentale dont elle souffre, qui s'éveille tard, très tard à la tendresse, s'émerveille de l'amour enfin rencontré, lorsqu'elle connaît Horace Walpole, et, malgré les douleurs éprouvées, lui voue une reconnaissance infinie de l'arracher à l'ennui. Elles sont aussi un recueil, d'une qualité exquise, de pensées sur de hauts objets de spéculation, d'impressions personnelles sur les ouvrages anciens et nouveaux, de jugements, souvent ironiques et mordants, sur les acteurs de la comédie mondaine. Mlle de Lespinasse esquisse aussi çà et là avec une justesse moqueuse des appréciations sur les auteurs, les artistes, les personnages en renom, mais l'intérêt capital de sa correspondance réside dans le drame vécu par cette fille de Rousseau, qui « ne sait qu'aimer », qui s'attache follement à un être dont elle toise sans se leurrer la médiocrité morale, et qui exhale en effusions et en plaintes alternées ses courtes joies, son dégoût de l'existence, et son désespoir. Ainsi s'ouvre et se ferme sur les tristes accents de deux amantes douloureuses, Mlle Aïssé et Julie de Lespinasse, le siècle de la raison, de la joie de vivre et de l'esprit.

IV. — L'EUROPE FRANÇAISE.

Malgré son déclin politique, malgré ses emprunts au dehors, la France continue à jouir d'un éclatant prestige en Europe. Monarques et princes ont les yeux fixés sur la cour de nos rois, appellent auprès d'eux nos écrivains et nos artistes, font surgir dans les banlieues de leurs capitales des palais à l'instar de Trianon ou de Versailles : Anglais, Allemands, Italiens, Autrichiens, Polonais, Russes, Suédois, etc. visitent en foule notre pays, s'y installent, fréquentent assidûment nos salons. Le rayonnement littéraire de la France est plus intense que jamais : notre langue est parlée partout; on se tient au courant de la production de nos auteurs; des étrangers — et non des moindres — écrivent en français avec une telle aisance qu'on les dirait enfants de notre sol.

Jacques DELILLE dictant ses vers

Discours sur l'universalité de la langue française. Un fait connu illustre à lui seul l'hégémonie exercée alors par notre langue. En 1784, l'Académie de Berlin met au concours les questions suivantes : « Qu'est-ce qui a rendu la langue française universelle ? Pourquoi mérite-t-elle cette prérogative ? Est-il à présumer qu'elle la conserve ? » Deux concurrents se partagent le prix : Jean-Christophe Schwab, dont le mémoire allemand sera traduit en français par Robelot (1803), et Rivarol, dont le mémoire, devenu justement célèbre, a pour titre *Discours sur l'universalité de la langue française.*

Rivarol débute en constatant que

le temps semble être venu de dire le *monde français,* comme autrefois le *monde romain.*

Il fait ensuite une rapide et superficielle histoire de notre langue et expose les raisons qui ont empêché l'allemand, l'espagnol et l'italien d'obtenir cette universalité. Suit un long parallèle entre la France et l'Angleterre, où Rivarol explique pourquoi c'est le français et non l'anglais qui « a conquis l'empire ». Il montre alors que cet empire, notre langue le conserve par son génie. Le français diffère des autres langues par l'ordre et par la construction de la phrase; de là naît

cette admirable clarté, base éternelle de notre langue. *Ce qui n'est pas clair n'est pas français.*

Le français est aussi

de toutes les langues la seule qui ait une probité attachée à son génie. Sûre, sociable, raisonnable, ce n'est plus la langue française, c'est la langue humaine.

Aussi est-elle la langue de la diplomatie. Sa prononciation est plus douce et plus variée que celle des autres langues; et l'*e* muet lui donne une harmonie qui n'est qu'à elle. Sa pauvreté est toute relative. Le choix de l'Europe est donc justifié, et le règne de Louis XV le confirme chaque jour.

Ce bref opuscule, tout échauffé d'orgueil patriotique, contient des affirmations hasardeuses, quelques erreurs et des lacunes. Mais le point essentiel est admirablement traité; nul mieux que Rivarol n'a mis en lumière les caractéristiques de notre langue.

Correspondance littéraire et imitations. On comprend aisément que la diffusion du français ait éveillé chez les étrangers le désir d'être renseignés sur le mouvement littéraire de notre pays. Outre l'envoi des œuvres mêmes au-delà des frontières, deux autres moyens s'offrent à eux pour cela : les correspondances et les traductions.

Grimm (1723-1807), ce baron bavarois si avant dans les bonnes

24

grâces de Mme d'Epinay et dans l'inimitié de Rousseau, adresse, de 1753 à 1790, une *Correspondance littéraire, philosophique et critique* à divers princes allemands, russes, polonais et suédois. Erudit, connaisseur en musique et en peinture, il trace pour les destinataires de ses lettres un tableau complet de la vie française, c'est-à-dire versaillaise et parisienne. Inféodé au parti philosophique, il n'est pas toujours aussi impartial qu'on le désirerait, et certains de ses jugements ont besoin d'être révisés. Il garde cependant assez de liberté d'esprit pour critiquer les défauts de Voltaire et reconnaître certains effets pernicieux de la philosophie. Ses idées littéraires reflètent les tendances du moment : c'est un mélange de vues traditionnelles et d'aspirations vers un art libéré.

La Harpe écrit aussi, de 1774 à 1789, une *Correspondance littéraire adressée à Monseigneur le Grand-duc de Russie* (le futur Paul Ier) *et à M. le Comte André Schowalow, chambellan de l'impératrice Catherine II*. Ces lettres rendent compte de tout ce qui paraît d'intéressant pendant ces quinze années. Plus libre que dans son cours public, La Harpe lâche la bride à ses instincts mauvais : la vanité, la suffisance, la méchanceté se donnent libre carrière dans ses jugements passionnés, qui n'épargnent personne, sauf le seul, l'unique La Harpe. On conçoit les orages que cette *Correspondance* souleva, lorsque l'auteur la publia en 1801.

D'une manière plus générale, il se produit d'incessants échanges intellectuels entre la France et les autres Etats, et, si notre patrie reçoit beaucoup de l'étranger, son apport est loin d'être négligeable. Seule l'Angleterre cesse de s'inspirer de nos écrivains. En Allemagne, Lessing emprunte en partie à Diderot ses théories dramatiques; Gœthe, Schiller, Herder, Jacobi, Kant sont des disciples déclarés de Rousseau. Les littératures méridionales sont presque entièrement sous l'influence de nos poètes et de nos prosateurs, dont on traduit les œuvres avec une passion d'enthousiasme.

Ecrivains étrangers de langue française. Dernier trait — combien significatif ! — à cette rapide esquisse de notre prééminence intellectuelle. Des étrangers rendent à notre langue l'hommage de l'adopter comme instrument d'expression. Le prince Galitzine correspond en français avec ses amis; le comte André Schowalow rime en français une *Epître à Ninon*, que l'on attribue à Voltaire. Catherine II correspond avec lui, avec Diderot et avec Grimm dans un français qui n'est pas toujours très pur ni très léger, mais l'attention a son prix. Le petit abbé italien Galiani (1728-1787) compose avec une vivacité piquante des *Dialogues sur le commerce des blés*, et ses *Lettres à Mme d'Epinay* sont encore d'une lecture savoureuse. Un autre Italien, Goldoni, donne au Théâtre-Français deux comédies, le *Bourru bienfaisant* (1771) et l'*Avare fastueux* (1773). Le prince de Ligne (1735-1814), grand seigneur autrichien, dilettante et cosmopolite, écrit de tout et sur tout, prolixement, mais spirituellement, trente volumes de *Mélanges*, où l'on peut encore trouver à glaner. Frédéric II enfin ne se contente pas de s'entourer d'écrivains de notre race ni de faire passer en allemand une foule de termes français. C'est en français qu'il écrit ses *Œuvres* volumineuses, parmi lesquelles se détachent l'*Histoire de mon temps*, l'*Histoire de la Guerre de Sept Ans* et les lettres adressées à Voltaire, où il essaie de rivaliser en tour aisé et en raillerie désinvolte avec son correspondant. Certaines de ces lettres sont émaillées de vers qui prouvent que l'élève en *poëshie* du philosophe avait gardé quelque chose des leçons de son maître.

Mais ce triomphe que l'esprit français remporte sera passager. Déjà l'Angleterre redevient imperméable à notre influence. En Allemagne, c'est le mouvement du *Sturm und Drang* qui se déchaîne. L'Espagne, l'Italie reprennent conscience de leur génie et de leurs gloires. La Révolution et l'Empire vont stimuler les nationalismes réveillés, et notre littérature de nouveau subira l'ascendant de l'étranger.

CHAPITRE XII

LE THÉATRE DE 1750 A 1789

Le xviiie siècle a raffolé du théâtre, et, si l'on en croit certains, le fait aurait deux causes principales : la secrète convenance entre les illusions brillantes de la scène et la société de l'époque, toute en dehors et en représentation; le puissant instrument dont le théâtre dote la propagande. Mais c'est oublier, entre autres choses, que de tous les arts l'art dramatique est celui où s'exprime le mieux le *zoon miméticon* qui sommeille dans chaque homme; que le xviie siècle en avait déjà été « idolâtre », comme le sera encore le xixe, socialement si différent de son prédécesseur; et que nos classiques ont cru, eux aussi, à la vertu moralisatrice du théâtre. Quoi qu'il en soit, cette passion n'a guère été payée de retour. Ni le nombre accru des scènes, ni les tentatives de renouvellement des anciens genres, ni la création de genres nouveaux, ni l'engouement manifesté aux gens et aux choses du théâtre n'ont favorisé l'éclosion d'authentiques chefs-d'œuvre. Aucune tragédie de cette époque n'a survécu. Un seul drame, le *Philosophe sans le savoir*, de Sedaine, supporte encore la lecture, sinon la représentation. Seul Beaumarchais est devenu une manière de classique : encore ses deux comédies sont-elles l'objet de critiques soulevées par des esprits judicieux.

I. — LA VIE THÉATRALE.

Théâtres publics. En 1750, les théâtres publics sont au nombre de quatre : deux grands, l'*Opéra* et la *Comédie-Française;* deux petits, les *Italiens* et l'*Opéra-Comique.*

L'Opéra. L'Opéra est établi au Palais-Royal depuis 1673. Victime des flammes à deux reprises (1763, 1781), il se transporte dans une salle qu'on bâtit en quinze jours et qui est devenue le Théâtre de la Porte Saint-Martin. Son histoire n'in-

téresse plus la littérature, bien que Diderot, Voltaire, Grimm et
Marmontel dissertent sur la nature, les sujets et les qualités du
poème lyrique. La France n'a pas de Métastase : elle tombe de Dan-
chet à Marmontel, à un du Roullet, à un Dubreuil.

La Comédie-   La Comédie-Française est installée, depuis 1687,
Française.   rue des Fossés-Saint-Germain (actuellement rue de
l'Ancienne-Comédie). Mais en 1770, le délabrement de la salle
l'oblige à émigrer quelque temps aux Tuileries, dans la salle dite
des *Machines*, près du pavillon de Marsan : c'est là qu'est donnée
la première du *Barbier de Séville* (23 février 1775) et célébrée
l'apothéose de Voltaire, le 30 mars 1778. Cependant on lui construit
un nouveau local — l'*Odéon* actuel — dont l'inauguration a lieu
le 30 mars 1782 avec l'*Iphigénie* de Racine et un à-propos en un
acte et en vers d'Imbert, copieusement sifflé. Le *Mariage de Figaro*
y est représenté pour la première fois le 27 avril 1784.

Deux innovations matérielles sont à signaler. En 1759, la scène est
libérée par la suppression des banquettes où étaient admis des spectateurs payants, et cela grâce au comte de Lauraguais, qui verse
aux comédiens une indemnité de vingt mille livres : cette réforme
sert à la fois le jeu des acteurs, l'illusion dramatique et le déploie-
ment de la mise en scène. Le parterre, qui, de temps immémorial,
assistait debout à la représentation, dispose de places assises depuis
le 29 avril 1782.

La troupe de la Comédie compte alors quelques-uns de ses acteurs
les plus illustres : Mlle Clairon, qui se retire par un coup de tête
en 1766 et consacre ses loisirs à la rédaction de très intelligents
Mémoires; Mlles Contat et Raucourt, qui poursuivent leur carrière
jusque sous l'Empire; le grand tragédien Le Kain; Molé, Fleury,
Préville, Bellecour, Monvel (le père de Mlle Mars), Talma enfin,
qui débute en 1787. Pour permettre le recrutement de cette troupe,
une *Ecole de déclamation* est fondée, première ébauche de notre
Conservatoire actuel.

Grisés par leurs succès de plateau, de salon et d'alcôve, les comédiens exagèrent la vanité et l'indiscipline. Ils abusent des absences;
ils entrent en conflit avec l'Archevêque pour une messe qu'ils
veulent faire célébrer, malgré l'excommunication qui pèse toujours
sur eux; ils tiennent la dragée haute aux Premiers Gentilshommes de
la Chambre, dont ils relèvent, et même, une fois, ils se mettent en
grève plutôt que de jouer avec leur camarade Dubois, qu'ils estiment
déconsidéré : on les emprisonne au For-l'Evêque, mais ils obtiennent
gain de cause, et Dubois est mis d'office à la retraite (1765). Ils
ne s'inclinent que devant le parterre, et il faut voir en quels termes
déférents leur porte-parole Bellecour s'adresse à lui, après leur incartade que je viens de mentionner !

Les rapports entre comédiens et auteurs sont définis par deux
règlements successifs, le premier, du 23 décembre 1757, le second,

du 18 mai 1781. Jusqu'alors les comédiens disposaient arbitrairement du sort des pièces, les recevaient, en interrompaient ou en
prolongeaient les représentations suivant leur seul caprice. Le règlement de 1757 leur retire ce pouvoir discrétionnaire. Les pièces
doivent être reçues et retirées de l'affiche suivant des conditions
fixées; les droits d'auteur sont calculés conformément à un barème
établi d'après la *recette nette*. Mais ces mots laissent encore trop de
place à l'arbitraire des comédiens. Le 22 juin 1777, Beaumarchais
réunit à dîner vingt-trois auteurs et jette avec eux les bases de ce
qui deviendra plus tard, grâce à Scribe, la *Société des auteurs*. Il
se démène comme il sait le faire et il obtient le règlement de 1781,
plus favorable aux auteurs et précurseur du décret du 13 janvier 1791, qui consacrera le principe de la propriété littéraire.

Parmi les frais que l'on défalque du produit brut des entrées
pour obtenir la recette nette, figure le *droit des pauvres*. Il n'est
point établi au prorata de la recette; la Comédie-Française s'est
« abonnée », comme on dit alors, et s'acquitte par le versement
annuel d'une somme fixée.

Les Italiens   Pour comprendre ce qui suit, il faut se rappeler :
et l'Opéra-   1° que l'Ancien Régime repose sur le privilège;
Comique.   2° que la Comédie-Française a un privilège « faisant défenses à tous autres comédiens *français* de s'établir à Paris
sans autorisation royale »; 3° que l'Opéra possède de son côté un
privilège interdisant à toute autre troupe l'usage du chant.

Les *Italiens*, n'étant pas comédiens français, ont donc pu sans
ennui revenir en France, en 1716, après leur exil de vingt ans, provoqué par des allusions malignes à Mme de Maintenon. Ils se réins-
tallent rue Mauconseil, dans la salle de l'ancien Théâtre de Bourgogne, se constituent en société régulière (1719), reçoivent avec le
titre de « comédiens ordinaires du roi » une pension annuelle (1723)
et continuent pendant quarante ans à faire à la Comédie-Française
une concurrence redoutable.

Mais leur vogue décline juste au moment où ils rencontrent, à
leur tour, des rivaux dangereux, les Théâtres de la foire, appelés ainsi
parce qu'ils ne jouent que pendant les foires Saint-Germain, Saint-
Laurent et Saint-Ovide. En butte à la vigilance soupçonneuse de la
Comédie et de l'Opéra, ces malheureuses scènes foraines ont une
existence des plus mouvementées. Mais ni les procès, ni l'interdiction
d'employer le dialogue et le chant, ni les fermetures plus ou moins
longues n'arrivent à triompher de leur ténacité. L'un d'eux, l'Opéra-
Comique (1713), qui s'est spécialisé dans la *comédie-vaudeville* (c'est-
à-dire comprenant des couplets chantés sur des airs connus), parvient à un tel degré de prospérité que l'Opéra et les Italiens traitent
avec lui. L'Opéra l'autorise, moyennant une redevance annuelle de
40.490 livres, à représenter des comédies à ariettes (c'est-à-dire comprenant des couplets chantés sur des airs nouveaux). De leur côté,

les Italiens négocient avec lui (1762). Les deux troupes fusionnent pendant une vingtaine d'années; mais, en 1780, la troupe bipartite est supprimée; une troupe exclusivement française lui succède, qui prend le titre officiel d'Opéra-Comique et s'installe dans une salle bâtie sur l'emplacement du jardin de l'hôtel de Choiseul et inaugurée le 28 avril 1783 en présence de la Reine.

Ces détails ne sembleront pas hors de propos, si l'on songe que c'est sur les théâtres de la foire que sont nés trois genres destinés à une vogue séculaire : la *comédie de genre*, la *comédie-vaudeville* et la *comédie à ariette* ou *opéra-comique*.

Les théâtres privés.   Le goût du théâtre est si vif que des scènes privées se construisent dans d'innombrables palais et hôtels particuliers. Le roi et les princes du sang donnent l'exemple. Louis XV fait construire pour Mme de Pompadour le théâtre de Versailles, dit « Théâtre des petits Cabinets ». Les châteaux royaux de Choisy et de Trianon ont aussi leur scène, de même que les résidences princières de Brunoy, appartenant à Monsieur, de Bagnolet, de Sainte-Assise, des faubourgs Saint-Antoine et du Roule au duc d'Orléans, de Chantilly au prince de Condé, de Cerny au comte de Clermont, etc.

Les financiers, les bourgeois, les gens de lettres, les acteurs, les artisans même suivent un exemple venu de si haut. Les traitants Lenormant et La Popelinière ont leur scène particulière à Etioles et à Passy. Voltaire aux Délices, à Tournay, à Ferney dresse trois scènes, comme autant de bastions dont il menace Genève, où le théâtre reste interdit. La danseuse Guimard a deux salles de spectacles, rue de la Chaussée-d'Antin et à Pantin. On voit même un chausseur pour dames, Charpentier, construire chez lui une scène, où il joue *Zaïre*, etc.

Les personnages les plus haut placés ne craignent point de l'imiter. Mme de Pompadour, Marie-Antoinette, le duc d'Orléans, le prince de Condé, la duchesse de Bourbon aiment à tenir leur rôle dans les pièces dont ils régalent leurs invités. Des seigneurs de tout rang, et parfois même des professionnels, leur donnent la réplique. A Ferney, comme jadis à Cirey, Voltaire joue tragédies et comédies, tant que ses forces le lui permettent, assisté de sa nièce et de ses hôtes de passage.

Querelles à propos du théâtre.   Cette passion du siècle pour le théâtre se manifeste encore par d'orageux débats. Trois querelles éclatent à cette époque, qui enflamment les cerveaux et font crisser les plumes. La première est la querelle dite des *Bouffons* (1752-1753), qui s'émeut entre les partisans de la musique italienne et les défenseurs de la musique française. Les philosophes font bloc contre Lulli et Rameau en faveur de Pergolèse, de Rinaldo et de Jommelli. Grimm conquiert la notoriété avec son pamphlet en versets pseudo-bibliques, *Le Petit prophète de Bach-mishbroda*, à mon sens un peu trop vanté. Diderot et Rousseau interviennent par des brochures qui n'ajoutent rien à leur gloire. La seconde querelle, la plus sérieuse, est celle que Rousseau allume avec sa *Lettre sur les spectacles* : je l'ai résumée plus haut. La dernière met aux prises les zélateurs de Glück et les tenants de Piccini (1776-1780). Cette fois, les philosophes sont divisés. L'abbé Arnaud et son inséparable Suard se rangent, avec Marie-Antoinette, du côté de Glück; d'Alembert, Marmontel, La Harpe, derrière la du Barry, bataillent pour Piccini. La victoire reste, comme on le sait, à Glück, dont l'*Iphigénie en Tauride* soulève un enthousiasme délirant (18 mai 1779), tandis que celle de Piccini, représentée dix-huit mois plus tard, n'obtient qu'un succès discuté.

II. — LES GENRES.

Le théâtre évolue suivant la loi du siècle : la tradition est entamée par l'esprit de réforme; les grands genres périclitent et de nouveaux apparaissent; la philosophie l'envahit.

A. LA TRAGÉDIE.

1° *Déclin de la tragédie : ses raisons.*

La tragédie est en pleine décadence. Lanson attribue le fait au goût du romanesque, au développement de la mise en scène, à la philosophie. Voire, réplique J. Lemaître : on l'imputerait plus justement à la médiocrité des auteurs; et encore, s'empresse-t-il d'ajouter, cela n'explique pas grand-chose. Pour ma part, j'en rendrais responsables la vieillesse du genre et son anachronisme. En 1750, la tragédie existe depuis deux siècles, et c'est beaucoup pour une création de l'homme. Après une lente croissance et une maturité éclatante, elle s'affaiblit et s'achemine vers la mort : quoi de plus normal ? En outre, par ses sujets, par ses règles strictes, par son dédain du matériel et du sensuel, par sa substance, par sa pompe, elle est en affinités étroites avec le prestige des Anciens, l'absolutisme monarchique, l'esprit chrétien : elle suit leur destin, languit de consomption et traîne son corps exsangue sur des tréteaux qu'elle ne peut plus ébranler.

Attaques contre la tragédie. Sa décrépitude est si vivement sentie qu'il n'est personne pour tenter de lui rendre son ancienne vigueur. Mais les uns, expéditifs, veulent tuer la malade. Les autres, pieusement officieux, s'efforcent de la prolonger par transfusion de sang nouveau.

Les attaques qu'elle subit depuis cinquante ans redoublent. Diderot, Marmontel, Mercier, Beaumarchais reprennent les arguments de Fénelon, de La Motte et de l'abbé Trublet. Rien ne trouve grâce à leurs yeux.

Les sujets et les héros tragiques ne sauraient intéresser un spectateur moderne :

Etes-vous Cinna ? Avez-vous jamais été Cléopâtre, Mérope, Agrippa ? Que vous importent ces gens-là ? (DIDEROT, *Paradoxe sur le comédien.*)

Nous faudra-t-il toujours des hommes vêtus de pourpre, environnés de gardes et coiffés d'un diadème ? (MERCIER, *Du théâtre*, VII.)

Que me font à moi, sujet paisible d'un Etat monarchique du xviii° siècle, les révolutions d'Athènes et de Rome ? Quel véritable intérêt puis-je prendre à la mort d'un tyran du Péloponnèse, au sacrifice d'une jeune princesse en Aulide ? (BEAUMARCHAIS, *Essai sur le genre dramatique sérieux.*)

Les unités de temps et de lieu remplacent l'action par les discours et suppriment tout le plaisir des yeux; or théâtre veut dire spectacle, et drame, action :

C'est être ennemi des arts et du plaisir qu'ils causent que de leur imposer des lois qu'ils ne peuvent suivre sans se priver de leurs ressources les plus fécondes et de leurs plus touchantes beautés. (MARMONTEL, *Encyclopédie*, Art. *Unités.*)

L'impossibilité des changements... borne les auteurs à la plus rigoureuse unité de lieu, règle gênante qui leur interdit un grand nombre de beaux sujets, ou les oblige à les mutiler. (*Id.*, Art. *Décoration.*)

Si vous bravez l'unité de temps, que l'on a fixée à vingt-quatre heures, vous ne ferez pas une grande faute... L'unité de lieu, plus gênante encore et plus incommode, est bien moins respectable. (MERCIER, *Du théâtre*, XII.)

Seul Diderot se prononce en faveur des règles :

Les lois des trois unités sont difficiles à observer, mais elles sont sensées. (*Dorval et moi*, 1ᵉʳ Entretien.)

L'abus des confidents a été porté « jusqu'à un excès ridicule ». Le style tragique sacrifie trop à « l'éloquence poétique », convient Marmontel. Diderot s'emporte contre « l'emphase et l'ouverture de bouche du théâtre », contre les tirades, très applaudies, mais « du plus mauvais goût ». Les vers doivent être abandonnés pour la prose :

Nous préférons donc pour la poésie dramatique une prose nombreuse aux vers. (MARMONTEL, *Encyclopédie*, Art. *Déclamation.*)

Ce n'est pas le langage des dieux, mais le langage des hommes qu'il faut produire sur le théâtre. (MERCIER, *Du théâtre*, XXVI.)

Et l'on prévoit la conclusion :

La tragédie est un genre factice, faux, bizarre... une sorte de farce sérieuse, écrite avec pompe. (*Id.*)

Peut-être Racine et Corneille, tout grands hommes qu'ils étaient, n'ont rien fait qui vaille. (DIDEROT, *Paradoxe sur le comédien.*)

Portée au nom de la « vérité » et de la « nature », cette condamnation totale et sévère de la tragédie contient en germe les prétendues audaces de Lessing, de Mme de Staël, de Manzoni et de Hugo.

2° *Essais d'adaptation.*

La tragédie s'efforce à désarmer les ennemis acharnés à sa perte. Elle varie ses modèles et ses sujets, accélère son mouvement, enrichit son cadre, rabaisse son ton, flatte l'esprit nouveau. Mais il convient de signaler les deux points suivants : la plupart de ces nouveautés ne sont que des reprises de tentatives qui avaient échoué; les règles, les conventions et les « bienséances » ne subissent presque pas d'atteintes : la tragédie « va au peuple », mais avec son allure et avec ses manières de grande dame.

Modèles anglais.   Dans cette période de cosmopolitisme et spécialement d'anglomanie, elle se tourne vers les littératures du Nord. Ce n'est pas la première fois. A la fin du XVIIᵉ siècle, La Fosse s'était inspiré, pour son *Manlius* (1698), de la *Venise sauvée* d'Otway. Au début du XVIIIᵉ, Destouches adopte le *Tambour nocturne* d'Addison, Voltaire révèle Shakespeare et lui emprunte pour son *Brutus,* sa *Zaïre,* sa *Sémiramis,* etc. Les huit volumes du *Théâtre anglais* de La Place (1748), et surtout la traduction de Shakespeare par Letourneur (1776), donnent une connaissance plus approfondie des chefs-d'œuvre dramatiques d'outre-Manche, et l'imitation fleurit plus vivace que jamais. Saurin tire sa *Blanche et Guiscard* (1763) d'un drame de Thomson, et son *Beverley* (1768) d'une œuvre de Lillo. Ducis adapte les quatre principaux drames de Shakespeare.

L'Allemagne commence à être mise à contribution : Mercier emprunte le sujet d'une pièce de *Werther,* Lamartillière porte à la scène les *Brigands* de Schiller.

La tragédie n'abandonne pas pour autant l'exploitation de l'antiquité. La fin de l'Ancien Régime s'inscrit entre deux pièces à succès, dont le sujet est puisé dans les légendes grecques, l'*Iphigénie en Tauride* de Guimond de la Touche (1757) et le *Philoctète* de La Harpe (1783), qui est moins heureux avec *Coriolan* (1784) et *Virginie* (1786). Saurin, Lemierre, de Belloy, Marmontel, Chateaubrun, etc., mettent à contribution l'histoire grecque et romaine;

le renouveau antique accentue naturellement cette reprise des sujets
traditionnels.

Sujets   Mais l'influence anglaise, l'apparition du genre
nationaux   troubadour tournent les tragiques en quête de
et exotiques.   sujets vers notre histoire nationale et particulièrement vers le Moyen Age. Ce n'est pas non plus une nouveauté.
Dès le xvi⁰ siècle on cite une *Pucelle de Domrémy* du P. Fronton
du Lac (1580). Au xvii⁰ siècle, Cl. Billard écrit un *Gaston de
Foix,* un *Mérovée* (1607) et même, sujet d'une actualité vraiment
tragique, un *Henri le Grand* (1610); Boursault tire du roman de
Mme de La Fayette une *Princesse de Clèves* (1678), qui échoue,
mais dont le *Prologue* contient ces vers dignes de Beaumarchais
et de Mercier :

> N'est-il point de grand homme,
> Si tu ne le choisis dans Athène et dans Rome ?
> Et, depuis si longtemps que nous avons des rois,
> Ne s'en trouve-t-il point qui méritent ton choix ?

Le vœu de Boursault est exaucé au xviiiᵉ siècle, et de Pharamond
aux Valois, il n'est guère d'époque qui ne fournisse un sujet de
tragédie : Voltaire obtient son dernier triomphe avec *Tancrède*
(1760), pièce de couleur médiévale; de Belloy soulève l'enthousiasme
avec son *Siège de Calais* (1765), mais voit tomber son *Gaston et
Bayard* (1774) et sa *Gabrielle de Vergy* (1777). Et, par une conséquence logique, on fouille aussi l'histoire des autres pays. Cahin-
caha, le chariot de Thespis vague sous tous les cieux, à travers tous
les âges. La Chine, l'Inde, l'Orient, l'Italie, l'Angleterre, l'Espagne,
l'Amérique lui servent tour à tour de haltes où planter ses tréteaux.

Renforcement   L'influence combinée de Crébillon, de l'An-
de l'action.   gleterre et de Voltaire amène un renforcement
de l'action. L'intrigue incline au mélodrame : ce ne sont que mé-
prises, surprises, coups de théâtre, poignards qui se trompent
d'adresse, effets macabres, tous les éléments d'un pathétique brutal.
Lemierre et de Belloy se distinguent dans cet art de secouer les
nerfs. Il semble que la tragédie se délasse par une gesticulation
frénétique du long repos où elle se morfondait.

Développement   Elle veut aussi, à l'exemple de l'Opéra et du
du spectacle.   Théâtre italien ou anglais, devenir une fête pour
les yeux. Grâce à la suppression des banquettes, l'appareil scénique
se développe; la décoration évolue vers plus de pittoresque et
d'éclat; la couleur locale apparaît, encore bien terne et souvent
peu exacte, mais la tentative a son mérite. La figuration, plus
nombreuse, devient aussi plus agissante. La pantomime, le groupement, les tableaux se substituent aux récits. Les accessoires

jouent un rôle important. Voltaire est l'un des grands artisans de cette recherche du spectacle. Dès ses premières tragédies, il est très préoccupé de tout ce qui touche à la mise en scène : *Brutus* s'ouvre par une réunion des sénateurs romains; *Mérope* étale le corps sanglant de Polyphonte; *Sémiramis* se déroule dans trois décors successifs, dont le second est d'une particulière somptuosité; on tire le canon dans *Adélaïde du Guesclin*, etc. Mais il reste dans de sages limites et il refuse à Mlle Clairon, qui le réclame avec insistance, de dresser sur le théâtre un échafaud dans *Tancrède*. Lemierre se montre moins scrupuleux. A la reprise de deux de ses tragédies tombées à plat, *Guillaume Tell* (1766, 1786) et la *Veuve du Malabar* (1770, 1780), il arrache le succès en recourant à la mise en scène : dans l'une on voit le héros suisse tirer de l'arc; dans l'autre flambe un bûcher, où se consumerait l'infortunée Lanassa, si elle n'était sauvée par un jeune premier aux muscles héroïques.

Costumes; Par un progrès semblable le costume se rappro-
jeu des che du naturel et de la vérité. L'initiative, cette
acteurs. fois, part du Théâtre-Italien, où Mme Favart
supprime les falbalas et joue les paysannes en habits rustiques. Mlle Clairon et Le Kain l'imitent, timidement encore, mais l'exemple est donné, et Talma mènera la réforme à son terme. Le débit, le jeu, la mimique tendent à reproduire la réalité. Ici aussi c'est Mme Favart qui accomplit la révolution, parlant avec simplicité et soulignant la diction par la physionomie et le geste. A son exemple et à l'exemple du grand comédien anglais Garrick, Mlle Clairon et Le Kain renoncent à la déclamation solennelle, adoptent un débit moins chantant, gesticulent et se démènent. Mais la révolution ne sera complète qu'avec Talma. Le ton de la tragédie s'abaisse.

Personnages. Autre concession d'importance. Les monarques et
les princes n'y règnent plus en maîtres exclusifs : Voltaire colore ses *Scythes* de teintes idylliques; *Blanche et Guiscard* et *Beverley* de Saurin ne sont que des tragédies bourgeoises.

Philosophie. Enfin, pour ne négliger aucun moyen de plaire
au siècle, la tragédie devient une œuvre de combat. Elle pourfend les abus, prêche la justice et l'humanité; Iphigénie donne des leçons de tolérance à Thoas; Spartacus dit leur fait aux conquérants; Guèbres, Scythes et Crétois attaquent en vers hargneux et pâles le clergé et les Parlements.

Les Semblable aux nobles qui sacrifient leurs droits
conventions. mais gardent leurs manières, la tragédie perd ses
raisons profondes d'exister, mais s'agrippe à ses conventions. Les unités reçoivent bien quelques atteintes, l'unité de lieu surtout, qui

est la plus gênante : le lieu de l'action varie d'un acte à l'autre;
Sémiramis de Voltaire renferme même un changement de décor en
plein troisième acte, etc. Mais les bienséances, les confidents, les vers,
le style noble et guindé conservent intact leur prestige, et le
contraste entre la routine et l'audace ne fait qu'accuser davantage
la décrépitude du genre.

3° *Les auteurs.*

On le cultive néanmoins avec une sorte de fureur. Il n'est si
petit grimaud qui, sa tragédie en poche, ne s'embarque pour la gloire.
Un petit nombre seulement aborde, et, dans ce petit nombre, la
postérité n'a guère retenu que deux noms : Voltaire, dont on représente encore de temps à autre *Zaïre*, *Mahomet* ou *Mérope*, et Ducis,
que protège contre l'ombre l'éclat de son modèle, Shakespeare.

Voltaire. La carrière de Voltaire débute par la tragédie
d'*Œdipe* (1718) et se termine par la tragédie
d'*Irène* (1778). Il laisse même un avorton posthume, *Agathocle*, qui
paraît sur les planches en 1779. Pendant soixante ans, il n'écrit
pas moins de vingt-sept tragédies, toutes en cinq actes et en vers.

On a vu, dans le volume précédent, le contenu de son œuvre
tragique jusqu'à 1759. Il connut son dernier succès, en 1760, avec
Tancrède, car le triomphe d'*Irène* a des raisons totalement étrangères à l'art. *Olympe*, le *Triumvirat* (1764), les *Scythes* (1767),
Sophonisbe (1770) reçoivent un accueil poli. Les *Guèbres* (1769),
Atrée et Thyeste (1771), les *Lois de Minos* et *Don Pèdre* (1774) ne
sont même pas représentés. *Agathocle*, pour être supporté, a besoin
d'un discours de d'Alembert invitant le public au recueillement :
la minute de silence pour une commémoration.

De ce vaste ensemble de pièces, dont certaines firent quelque temps
illusion, il ne reste pour ainsi dire rien. L'incapacité à s'abstraire
de soi-même, les hésitations du goût, la hâte fébrile de l'exécution
expliquent cette défaveur de la postérité.

Pas plus que dans les autres genres, Voltaire, poète tragique, n'admet de s'effacer. Dans le choix des sujets, dans la conduite de l'action,
dans l'esprit de l'œuvre, dans l'expression, on retrouve l'homme
sous l'auteur, sa vanité, son humeur batailleuse, son pyrrhonisme,
sa sensibilité. Il reprend des sujets de Crébillon pour faire pièce
au vieux poète. Il continue à mener la guerre contre l'infâme. Il
aime le coup de théâtre, jeu du hasard et source d'attendrissement.

Ses tragédies offrent un tempérament de tradition et de modernisme; la curiosité novatrice y est freinée par la résistance du goût.
Il est d'abord l'élève des grands classiques, mais un élève espiègle,
qui se moque à l'occasion de ses maîtres, et qui fait naître les
occasions. Toutefois ni les sévérités du *Commentaire sur Corneille*

ni les impertinences du *Temple du goût* à l'égard de Racine ne l'empêchent de tomber d'accord avec eux sur les principes fondamentaux. L'art est beauté et enseignement tout ensemble. La tragédie a pour but de peindre les caractères et les passions de l'humanité. Elle y parvient en les prenant dans un instant de crise et en nouant une intrigue serrée, pour les faire s'exprimer avec force. Elle met en scène des personnages illustres dont l'infortune donne plus d'éclat à la leçon. Elle a, comme tout art, ses conventions (règles, confidents, etc.) qu'il faut respecter. Elle a sa technique (langue, style, vers), que les classiques, dans leurs plus beaux passages, ont portée à sa perfection et à laquelle il faut se tenir. Mais il ne s'agit pas de refaire la tragédie du XVIIᵉ siècle. Corneille et Racine sont des maîtres qui enseignent, non des modèles qu'on copie. D'ailleurs ils ont épuisé tous les sujets traditionnels, et c'est d'autres sources que l'intérêt doit jaillir.

Voltaire réforme donc la tragédie. Il supprime la galanterie dans les sujets qui l'excluent et la remplace par de grands intérêts religieux, politiques ou nationaux. Il varie l'action, la situe dans tous les siècles, sous toutes les longitudes. Il en accélère le mouvement par la multiplication des péripéties, cherche le pathétique ou le pittoresque par l'emploi développé des moyens scéniques, exploite l'actualité et fait de ses pièces des instruments de propagande philosophique : les *Guèbres* attaquent le fanatisme, et les *Lois de Minos* sont un pamphlet contre les Parlements. On a coutume de dire que dans tout cela Voltaire s'est inspiré de Shakespeare. C'est une erreur, ou tout au moins une forte exagération. Racine a composé deux tragédies sans amour, et Voltaire lui-même avait banni l'amour de sa première version d'*Œdipe*, avant le séjour en Angleterre. Le dépaysement de la tragédie était chose faite depuis *Bajazet*. Les exemples que j'ai cités plus haut, d'après Petit de Julleville, montrent que les sujets nationaux n'ont point cessé d'être portés à la scène. Dira-t-on que la religion et la politique sont absents du théâtre de Corneille et de Racine ? ou que la complication de l'intrigue a été ignorée de Corneille et de Crébillon ?

La décoration s'est enrichie dès la première représentation publique d'*Athalie* (1716), et La Motte fait campagne pour que le mouvement s'accentue. L'actualité transparaît dans *Polyeucte* et dans *Nicomède*. Le théâtre de Corneille a sa philosophie, qui est cartésienne; celui de Racine la sienne, qui est janséniste : Voltaire s'adresse à Locke; c'est toute la différence. Shakespeare n'a pas eu sur lui l'influence capitale qu'on veut bien dire : son action a été de soutien, non d'excitation. En somme, Voltaire lui doit peu de chose : quelques effets de scène, quelques suggestions de psychologie. Et l'on ne doit pas trop l'accuser d'ingratitude, si, furieux de la vogue du grand Will qu'il a le premier fait connaître, il s'est ensuite, pendant trente ans, déchaîné contre lui.

Quoi qu'il en soit, chez Voltaire l'intention est bien supérieure à l'exécution. Il a l'entente de la scène, sait construire une intrigue, trouver et enchaîner des situations émouvantes. Il est curieux de vérité historique. Il esquisse aussi quelques figures féminines, tendres et faibles, parées d'une grâce préromantique (Zaïre, Aménaïde). Mais il abuse des petits moyens à grand effet, qui rappellent le vaudeville ou le mélodrame. Sa psychologie n'a ni profondeur ni originalité : ses personnages sont mus par des sentiments simples, dont le mécanisme joue comme prévu.

La couleur locale est en général conventionnelle ou gauchement plaquée. La philosophie, qui fuse en épigrammes ou se déroule en couplets déclamatoires, crée des disparates, ralentit le mouvement, refroidit l'émotion. Mais c'est l'expression qui est encore l'élément le plus fâcheux. Voltaire compose avec une rapidité déplorable. En vingt jours, en quinze, parfois en huit, il abat sa tragédie. Après, il corrige, c'est-à-dire qu'il remplace le premier jet par une, deux ou trois improvisations nouvelles. Il lui échappe quelques vers heureux, il file habilement quelques tirades, mais trop souvent sa langue est pâle, son style mou, flasque, n'évitant la banalité que pour se gonfler d'une vaine enflure.

Ducis
(1733-1816).

C'est le style aussi qui a empêché les tragédies de Ducis de survivre. Bien qu'ignorant l'anglais, il adapte successivement, d'après la traduction de Laplace, puis celle de Letourneur, quatre drames de Shakespeare : *Hamlet* (1769), *Roméo et Juliette* (1772), le *Roi Lear* (1783) et *Macbeth* (1784). Son siècle le trouve terrible, atroce, épouvantable. Et pourtant que ne fait-il pas pour adoucir son modèle ! Il taille, allonge, tranche, mutile; il plie aux bienséances la verve du poète, soumet aux règles sa farouche indépendance; il affadit cet impitoyable réaliste, qu'il transforme en apôtre de morale et de vertu. Rien de la poésie sombre ou gracieuse de Shakespeare ne passe dans son style contourné et ses vers rocailleux. On ne le joue plus, on ne le lit plus. Le seul mérite qu'on lui reconnaisse, c'est d'avoir contribué, si faiblement que ce soit, à faire connaître Shakespeare et à élargir le goût.

Succès
éphémères.

Il ne servirait de rien de parler de Marmontel, de Colardeau, ni même de La Harpe, qui pendant vingt-cinq ans persévère diaboliquement à entasser les échecs. Mais il convient peut-être de signaler quelques-uns des succès tragiques de l'époque. En 1757, l'*Iphigénie en Tauride,* de Guimond de la Touche, va aux nues et mérite en partie cet accueil par l'habileté de la composition et le naturel des sentiments. En 1760, Saurin fait applaudir un *Spartacus,* où l'histoire est fâcheusement travestie, mais qui contient des situations intéressantes et des vers bien frappés. Mais le succès le plus vif est remporté par de Belloy, qui donne, en 1765, le *Siège de Calais.* La pièce est mal bâtie, mal écrite, platement versifiée; mais elle caresse la fibre patriotique, très sensible au lendemain de la Guerre de Sept Ans. Joué à la cour, à la ville, dans les camps, de Belloy fait, à titre provisoire, fonction de poète national.

Intérêt historique de la tragédie.   Tout cela est bien mort maintenant, et c'est à peine si de loin en loin on exhibe quelqu'une de ces choses passées, comme d'antiques objets pour une rétrospective. La tragédie de cette époque n'a plus pour nous qu'un intérêt historique. A l'étudier, on se figure assister à la métamorphose d'un insecte : sous l'enveloppe desséchée, une vie fraîche palpite, des formes nouvelles se dessinent. La tragédie de Voltaire et de ses émules ébauche le drame romantique : son pathétique violent, sa fièvre d'action, son respect du vers, son souci du décor, de la couleur, de la prédication sociale entreront dans la constitution du nouveau théâtre, qui s'assimilera en outre des éléments pris à d'autres genres du même temps : le drame et le mélodrame.

III. — Le genre sérieux et le drame.

Tandis que la tragédie lutte contre la mort en se transformant, un autre genre apparaît, qui affirme son intention de la supplanter, et dont Diderot, Beaumarchais et Mercier donnent à la fois la théorie et l'exemple.

1° *Origines et théories.*

Origines.   Le genre sérieux n'est pas une création spontanée. Littérairement, il est le dernier rejeton d'une longue lignée, dont la souche est Térence (*Heautontimoroumenos, Hécyre*) et dont la descendance, chez les modernes, a produit Molière, Le Sage et Nivelle de la Chaussée. Il doit en outre à l'abbé Prévost, à Marivaux, à Richardson, romanciers réalistes, moraux et sensibles, aux dramaturges anglais Lillo et Moore, aux innovations de Voltaire. Socialement, il se rattache au prestige que la vie privée britannique exerce sur les Français du temps, ainsi qu'à l'ascension de la bourgeoisie, dont il montre scéniquement la dignité de vie et l'importance dans l'Etat : son avènement confère à M. Jourdain des lettres de noblesse.

Théories de Diderot.   Son théoricien le plus illustre est Diderot, qui s'intéresse beaucoup au théâtre et qui traite la question dans les *Bijoux indiscrets* (1748), les *Entretiens sur le Fils naturel* (1757) et l'*Essai sur la poésie dramatique* (1759).

Il le fait, comme à l'accoutumée, en savant et en poète. Déjà Fon-

Portrait d'André CHÉNIER

tenelle, comparant ce qu'il appelait « l'échelle dramatique » aux couleurs du prisme, avait montré l'existence de variétés dramatiques, formant une suite, aux nuances dégradées, du terrible au ridicule (*Préface générale de la tragédie et des six comédies*). Naturaliste, Diderot emprunte sa comparaison aux sciences et à la nature. Il établit la pluralité des espèces dramatiques, unies entre elles, comme les espèces vivantes, par la loi de continuité et passant par transitions presque insensibles de la farce burlesque au drame philosophique. Et il insère, entre la comédie gaie et la tragédie héroïque, la comédie sérieuse et la tragédie bourgeoise.

Sur la nature et la forme de ces sous-genres, il expose des idées qui sont en étroit rapport avec les principes généraux de son esthétique. L'art est nature et vérité. Le grand artiste est celui qui possède le génie, le goût (celui-ci subordonné au premier) et le souci de la moralité. Partant de ces données, Diderot esquisse une poétique du genre sérieux.

Par son esprit, le drame sera essentiellement moral, fera « aimer la vertu et haïr le vice ». Pour le fond, il traitera de sujets importants, et « l'intrigue sera simple, domestique et voisine de la vie réelle »; la peinture des conditions se substituera à celle des caractères. Pour la technique, il gardera de la tragédie l'unité de ton, les règles, les monologues. Mais il sera écrit en prose. L'action sera pleine de mouvement, riche en effets attendrissants et pathétiques, et le décor, très développé, donnera l'illusion de la réalité. Le style devra être simple; la pantomime et les groupements « naturels et vrais », capables d'inspirer des tableaux aux peintres, remplaceront les coups de théâtre et les tirades, déplacées dans les moments de violente émotion.

De quel nom appellera-t-on ces pièces d'un genre nouveau ? Celles qui ont « pour objet la vertu et les devoirs de l'homme » porteront le titre de « comédie sérieuse »; celles qui auraient « pour objet nos malheurs domestiques », celui de tragédie bourgeoise...

Ces théories — notamment la substitution des conditions aux caractères — ont soulevé de tout temps de fort vives critiques. Dès 1757, Palissot attaque « cette affectation d'anoblir le genre (comique), le coup le plus mortel que l'on ait porté à la comédie » (*Les Tuteurs*). Il ne voit que des « êtres de raison », des « philosophes en cornettes » dans ces « pères de familles, ces commerçants, ces financiers, dont la peinture doit être le but essentiel du nouveau théâtre. Tous ces sujets, dit-il, devront avoir un caractère, et ce « caractère... redevient la base de l'intrigue et de la morale de la pièce, et la condition... n'est plus que l'accessoire ». (*Trois petites lettres.*) Le reproche est devenu traditionnel. Il n'est pas très exact, ce me semble; mais la faute en revient à Diderot, dont la clarté n'est pas toujours la qualité dominante. Diderot veut dire, et c'est ce que Lanson signale justement, que la condition peut influer sur le caractère : et qui nierait la réalité du « pli professionnel » ?

Lesage ne l'aurait-il pas mise en lumière dans son *Turcaret* ? Il
veut dire aussi que les obligations des conditions peuvent être
sources de conflits dramatiques : qui soutiendrait que les « cas de
conscience » ne se posent point, et d'une manière pathétique, dans
toutes les classes de la société ? Fidèle à l'esprit de son siècle, Diderot
veut transposer du plan moral sur le plan social l'intérêt de l'action
scénique, et je ne vois pas en quoi l'on puisse raisonnablement l'en
critiquer. Par là, au contraire, il annonce le théâtre social des
Augier et des Dumas fils, comme par ses exigences pour la décoration, il donne le branle à toutes ces recherches de mise en scène
qui ont abouti de nos jours aux réalisations admirables d'un Gaston
Baty.

Beaumarchais   Il a la joie de voir, avant de mourir, ses théories
et Mercier.   reprises et défendues par Beaumarchais et par
                        Mercier.

Beaumarchais compose un *Essai sur le genre dramatique sérieux*
(1767), où il ne fait guère que développer les idées du maître, touchant la supériorité du genre sérieux sur la tragédie.

Dans son traité *Du théâtre* (1773), Mercier commence par reprendre un certain nombre de théories de Diderot : critique de la tragédie, peinture des conditions, emploi des tableaux et de la prose,
utilité morale, etc. Mais il ne craint pas d'émettre des idées à lui.
Il a de vagues tendances unanimistes : il veut que la comédie s'attache « à peindre » l'espèce plutôt que « l'individu » et à montrer « le résultat des mœurs actuelles ». Il se prononce pour la
fusion des genres :

Tombez, tombez, murailles qui séparez les genres !

(Du théâtre, IX, p. 105, note a.)

Il n'admet qu'une seule unité, l'unité d'intérêt. Enfin c'est de
lui que le genre nouveau tient son nom de *drame*, sous lequel il
a fait fortune.

2° *Auteurs et œuvres.*

Diderot.   Les œuvres valent moins que les théories. La cri-
                        tique est unanime à juger sévèrement les deux
« comédies » de Diderot, le *Fils naturel* (écrit en 1757, représenté
en 1771), inspiré du *Véritable ami* de Goldoni, et le *Père de famille*
(composé en 1758 et joué en 1760), pièces mal bâties, mal écrites,
bourrées de déclamations, d'exclamations et de vociférations. On
s'ennuie moins à la lecture d'un de ses essais, non destiné à la scène,
Est-il bon ? est-il méchant ?, dont la bizarrerie est au moins relevée
d'esprit.

**Beaumarchais
(1732-1799).**
A ses débuts au théâtre, le futur auteur de la *Folle journée* condamne le rire et fait couler les larmes. Un premier drame, *Eugénie* (1767), déroule la triste aventure d'une jeune aristocrate anglaise, qui se croit mariée, sans l'être, et qui se voit menacée d'abandon, quand son volage séducteur, par une volte-face inexpliquée, revient tomber à ses pieds, lui rapporte un cœur repentant et l'épouse pour de bon. Succès très vif, suivi d'une chute très lourde : les *Deux amis ou le Négociant de Lyon* (1770), drame de la faillite, autour duquel s'enroule une intrigue amoureuse, ne réussit pas malgré son mouvement rapide et son dialogue alerte. Beaumarchais se tourne alors vers la comédie, mais il revient au drame avec la *Mère coupable* (1792), la troisième pièce de la trilogie où paraît Figaro. La comédie s'y combine à l'émotion, mais on ne s'intéresse guère à la lutte que Figaro, vieilli, ventru et vertueux, mène contre le « Tartufe de mœurs » Begearss, qui veut faire chanter l'infortunée Rosine, séduite par Chérubin. De tout ce romanesque gonflé de galimatias une scène seulement produit encore de l'effet, celle du IV⁰ acte, où Rosine n'oppose que des supplications balbutiantes aux menaces de son mari.

Mercier.
Avec Mercier, le drame s'ouvre aux sujets et aux milieux les plus divers. Il puise à toutes les sources de l'émotion, depuis la sombre aventure jusqu'à la moralité attendrissante; il met en scène toutes les classes sociales, des mendiants aux rois, de la plèbe aux grands seigneurs. Mais de cette production si variée, il ne reste que des titres : parmi les drames historiques, *Jean Hennuyer*, la *Destruction de la Ligue*, *La mort de Louis XI*; parmi les drames bourgeois ou démocratiques, *Jenneval*, le *Déserteur*, et la célèbre *Brouette du vinaigrier*, qui reçoit dans toute l'Europe un accueil triomphal. Pour nous, Mercier, assez bon « charpentier » de théâtre, mais écrivain boursouflé et trivial, n'est plus qu'un précurseur, qui le premier a introduit le réalisme sur la scène.

Sedaine.
Michel-Jean Sedaine (1719-1797), disciple et ami de Diderot, a survécu, et il le doit à une seule pièce, le *Philosophe sans le savoir* (1765), que l'on reprend encore de temps à autre. C'est le type du drame bourgeois tel que Diderot l'a défini, simple d'intrigue, bien agencé, faisant alterner l'angoisse et l'émotion discrète, fleurant bon l'honnêteté et l'amour du travail. Le sujet en est simple : M. Vanderke, riche négociant, apprend, le jour où il marie sa fille, que son fils doit se battre en duel. Il croit un moment que celui-ci est tué; mais c'est une erreur; les deux adversaires se sont réconciliés sur le terrain, et la noce se célèbre dans la joie recouvrée. Une tirade sur la dignité du commerce ne contribua pas peu au succès de la pièce. Il est fâcheux seulement

que le style de Sedaine soit négligé, traînant, et, sans être raboteux, un peu grenu, comme les pierres que l'auteur, d'abord maçon, taillait dans sa jeunesse.

Vogue   Relégué quelque temps en province par le dédain
et destinée   des deux grandes scènes parisiennes, le drame y
du drame.   obtient de vifs succès et ne tarde pas à conquérir la capitale. On le joue sur les petits théâtres, qui s'ouvrent en grand nombre sur les boulevards, à l'Ambigu-Comique d'Audinot, aux Variétés Amusantes de l'Ecluse, au Théâtre des Associés, chez Nicolet. On le joue au Théâtre Italien; et la Comédie-Française elle-même finit par lui ouvrir ses portes. Les pièces foisonnent, qui débitent au brave public leurs fantaisies historiques, leur exotisme enfantin, leurs caricatures d'intérieur bourgeois, leurs scènes populaires, leur morale optimiste, humanitaire et déiste. Le drame prend sa part dans la lutte contre le régime, et l'on ne doit pas minimiser son influence sur les formidables événements en gestation.

Parmi les auteurs qui se consacrent ainsi au délassement et à l'instruction des foules, il suffira d'en citer trois : Baculard d'Arnaud, le créateur du genre sombre, dont les mystiques horreurs plongent l'assistance dans l'angoisse et les transes (le *Comte de CommInges, Euphémie,* etc.); — Florian, dont le *Bon fils,* la *Bonne mère* sont, à vrai dire, des comédies sérieuses plutôt que des drames; — le gaillard Collé (1709-1783), qui s'interrompt de chanter le vin et l'amour, pour composer deux comédies, dont l'une, *Dupuis et Desrenais,* prétend intéresser à des amours juvéniles, traversées par l'astuce d'un père, affreux vieillard égoïste, et dont l'autre, la *Partie de chasse de Henri IV,* représentée dès 1762 chez le duc d'Orléans, n'approche le grand public qu'en 1774, obtient l'un des plus grands succès de la fin du siècle et garde encore maintenant un certain agrément.

Genre hybride et sans style, le drame, à part deux ou trois exceptions, n'a aucune valeur d'art. L'intérêt qu'il présente est purement historique : Diderot inspire Lessing, et le genre qu'il crée, s'il s'étiole vite chez nous, donne en revanche une luxuriante floraison en Allemagne. Le drame contribue au développement de la décoration et du mouvement scénique. Il porte en germe la comédie sociale, la comédie historique, la comédie-drame du second Empire et ouvre la voie au mélodrame, d'où sortira le drame romantique.

IV. — La comédie.

La comédie traverse aussi une crise de transformation. Les genres consacrés périclitent : la comédie de caractère disparaît; la comédie de mœurs se réduit à de menus tableautins; la comédie d'intrigue est à peu près complètement délaissée. En revanche, des genres nou-

veaux commencent une carrière qui sera longue et marquée de
grands succès : ce sont la comédie de genre, la comédie lyrique,
le proverbe et la comédie satirique. Et chacun de ces genres donne,
à défaut de chef-d'œuvre, des productions de valeur estimable et
dont le charme ne s'est pas encore complètement évaporé.

La comédie   Jusqu'à Beaumarchais, qui la remet brillamment
d'intrigue.   en honneur en la chargeant de visées politiques,
la comédie d'intrigue, ramenée elle aussi à l'art unique, ne compte
que deux succès, *Heureusement* (1762) de Rochon de Chabannes, et
la *Gageure imprévue* (1768) de Sedaine, un peu lente à partir, mais
joliment tramée et contenant des caractères finement tracés. Après
le *Mariage de Figaro* (1784), Andrieux (1759-1833) triomphe avec
ses *Etourdis* (1787), en trois actes et en vers, que\ sa gaieté, sa verve
et l'élégance spirituelle de son style placent tout à côté des *Folies
amoureuses* de Regnard.

La comédie   Il semble que les mœurs du temps prêtaient
de mœurs.   ample matière à la verve des auteurs comiques.
Ils ne savent pas profiter de l'occasion, et leur mince talent ne va
guère au-delà d'un simple petit acte, esquisse de travers éphémères,
superficiellement observés. Mais il y a bien de l'esprit dans les
Mœurs du temps (1760) de Saurin, dans les *Fausses infidélités* (1768)
de Barthe, auxquelles La Harpe donne du chef-d'œuvre, et dans le
Cercle ou la Soirée à la mode (1764) du petit Poinsinet, imité des
Originaux ou le Cercle (1755) de Palissot, piquante bagatelle où
sont croqués avec une vivacité allègre un certain nombre de ridicules contemporains. Emule de Destouches, de Piron et de Gresset,
l'acteur Lanoue écrit une comédie en cinq actes et en vers, la
Coquette corrigée (1755). Mal lui en prend, la pièce tombe; et,
comble de disgrâce, la postérité ne se rappelle même plus qu'elle
contient ces deux jolis vers, si fréquemment cités :

> Le bruit est pour le fat, la plainte est pour le sot;
> L'honnête homme trompé s'éloigne et ne dit mot.

La comédie   D'après Lintilhac, bon connaisseur en la ma-
de genre.   tière, la comédie de genre tire son nom du fait
qu'elle n'a « aucun genre tranché ». Elle tient de la comédie de
mœurs, et de la comédie de caractère, mais remplace l'observation
par la fantaisie, la vraisemblance par le romanesque, emprunte à la
pseudo-histoire et au pseudo-exotisme, pastiche les classiques et se
teinte volontiers de marivaudage. Son ancêtre est Lesage — le
Lesage fournisseur du Théâtre de la Foire. Ses représentants, à
l'époque, sont les deux amis Andrieux et Collin d'Harleville.
    C'est par une comédie de cette nature qu'Andrieux débute au
théâtre : son *Anaximandre* (1782), en un acte et en décasyllabes,

est une bluette, encore agréable, de style Louis XVI. On peut de
même prendre quelque amusement aux grandes comédies en cinq
actes et en vers de Collin d'Harleville (1755-1806) — l'*Inconstant*
(1786), l'*Optimiste* (1788) et les *Châteaux en Espagne* (1789) —
qui abondent en traits neufs et charmants, et dont la verve enjouée
s'exprime en style facile, en vers alertes et naturels.

La comédie   Issu de la comédie à ariettes, qui a évincé la
lyrique.   comédie en vaudevilles, l'opéra-comique, stimulé
par le triomphal succès de la *Servante maîtresse* de Pergolèse
(1ᵉʳ août 1752), prend un rapide essor et suit les voies parallèles
de la comédie musicale et du drame musical. A cette époque, la
musique n'est encore, au théâtre, suivant le mot de Mozart, que
« la servante du poème » : aussi doit-on parler au moins brière-
ment des deux auteurs dont le talent assura la fortune de ce genre
si français.

La comédie musicale est constituée par Favart (1710-1799),
auteur de plus de cent pièces, spirituelles et libertines pour la plupart, visant parfois à la philosophie, dont deux sont encore connues
et de temps à autre reprises, la *Chercheuse d'esprit* (1741) et les
Trois sultanes (1761), comédie plutôt qu'opéra-comique, son chef-
d'œuvre.

Le drame musical est illustré par Sedaine, qui fournit de livrets
sentimentaux, émouvants et moraux les principaux musiciens du
temps : Philidor, Monsigny et Grétry. Ses plus célèbres opéras-
comiques, joués au Théâtre Italien, sont le *Déserteur* (1769) et
Richard Cœur-de-Lion (1784).

Le proverbe.   La comédie s'enrichit encore à cette époque d'un
                 sous-genre, que Musset illustrera plus tard, le
proverbe. Il est représenté sur les théâtres de société, devant un
auditoire de gens du monde. C'est une saynète, dont l'action doit
évoquer dans l'esprit du spectateur le « mot » d'un proverbe. Créé
en 1699 par une certaine Mme Durand, cultivé par Mme de Maintenon, le proverbe tombe cinquante ans en discrédit, et c'est à
Carmontelle que revient l'honneur de le remettre en faveur. Carmontelle écrit ainsi pour le théâtre du duc d'Orléans, à Villers-
Cotterets, plus de cent *Proverbes dramatiques*, où l'on trouve une
revue à peu près complète de la société du temps. Carmontelle ne
manque pas de talent. Il sait observer et, comme dans les dessins
qu'il nous a laissés, il rend avec esprit, d'un trait net, peut-être un
peu grêle, les originaux qui posent devant lui.

La comédie   Quelque agréables surprises qu'elles réservent au
satirique.   fureteur, ces œuvrettes sont éclipsées par la
comédie satirique ou sociale. Avec elle, la comédie revient à ses
origines et, plus ou moins consciemment, avec plus ou moins de

vigueur, imite Aristophane. Les personnalités, la critique des idées
et des institutions en sont les éléments constitutifs.

Elle n'est pas, chez nous, une nouveauté. Le *Jeu de la Feuillée*,
d'Adam de la Halle, et les *soties* attestent son existence au Moyen
Age. Elle se glisse dans certaines pièces de Molière, de Dufresnoy et
de Dancourt. L'atmosphère orageuse du xviiie siècle lui fournit le
climat favorable à son éclosion. La comédie de mœurs évolue alors
vers la satire des conditions. La comédie larmoyante fait campagne
en faveur de l'égalité et de la fraternité. Sur les tréteaux de la Foire
ou sur la scène du Théâtre Italien, Lesage (la *Boîte de Pandore*),
Delisle de la Drevetière (*Arlequin sauvage*), Piron (*Arlequin-Deu-
calion*), Marivaux (l'*Ile des Esclaves*) multiplient les petites pièces
où la satire sociale se mêle à l'utopie. L'opéra-comique prend part
à la croisade philosophique. Dans les *Trois Sultanes*, Favart met
dans la bouche de Roxelane ce vers qui sonne comme une devise
louis-philippienne :

> Tout citoyen est roi sous un roi citoyen.

Sedaine, Marmontel et leurs émules mettent en ariettes remontrances et revendications, ce qui fait dire à Saint-Marc Girardin
que « la Déclaration des Droits de l'homme se trouverait au besoin
tout entière dans les opéras-comiques de la fin du xviiie siècle ».

Cette comédie satirique, à tendances aristophanesques, a pour
principaux représentants Palissot, Voltaire et, bien au-dessus d'eux,
Beaumarchais.

Palissot.   Palissot est l'auteur d'une comédie, les *Philosophes* (3 actes, en vers), jouée le 2 mai 1760 au
Théâtre-Français, qui fait scandale. L'intrigue, imitée des *Femmes
savantes* et du *Misanthrope*, en est mince. Une femme philosophe,
Cidalise, s'oppose au mariage de sa fille, Rosalie, avec un brave
officier, Damis, et prétend l'unir à Valère, l'un des philosophes
dont elle fait sa société. Mais un billet de Valère lui révèle le
dédain où celui-ci la tient et, de dépit, Cidalise fait place nette
chez elle et consent à l'union des deux amoureux. La pièce est aler-
tement écrite. Certaines scènes sont assez plaisantes, comme celle
où Cidalise dicte l'ouvrage qu'elle est en train de composer et celle
où son secrétaire, Carondas, qui est en même temps le laquais de
Valère et l'agent caché des menées philosophiques, vole son maître
qui lui prêche la loi naturelle. Cette dernière scène donne le ton de
l'ouvrage. C'est une diatribe passionnée, et naturellement partiale,
contre les Encyclopédistes; seul Voltaire est épargné. Les trois fri-
pons, familiers de Cidalise — Dortidias, Théophraste et Valère —
représentent, sans qu'on puisse s'y méprendre, Diderot, Duclos et
Helvétius. De transparentes et aussi peu charitables allusions visent
Grimm et d'Alembert. Rousseau est ridiculisé par le valet Crispin,

qui prétend appliquer les théories du philosophe en marchant à
quatre pattes et en mangeant de la laitue. On comprendrait à moins
l'émotion que la comédie suscita.

Voltaire   C'est une singulière destinée que celle de Vol-
                    taire auteur comique, car il a écrit des comédies,
— et elles sont au-dessous du médiocre. Cet homme si spirituel n'a
jamais eu moins d'esprit que dans le genre qui en demande le plus.
Cet observateur malicieux des butorderies humaines est incapable
de créer des personnages vivants. Là où il a réussi le moins mal,
c'est dans la comédie larmoyante contre laquelle il n'avait pas eu,
un moment, assez de sarcasmes : l'*Enfant prodigue* (1736) et *Nanine*
(1749) restent encore intéressantes, d'ailleurs moins par la trame et
le style que par l'esprit qui les anime, car Voltaire y développe en
jouant, « sans tirer jamais à conséquence », des thèses égalitaires.
    Il a écrit en outre des pièces d'un caractère bizarre, où tantôt
l'invective pleut dru sur ses ennemis personnels, tantôt la parodie
bouffonne s'essaie à ridiculiser l'antiquité ou l'Ecriture Sainte. Il
suffira de les mentionner. Ce sont les « comédies » de l'*Envieux*
(1738), contre Zoïlin Desfontaines, et de l'*Ecossaise* (1760), contre
Frélon-Fréron, le « drame » ahurissant de *Saül* (1763) et l'«ouvrage dramatique» de *Socrate* (1759), où l'on voit Anitus protéger les trois pédants Nonoti-Nonotte, Chromos-Chaumeix et Ber-
thios-Berthier.

Beaumarchais.   Toutes ces satires n'ajoutent rien à la gloire de
                    Voltaire. Beaumarchais au contraire doit la
sienne presque uniquement aux deux comédies qui ont immortalisé
son nom.
    Fils d'un horloger et, comme lui, artisan habile, Pierre-Augustin
Caron — qui se fera appeler Beaumarchais du nom d'un fief de sa
première femme — gagne par son adresse professionnelle et par son
talent de harpiste la faveur de Mesdames, filles du roi, et par elles
l'amitié du financier Pâris-Duverney, qui l'intéresse à ses affaires
et l'enrichit. Doué de plus d'activité et d'ambition que de scrupules, débrouillard et retors, affairiste et affairé, il mène alors de
front les spéculations, les intrigues, les lettres et l'amour. Cela lui
vaut quelques procès, dont il ne se tire pas toujours à son honneur,
celui par exemple du conseiller Guzman, affaire de pot-de-vin qui
tourne au vinaigre. Il ridiculise son adversaire dans des *Mémoires*
fameux, mais il n'en est pas moins flétri (1773-1774). Le succès
du *Barbier de Séville* le console. Sa vie devient un tourbillon. Il
est déjà allé en Espagne. On le voit maintenant en Angleterre, en
Allemagne, en Autriche. Il est agent secret de la cour dans des
tractations diversement délicates, puis homme de paille de Ver-
gennes dans la fourniture d'hommes et d'armes aux insurgés amé-
ricains. Il lutte contre le Parlement pour obtenir sa réhabilitation,

contre les comédiens pour fonder la *Société des auteurs dramatiques*, contre le trône pour faire jouer son *Mariage de Figaro*. Il édite Voltaire. Il organise la *Compagnie des eaux de Paris*. Mais l'Amérique fait défaut; l'édition de Voltaire fait fiasco; la compagnie des eaux fait faillite. Et Beaumarchais vieillit, en proie aux embarras financiers, plastron de la foule dont il a été l'idole, toujours écrivant, calculant, manœuvrant, plaidant, passant des prisons de l'Ancien Régime à celles de la Révolution, des cachots d'Autriche à ceux d'Angleterre, jusqu'au jour où une attaque d'apoplexie l'arrache à une vie dont il ne pouvait se déprendre et qu'il menait en grand-papa-gâteau, bourrant de bonbons et de·méchants vers ses petits-enfants.

Beaumarchais n'est plus pour la postérité que l'auteur du *Barbier de Séville* (23 fév. 1775) et du *Mariage de Figaro* (27 avril 1784) : les drames et encore plus l'opéra de *Tarare* sont tombés dans un juste oubli. D'abord simple parade, puis opéra-comique, puis étiré en comédie en cinq actes, puis ramené à quatre devant l'insuccès, le *Barbier de Séville* est une imitation originale de *l'Ecole des femmes*. Il remet à la scène les mésaventures d'un tuteur déclinant et jaloux, Bartholo, dupé par Rosine, sa pupille, et par le comte Almaviva qui la courtise et que seconde son valet Figaro. Dans le *Mariage de Figaro* ou la *Folle journée*, Figaro, devenu l'intendant d'Almaviva, défend contre les entreprises de son maître sa fiancée Suzanne, cependant que la comtesse commence à se laisser gagner par l'émoi trouble et l'amour pétulant du page Chérubin.

Ces deux pièces au succès tapageur ont suscité et suscitent encore l'admiration et le dénigrement. L'opinion juste semble se tenir entre les deux. C'est être trop prévenu que de n'en pas reconnaître la construction habile. Beaumarchais réintroduit l'imbroglio dans la comédie. De ses doigts déliés d'horloger, il agence d'ingénieux mécanismes, aux rouages bien engrenés, au mouvement preste et régulier : l'intrigue du *Barbier de Séville*, le cinquième acte du *Mariage* sont des merveilles de l'art scénique. Il faut aussi bouder contre son plaisir pour résister à leur gaieté débordante. C'était encore un renouveau. Depuis Regnard, on ne riait plus guère à la comédie : on y souriait ou on y pleurait. Beaumarchais déchaîne le rire par le piquant des scènes, la verve du dialogue, les fusées de mots et d'épigrammes. Enfin ce n'est pas un mince mérite que d'avoir donné la vie à trois personnages au moins — Figaro, Basile et Chérubin, — qui sont devenus des types, et d'avoir créé de réjouissantes ganaches comme Brid'oison et Doublemain.

Mais· la réelle valeur de ces comédies ne doit pas masquer leurs défauts. Beaumarchais brasse ses pièces comme ses affaires, par ambitieuses combinaisons. Il a le goût du complexe, il amalgame les formes dramatiques, il mêle les genres — mais l'effet ne répond pas toujours à son espoir. Le *Barbier de Séville* fond assez bien sans doute la comédie sociale, la comédie d'intrigue et la comédie de

caractère. Il n'en va pas de même pour le *Mariage*, où entrent plus
d'éléments. Outre les trois variétés susdites, on y trouve encore la
comédie de genre et sa recherche d'exotisme, le drame et sa verbeuse sensiblerie, l'opéra-comique et ses ariettes, la comédie de
Favart et sa tendresse équivoque, son atmosphère viciée, énervée,
alourdie de désirs. C'est un arlequin chatoyant, dont les couleurs
ne laissent pas de se heurter : la reconnaissance de Figaro par Mar-
celine détonne par son pathétique déclamatoire dans les drôleries de
la « folle journée ». En second lieu, Beaumarchais s'y laisse trop
voir. Non que je lui reproche d'avoir un peu fait de ses comédies
des *Mémoires* dialogués, où s'expriment son expérience et son caractère. Chérubin incarne son inquiète adolescence, Figaro ses rancunes
de courtisan et de plaideur, son entregent, son vif-argent, sa ron-
deur, son insolence, son persiflage, sa passion. Mais il manque à la
première loi de l'auteur dramatique; il ne s'efface pas derrière ses
personnages, et c'est lui qui trop souvent parle par leur bouche.
Il abuse des tirades et des « mots d'auteur ». Il les prépare, inflé-
chit le dialogue pour les placer, en prête généreusement aux personnages les moins capables ou les moins en situation de les prononcer. Tout le monde a de l'éloquence ou de l'esprit dans ses pièces,
même Bartholo, même Basile, même l'ivrogne Antonio ! Et ces
mots si vantés sont loin d'être tous originaux et aussi profonds
que scintillants. D'après La Harpe, l'un des plus fameux :

Un grand seigneur nous fait toujours assez de bien quand il ne nous
fait pas de mal,

serait tiré mot à mot de l'*Art de désopiler la rate*. Quant au non
moins célèbre : « Vous vous êtes donné la peine de naître », qui
ne voit que c'est une absurdité ? Aucun être au monde ne peut
se donner cette peine; on la lui inflige, dira Chateaubriand. En
vérité, dans un autre genre, Beaumarchais n'est pas plus naturel
que Diderot, et souvent il écrit aussi mal.

Ces mots et ces tirades ont fait balle néanmoins et blessé à mort
le régime. Insolente ou amère, piquante ou menaçante, la satire des
institutions anime le *Barbier*, comme le *Mariage*. Absolutisme, privilèges, administration, justice, tout le système politique et social y
est pris à partie, en même temps qu'y résonnent les revendications
du Tiers. On s'étonne à ce propos de deux choses. On estime que
Figaro est un personnage trop disqualifié pour représenter l'opinion.
Mais les Danton, les Desmoulins et tant d'autres robins ou petits
bourgeois vaniteux et aigris, qui grommelaient aussi : « Moi, mor-
bleu ! moi ! » étaient-ils donc des gens si scrupuleux ? On est en
outre surpris de l'accueil enthousiaste que la cour réserva au
Mariage. Il faut faire, dans cette attitude, la part de la légèreté et
du « snobisme », mais aussi de la conviction. Beaucoup de nobles,
à ce moment, sont les disciples des philosophes, inclinent la nais-

sance devant le mérite, sont prêts à abdiquer leurs droits : la soirée du 27 avril 1784 annonce bien, comme l'a dit Napoléon, la Révolution qui s'approche; c'est le crépuscule de la nuit du 4 août.

Molière n'a eu que de pâles élèves, Beaumarchais a laissé une brillante descendance : c'est l'une des différences qui séparent le talent du génie. Il commande toute l'évolution de la comédie au XIXe siècle. La pièce « bien faite » et le vaudeville imiteront sa dextérité dans la conduite de l'intrigue, la comédie de mœurs son esprit satirique, la comédie sociale ses intentions moralisatrices, ses tirades et ses mots.

CHAPITRE XIII

LA LITTÉRATURE FRANÇAISE SOUS LA RÉVOLUTION

Les philosophes, grands et petits, triomphent, et c'est la Révolution : un monde qui s'écroule, un pays qui se déchire, un continent qui s'embrase. Ces événements formidables se répercutent diversement sur les lettres. La suppression de la censure provoque un cataclysme de productions. On écrit comme jamais on ne l'a fait — mais avec plus de fougue que de bonheur. Pas de chef-d'œuvre, ni même rien qui y ressemble : un fatras le plus souvent, où la platitude le dispute à la bouffissure, la fadeur à la crudité. L'actualité retentit dans l'éloquence et dans le journalisme, elle prolonge ses échos en poésie, dans le roman, dans la critique, au théâtre. Mais elle est loin d'absorber toute l'activité littéraire, et il se trouve des écrivains qui, sourds au tumulte qui les assiège, poursuivent imperturbables des travaux dont l'art seul est le but.

Cependant l'évolution des principes et du goût s'accélère. En fermant les salons et les collèges, en dispersant la société polie, la Révolution libère les écrivains des conventions et des élégances mondaines, affaiblit le classicisme, dont le monde et les collèges étaient les principaux soutiens. Déjà paraissent les premières œuvres d'illustres écrivains, dont le génie rayonnera à l'aurore d'un siècle, d'un monde et d'un art nouveaux. *Candide* s'estompe; on voit poindre *Atala*.

I. — L'ÉLOQUENCE ET LE JOURNALISME.

La chute de l'absolutisme, l'instauration du régime parlementaire et la proclamation de la liberté de la presse ont, dans l'histoire littéraire, des effets considérables : l'éloquence politique renaît, le journalisme se développe.

1° L'éloquence politique.

Depuis 1614, l'éloquence politique se taisait, et ce silence pesait aux descendants des Gaulois, dont le vieux Caton signalait déjà le goût pour la discussion. Les remontrances des Parlements, les libelles, les chansons, les *Mémoires*, les ouvrages doctrinaux ou déclamatoires n'étaient que de vains palliatifs d'un état de choses amèrement ressenti. Les Etats Généraux mettent fin à ce mutisme, et, pendant dix ans, à la Constituante, à la Législative, à la Convention, aux Anciens et aux Cinq-Cents, des orateurs surgissent, dont certains comptent encore parmi les plus illustres représentants du genre.

Pour expliquer ce brillant essor, il faut joindre aux raisons tirées des institutions et du génie de la race l'ampleur des questions débattues, la tragique grandeur des circonstances, l'âpreté des querelles partisanes, l'exemple de l'Angleterre, dont les Chatam, les Pitt, les Fox, les Sheridan piquent nos députés d'une vive émulation.

Cette éloquence a pourtant ses défauts. Le fond en est peu original : ce n'est qu'un démarquage peu discret de Montesquieu, de Voltaire, de Rousseau, de Diderot, et même de d'Holbach ou de Raynal. La sincérité en est souvent discutable : sans parler des volte-face, qui ne sont pas toujours dues à des convictions successives, il est des développements, des couplets de bravoure, des tirades qui sonnent faux. Enfin la forme date : la rhétorique et ses clichés vieillots, les souvenirs antiques, la jactance emphatique rendent maintenant insupportable la lecture de beaucoup de ces discours, à l'époque aussi vantés qu'efficaces.

Mirabeau. Le premier en date comme en mérite de tous ces orateurs est Mirabeau (1749-1791).

C'est le fils aîné de l'économiste, *l'ami des hommes* au dehors, mais, dans le privé, l'ennemi des siens. Puissamment laid, doué de passions fougueuses, l'âme couturée de vices comme le visage de petite vérole, il mène une jeunesse orageuse, perpétuellement en lutte avec son père, sa mère ou sa femme, accumulant les dettes et les scandales. Pour cela, il passe sept années en prison, à l'île de Ré, au château d'If, au fort de Joux, à Vincennes, où il reste trois ans (1777-1780). Il lit, il médite, il écrit. Entre-temps, il voyage en Suisse, en Hollande, en Allemagne, en Angleterre, l'œil ouvert et l'oreille tendue, amassant des matériaux dont son éloquence profitera. On sait comment, rebuté par la noblesse de Provence, il passe au Tiers, dont il devient le député aux Etats Généraux, et quelle place de premier rang il s'assure, dès le début, dans la vie de l'Assemblée. Hostile à la Cour et au Clergé, mais partisan d'une royauté forte, il se rapproche des souverains, dont il devient le conseiller et le pensionné. Sa popularité commence à baisser, lorsqu'il meurt, victime de ses excès. On lui fait des obsèques nationales, et l'église Sainte-

Geneviève, désaffectée, est transformée en Panthéon pour recevoir
sa dépouille.

Mirabeau est un homme politique de large envergure, car il y
a en lui un homme d'Etat, un manœuvrier, un grand orateur. Il
a des vues arrêtées, l'expérience de l'homme, des connaissances solides,
une étonnante faculté d'assimilation. Il voudrait une révolution
royale, que le monarque accomplirait en s'appuyant, comme ses
ancêtres, sur le peuple. Mais il n'est pas démocrate et, les privilégiés
vaincus, il s'emploie à donner au roi l'autorité nécessaire pour obvier
à la démagogie. C'est un constitutionnel, qui veut balancer les pouvoirs, mais d'une manière différente de Montesquieu. Pour arriver
à ce but, il déploie la finesse, l'habileté diplomatique d'un vieux
routier du parlementarisme, soit au sein de l'Assemblée, soit dans les
tractations de couloirs, soit dans ses rapports secrets avec la Cour.
Tantôt il tranche, tonne et menace, tantôt il patiente, temporise,
biaise, tournant les obstacles qu'il ne peut enlever de front.

Ces vues profondes et cette adresse manœuvrière s'accompagnent
d'une magnique éloquence, dont la passion est la source la plus
constante. Tous ses discours sont remplis de ces mouvements enflam-
més, de ces adjurations pathétiques, de ces invectives et répliques
foudroyantes qui soulèvent une Assemblée ou qui écrasent l'adversaire. Il sait l'art de la période solidement construite, au rythme
plein, de la phrase à la carrure puissante, aux sonorités habilement
ménagées. Son éloquence peut paraître maintenant un peu gonflée,
un peu théâtrale, un peu farcie d'antique : on ne peut lui contester
d'être substantielle. Ses effets s'appuient sur un fonds solide de
connaissances, qu'il doit à ses études ou à ses secrétaires — Pellenc,
Dumont, Clavière. etc. C'est un théoricien et un *debater* admirables.
Qu'il expose des principes ou qu'il réfute une thèse, c'est toujours
la même logique pressante — avec çà et là, il faut le dire, un grain
de rouerie sophistique — la même habileté à débrouiller un sujet,
à le réduire à l'essentiel, à trouver et à grouper les arguments et
les preuves. Tenu dès ses débuts pour le plus grand des orateurs de
la Constituante, il conserve encore et de loin le premier rang, lorsqu'on le compare à ses collègues et aux membres les plus vantés
des Assemblées qui suivirent.

Barnave.   Après Mirabeau, le seul orateur appartenant à la
          gauche qui mérite d'être mentionné est Barnave
(1761-1793). Sa mémoire est entachée par une grave incartade de
langage : « Le sang qui a coulé était-il donc si pur ? » lui échappa-
t-il de dire après les massacres de Juillet 1789. Mais on doit lui
tenir compte de sa conduite chevaleresque, lors du retour de Varennes,
et du dévouement passionné qu'il montra ensuite à la famille royale
et qui le mena à l'échafaud. Il seconde d'abord Mirabeau, puis se
tourne contre lui, lorsqu'il le voit s'efforçant de freiner la Révolution. Cœur généreux et enthousiaste, il croit aux grandes choses et

aux grands mots, mais rien ne transperce de son ardente conviction dans son éloquence, sobre, dépouillée, austère, dont le seul mouvement, d'ailleurs entraînant, est dû à la progression méthodique, à la marche rectiligne du raisonnement.

Les ennemis de Mirabeau : Cazalès et l'abbé Maury. A ces deux représentants du Tiers s'opposent presque trait pour trait les deux champions de la Droite : Cazalès, l'orateur de la Noblesse, et l'abbé Maury, l'orateur du Clergé. Cazalès (1753-1805), ancien officier de cavalerie, a l'éloquence de son caractère simple et droit. Il ne recourt qu'à la démonstration loyale, et son style net et franc répond exactement à la définition que Fénelon donne de l'orateur idéal : « Il se sert de la parole comme un homme modeste de son habit pour se couvrir. »

L'abbé Maury, dont j'ai déjà parlé, est aussi dissemblable de lui que possible. Il a de très grands dons : une voix sonore, des poumons puissants, une facilité incroyable, un esprit de répartie qui désarçonne, une action impétueuse. Mais il manque de sang-froid et se laisse entraîner à des excès de langage qui lui valent les pénalités prévues par le règlement. Conséquence plus fâcheuse : dans la véhémence de l'action, il perd le fil du raisonnement, et ses discours, dont l'exorde est d'une netteté irréprochable, s'engagent rapidement dans une confusion qui frise l'incohérence. Son style est, cela va de soi, fougueux comme le personnage, sa langue d'une pureté (pour l'époque) que l'on peut citer en modèle.

Les orateurs de la Constituante sont avant tout des théoriciens, des doctrinaires, s'appliquant à exposer didactiquement les principes de la régénération française. Cela ne va pas sans heurts, sans frictions, sans échanges de propos peu amènes. Mais l'atmosphère reste relativement calme. Il en va autrement sous la Législative et sous la Convention. Les événements prennent d'heure en heure plus de gravité, la guerre éclate, la France vit dans une fièvre obsidionale. Mais l'ambition vicie le zèle patriotique; l'éloquence se rabaisse à servir des rivalités de partis, des querelles de personnes : tumulte pitoyable, n'était la mort qui plane sur tous.

Les Girondins. Les Girondins groupent des orateurs de talent, parmi lesquels se détachent Isnard et Vergniaud. Isnard n'est connu que par un seul discours, le *Discours contre l'émigration* (29 novembre 1791), où il accumule les tours, les figures et les recettes de la rhétorique scolaire, mais dont le mouvement emporté et la conviction enthousiaste produisent, de nos jours encore, une vive impression. Avocat brillant, homme de bonne compagnie, indolent et voluptueux, le Bordelais Vergniaud (1759-1793) commence par flatter assez bassement le peuple, mais les événements le font réfléchir, et il se reprend vite. Il combat la Commune de Paris, prêche la concorde devant le danger extérieur, s'attaque à Robespierre, soutient la nécessité d'un appel au peuple dans le jugement de Louis XVI. Lorsqu'on l'accuse de modérantisme avec tout son parti, il se défend dans un plaidoyer qui est un chef-d'œuvre de netteté, d'ironie méprisante et d'ardeur. Muni de connaissances solides, animé d'un vibrant patriotisme, doué d'une imagination féconde, qui lui suggère en foule les images, Vergniaud est certainement, après Mirabeau, le plus grand orateur des Assemblées révolutionnaires.

Danton et Robespierre. C'est par les petits côtés que Danton (1759-1794) rappelle le tribun de la Constituante. Il en a la hideur, la carrure, les appétits, le cynisme, et il y ajoute la vulgarité. C'est un beau parleur de carrefour, que son aplomb, servi par les circonstances, juche à la tribune et au ministère, où il tripote sans vergogne. Son éloquence est débraillée comme sa personne. La bouffissure et la platitude, les couleurs criardes et la grisaille, la colère et la sensiblerie s'y mêlent dans une singulière confusion. Mais il a la flamme, l'élan, la vigueur, le don de la formule et du mot qui porte — il en fait jusque sur l'échafaud — et ses scories se dorent de paillettes que la postérité a pieusement recueillies.

Tout autre est le talent oratoire de son implacable ennemi, Robespierre. Ce Lycurgue dameret, incorruptible et continent, apporte à sa parole le même soin qu'à sa toilette et la glace de la même austérité dont il revêt sa vie. Disciple de Rousseau, il n'emprunte pas seulement à son maître des idées qu'il étrique, il s'efforce de reproduire ses qualités, mais le génie lui manque et il copie surtout ses défauts. De là cette érudition pédantesque, cette emphase déclamatoire, cette fausse sentimentalité, cette hypocrisie pateline qui fait grincer, lorsqu'on lit ses discours, même les meilleurs, comme son réquisitoire contre les Girondins ou son apologie dans la séance qui vit sa chute. Et contre cela ne sauraient prévaloir ni la composition si nette, ni l'argumentation pressante et insidieuse, ni le rythme vif et nerveux, ni les accents d'une terrifiante âpreté.

2° Le journalisme.

Déjà, à la fin de l'Ancien Régime, les journaux, on l'a vu, se multipliaient de plus en plus. Dès que la Révolution commence, c'est presque chaque jour que des feuilles éclosent, dont la plupart jonchent rapidement le sol. A quoi servirait-il d'énumérer toutes ces éphémères ? Mieux vaut s'en tenir aux principales, qui ont duré au moins quelque temps et qui restent connues à des titres divers. Les royalistes disposent entre autres de deux journaux où ils

Portrait du Conventionnel DANTON

Portrait du Journaliste Camille DESMOULINS

déversent leurs illusions, leurs colères et leurs menaces inopérantes. Le premier et le plus célèbre, les *Actes des apôtres*, a pour collaborateurs Rivarol, Champcenetz, Montlosier et Mirabeau-Tonneau, le cadet adipeux de l'illustre orateur, qui ne le cèdent pas en violence aux plus forcenés de leurs adversaires et qui se figurent par des facéties et des épigrammes répondre pertinemment « à des arguments dont la prémisse était une pique, et la conclusion une lanterne ». Le second, le *Journal de la cour et de la ville*, plus connu sous le nom de *Petit Gautier*, du nom de son principal rédacteur, renchérit encore sur la naïveté politique et sur la méchanceté de son collègue. Il ne voit dans la Révolution qu'une Fronde tumultueuse, se gausse en prose et en vers des Constituants, prodigue libéralement les bons mots et les insultes, qu'il entremêle de souhaits charitables, comme celui de « régénérer la France dans un bain de sang ».

Dans le camp révolutionnaire, je ne puis me dispenser de citer l'*Ami du peuple* de Marat et le *Père Duchesne* de Hébert, dont la triste réputation est assez connue pour que je n'insiste pas. Les *Révolutions de Paris*, de Prud'homme, comptent dans leur rédaction un bon journaliste, de Loustalot (1762-1790), ardent propagandiste des idées nouvelles, mais probe, désintéressé, ennemi des excès, sachant respecter les ennemis de ses convictions. Toutefois ni ce journal ni cet écrivain, honnête sans plus, ne sauraient être comparés au *Vieux Cordelier* et à son rédacteur, Camille Desmoulins (1760-1794). Après les débuts tapageurs que l'on sait, Desmoulins se lie avec Danton, le suit comme secrétaire général au ministère de la Justice, adopte sa politique modérée et ne cesse d'attaquer Robespierre. Il partage le sort de son chef de file et meurt avec lui sur l'échafaud, après une agonie morale dont sa dernière lettre à sa chère Lucile nous apporte le déchirant témoignage. Le *Vieux Cordelier* ne mérite guère son nom, car il n'a guère vécu, mais ses quelques numéros ont suffi à son rédacteur pour affirmer un vigoureux talent de polémiste. Il ne faut demander à Camille Desmoulins ni pensée nette ni logique serrée, mais il a l'ironie, l'éloquence, la conviction ardente et honorable du combattant qui n'a fait la guerre que pour avoir une paix victorieuse et qui, le triomphe assuré, répugne à continuer une lutte désormais inutile et n'aspire qu'à goûter le repos dans les joies calmes du foyer.

Il ne me reste plus qu'à énumérer quelques journalistes de carrière ou d'occasion : Suleau, l'intrépide défenseur de la royauté, qui paya ses audaces d'une mort horrible, au 10 août; Mallet du Pan, l'intérimaire de Linguet, qui combat avec autant d'esprit que de profondeur la Révolution au *Mercure de France* et au *Mercure Britannique*; André Chénier, qui se révèle, au *Journal de Paris*, aussi doué pour l'éloquence qu'il l'était pour la poésie, par ses articles clairvoyants et chaleureux, où il défend les idées modérées.

II. — LES MÉMOIRES; LE ROMAN.

Les Mémoires. Les époques de grands bouleversements sont peu propices au genre historique : on ne songe guère à écrire l'histoire, lorsqu'on est occupé à la faire. Aussi, de 1789 à 1800, ne rencontre-t-on aucun ouvrage de ce genre digne d'être mentionné. Mais les événements grandioses qui se déroulent, certains veulent les consigner par écrit et rédigent un *Journal* ou des *Mémoires,* accumulant des informations, dont les historiens futurs tireront parti.

Les dix années de la Révolution ont produit une foule de documents de ce genre, mais presque tous n'ont été édités que fort longtemps après les faits qu'ils relatent. Du petit nombre de ceux qui ont vu le jour à cette époque, il n'en est qu'un dont la valeur littéraire soit réelle, les *Mémoires* de Mme Roland.

Marie-Jeanne, dite Manon Phlipon (1754-1793), est la fille de petits bourgeois parisiens, qui habitaient à la pointe occidentale de la Cité. Dès l'enfance, elle révèle une nature énergique, intelligente et sensible. Elle traverse une crise de mysticisme, puis se lance dans les lectures les plus hétéroclites, qui produisent leur effet habituel : à vingt ans, elle est athée et républicaine. Jolie, gaie, spirituelle, musicienne, artiste, elle attire les prétendants, mais ce n'est qu'à vingt-six ans qu'elle épouse un honnête, froid et plat fonctionnaire, Roland de la Plâtrière, plus âgé qu'elle de vingt ans. Elle connaît alors quelques années de calme bonheur, uniquement consacrées à son mari et à sa fille. Mais la Révolution éclate : Mme Roland s'y jette avec fougue. Elle a un salon politique, anime le parti de la Gironde et triomphe un moment, sans retenue, lorsqu'elle a poussé son mari au Ministère. Les massacres de Septembre la dégrisent, et elle se tourne avec violence contre Danton et Robespierre. On sait la fin de cette vie brûlée de passion : incarcérée avec les Girondins, Mme Roland meurt sur l'échafaud virilement et redonnant le courage à l'un de ses compagnons de charrette (8 novembre 1793).

L'impression que l'on éprouve à la lecture de ses *Mémoires* est assez mélangée. Le portrait de l'héroïne attire et repousse tout à la fois. C'est qu'il y a deux êtres dans Mme Roland — la femme spontanée, libre d'allures (trop même parfois), spirituelle, rêveuse et tendre — et l'Egérie, calculatrice, vaniteuse, vindicative, tout en poses et en attitudes : disciple de Rousseau, Mme Roland n'a que trop bien retenu la leçon de son maître. Le récit présente le même amalgame de qualités et de défauts. Les *Mémoires* contiennent nombre de scènes pleines de fraîcheur, d'anecdotes vivement contées, de portraits lestement enlevés, de couplets lyriques, où résonne l'écho de la voix du promeneur solitaire. Mais on y relève trop d'apostrophes et de déclamations ambitieuses. Le style entasse les disparates. Tantôt souple et d'un naturel qui glisse à la familiarité et à l'incorrection, tantôt solennel, emphatique et gourmé, il présente une mixture singulière d'académisme et de trivialité. Tout compte fait, ces *Mémoires* sont un document historique et humain d'un intérêt très vif. Quant à leur auteur, il est permis de ne pas l'aimer, mais on ne peut refuser l'estime à cette Philaminte politicienne, hautaine et dure dans le bonheur, stoïque et nimbée d'héroïsme dans l'infortune et dans la mort.

Le roman.   Ce sont aussi des documents, mais cette fois d'une valeur d'art plutôt réduite, lorsqu'ils en ont, que les romans publiés à la fin du XVIII⁰ siècle. Ils portent témoignage du bouleversement social qui est en train de s'opérer; ils reflètent le désarroi des intelligences et des cœurs secoués par la tourmente; certains découvrent des veines que le siècle suivant exploitera largement.

Je n'entends point parler, en disant cela, ni des œuvres du sanieux marquis de Sade, ni de celles du polisson Andréa de Nerciat. Le premier relève de la pathologie plus que de la littérature; le second n'est qu'un pâle épigone de Crébillon fils et de Louvet : laissons-les dans « l'Enfer », où les maintient une sage prudence administrative.

Les romanciers dont je vais brièvement traiter sont au nombre de cinq, deux femmes, trois hommes : Mme de Souza et Mme Cottin; Fiévée, Pigault-Lebrun, et Ducray-Duminil.

Mme de Souza (1760-1836) est l'auteur de huit romans, dont la publication s'échelonne de 1793 à 1831. Seuls, les trois premiers — *Adèle de Sénange*, 1793; *Emilie et Alphonse*, 1799; *Charles et Marie*, 1801 — appartiennent à notre période. Ce n'est ni par l'invention ni par le relief des caractères que brille Mme de Souza. Elle n'évite pas non plus complètement la fadeur. Mais elle excelle à faire revivre la société de l'Ancien Régime; elle trace d'une main légère et sûre de charmants portraits d'aristocrates et d'émigrés; elle suit avec une délicate finesse les démarches de l'amour dans une âme de vingt ans. Elle moralise même, avec tact, et les mots ingénieux, les réflexions profondes dont elle enjolive son récit, ne sont pas le moindre agrément de ses pastels aux tons un peu passés.

Mme Cottin (1770-1807) a plus de vigueur. Son âme est déjà romantique. Certaines de ses lettres développent les thèmes que Lamartine reprendra dans ses *Méditations*. Ses romans — *Claire d'Albe*, 1799; *Malvina*, 1801, etc. — sont remplis de ce pathétique macabre, de cette sensibilité morbide qui plairont aux Jeune-France, et glorifient la passion frénétique et divine. Cette médiocre élève de Baculard d'Arnaud ouvre la voie au Dumas d'*Antony* et à la George Sand d'*Indiana* et de *Lélia*.

Fiévée (1767-1839) n'est plus connu — et par combien de personnes ? — que pour son gentil roman, la *Dot de Suzette* (1798). C'est une idylle où l'on voit un gentilhomme épouser, après bien des traverses, la villageoise qu'il aime : la fusion des classes. Cela rappelle *Nanine* et préfigure le *Meunier d'Angibaud*. Cette bluette est assez bien contée, et le style en est agréable.

Pigault-Lebrun (1753-1835) et Ducray-Duminil (1761-1819) sont les vrais créateurs du roman-feuilleton. Le premier égaie de son esprit faubourien et de sa verve canaille les aventures ahurissantes où il plonge ses héros et il rencontre parfois d'heureuses idées dont son petit-fils, E. Augier, tirera parti dans son *Gendre de M. Poirier*. C'est le maître de Paul de Kock. Le second, imitateur de Mme Anne Radcliffe, travaille dans le roman noir. Il est lugubre, terrifiant, emphatique à souhait. Il aura une nombreuse lignée d'auteurs de mélodrames et de romans, et Pixérécourt portera à la scène son *Victor ou l'Enfant de la forêt* (1796) et sa *Cælina ou l'Enfant du mystère* (1798); c'est de lui que procéderont Ducange, Eugène Sue, F. Soulié, et, pour une part de sa production, A. Dumas en personne.

III. — LA PHILOSOPHIE.

Que deviennent cependant, au moment où leurs principes passent dans les faits, les disciples des grands maîtres disparus ? Au début, cela va de soi, tous saluent avec enthousiasme l'accomplissement de leurs vœux. Mais leurs réactions seront bientôt différentes devant le déroulement implacable des événements.

Morellet se ressaisit, dès avant le 14 Juillet, et son attitude hostile provoque la rupture avec ses amis. C'est ce que fait aussi Marmontel, qui n'attend pas les Etats Généraux pour « passer à la réaction » et qui, dénoncé par Marat, se réfugie près d'Evreux, où il se console par la composition de ses *Mémoires*. Raynal patiente jusqu'en 1791 pour exprimer, dans une lettre qu'il adresse au Président de l'Assemblée Nationale et qui fait scandale, sa réprobation de ce qui se passe et le désaveu de ses anciennes erreurs : on ferme les yeux d'ailleurs, et Raynal, traversant la Terreur sans être inquiété, mourra paisiblement en 1796. L'évolution est plus lente chez La Harpe, qui se laisse aller quelque temps à la frénésie révolutionnaire et ne se convertit que sous la menace de l'échafaud : il devient alors farouchement « réactionnaire » et, un moment, sous le Directoire, sera obligé de se cacher. L'envieux Chamfort exulte de l'abaissement des grands, jusqu'au jour où il est emprisonné : il tente de se tuer, mais ne se fait qu'une horrible blessure dont il mourra bientôt (1794). Delisle de Salles attendra jusqu'à 1802 pour se rétracter, et son *Mémoire en faveur de Dieu* lui vaudra les sarcasmes de ses anciens compagnons de lutte.

Mercier, Naigeon, Sylvain Maréchal restent fidèles à eux-mêmes. Retif de la Bretonne se convertit au despotisme populaire, Saint-Lambert au matérialisme égoïste (*Catéchisme universel*, 1798-1801). Quant à Bernardin, auréolé de son intimité avec Rousseau, il s'érige en Mentor de la France nouvelle, accumule rapports sur mémoires, et, toujours quémandeur, toujours charmeur, rafle les bonnes places et les cœurs virginaux.

Les idéologues.   La philosophie est alors représentée par les idéo-logues. On désigne sous ce nom des disciples de Condillac, qui portent comme lui leurs recherches sur l'entendement humain et sur le problème du langage, mais en poussant à l'extrême les conséquences de la doctrine : c'est pour eux vraiment que la psychologie devient une physiologie, et ils expliquent le langage à partir du cri de l'animal. Ils forment une sorte de secte, qui se groupe autour de Mme Helvétius et de Mme de Condorcet. Ils ont leur journal, la *Décade philosophique* (1794-1807), fondé par Gin-guené, qui fait un sort aux écrits de Dupuis, en attendant de criti-quer âprement le *Génie du Christianisme.* Leur esprit d'indépendance leur attirera la haine soupçonneuse de Napoléon. Les principaux d'entre eux sont Cabanis, Destutt de Tracy, et — les seuls qui nous intéressent ici — Volney et Condorcet, auxquels il faut joindre l'érudit Dupuis.

Dupuis. — Successivement professeur de rhétorique, avocat et mathématicien, Dupuis (1742-1809) possède une érudition prodigieuse et collabore assidûment au *Journal des Savants.* Il débute, en 1781, par un *Mémoire sur l'origine des constellations et sur l'explication de la fable par l'astronomie,* germe du grand ouvrage qu'il publie, treize ans plus tard, sous le titre d'*Origine de tous les cultes ou la Religion universelle* (1794, 3 vol. in-4° et 12 vol. in-8°), et dont il donne, en 1798, un *Abrégé* destiné à en étendre la portée. Disciple de Boulanger, Dupuis assigne comme lui aux religions une origine naturiste. Tous les dieux ne sont que des phénomènes de la nature, présentés sous une forme humaine idéalisée. Ainsi Hercule, Bacchus, Osiris sont des noms sous lesquels on adore le soleil. Jésus lui-même, qui naît au solstice d'hiver et ressuscite à l'équinoxe de printemps, figure le même astre, et « son histoire prétendue... n'est qu'une fable solaire ». Ces téméraires spéculations, fruit de la haine anti-religieuse, ont été détruites par une science plus sereine. Elles ont eu du moins le mérite de provoquer un vaste mouvement de recherches érudites et de renouveler de fond en comble l'étude de la mythologie.

Volney. — Constantin-François Chassebœuf, comte de Volney (1757-1820), est aussi un érudit. Célèbre à trente ans par son *Voyage en Syrie et en Egypte* (1787), relation volontairement sèche, mais exacte et précise, d'observations faites pendant trois ans dans ces pays, il met le sceau à sa renommée par la publication des *Ruines de Palmyre* (1791). Il a changé sa manière : autant son premier livre frappe par son aridité scientifique, autant celui-ci étonne par un mélange singulier de sombre imagination et de fanatisme décla-matoire. L'auteur s'y peint, au début, assis sur une colonne abattue,

dans le désert de Syrie, évoquant les villes illustres qui ont jadis
flori dans cette région et dont il ne reste que des débris. Le Génie
des ruines vient interrompre sa méditation et lui enseigner l'art de
rendre l'homme heureux. Suit un défilé de toutes les nations avec
leurs chefs, leurs classes, leurs cultes différents. Une discussion
s'engage sur les mérites de chaque religion, et tous finissent par
conclure que les cultes sont des mensonges, inventés et exploités par
un petit nombre d'hommes astucieux. Cette œuvre bizarre fut célébrée d'enthousiasme à son apparition, mais elle lassa vite les lecteurs,
et je ne sache pas qu'elle en compte aujourd'hui beaucoup. Elle eut
cependant son influence en littérature et lança le thème de la poésie
des ruines, qui fut un temps fort exploité.

Condorcet. — Condorcet, dont on a vu l'enthousiasme pour les
réformes, pousse le zèle jusqu'à se proclamer républicain dans une
France presque entièrement monarchique. Membre de la Convention,
il fait de bon travail à la Commission de l'éducation nationale, mais
il est Girondin. On le proscrit, on le traque, et c'est la fin tragique :
l'humble soupente de Mme Vernet, la fuite chez ses amis Suard,
dont le jardin ne s'ouvre pas, les jours passés dans les carrières,
l'arrestation, le poison absorbé, l'âme qui s'exhale des lèvres où
mousse un peu d'écume. C'est cependant lorsque la mort le frôle,
qu'il rédige dans sa cachette, sans livres, son *Esquisse d'un tableau
des progrès de l'esprit humain*, affirmation d'une foi intrépide dans
les principes dont il est la victime. Sisyphe, les Danaïdes, Condorcet,
le fictif et le réel, symboles pathétiques de l'humanité, acharnée à
relever de ses mains blessées l'édifice d'un bonheur sans cesse abattu.

L'opuscule de Condorcet se divise en dix époques, dont les neuf
premières retracent à grands traits, par masses, les faits saillants de
l'évolution humaine depuis les origines jusqu'à la Révolution. La
dixième est consacrée aux progrès que l'humanité, indéfiniment perfectible, doit fatalement accomplir. Ces progrès se ramènent à trois :
suppression de l'inégalité entre les nations par la disparition des
guerres; diminution, dans un même peuple, des inégalités naturelles
et nécessaires par la simplicité des mœurs, par la fondation de caisses
de retraites et d'épargne, et par l'instruction; perfectionnement réel
de l'homme par la destruction des préjugés et la diffusion des
« lumières », d'où découleront de meilleures lois, de meilleures
mœurs, un meilleur sort.

L'*Esquisse* contient des lacunes et des erreurs fort excusables, vu
les conditions où elle fut composée, et, ce qui est plus grave, des
jugements empreints d'un plat sectarisme. Certaines de ses vues sont
devenues des réalités, d'autres sont en voie d'accomplissement, quelques-unes sont démenties par l'expérience de chaque jour. Il est vrai
que, pour Condorcet, comme pour Turgot, le progrès n'est pas rectiligne, mais suit une ligne brisée, où alternent les périodes d'avance,
de stagnation et de recul. L'âge d'or, qu'il esquisse, sera-t-il jamais ?

Il le croit de toutes ses forces. *Pium desiderium*, dont, hélas ! les
temps que nous vivons ne semblent pas hâter la réalisation.

L'Institut.   L'une des conséquences de la réaction thermi-
dorienne et de la flambée de royalisme qui la
suivit fut le rétablissement d'un certain nombre d'anciennes institutions, que la rigidité jacobine avait jetées bas. On leur donna
simplement d'autres noms, et cela permet maintenant à de candides
esprits d'exalter l'œuvre révolutionnaire : l'Institut est au nombre
de ces fondations, qui ne sont que du vieux remis à neuf. C'est dans
les *Mémoires* de Morellet, qui en fut la cheville ouvrière, qu'il faut
chercher le récit de cette résurrection.

Supprimée par décret du 8 août 1793, l'Académie Française renaît
deux ans après et forme, avec l'Académie de Sculpture et de Peinture, et l'Académie d'Architecture, la troisième et dernière classe
du nouvel Institut. En 1803, l'Institut est divisé en quatre classes,
dont la Langue et la Littérature françaises deviennent la seconde.
En 1816, les anciennes académies reprennent leur nom, sans que
l'Institut cesse pour autant d'exister.

Comme l'Académie à la fin de l'Ancien Régime, l'Institut est la
forteresse de la philosophie. Bernardin s'y fait rabrouer pour avoir
osé parler de Dieu; le même sectarisme haineux préside aux élec-
tions et à l'attribution des prix traditionnels : le *Tableau de la Littérature française* de M.-J. Chénier est représentatif de cet état
d'esprit.

IV. — LA POÉSIE.

Guerre civile, guerre étrangère : ce ne sont point là des circonstances bien favorables à l'épanouissement de la poésie, et ce n'est
qu'une fois la paix retrouvée que, suivant la prophétie de Diderot,
« le laurier d'Apollon refleurira ». Il y a cependant encore des
poètes pour chanter malgré les cris de la foule et le fracas des
armes : survivants qui se prolongent, disciples que leur exemple
enflamme.

La poésie suit alors les directions les plus variées.

Les anciens   On continue à écrire des poèmes didactiques, des
genres.   épîtres, des élégies, des badinages plus ou moins
corsés. Delille compose son beau poème *La pitié* (1798). Esménard
(1769-1811) publie dans le *Mercure* des fragments de sa *Navigation*,
qui ne paraîtra en entier qu'en 1805. Arnault (1766-1834) lit dans
les salons ses *Fables* caustiques, car pour lui, « la fable n'est qu'une
épigramme mise en action et traduite en emblème ». Vigée (1768-
1820), Dorat-Cubières (1752-1820), le chevalier de Boufflers (1737-
1815), Philippe (1753-1830) et Joseph de Ségur (1756-1805) continuent à exploiter la veine de la poésie spirituelle et galante, vaguement

teintée de sentiment. Parny publie sa *Guerre des dieux* (1799),
œuvre de talent, mais mauvaise action, où, pendant douze chants,
son imagination licencieuse et sa haine sectaire outragent sans répit
la religion catholique. Que n'a-t-il supprimé ce « bâtard de la
Pucelle », comme il a fait les dix-huit chants de ses *Amours des
reines et des régentes de France* ! Loin de là : l'inventaire dressé après
son décès fait état d'une version, développée en vingt-quatre chants,
de cette œuvre dégradante. Ses disciples, du moins, ne l'imitent pas
en ce domaine, et se contentent de soupirer des élégies plaintives
à souhait. A quoi bon accumuler les noms et qu'importe, sinon
aux fureteurs, qu'il ait existé un Deguerle, un Duault et même
une Mme Verdier — me pardonne G. Legouvé (1764-1812), l'auteur du *Mérite des femmes* ! — qui compose trois poèmes élégiaques
(*Souvenirs, Sépulture, Mélancolie*), dans la note de semi-romantisme
particulière à Fontanes !

Les thèmes   Il vaut mieux signaler les éléments nouveaux qui
nouveaux.   pénètrent alors la poésie. C'est à ce moment que
les *poètes du Nord* s'imposent définitivement au public français.
Ossian surtout est à la mode : l'accord est si étroit entre les paysages
tourmentés, la sentimentalité rêveuse et la philosophie désabusée
du barde gaélique et les âmes secouées par la Révolution ! Les articles
sur lui se multiplient. Laya le vante dans les *Veillées des Muses*,
Andrieux dans la *Décade philosophique*. Coupigny, Amaury, Duval,
M.-J. Chénier en versifient des fragments. Des poèmes d'Arnault, de
Michaut (*Printemps d'un proscrit*) révèlent nettement son influence.
Parny, dans *Isnel et Asléga*, Campenon, dans ses *Elysées*, s'en inspirent, tout en y associant le monde scandinave. Bonaparte l'adopte,
Mme de Staël l'oppose à Homère, Baour-Lormian le consacre défi-
nitivement par sa traduction tour à tour emphatique et chantante
(1801).

C'est aussi à ce moment que se constitue le *genre troubadour*,
reconstitution très approximative d'un Moyen Age de fantaisie, avec
ses châteaux forts, ses princesses sentimentales et malheureuses, ses
pages ou ses chevaliers héroïques et courtois. Il a disparu un moment
dans la tourmente révolutionnaire. Et voici qu'il reparaît, procurant, en même temps qu'Ossian, aux imaginations accablées par la
vie l'évasion souhaitée. Les émigrés sont pour beaucoup dans cette
vogue, mais l'*Almanach des Muses,* en 1793, publie déjà des romances
en style troubadour; on en trouve aussi dans la *Décade philosophique,*
sous le Directoire. Toutefois, c'est seulement sous le Consulat et
l'Empire que le genre atteindra à son apogée.

Les hymnes   Tout cela est intéressant sans doute, mais ne peut
patriotiques.   guère passionner que les érudits et les historiens des
mœurs. La vraie poésie, c'est dans les chants révolutionnaires qu'elle
jaillit, expression de l'indépendance farouche et de la fierté indomp-

table de notre pays. La *Marseillaise* et le *Chant du Départ* ont beau sacrifier à la rhétorique du temps : elles restent de belles choses. L'une, comme on l'a dit, est un « pas de charge », lancé gosier hurlant, yeux brûlés d'enthousiasme, et Rude l'a magnifiquement interprétée dans son groupe admirable de l'Arc de Triomphe. L'autre, plus apaisé, unit à un dernier grondement de menace l'allégresse pimpante de la victoire : il fait songer à un ex-garde française, devenu grognard de Raffet, qui chanterait sa joie, tête levée, lèvre railleuse, les dents mordillant une rose.

V. — LE THÉÂTRE.

Le théâtre subit, lui aussi, de plusieurs manières, l'influence des événements qui se déroulent : les salles de spectacle et les pièces se multiplient; les discordes civiles pénètrent au foyer des artistes et les préoccupations politiques envahissent les œuvres; un genre nouveau se crée, pendant scénique du roman populaire : le mélodrame.

1° *La vie théâtrale.*

Deux faits d'inégale importance dominent la vie dramatique de cette époque : la proclamation de la liberté des théâtres et les avatars de la Comédie-Française.

Liberté des théâtres   Le 13 janvier 1791, la Constituante vote une loi qui établit la liberté des théâtres : dorénavant, tout citoyen a le droit « d'élever un théâtre public et d'y faire représenter des pièces de tous les genres ». On n'exige de lui que de faire sa déclaration à la municipalité, de se soumettre à l'inspection des agents municipaux et d'observer les lois et règlements de police. Cette loi a deux effets immédiats : une foule de salles de spectacles ouvrent en dix ans : on n'en compte pas moins de quarante-cinq; et la multiplication des débouchés amène la multiplication des auteurs et des œuvres : mille cinq cents pièces sont représentées pendant le même laps de temps.

La Comédie-Française.   Tandis que l'art dramatique connaît cette éclatante prospérité, la Comédie-Française traverse une crise, où elle risque un moment de sombrer. L'auteur en est Talma, comédien génial, mais personnage vaniteux et fougueux patriote.

A la clôture de Pâques 1791, il provoque un schisme dans la troupe de la Comédie et, suivi de quelques acteurs, qu'il entraîne — *les Rouges* — il installe au Palais-Royal le Théâtre-Français de la rue Richelieu, qui devient bientôt le *Théâtre de la République*. Les comédiens restés fidèles à la maison de Molière — *les Noirs* —

font dès lors figure de suppôts de la réaction. Ils aggravent leur cas en représentant l'*Ami des lois* de Laya (3 janvier 1793) et l'innocente *Paméla* de François de Neufchâteau (1ᵉʳ août 1793), pièces que les purs estiment « peu propres à animer le civisme des citoyens », comme un récent décret de la Convention exige que le soient tous les ouvrages dramatiques. Le 4 septembre, tous les acteurs présents — vingt-six — sont sous les verrous.

On en relâche quelques-uns, qui s'engagent à jouer au Palais-Royal. Mais le cabotin sifflé, Collot d'Herbois, compte se venger en traduisant devant le Tribunal Révolutionnaire les comédiens encore en prison. Heureusement l'employé du Comité de Salut Public qui a la garde des dossiers des détenus, Labussière, est un Parisien, fort amateur de théâtre, et lui-même comédien d'occasion. Il escamote les dossiers, les détruit, et le 9 thermidor arrive avant que le procès puisse être jugé. Les comédiens, et quels comédiens ! Fleury, Dazincourt, Louise et Emilie Contat, Mlle Raucourt et Mme Lange sont sauvés.

Reste à refaire l'ancienne société. Mlle Raucourt s'y emploie avec un zèle que rien ne rebute, mais ce n'est qu'après plusieurs tentatives et grâce à François de Neufchâteau, devenu ministre de l'Intérieur, que *Noirs* et *Rouges* fusionnent à nouveau : la Comédie-Française est reconstituée. Elle abandonne l'Odéon et donne ses représentations dans la salle de la rue Richelieu, qui prend le titre de *Théâtre Français de la République*. La réouverture a lieu le 31 mai 1799. La troupe s'est enrichie, en 1794, d'une recrue particulièrement brillante, Mlle Mars, fille du sociétaire *rouge* Monvel.

2° *Le théâtre politique.*

Que la fièvre qui brûle dans les esprits se soit communiquée au théâtre, il n'y a là rien qui doive surprendre, encore moins indigner. Le culte monarchique ne se célèbre-t-il pas dans les tragédies et les comédies du xviiᵉ siècle ? A temps nouveaux religions nouvelles. Tout ce qu'on peut faire, c'est de regretter que la foi révolutionnaire n'ait eu pour chantre ni un Corneille, ni un Racine, ni un Molière.

Le « zèle patriotique ». Si encore cette foi n'avait pas abusé de l'absurdité ! Mais dans ses manifestations le grotesque le dispute à l'odieux. On « nationalise » les classiques. Don Fernand, le roi bonasse du *Cid*, devient un général républicain au service de l'Espagne. Phèdre épingle une cocarde tricolore à son peplos. Clitandre donne de la « citoyenne » à Célimène, etc. Les productions allient la frénésie à la stupidité. Monvel déclame contre les couvents dans ses *Victimes cloîtrées* (1792); un autre porte à la scène une *Nourrice républicaine;* la phraséologie des clubs ruisselle dans toutes les pièces. Dans ce concours d'un nouveau genre, la palme revient sans conteste à Sylvain Maréchal, auteur du *Jugement dernier des rois* (1794). Il montre les rois de l'Europe déportés dans une île déserte, où fume un volcan, et subissant mille avanies, jusqu'au dénouement horrifiant : le volcan fait éruption, la terre tremble, et les tyrans périssent engloutis. Décidément on est fondé à croire que la Révolution a momentanément emporté bien des choses, à voir ce qu'elle avait fait du peuple réputé entre tous pour son bon sens, son esprit et sa sociabilité.

La tragédie   Philosophique depuis trente ans et plus, la tragédie
« *nationale* ».   n'eut qu'à hausser un peu le ton pour se mettre au diapason voulu. C'est ce qu'elle fit avec M.-J. Chénier (1764-1811). Cadet d'André par le talent comme par la naissance, il n'est cependant pas un écrivain méprisable. Il débute par deux tragédies à sujet médiéval, et se fait outrageusement siffler. Cela, et les grondements qui annoncent la Révolution le détournent du Moyen Age. Il écrit son *Charles IX*, diatribe contre les rois, il a la joie de le voir interdire par Bailly, premier maire de Paris — quelle réclame ! — la joie, plus grande encore, de le voir représenter (4 novembre 1789). C'est un triomphe, et un brave spectateur, le citoyen Maumené, s'écrie dans son enthousiasme : « Cette pièce est l'*Ecole des Rois* ! » Chénier s'empare du mot et le met en sous-titre à sa tragédie, avec laquelle il se vante d'avoir créé la tragédie *nationale* : il oubliait Voltaire, de Belloy et quelques autres dont j'ai parlé plus haut. L'ouvrage n'est pas bon. Point d'action; seule, une scène fait quelque effet, et Scribe s'en est inspiré pour la « bénédiction des poignards » de ses *Huguenots*. Toute la pièce est en discours furibonds ou prêcheurs, qui agitent cette question : « Faut-il tuer les protestants ? » Sénèque le père eût été ravi de cette *controversia* dialoguée. Catherine de Médicis, Henri de Guise et le Cardinal de Lorraine sont pour le massacre; Henri de Navarre, L'Hospital et Coligny (!) s'y opposent. Singulière idée que de faire participer à cette discussion et le Béarnais et l'Amiral, un peu bien intéressés à la chose ! Mais, à défaut de vie et de vraisemblance, la tragédie a d'indéniables qualités de style : du nerf, de la vigueur, une réelle habileté à frapper la sentence.

Chénier ne connut plus de succès semblable. Son *Henry VIII* (1791), malgré la touchante figure d'Anne de Boleyn, son ennuyeux et larmoyant *Calas* (1792), son *Caïus Gracchus* (1792) — dont on ignore souvent qu'il contient l'hémistiche fameux : *Des lois et non du sang !* — son *Fénelon* (1793), qui déforme à plaisir en philosophe déiste, sensible et républicain la vraie figure du pieux et aristocrate archevêque de Cambrai, son *Timoléon* (1794), interdit par Robespierre qui s'y crut visé, ne sont plus maintenant que des documents, auxquels l'historien des Lettres est seul à s'intéresser. Chénier a laissé encore d'autres tragédies, qu'il ne porta pas à la scène. La meilleure est *Tibère;* c'est aussi son chef-d'œuvre : le caractère cauteleux de l'empereur y est fortement dessiné, et le style est encore supérieur à celui de *Charles IX*.

3° *Autres tragédies.*

La tragédie ne s'alimente pas seulement aux passions de l'époque. Si elle est, avec Chénier, l'écho des clubs et des Assemblées, elle est aussi le reflet des tendances de la société, qui se montre également curieuse d'antiquité, de Moyen Age et d'Ossianisme. Trois poètes se partagent la faveur du public : Arnault, Népomucène Lemercier, G. Legouvé. On ne les joue plus depuis longtemps, et il suffira d'en parler rapidement.

Arnault (1766-1834) emprunte aux trois sources avec un égal succès : son *Marius à Minturnes* (1791) va aux nues; son *Oscar* (fils d'Ossian) séduit par sa couleur mélancolique, et *Blanche et Moncassin ou Les Vénitiens* (1798) soulève de chaleureux applaudissements. Arnault est un dramaturge habile; il y a du mouvement, des scènes bien amenées, du pathétique dans ses pièces; mais il écrit faiblement.

Népomucène Lemercier (1771-1840), esprit original et vigoureux, romantique par certains côtés, mais trop respectueux des règles, coule dans le moule traditionnel des sujets qu'il tire de la Bible ou de l'Antiquité. Bien lui en prend, car on le fête : son *Lévite d'Ephraïm* (1795) est bien accueilli, et son *Agamemnon* (1797) connaît un véritable triomphe.

Gabriel Legouvé (1764-1812) a moins de talent que ses deux concurrents, et ce que l'on peut dire de mieux à son sujet, c'est que sa *Mort d'Abel* (1793) et surtout son *Epicharis et Néron* (1794) contiennent des scènes qui se laissent lire.

4° *La comédie.*

La comédie passe aussi par une crise de rougeole politique, mais elle retrouve assez vite la santé, et elle produit des œuvres qui gardent de l'intérêt, souvent par l'actualité littéraire, toujours par leur valeur de document. Même un jeune auteur s'y essaie, Picard, que ses comédies postérieures permettent d'égaler à Dancourt.

Ne revenons pas sur la *Nourrice républicaine*, les *Victimes cloîtrées* et autres niaiseries du même acabit, et passons en revue les auteurs à succès.

Collin d'Harleville. C'est d'abord Collin d'Harleville, dont le *Vieux Célibataire* (1792) n'est pas très habilement intrigué, mais dont le sujet est heureux, les deux caractères principaux bien tracés, le style — réserve faite de la tirade démocratique

de rigueur — coulant et fin. Hélas ! C'est le chant du cygne de
l'aimable Collin, que le succès fuira désormais.

Fabre   Fabre d'Eglantine (1755-1794), l'auteur d'*Il
d'Eglantine.   pleut, bergère*, a voulu s'élever jusqu'au grand art
et a donné à la scène une comédie en cinq actes et en vers, le *Philinte de Molière* ou la *Suite du Misanthrope* (1790). Il y prétend
corriger notre grand comique en s'inspirant de Rousseau. Son Philinte est en effet d'un égoïsme révoltant : il excuse, approuve même
une escroquerie qu'il croit dirigée contre un tiers et, lorsqu'il
apprend qu'il en est lui-même la victime, il se livre à la plus violente fureur. Cette « comédie » ne mérite guère son nom, car elle
ne fait pas beaucoup rire; le style a par moments de la force, mais
de la dureté le plus souvent; l'intrigue n'est pas sans adresse.

Picard.   Louis-Benoît Picard (1769-1828), ami d'Andrieux, est un brillant successeur de Beaumar-
chais, et il annonce Scribe. Comme ce dernier, il débute d'une façon
malheureuse, puis donne dans le républicanisme (il va jusqu'à faire
collaborer Robespierre et Barrère à son dialogue !) et dans l'anticléricalisme le plus outrancier. Les temps changent, il s'assagit, délaisse
la politique et se tourne vers la comédie de mœurs, où il excellera.
Dès lors, c'est la confusion bigarrée de la société nouvelle, avec ses
transferts de fortune, sa frénésie de jouissance, sa folie de l'agiotage
qu'il s'amuse à observer et à peindre. Le siècle ne sera pas terminé
qu'il aura déjà donné quatre comédies très remarquables, dont une
même, *Médiocre et rampant* (1797), est une manière de chef-
d'œuvre.

Picard est avant tout un auteur gai. Peu original dans ses sujets,
qu'il emprunte à Molière, au théâtre anglais, à une aventure, à une
anecdote, peu soucieux de trouver de nouveaux ressorts comiques,
il a recours à la méprise, au quiproquo, à la charge. Et malgré tout
son observation est si juste, son dialogue si naturel que son théâtre
reproduit l'accent et la couleur de la vie. Un juge sévère, comme
Villemain, a dit de lui qu'il avait donné, sinon l'histoire, au moins le
journal de son époque.

N. Lemercier.   Ce n'est point par son *Tartuffe révolutionnaire*
(1795), en trois actes, ni par sa *Prude* (1797), en
cinq actes et en vers, quelque succès qu'ils aient obtenu, que Lemercier marque dans l'histoire de la comédie. C'est parce qu'il est
l'inventeur d'un genre nouveau : la *comédie historique*. Résultat
d'un pari et composé en vingt-deux jours, *Pinto ou la journée d'une
conspiration* inaugure un genre, que Scribe et A. Dumas père,
trente ans après, porteront à son plus haut degré de perfection. On
y voit une espèce de Figaro politique, *Pinto*, homme riche d'aplomb
et fécond en expédients, au centre de la conspiration qui chassa les

Espagnols du Portugal, en 1640 et donna le trône à la maison de
Bragance. Si j'ose dire mon sentiment, la pièce n'a point d'autre
intérêt que d'inaugurer une nouvelle forme dramatique. L'intrigue
est vaudevillesque, la « philosophie » est celle du Voltaire pyrrho-
nien de l'histoire, pour qui de petites causes amènent de grands
effets, le style plat et terne, ou emphatique et faussement chaleureux : *Pinto* est loin du *Verre d'eau* ou de *Mademoiselle de Belle-
Isle*.

**Autres
succès.**
Bien d'autres pièces seraient encore à tirer de la
foule des comédies de l'époque, qui ont dû leur
succès soit aux circonstances, soit à leurs réelles qualités dramatiques.
Bornons-nous à mentionner le *Réveil d'Epiménide* (1790), en un
acte et en vers, de Flin des Oliviers, apologie de la monarchie
constitutionnelle; *Nicodème dans la lune* (1790), du Cousin Jacques
(pseudonyme du professeur Beffroy de Reigny), malicieuse satire des
hésitations de la cour devant les réformes; *L'Ami des lois* (1793),
de Laya, en trois actes et en vers, pièce bien pâlote, mais courageuse
à l'époque, et qui fut interdite pour ses attaques contre les « faux
patriotes »; — et une petite comédie sans prétention, le *Sourd ou
l'Auberge pleine* (1790), du fantaisiste Desforges, qui n'est pas
exempte du pathos alors en honneur, mais qui peut encore — ou je
m'abuse fort — dérider un moment.

4° Le mélodrame.

C'est pendant la Révolution que prend sa forme définitive un
genre de qualité très inférieure sans doute, mais qui, pendant un
siècle, soulèvera l'enthousiasme populaire et qui entrera dans la formation du drame romantique : le *mélodrame*. Il est certain que le
mélodrame se rattache au drame bourgeois de Diderot, Sedaine et
Mercier, dont il semble être la charge grossière. Mais ses véritables
origines, comme l'a péremptoirement démontré M. Pitou, doivent
être cherchées dans l'évolution de la pantomime.
La pantomime était un spectacle destiné à la foule; les acteurs,
à qui les privilèges des théâtres officiels interdisaient de parler et
de chanter, s'exprimaient par gestes; pour compenser, la mise en
scène était fastueuse et ravissait par les artifices de sa machinerie
le populaire émerveillé; la danse et la musique ajoutaient leur prestige. Deux théâtres, à Paris, représentaient ces sortes de pièces, celui
de Nicolet et l'*Ambigu* d'Audinet. A partir de 1768 environ, la
pantomime, par empiétements successifs ou par emprunts, finit par
s'assimiler les éléments des autres genres dramatiques. Le dialogue
s'y introduisit et y prit une place de plus en plus grande; les sujets
devinrent aussi variés que ceux de la tragédie et du drame; l'intrigue, au début sacrifiée à la mise en scène, se fit plus fournie et plus

soignée; les éléments d'intérêt se diversifièrent : la pantomime
recourut aux diableries, aux brigands, à la philosophie anticléricale
et sensible, à l'actualité. Mais, tout en s'enrichissant ainsi, elle conserva ses moyens de plaire particuliers, et, vers 1797, le mélodrame,
après une lente transformation de trente ans, fut constitué, tel
qu'il devait demeurer jusqu'à l'aurore du xxᵉ siècle, moment où il
disparut.

Le mélodrame se sert, pour émouvoir, de thèmes invariables : la
reconnaissance et l'innocence persécutée. L'intrigue, très touffue,
fait se heurter l'amour et la cruauté : une jeune fille est enlevée par
un farouche tyran, mais l'héroïsme chevaleresque de son amant la
délivre, non sans peine, et le « traître » est tué : l'esprit de justice
de la foule est ainsi satisfait. Un personnage comique met une note
de gaieté dans ces sombres aventures. Aucune vraisemblance dans
l'action, aucune psychologie, aucun style, mais une succession arbitraire de péripéties, des personnages schématisés, un étonnant
mélange de platitude et d'emphase. Le spectacle en revanche est
d'une ingéniosité et d'une somptuosité inouïes, et cette particularité
influe sur le développement de la mise en scène du Théâtre-Français.

Avant 1802, le grand triomphateur du mélodrame est Guilbert de
Pixérécourt, que l'on surnomme le *Corneille* du boulevard et qui,
prenant ce titre au sérieux, affirmera plus tard, dans la *Préface* de
ses œuvres choisies, que son théâtre est de nature à inspirer la vertu.
Et, mon Dieu ! cela peut se soutenir. A l'époque qui nous occupe,
il a déjà obtenu deux succès des plus vifs avec *Victor ou l'Enfant
de la forêt* (1798) et *Cœlina ou l'Enfant du mystère* (1801). Compte
tenu du temps et de la nature du genre, on comprend la faveur de
ces pièces habilement charpentées et rondement menées, à travers des
coups de théâtre émouvants, vers le dénouement souhaité.

Le mélodrame n'a pas de valeur d'art, il en a une de symbole. Il
est pour le peuple ce que le drame, cinquante ans plus tôt, fut pour
la bourgeoisie : la marque de son élévation et de son importance
dans la vie du pays. Il est de plus, à son humble manière, un précurseur, si l'on admet, avec Vacquerie, que le drame romantique
n'est que le « mélodrame parvenu ». Il s'ajoute aux autres signes
de la transformation littéraire qui est en train de s'accomplir. Ils
semblent alors se multiplier, et les cinq dernières années de cette
époque de travail sont lourdes de fruits à naître. Tous ceux qui
vont marquer de leur empreinte le premier quart du siècle prochain
sont en quelque sorte à pied d'œuvre. En 1796, Bonald donne sa
Théorie du pouvoir politique et religieux dans la société civile. La
même année, Mme de Staël publie *De l'influence des passions sur le
bonheur*, puis, en 1800, son livre *De la littérature*. Chateaubriand
compose son *Génie du christianisme*, et l'année même où *Cœlina*
triomphe est celle aussi où paraît *Atala*.

INDEX ALPHABÉTIQUE

Chamfort, 238, 239, 302, 360, *361*, 365, 404.
Champagne, 251.
Champcenetz (de), 401.
Champigneulles (Thorel de), 225.
Champion (Antoinette), 73.
Chansons de geste, 290.
Chansons madécasses, 286.
Chant du Départ (le), 409.
Chantilly, 375.
Chapelain, 120. 304, 357.
Chardin, 73, 75, 90, 92.
Charles, physicien, 250.
Charles V, 365.
Charles XII, 128, 130,
Charles et Marie, 403.
Charles IX, 411.
Charmettes (les), 143, 144.
Charpentier, 375.
Charrière (Mme de), 352.
Chartreuse de Paris (la), 321.
Chasse (la), 323.
Chastellux (de), 115, 133, 203, 205, 237, 238, 279.
Chatam, 397.
Chateaubriand, 131, 153, 184, 187, 200, 216, 221, 245, 291, 295, 314, 320, 321, 355, 360, 394.
Chateaubrun, 378.
Châteaux en Espagne (les), 390.
Châtelet (Mme du), 75, 124, 135, 246, 250.
Châtiments (les), 137, 310, 337.
Chaulnes (duc de), 250.
Chaumeix (Abraham), 39, 227, 392.
Chaumière indienne (la), 207, 359.
Chénier (André), 7, 278, 281, 288, 291, 296, 300, 301, 303, 313, 324-344, 345, 359, 401.
Chénier (Louis de), 324, 325.
Chénier (Marie-Joseph), 324, 325, 326, 327, 407, 408, 411.
Chenonceaux (Mme de), 175.
Chercheuse d'esprit (la), 390.
Chérubin, 393.
Chesterfield, 133.
Chevrette (la), 147.
Chilpéric, 348.
Chine, 109, 155.
Chinki, 353.
Chinois, 235.
Chiswick, 149.
Choiseul (duc de), 40, 150, 236, 350.
Choiseul (Mme de), 133.
Choiseul (hôtel de), 375.
Choiseul-Gouffier (de), 281.
Choisy (château de), 375.
Choix de poésies, 285.
Christ (le), 108.
Christianisme dévoilé (le), 194, 240.

Christianisme raisonnable (le), 109.
Christianisme sans mystères (le), 109.
Chubb, 109.
Chute d'un ange (la), 212.
Chypre, 324.
Cicéron, 162, 280, 297.
Cid (le), 410.
Cideville (de), 133.
Ciel et terre, 210.
Cimetière marin (le), 321.
Cinq-Cents (les), assemblée, 397.
Cirey, 246, 251, 375.
Cisternay-Dufay (Guillaume de), 246.
Cité du Soleil (la), 243.
Claire d'Albe, 403.
Clairon (Mlle), 238, 308, 365, 373, 380.
Clarens, 165.
Clarisse Harlowe, 165, 285.
Claude Bernard, 257.
Clavière, 398.
Clémence (abbé), 216.
Clémencet (dom), 347.
Clément VIII, 39.
Clément (dom), 347.
Clément, de Dijon, 288, 310, 364.
Cléon, 225.
Cléopâtre, 377.
Clergé, 380, 397.
Clermont (comte de), 375.
Clèves, 103.
Clitandre, 410.
Club de l'Entresol, 251.
Cochin (A.), 240.
Coger, 99.
Collardeau, *312-313*, 316, 317, 318, 322, 383.
Coligny (amiral de), 411.
Colimaçons (les), 126.
Collé, 351, 388.
Collection Académique de Dijon, 253.
Collection des lois et ordonnances, 347.
Collège, art. de d'Alembert, 47.
Collège Louis-le-Grand, 72.
Collin d'Harleville, 316, 389, 390, 412.
Collins, 198.
Collot d'Herbois, 325, 410.
Colportage, 239.
Comédie, 388-395.
Comédie-Française, 373, 374, 388, 409, 410.
Comédie historique, 413.
Comédie lyrique, 390.
Comédie satirique, 390-395.
Comédie-vaudeville, 374.
Comité de Salut public, 110.
Commentaire sur Corneille, 116, 118, 381.
Commentaire sur le livre de Beccaria, 228.

424

DE CANDIDE A ATALA

BIBLIOGRAPHIE

CHAPITRE PREMIER

Outre les ouvrages ou études d'Aubertin, de J. Texte, de G. Lanson, de D. Mornet, d'H. Carré, d'A. Monglond, de P. de Nolhac, cités par M. Chérel, au tome sixième de cette collection, il y aura toujours profit à lire le brillant tableau brossé par Taine dans ses *Origines de la France contemporaine* (t. I) et les œuvres historiques d'Edm. et J. de Goncourt, *La femme au XVIII*e *siècle; Marie-Antoinette.*

I. — Dans la masse des travaux consacrés récemment à cette période, en voici quelques-uns, choisis parmi les plus suggestifs :

P. Gaxotte, *Le Siècle de Louis Quinze* et *La Révolution française,* résumés alertes et nerveux, où ne manquent ni les documents ni les aperçus originaux, Paris (Fayard).

M. Lafuye, *Louis XVI,* impartial, vivant et pittoresque, Paris (Fayard).

St. Zweig, *Marie-Antoinette,* œuvre solide d'un Allemand intelligent, Paris (Grasset).

L. Reynaud, *La démocratie en France,* Paris (Flammarion), 1938, ouvrage largement informé et de lecture attrayante.

B. Faye, *L'esprit révolutionnaire en France et aux Etats-Unis à la fin du XVIII*e *siècle,* Paris (Champion), 1925.

II. — Les ouvrages capitaux sur la préparation intellectuelle et morale de la Révolution sont :

1) celui de D. Mornet, *Les origines intellectuelles de la Révolution française,* Paris (Colin), 1933, vaste enquête, bourrée de faits qu'une ferme intelligence domine et ordonne, et qui trace de l'effervescence des esprits, en France, à la fin de l'Ancien Régime, un tableau brillant et coloré. Certaines conclusions pourtant peuvent être discutées;

2) et celui d'Aug. Viatte, *Les sources occultes du romantisme français,* Paris (Champion), 1928, ouvrage d'une science méticuleuse, pondéré et judicieux.

III. — Sur les aventuriers qui ont foisonné à l'époque, on peut lire :

C. Photiadès, *Les vies du comte de Cagliostro,* Paris (Grasset); P. Lhermier, *La vie mystérieuse du comte de Saint-Germain,* Paris, 1943 (éditions Colbert); St. Zweig, *Casanova* (Attinger).

CHAPITRE II : *L'ENCYCLOPÉDIE*

I. — Éditions :
Encyclopédie ou *Dictionnaire des Arts et des métiers*, par une Société de gens de lettres, 17 vol. in-fol. et 11 vol. de planches, 1771-1772.
L'ouvrage a été refondu sur un autre plan, sous le titre :
Encyclopédie méthodique ou par ordre de matières, par une Société de gens de lettres, 166 vol., Paris, Panckoucke, 1788-1793 et Agasse, 1792-1832.
Des éditions critiques du *Discours préliminaire* ont été données par Picavet, *Paris* (Colin), et par L. Ducros, Paris (Delagrave), 1895. La *Lettre sur le commerce de la librairie* a été rééditée, avec Introduction et commentaire, par Bernard Grasset (B. Grasset), 1917.

II. — Ouvrages à consulter :
1° Sur la situation des gens de lettres :
M. Pellisson, *Les hommes de lettres au XVIII⁰ siècle*, Paris (Colin). 1911 (ouvrage documenté, solide et assez impartial).
M. Roustan, *Les philosophes et la société française au XVIIIᵉ siècle* (alerte et substantiel, très favorable aux philosophes).
F. Rocquain, *L'esprit révolutionnaire avant la Révolution*, Paris (Plon), 1878 (contient un *Appendice* renfermant la liste de tous les livres condamnés de 1715 à 1789).
2° Sur Malesherbes, on consultera toujours avec profit :
F. Brunetière, *Etudes critiques*, IIᵉ série, Paris (Hachette), 1903, et la monographie de Henri Robert, *Malesherbes*, Paris (Flammarion), 1927.
3° Sur la publication de l'*Encyclopédie* :
Jos. Legras, *Diderot et l'Encyclopédie*, Amiens (E. Malfère), 1928 (favorable aux Encyclopédistes; volume de justes proportions, nourri de faits et de documents).
J.-P. Belin, *Le mouvement philosophique de 1748 à 1789*, Paris (Belin), 1913, ouvrage capital, strictement objectif, et *Le commerce clandestin des livres* (même éditeur).
4° Sur l'*Encyclopédie* elle-même, les études essentielles sont celles de :
L. Ducros, *Les Encyclopédistes*, Paris (H. Champion), 1900.
R. Hubert, *Les sciences sociales dans l'Encyclopédie*, Paris (Alcan), 1923.
J. Delvaille, *Essai sur l'histoire de l'idée de progrès jusqu'à la fin du XVIIIᵉ siècle*, Paris (Alcan), 1910.
On aura en outre profit à lire :
D. Mornet, *Les origines intellectuelles de la Révolution française*, Paris (Alcan), 1933.
H. Sée, *Les idées politiques en France au XVIIIᵉ siècle*, Paris (Hachette), 1920.
A. Lichtenberger, *Le socialisme au XVIIIᵉ siècle*, Paris, 1895.

Enfin, on doit naturellement se reporter aux ouvrages de l'époque, qui renferment une mine de précieux renseignements :
Correspondances de d'Alembert, de Diderot et de Voltaire;
Mémoires de d'Argenson, *Journal* de Collé et du duc de Luynes;
Journal de Trévoux et *Nouvelles ecclésiastiques;*
Correspondance littéraire de Grimm;
Mémoires pour servir à l'histoire du jacobinisme, de Barruel, œuvre

postérieure, œuvre de passion, passionnément dénigrée, qui conserve malgré tout une valeur bien supérieure à ce que ses détracteurs prétendent.

CHAPITRE III : *DIDEROT*

I. — *Les manuscrits de Diderot*. Diderot a peu publié de son vivant. Vers la fin de sa vie, il songea à donner une édition complète de ses œuvres, mais ne réalisa pas son projet. Après sa mort, ses manuscrits se dispersèrent et formèrent quatre groupes principaux :

a) le fonds *Grimm*, comprenant les manuscrits donnés pour la *Correspondance* et des copies d'autres œuvres; on ne sait ce qu'ils sont devenus;

b) Le fonds *Vandeul*, constitué par les autographes et les copies que la fille de Diderot, Mme de Vandeul, hérita à la mort de son père : il contient 33 volumes d'inédits, dont la publication a été ajournée par diverses circonstances; cf. sur ce point, H. DIECKMANN, *Le fonds Vandeul et les inédits de Diderot*, 1951;

c) le fonds *Naigeon*, contenant les manuscrits confiés par Diderot à son ami, avant de partir pour la Russie, avec mission de les publier en temps opportun; dispersés en 1820, ils ne furent rachetés qu'en partie par l'éditeur Brière;

d) le fonds *Catherine II*, renfermant les manuscrits achetés par l'impératrice soit à Diderot, soit à Mme de Vandeul et comprenant 32 volumes in-4°.

Au début de ce siècle, on s'est demandé si nous possédions bien le texte authentique de Diderot. M. E. Dupuy avait trouvé un manuscrit du *Paradoxe sur le comédien*, copié par Naigeon et portant des surcharges et des corrections de sa main : il en avait conclu que l'ouvrage était de Naigeon, qui avait imité la manière de Diderot. Le problème s'élargit, et l'on en vint à se poser la question : de qui sont les œuvres de Diderot ? du philosophe ou de son ami ? M. J..Bédier a mis fin à la polémique en prouvant que Naigeon n'avait été qu'un copiste, se servant d'un premier texte, qu'il avait ensuite corrigé à l'aide d'un second, jugé meilleur par lui (*Études critiques*, 1903). — Cf. sur la polémique la *Revue d'histoire littéraire de la France*, juillet-septembre 1902.

II. — Les éditions. 1° *Œuvres séparées*. Diderot a publié lui-même, outre les articles de l'*Encyclopédie*, l'*Essai sur le mérite et la vertu*, 1745; les *Pensées philosophiques*, 1746; les *Bijoux indiscrets*, 1748; la *Lettre sur les aveugles*, 1749; la *Lettre sur les sourds et muets*, 1751; l'*Apologie de l'abbé de Prades* (3ᵉ partie), 1752; les *Pensées sur l'interprétation de la nature*, 1754; le *Fils naturel*, 1757; le *Père de famille*, 1758; l'*Essai sur les règnes de Claude et de Néron*, 1778.

En 1795, paraît le *Salon de 1765*.

en 1796, la *Religieuse; Jacques le Fataliste;* le *Supplément au voyage de Bougainville;* les *Entretiens d'un philosophe avec Mme la Maréchale de ***;*

en 1798, le *Salon de 1767;* en 1813-1814, le *Plan d'une Université pour le Gouvernement de Russie;*

en 1819, le *Salon de 1761* et une partie du *Salon de 1769;*

en 1823, le *Neveu de Rameau*.

En 1830-1831, l'éditeur Paulin donne, en 4 volumes, d'après les manuscrits de Grimm, les *Mémoires de Mme de Vandeul*, la *Correspondance* avec Mlle Volland et avec Falconet, le *Paradoxe sur le comédien*, le *Rêve de d'Alembert*, la *Promenade du sceptique*, etc.

En 1857, paraissent les *Salons de 1763, 1771, 1775, 1781* et le reste du *Salon de 1769*.

Enfin, depuis 1933, M. BABELON a publié, tirés du fonds Vandeul, 3 vol. de *Lettres à Mlle Volland* et 2 vol. de *Correspondance générale.*
2° *Editions collectives.* — a) L'édition *princeps* est celle qu'a donnée Naigeon en 1798 et qui comprend 15 vol. Elle contient beaucoup d'inédits (*Réflexions sur le livre de l'Esprit,* d'HELVÉTIUS; l'*Oiseau blanc, Ceci n'est pas un conte,* etc.), mais elle n'est pas fidèle et exagère les théories de Diderot.
b) *Œuvres de Diderot,* 21 vol. par ASSÉZAT et TOURNEUX, 1875-1879. C'est la meilleure actuellement, mais elle reste défectueuse et incomplète. La chronologie en est incertaine; le texte n'en est pas toujours sûr; un plat sectarisme inspire les notices d'Assézat. Il faudrait y ajouter tout ce que Tourneux, chargé en 1882 de faire l'inventaire du fonds de Catherine II, a rapporté de Pétersbourg et dont il a donné l'essentiel dans son *Diderot et Catherine II* et ses *Mélanges philosophiques et historiques de Diderot.* De très nombreux fragments ont été en outre publiés par MM. D'HAUSSONVILLE, MORNET et STROWSKI dans *la Revue du XVIIIe siècle,* le *Temps* ou dans des études sur l'époque.

III. — *Ouvrages sur la vie de Diderot.* 1° Les deux sources essentielles sont les *Mémoires* de NAIGEON (dans l'édition Brière) et les *Mémoires* de Mme DE VANDEUL; mais toutes deux sont suspectes, Naigeon étant fort tendancieux et Mme de Vandeul aveuglée par l'amour filial. — Parmi les documents du temps, il faut signaler les *Mémoires* de Mme D'EPINAY (à utiliser avec précaution, car Diderot y a collaboré), les *Mémoires de* MARMONTEL, plus sûrs, la *Correspondance* de GRIMM, les *Lettres* de Mme DU DEFFAND, de Mme D'EPINAY (notamment les *Lettres à l'abbé Galiani,* publiées par M. Nicolini, 1929), de VOLTAIRE, de ROUSSEAU, de D'HOLBACH, enfin la *Correspondance* de DIDEROT lui-même, et surtout ses *Lettres à Mlle Volland.*
2° Depuis le début de ce siècle, Diderot a été l'objet de nombreuses recherches, qui ont jeté la lumière sur plus d'un point obscur de sa vie, sans en dissiper toutes les ombres. M. le chanoine MARCEL lui a consacré, ainsi qu'à plusieurs membres de sa famille, un certain nombre de monographies : *Le frère de Diderot, Didier-Pierre Diderot,* Langres, 1913; *La mort de Diderot,* Champion, 1925; *Diderot écolier,* Colin, 1927; *Le mariage de Diderot,* 1928 (dont les conclusions du livre sont infirmées par les lettres de Diderot à sa fiancée); *La jeunesse de Diderot, 1732-1743, Mercure de France,* 1929 (dissipe un peu le mystère sur les années obscures de la vie du philosophe). M. P. LEDIEU a donné des précisions sur la famille Volland et sur la liaison de Diderot avec Sophie, dans son *Diderot et Sophie Volland,* Paris, 1925. — On trouvera des détails intéressants sur l'activité du directeur de l'*Encyclopédie* dans l'ouvrage, que nous avons déjà cité, de M. J. LEGRAS, *Diderot et l'Encyclopédie,* Malfère. 1928. — Dans son *Diderot* (Editions de France, 1932), M. A. BILLY a déroulé la vie du philosophe avec autant d'érudition que d'agrément. — G. MOY, *Quatre visages de Diderot,* 1951.

IV. — *Etudes critiques générales.* 1° *En France.* On aura toujours profit à relire les articles pénétrants que SAINTE-BEUVE a écrits sur Diderot dans ses *Premiers Lundis* (I), ses *Portraits littéraires* (I), et ses *Causeries du Lundi* (III), ainsi que les *Etudes sur Diderot,* de BERSOT, 1851. — Le premier tome de la *Fin du XVIIIe siècle* d'E. CARO (1880) contient toute une série d'articles, où la philosophie et la pédagogie du philosophe sont exposées et discutées avec érudition, impartialité et élégance. — E. FAGUET, dans son *XVIIIe siècle,* 1890, se montre, comme toujours, pénétrant et vif, mais sévère. — Les pages de BRUNETIÈRE (*Histoire de la littérature française classique,* III, Paris, 1919) contiennent des vues profondes, mais restreignent fâcheusement l'influence de Diderot sur son époque. — Les ouvrages d'E. SCHERER (1880), J. REINACH

(1894), Ducros (1894), Collignon (1895) et F. Meyer (1923), parus sous le titre commun de *Diderot*, renferment des suggestions intéressantes. — Dans le tome II de ses *Maîtres de la sensibilité française au XVIIIᵉ siècle* (Paris, 1932), M. P. Trahard consacre au philosophe un chapitre oratoire, systématique et dévotieux. — Dans le *Denis Diderot* de M. Hubert Gillot (Paris, 1937), on trouvera une étude solide et fouillée sur l'homme, la philosophie, les idées esthétiques et littéraires. — Enfin M. J. Luc a publié, à la *Librairie des Etudes socialistes internationales*, un ouvrage intitulé *Diderot, l'artiste et le philosophe* (1938), qui fait suite au livre du K. Lupol (voir plus bas), qui est, comme lui, d'inspiration matérialiste et qui contient, avec une étude dont la clarté et la limpidité de style ne sont pas les qualités dominantes, des extraits de différentes œuvres du philosophe (*Miscellanea d'art, Supplément aux pensées philosophiques, Rêve, Plan d'une Université*, etc.).

2° *A l'étranger.* Sa direction de l'*Encyclopédie*, sa collaboration à la *Correspondance* de Grimm, son voyage en Russie et ses rapports avec Catherine II ont de tout temps tourné vers Diderot la curiosité de l'étranger, qui s'est plu à le considérer comme un grand Européen. De nos jours, certains partisans du communisme, hors de nos frontières, tirent Diderot à eux et font de lui le père du matérialisme marxiste. Parmi les travaux, plus ou moins accessibles à un Français, que l'étranger a consacrés à Diderot, je signalerai ceux de Rosenkrantz, *Diderot's Leben und Worke* (2 vol., Leipzig, 1860), qui établit les rapports entre l'œuvre du philosophe et sa vie; de Morley, le célèbre critique anglais, dont le *Diderot as a disciple of English thought* (New York, 1913) montre l'influence de l'Angleterre sur Diderot; les *Etudes sur Denis Diderot* du Suédois J. V. Johannson (traduites par Mme M. Ranson), ouvrage très documenté, où sont étudiés les manuscrits et les éditions du philosophe, et le *Diderot* de J. K. Lupol, professeur à l'Ecole rouge de Moscou (trad. par Y. et V. Feldman, Paris, E.S.S., 1936), qui développe la thèse faisant de Diderot l'ancêtre du communisme.

V. — *Etudes critiques particulières.* 1° *Morale.* Au mémoire déjà vigoureux et plein de promesses que la guerre de 1914 a fauchées, de l'étudiant P. Hermand, *Les idées morales de Diderot* (publié par Lanson, 1923), il faut joindre les articles clairs et objectifs de M. René Hubert, *La morale de Diderot* (dans la *Revue du XVIIIᵉ siècle*, déc. 1914 et avril 1916) et de M. F. Meyer, *Diderot moraliste* (dans la *Revue des cours et conférences*, 1925).

2° *Philosophie et science.* D. Mornet, *Les sciences de la nature au XVIIIᵉ siècle*, Paris (Colin), 1911, *La pensée française au XVIIIᵉ siècle*, id. (1926), 3ᵉ éd., 1932, et *Les origines intellectuelles de la Révolution Française*, id., 1933; P. Janet, *La philosophie de Diderot* (dans la *Nineteenth Century*, avril 1881); J. Pommier, *Diderot avant Vincennes* (dans la *Revue des cours et conférences*, 1938).

3° *Esthétique.* F. Brunetière, *Les Salons de Diderot* (dans la *Revue des Deux Mondes*, 15 mai 1890), article dont la sévérité doit être corrigée par le livre de Ducros, indiqué plus haut; A. Fontaine, *Les doctrines d'art en France de Poussin à Diderot*, Paris, 1909; W. Folkienski, *Entre le classicisme et le romantisme*, Paris, 1925.

4° *Diderot écrivain.* A. Monglond, *Histoire intérieure du préromantisme français*, 2 vol., Grenoble, 1929.

CHAPITRE IV : *VOLTAIRE A FERNEY*

1. *Editions.* — *Lettres de Voltaire à sa nièce*, Paris, 1939. I.-W. Jones, L'*Ingénu* de Voltaire, édition critique avec commentaire, Paris 1936;

— J. Benda, *Dictionnaire philosophique*, 2 vol. Paris (Garnier), 1938; — R. Groos, *Le Siècle de Louis XIV*, Paris (Garnier); *Le Sottisier*, Paris (Garnier). En outre, plusieurs éditions des *Contes* et *Romans* ont été procurées notamment par Th. van Tieghem, 4 vol., Paris (textes français de l'*Association Guillaume Budé*), 1930.

La *Correspondance*, déjà si copieuse, s'est encore enrichie par de toutes récentes publications : *Lettres inédites à Constant d'Hermenches*, présentées par Alf. Roulin, Paris (Buchet-Chastel, Corrêa, 1956); — *Lettres inédites à son imprimeur G. Cramer*, publiées avec introduction et notes par Bernard Gagnebin, Genève (Droz); Lille (Giard), 1952; — *Lettres inédites aux Tronchin*, avec Introduction de B. Gagnebin, 3 vol., in-16, 1950.

T. Besterman a dernièrement publié les « carnets » de Voltaire, mélange piquant de réflexions, boutades, voire, semble-t-il, exercices de style, sous le titre *Voltaire's Notebooks, edited, in large part, for the first time, by T. Besterman*, Genève (Publications de l'Institut et Musée Voltaire), 2 vol., 1952.

Signalons enfin, pour certaines œuvres plus ou moins authentiques de l'écrivain, *Les matinées du roi de Prusse*, avec Introduction par E.-A. Spoli (Paris, Jouaust, 1885); nouvelle édition de Marcel Belvianes, Paris (A. et P. Jarach), 1946; — et les *Mémoires pour servir à la vie de M. de Voltaire, écrits par lui-même, nouvelle édition accompagnée de Notes, Commentaire et d'une étude bio-bibliographique* par Fernand Mitton, Paris (G. Le Prat), 1945.

II. — *Etudes générales*. — Des études portant sur la vie et l'œuvre de l'écrivain, et intitulées *Voltaire*, ont été publiées par A. Maurel, Paris, 1943; André Maurois, Paris, 1935; John Charpentier, Paris (Taillandier), 1939; E. Faguet, t. VII de son *Histoire de la poésie française*. — R. Naves a donné aussi un judicieux *Voltaire, l'homme et l'œuvre*. Il convient enfin de signaler le pénétrant volume d'A. Chérel, *Déceptions et confiances*, Piquot, 1941.

III. — *Etudes particulières*. — Sur l'homme : Ch. Oulmont, *Voltaire en robe de chambre*, Paris, 1936; — G. Pignet, *La vérité sur la vie amoureuse de Voltaire;* — H. Célarié, *M. de Voltaire, Paris* (Colin), 1928; — J. Stern, *Belle et bonne* (la marquise de Villette), Paris, 1938; — R. Pomeau, *La confession et la mort de Voltaire d'après des documents inédits* (*R.H.L. de la France*, juillet-septembre 1955).

2. *Sur le philosophe*, deux excellentes études de J.-R. Carré, *L'Anti-Pascal de Voltaire*, Paris (Boivin), 1935, et la *Consistance de Voltaire* (même édit.), 1938. — R. Pomeau, *La religion de Voltaire* (thèse), 1954.

3. *Sur l'écrivain et le théoricien de l'art* : R. Naves, *Le Goût de Voltaire*, Paris (Garnier), 1938, ouvrage monumental où tout le XVIIIe siècle littéraire revit; et *Voltaire et l'Encyclopédie*, 1938 (sur la collaboration de l'écrivain au fameux *Dictionnaire*).

4. P. Chaponnière a étudié en outre les rapports de Voltaire avec Genève dans son *Voltaire chez les calvinistes*, Paris (Perrin), 1936, et H. Jacoubet, dans ses *Variétés littéraires*, Paris (Belles-Lettres), 1935, a repris une fois de plus l'affaire Calas (l'auteur penche pour l'innocence et s'amuse à mettre en évidence les roueries de Voltaire).

IV. — *Rappel d'ouvrages antérieurs*. — G. Maugras, *Voltaire et J.-J. Rousseau*, Paris (Lévy), 1886; *Voltaire aux Délices et à Ferney (id.)*, 1888; — duc de Broglie, *Voltaire avant et pendant la guerre de Sept Ans*, Paris, 1898; — J.-B. Domecq, *Voltaire*, Tours (Cattier), 1924; — G. Pellissier, *Voltaire philosophe*, Paris, 1905; — L. Treich, *L'esprit de Voltaire* (Gallimard); — E. Bersot, *La Correspondance de Voltaire*, Paris (Pillet).

CHAPITRE V. — JEAN-JACQUES ROUSSEAU

1° Le *Manuel bibliographique* de G. LANSON, Paris (Hachette), 1914, accorde une trentaine de pages à la bibliographie de Jean-Jacques. On doit cependant y ajouter les ouvrages suivants :

Annales de la Société J.-J. Rousseau, Genève, dont chaque volume se termine par une bibliographie.

A. SCHINZ, *Le mouvement rousseauiste du dernier quart de siècle. Essai de bibliographie critique*, in-8°, 1922. — *Bibliographi_ c_ _tique de J.-J. Rousseau dans les cinq dernières années*, 1926.

DU PELOUX, *Répertoire général des ouvrages modernes relatifs au XVIII° siècle français* (1715-1789), Paris (Gründ), in-8°, 1926.

P. TRAHARD, *Les maîtres de la sensibilité française au XVIII° siècle*, t. III, pp. 279-309 (Bibliographie de Rousseau) et t. IV, pp. 334-346.

B. *Editions.* — 1° V.-D. MUSSET-PATHAY, *Œuvres complètes de Rousseau*, 41 vol. in-16, Genève, 1930.

2° *Correspondance générale*, recueillie par Th. Dufour et publiée par P.-P. Plan, Paris (Colin), 20 vol., 1924-1934.

3° *La Nouvelle Héloïse*, édition critique par D. MORNET, Paris (Hachette), 4 vol. (Collection des grands écrivains).

4° *Le Contrat social*, édition Beaulavon, Paris (Alcan); — éditions Dreyfus-Brisac, Paris, 1896; Halbwachs; Bouchardy; de Jouvenel.

5° *Les Confessions*, édition Van Bever, Paris (Crès), 3 vol., Paris, 1927.

6° *Confessions* et *Rêveries du promeneur solitaire*, édit. L. Martin-Chauffier, Paris (N.R.F.), in-8°, 1933.

7° *Lettre sur les spectacles*, édit. critique, Fuchs, Genève, 1948.

8° *La Profession de foi du vicaire savoyard*, éd. critique par P.M. Masson, Paris 1914; éd. G. Beaulavon, Paris 1937.

9° *Les Rêveries du promeneur solitaire*, éd. critique par M. Raymond, Genève, 1948.

10° De nombreux volumes de *Morceaux choisis* de J.-J. ROUSSEAU ont été édités, avec Introduction et Commentaire : D. MORNET, Paris (Didier), 1910; — L. BRUNEL, Paris (Hachette), 1911; BAZAILLAS, Paris (Plon), 2 vol., 1913; L. FLANDRIN, Paris (Hatier), 1927.

C. *Biographie.* — I. Les ouvrages autobiographiques de Rousseau (*Confessions, Dialogues, Rêveries*) ne doivent être, comme on l'a vu, utilisés qu'avec prudence. Leurs allégations doivent être contrôlées et souvent rectifiées à l'aide des écrits de l'époque: *Mémoires* de MORELLET, de MARMONTEL, de Mme d'EPINAY (sur la valeur de ces derniers, cf. Mme F. MACDONALD, *J.-J. Rousseau, a new study in criticism*, Londres, 2 vol., 1906; trad. fr. G. ROTH, Hachette, 1909); *Correspondance* de GRIMM, articles du *Journal de Trévoux* et des *Nouvelles Ecclésiastiques; Lettres* de DIDEROT, de VOLTAIRE, de Mme DU DEFFAND, de Mme DE CHOISEUL, de Mme DE CRÉQUY, etc.; Notice de BERNARDIN DE SAINT-PIERRE, *Sur la vie et les ouvrages de J.-J. Rousseau*, éd. critique : M. SOURIAU, Cornély, 1907. — Cf. sur ce point P.-P. PLAN, *J.-J. Rousseau raconté par les gazettes de son temps*, Paris (Mercure de France), 1912.

II. Depuis le début du XIX° siècle, la vie de Rousseau a été étudiée jusque dans ses moindres détails. Les principaux ouvrages d'ensemble sont :

V.-D. Musset-Pathay, *Histoire de la vie et des ouvrages de J.-J. Rousseau*, Paris (Pélicier), 2 vol. in-8°, 1821.

H. Beaudouin, *La vie et les œuvres de J.-J. Rousseau*, Lamulle et Poisson, 2 vol., 1891.

Saint-Marc-Girardin, *J.-J. Rousseau, sa vie et ses œuvres*, Paris (Carpentier), 2 vol., 1875.

E. Faguet, *La vie de Rousseau*, Paris, 1912.

L. Ducros, *J.-J. Rousseau*, Paris (de Boccard), 3 vol., 1908-1918 (très bien informé, impartial, la meilleure biographie actuelle).

III. Parmi les études particulières, qui traitent de tel ou tel point de la vie de Jean-Jacques, il faut signaler :

a) *Sur la famille et sur la jeunesse*, les nombreux travaux d'E. Ritter : *La famille de J.-J. Rousseau*, Genève, 1878; *La parenté de J.-J. Rousseau*, id., 1902; *La famille et la jeunesse de J.-J. Rousseau*, Paris (Hachette, 1896), etc.

b) *Sur le séjour aux Charmettes*, F. Mugnier : *Mme de Warens et J.-J. Rousseau*, Paris (Lévy), in-8°, 1891 et C.-A. Fusil : *L'Anti-Rousseau ou les égarements du cœur et de l'esprit*, Paris (Plon), in-12, 1925.

c) *Sur l'ambassade à Venise*, A. de Montaigu : *Démêlés du comte de Montaigu et son secrétaire J.-J. Rousseau*, Paris (Plon), in-8°, 1904.

d) *Sur les relations de Rousseau avec ses contemporains*, Streckeisen-Moultou : *J.-J. Rousseau, ses amis et ses ennemis*, Paris (Lévy), 2 vol. in-8°, 1865; G. Desnoireterres : *Voltaire et la société française au XVIII° siècle* (t. V. *Voltaire et Rousseau*); G. Maugras, *Querelles de philosophes : Voltaire et Rousseau*, Paris (Calmann-Lévy), in-8°, 1886; P.-P. Plan, *J.-J. Rousseau et Malesherbes*, Paris (Fischbacher), in-8°, 1912; E. Faguet : *Les amies de Rousseau*, Paris (Boivin), 1912; G. Charlier : *Mme d'Epinay et J.-J. Rousseau*, Bruxelles, in-8°, 1909; E. Ritter : *J.-J. Rousseau et Mme d'Houdetot* (Annales J.-J. Rousseau, 1906, t. II); E. Schérer : *Melchior Grimm*, Paris (Lévy, in-12, 1887; S. Lenel : *Un homme de lettres au XVIII° siècle : Marmontel*, Paris (Hachette), in-8°, 1902; F. Künsler : *Le séjour de J.-J. Rousseau à l'Ermitage*, Soleure, in-8°, 1911; P. Dimoff : *Relations de J.-J. Rousseau avec Duclos* (Mercure de France, 1925).

e) *Sur la paternité de Rousseau*, C. Genoux : *Les enfants de J.-J. Rousseau*, Paris (Serrière), in-12, 1857.

f) *Sur la vie de l'exil à la mort*, F. Berthoud : *J.-J. Rousseau au Val-Travers*, Paris (Fischbacher), in-12, 1881, et *J.-J. Rousseau et le pasteur de Montmollin*, ibid., 1884; A. Metzger : *J.-J. Rousseau, L'île Saint-Pierre*, Lyon, in-8°, 1877; A. Schinz : *La querelle Rousseau-Hume* (Annales J.-J. Rousseau, 1926, t. XVII) et H. Guillemin : *Cette exécrable affaire*, 1943; G. Faure : *J.-J. Rousseau en Dauphiné*, Grenoble, in-12, 1923; E.-R. Foster : *Le dernier séjour de J.-J. Rousseau à Paris*, Paris (Champion), in-8°, 1921; A. Monglond : *Vies préromantiques*, Paris (Presses françaises), in-12, 1925; F. Girardet : *La mort de Rousseau*, 1910; A. Lacassagne : *La mort de J.-J. Rousseau*, Lyon, in-8°, 1913; G. Lenôtre : *Vieilles maisons, vieux papiers*, Paris (Perrin), 4 vol. in-8°, 1910-1917 (4° série : sur Thérèse Levasseur).

g) *Sur la psychologie de Rousseau* les travaux sont innombrables. On pourra consulter entre autres l'étude du docteur Chatelain : *La folie de J.-J. Rousseau*, Neuchâtel, in-12, 1890 et les ouvrages de L. Ducros, précédemment cités (n° 2); — de C.-A. Fusil : *Rousseau juge de Jean-Jacques*, Paris (Plon), in-12, 1925; — de P. Trahard : *Les maîtres de la sensibilité française au XVIII° siècle*, Paris (Boivin), 4 vol. s. d. (t. III); — de L. Proal : *La psychologie de J.-J. Rousseau*, Paris (Alcan), in-8°, 1923; ces deux derniers ouvrages subissent l'influence des théories de Freud.

29

g) *Sur le culte rendu à Rousesau*, cf. C.-A. Fusil : *La contagion sacrée ou J.-J. Rousseau de 1778 à 1820*, Paris (Plon), in-12, 1932.

D. — *Etudes générales*. — Aucune de ces études n'est vraiment impartiale. La personnalité de Rousseau, son opposition à Voltaire, la nature des problèmes qu'il a touchés, la force des passions qu'il a ébranlées, mille raisons empêchent qu'on en puisse parler avec une objectivité pleinement scientifique : malgré qu'on en ait, l'idée qu'on prend de l'écrivain, la position qu'on adopte en religion et en politique influencent plus ou moins le jugement qu'on porte sur lui. Mais, qu'ils montrent de l'indulgence, de la sévérité ou une impartialité relative, les travaux que nous allons citer, en suivant l'ordre chronologique, apportent tous une contribution notable à la connaissance de Rousseau.

1° Au xixᵉ siècle, les critiques lui sont, dans l'ensemble, plutôt sympathiques. Outre les œuvres déjà citées (*Biographie*, 2) de Musset-Pathay et de Saint-Marc-Girardin, je signalerai le *Tableau de la Littérature française de Villemain* (t. II); les articles de Sainte-Beuve (*Causeries du Lundi*, t. II et III; *Nouveaux Lundis*, t. IX), le *Cours familier de littérature* de Lamartine (t. XI), l'*Histoire de la Littérature française au XVIIIᵉ siècle* d'A. Vinet; les *Etudes sur le XVIIIᵉ siècle* de Bersot; *Les origines de la France contemporaine* d'H. Taine (t. I); *La fin du XVIIIᵉ siècle* d'Edme Caro (t. II); les différentes études de F. Brunetière (*Etudes critiques sur l'histoire de la littérature française*, 3ᵉ et 4ᵉ séries; *L'évolution de la poésie lyrique*, t. I : *Etudes sur le XVIIIᵉ siècle; Histoire de la Littérature française*, t. III, le chapitre d'E. Faguet dans son *XVIIIᵉ siècle*, et le livre d'A. Chuquet, *Vie de Rousseau*, Paris (Hachette), in-16, 1893.

2° Mais le siècle n'a pas encore expiré que Rousseau rencontre un adversaire passionné dans la personne de Ch. Maurras, qui, dans l'*Action Française*, petite revue ou journal, combat les « idées genevoises » avec une vigueur et une souplesse de talent auxquelles rendent hommage même ceux qu'il ne convainc pas. La bataille gagne la Sorbonne, avec la thèse violemment antirousseauiste de P. Lasserre, *Le Romantisme français*, Paris, 1907 (réédit. 1919), et le grand public avec les *Conférences* spirituelles et narquoises de Jules Lemaître, *J.-J. Rousseau*, Paris, 1907. Les partisans de Rousseau répliquent. E. Champion donne son *Rousseau et la Révolution française*, Paris (Colin), in-8°, 1909. Trois ans après, lors du centenaire de l'écrivain, une réunion de professeurs publie un *J.-J. Rousseau*, préfacé par G. Lanson (Paris, Alcan, in-8°, 1912) et d'autres lui consacrent un numéro spécial de la *Revue de Métaphysique et de Morale* (t. XX). La même année, E. Faguet honore la mémoire de Rousseau par quatre volumes, alertes et fins, *Les amies de Rousseau, Rousseau penseur, Rousseau artiste, Rousseau contre Molière*, Paris (Boivin), in-12, 1912. En 1913, A. Bazaillas publie son *J.-J. Rousseau*, Paris (Plon), 2 vol., d'une note apaisée mais sympathique à Rousseau.

3° En 1917 paraît le grand ouvrage, hélas ! posthume, de P.-M. Masson, *Rousseau et la restauration religieuse* (3 vol., Paris, Hachette), très favorable au philosophe, qu'il présente comme un apologiste du Christianisme et l'initiateur de Chateaubriand. Le livre est très discuté, à droite comme à gauche. Ch. Maurras reprend ses attaques contre Rousseau (cf. notamment *Dictionnaire politique*, Paris, 1936, et *Mes idées politiques*, Paris, 1938), cependant que le baron Seillère termine le cycle de ses études sur les origines de l'impérialisme sentimental par son *J.-J. Rousseau* (Paris, Garnier, 1927), étude pénétrante et impartiale. C.-A. Fusil lance contre l'idole des démocraties ses trois ouvrages, bourrés de faits et menés au pas de charge, *Rousseau juge de Jean-Jacques, L'Anti-Rousseau* et la *Contagion sacrée* (Paris, Plon, 1923, 1925, 1932). John Charpentier, moins hostile, ne donne pas une bien meilleure idée du philosophe, dans son ouvrage, documenté et critique, *J.-J. Rousseau ou le démocrate par dépit*, Paris (Perrin), 1931. Plus sympathiques, et parfois même délibérément panégyristes sont les livres de L. Ducros (cf. plus haut, *Biographie*, n° 2); de P. Trahard (*id.*, n° 3, *g*); d'A. Monglond, *Histoire intérieure du préromantisme français*, 2 vol., Grenoble (Arthaud), 1929; et de Noëlle Roger, *J.-J. Rousseau, le promeneur solitaire*, Paris (Flammarion), 1934.

E. *Etudes particulières*. — 1° *Sur le système de Rousseau :* G. Lanson a donné une solide étude, *L'unité de la pensée de J.-J. Rousseau*, dans les *Annales J.-J. Rousseau*, 1912. On doit lire aussi les chapitres consacrés à ce sujet par G. Dumesnil dans son ouvrage *L'âme et l'évolution de la littérature des origines à nos jours*, Paris (Boivin), 2 vol., auquel j'ai fait plus d'un emprunt; et les pages substantielles de L. Reynaud dans *Le romantisme*,, Paris (Collin), 1926.

2° *Sur ses idées politiques*, on consultera : R. Hubert, *Les sciences sociales dans l'Encyclopédie*, Paris (Alcan), 1923 et *Rousseau et l'Encyclopédie, Essai sur la formation des idées politiques de Rousseau*, Paris (J. Gamber), 1929; — l'article de Beaulavon, *Le système politique de J.-J. Rousseau* (Revue de Paris, 15 avril 1907); — A. Schinz, *La théorie de la bonté naturelle de l'homme chez Rousseau*, Paris (Hachette), 2 vol., 1914, et *La pensée de J.-J. Rousseau* (Paris, Alcan, 1929); — J. Winderberger, *Essai sur le système de politique étrangère de J.-J. Rousseau*, Paris (Picard), 1899.

3° *Sur ses idées religieuses*, outre l'ouvrage de P.-M. Masson (cf. *Etude générale*, D. 3°), on lira l'étude documentée et curieuse de J.-J. Spink, *J.-J. Rousseau et Genève*, Paris (Boivin), 1934; — le livre d'A. Schinz, *La pensée religieuse de Rousseau et ses récents interprètes*, Paris (Altan), 1928; les pages de A. Dide, dans *Le Protestantisme et la Révolution française*, Paris (1910).

4° *Sur ses idées pédagogiques*, plusieurs ouvrages de valeur ont paru : G. Compayré, *J.-J. Rousseau et l'éducation de la nature*, Paris (Delaplane), 1901; — F. Claparède, *Les idées pédagogiques de J.-J. Rousseau et La conception fonctionnelle de l'enfance*, Paris (Colin), 1912; — F. Vial, *Rousseau éducateur*, Paris (Alcan), 1912 et *La doctrine d'éducation de J.-J. Rousseau*, Paris (Delagrave), 1920.

5° *Sur Rousseau et le théâtre :* A.-A. Pons, *J.-J. Rousseau et le théâtre*, Genève (A. Jullian), 1909; — E. Faguet, *Rousseau et Molière*, Paris (Boivin), 1912; — M. Moffat, *Rousseau et la querelle du théâtre au XVIIIᵉ siècle*, Paris (de Boccard), 1930.

6° *Sur l'influence de Rousseau :* E. Champion, *J.-J. Rousseau et la Révolution française*, Paris (Colin), 1909; — J. Maritain, *J.-J. Rousseau et la pensée moderne*, Louvain, 1922; — Milan I. Markovitch, *J.-J. Rousseau et Tolstoï*, Paris (Champion), 1928; — V. Giraud, *J.-J. Rousseau et les origines morales du romantisme* (Revue des Deux-Mondes, 15 mai 1921).

7° *Sur les sources exotiques de Rousseau :* J. Morel, *Annales Jean-Jacques Rousseau* (V, 119-198) et G. Chinard, *L'Amérique et le rêve exotique dans la littérature française au XVIIᵉ et au XVIIIᵉ siècles*, Paris (Hachette), 1913; 4ᵉ Partie, ch. 1.

8° *Sur son lyrisme et son art :* J. Vianney, *Les grands poètes de la nature en France* (Revue des Cours et Conférences, 15 janvier 1926); — D. Mornet, *Le sentiment de la nature en France de Rousseau à Bernardin de Saint-Pierre*, Paris (Hachette) et *Le romantisme en France au XVIIIᵉ siècle*, Paris (Hachette), 1912; — W. Folkierski, *Entre le classicisme et le romantisme*, Paris (Champion), 1925; — P. Moreau, *Le classicisme des romantiques*, Paris (Plon), 1932; — E. Faguet, *Rousseau artiste*, Paris (Boivin), 1912.

F. — *Autour de Rousseau.* — 1° *Bernardin de Saint-Pierre.* a) *Editions.* Les *Œuvres complètes* de Bernardin ont été publiées très défectueusement par son secrétaire, L.-Aimé MARTIN : *Œuvres complètes,* Paris (P. Dupont), 1826; *Correspondance,* Paris (Ladvocat), 1826; *Œuvres posthumes,* Paris (Lefèvre), 1833.

M. M. SOURIAU a donné d'excellentes éditions critiques des *Harmonies de la nature* (dans les *Mémoires de l'Académie nationale de Caen* (1904) et d'*Emfraël et Zoraïde,* Caen, in-12, 1904). Le lieutenant-colonel LARGEMAIN a publié les *Lettres à Désirée de Pelleport* (*Revue d'Histoire littéraire de la France,* 1903 et 1905) et RUINAT DE GOURNIER la *Correspondance* de Bernardin de Saint-Pierre et Félicité Didot (dans *Amours de philosophe :* Bernardin de Saint-Pierre et Félicité Didot, Paris, Hachette, 1905); SAINTE-BEUVE a donné treize lettres inédites de Bernardin à Duval dans ses *Causeries du Lundi* (VI).

b) *Sur la vie et l'œuvre de Bernardin,* on consultera : Mme Arvède BARINE, *Bernardin de Saint-Pierre,* Paris (Hachette), 1891, et F. MAURY, *Etude sur la vie et les œuvres de Bernardin de Saint-Pierre* (tous les deux avec précaution); les huit articles du lieutenant-colonel LARGEMAIN dans la *Revue d'Histoire littéraire de la France* (1896, 1897, 1899, 1902, 1903, 1905, 1909), l'ouvrage de RUINAT DE GOURNIER cité au paragraphe précédent, ainsi que ceux de M. M. SOURIAU : *Bernardin de Saint-Pierre* d'après ses manuscrits, Paris (Boivin), 1905; *Bernardin de Saint-Pierre, son caractère,* Paris, 1905 et les articles du même critique dans la *Revue des Cours et Conférences* (1898, 1901); — les articles de SAINTE-BEUVE dans les *Portraits Littéraires* (II), les *Critiques et portraits littéraires* (IV), les *Causeries du Lundi* (I et VI)), les *Nouveaux Lundis* (IX); — les études de A. MONGLOND dans l'*Histoire intérieure du préromantisme français,* Grenoble (Arthaud), 2 vol., 1929; de P. TRAHARD, dans les *Maîtres de la sensibilité française au XVIII° siècle,* Paris (Boivin), 1933 (t. IV); de G. LANSON dans les *Etudes d'histoire littéraire,* Paris (Champion), 1930; — et les ouvrages de D. MORNET indiqués à la *Bibliographie* de Rousseau.

On trouve dans le livre de P. TRAHARD une bibliographie détaillée de Bernardin. Cf. aussi Victor GIRAUD, *Le christianisme de Chateaubriand,* t. I, Paris (Hachette), 1925.

2° RETIF DE LA BRETONNE. Pour la bibliographie, se reporter à F. ASSÉZAT, *Les contemporaines mêlées* (t. I). — Pour *Retif philosophe,* consulter le livre de P. TRAHARD et celui d'A. VIATTE, *Les sources occultes du romantisme,* Paris (Champion), 2 vol., 1928 (surtout t. I, pp. 251-262 et t. II, pp. 262-269).

3° *Sur l'illuminisme,* l'ouvrage de base est celui de A. VIATTE. On y pourra ajouter, pour SWEDENBORG, le livre de M. LAMM, Paris (Stock), 1936.

CHAPITRE VI : *COMPAGNONS DE LUTTE*

A. — PHILOSOPHES ET PHYSIOCRATES.

I. — *Ouvrages généraux :*

E. BERSOT, *Etudes sur le XVIII° siècle,* Durand, 1855.

J. BARNI, *Histoire des idées morales et politiques en France au XVIII° siècle,* Germer-Baillière, 1865-1867.

Ch. AUBERTIN, *L'esprit public au XVIII° siècle,* Didier, 1873; 3° éd., 1889.

F. ROCQUAIN, *L'esprit révolutionnaire avant la Révolution,* Plon, 1878.

A. LICHTENBERGER, *Le socialisme au XVIII° siècle,* Alcan, 1895.

A. Espinas, *La philosophie sociale au XVIII⁰ siècle et la Révolution française*, 1898.

M. Roustan, *Les philosophes et la société française au XVIII⁰ siècle*, Hachette, 1906.

J. Delvaille, *Essai sur l'histoire de l'idée de progrès jusqu'à la fin du XVIII⁰ siècle*, Alcan, 1910.

G. Sorel, *Les illusions du progrès*, 2ᵉ éd., 1911, Rivière et Cie.

Belin, *Le mouvement philosophique de 1748 à 1789*, Belin, 1913.

H. Sée, *Les idées politiques en France au XVIII⁰ siècle*, Hachette, 1920.

B. Fay, *L'esprit révolutionnaire en France et aux Etats-Unis à la fin du XVIII⁰ siècle*, Champion, 1924.

A. Monglond, *Histoire intérieure du préromantisme français*, 1929.

E. Carcassonne, *Montesquieu et le problème de la constitution française au XVIII⁰ siècle*, Presses Universitaires, s. d.

D. Mornet, *Les origines intellectuelles de la Révolution française*, Paris (Colin), 1933 (ouvrage capital, celui qui contient le plus de faits et donne le mieux l'impression de l'effervescence intellectuelle qui régna en France, à la fin de l'Ancien Régime). On consultera aussi, du même auteur, deux articles parus dans la *Revue d'histoire littéraire de la France : Les enseignements des bibliothèques privées au XVIII⁰ siècle* (1910) et *Bibliographie d'un certain nombre d'ouvrages philosophiques du XVIII⁰ siècle* (1933).

II. — *Etudes particulières :*

1° Sur *Condillac :* F. Réthoré, *Condillac*, Paris, 1864.

L. Robert, *Les théories logiques de Condillac*, 1869.

A. Lebeau, *Condillac économiste*, 1903.

J. Didier, *Condillac*, 1911.

2° Sur *d'Holbach et sa coterie*, Ph. Damiron, *Mémoires pour servir à l'histoire de la philosophie au XVIII⁰ siècle*, de Ladrange, 3 vol. (I et II, 1858; III, 1864).

L. Béclard, *Séb. Mercier*, 1903.

C.-A. Fusil, *Sylvain Maréchal*, 1937.

3° *Sur les physiocrates*. Le mouvement physiocratique a été étudié par L. de Lavergne, *Les économistes français du XVIII⁰ siècle* (1870) ; G. Gide et C. Rist, *Histoire des doctrines économiques depuis les physiocrates jusqu'à nos jours* (1909) ; G. Weuleresse, *Le mouvement physiocratique en France* (1910).

Y. Guyot, *Quesnay et la physiocratie*, 1896.

G. Schelle, *Le Dr Quesnay, chirurgien-médecin de Mme de Pompadour et de Louis XV, physiocrate*, 1907.

G. Schelle, *Dupont de Nemours et l'Ecole physiocratique*, 1888.

L. et Ch. de Loménie, *Les Mirabeau; nouvelles études sur la société française au XVIII⁰ siècle*, 5 vol. Dentu, 1878 et 1889-1891.

Ripert, *Le marquis de Mirabeau, l'Ami des hommes, ses théories politiques et économiques*, 1901.

4° Les œuvres de *Turgot*, éditées par Dussard et Daire (2 in-8°, 1844), ont été depuis l'objet d'une nouvelle publication par les soins de G. Schelle (Alcan).

Sur cet économiste, on lira avec profit les études composées par Mastier, *La philosophie de Turgot,* 1862; A. Neymarck, *Turgot et ses doctrines*, 1885; L. Say, *Turgot*, Hachette, 1887; G. Schelle, *Turgot*, 1909.

CHAPITRE VII : *LA VICTOIRE DES PHILOSOPHES*

Pour la mêlée philosophique, consulter, outre les ouvrages déjà signalés de D. Mornet, P. Belin, L. Reynaud, A. Viatte, les études d'A. Cochin, *Les sociétés de pensée et la Révolution en Bretagne*, Paris (Plon), 1928, *La Révolution et la libre-pensée* (id.), 1924, et *Les sociétés de pensée et les démocraties modernes* (id.), 1921; et l'œuvre d'H. Sée, précédemment indiquée, VI, A, 1 (Chapitre sur Mably et Condorcet).

II. — 1° *Sur les adversaires des philosophes*, les ouvrages principaux sont ceux d'A. Monod et F. Vigouroux, cités au cours du chapitre.

2° Les différentes *Histoires de l'Eglise* contiennent une étude, généralement insuffisantes, des apologistes : celle de Rohrbacher, la plus ancienne, reste encore sur ce point la plus satisfaisante.

3° Le *Dictionnaire de Théologie* renferme un article un peu succinct, mais solide, sur *N. Bergier*.

4° Les *sermonnaires* ont été étudiés par A. Bernard, dans sa thèse sur le *Sermon au XVIII° siècle*.

5° *Fréron* a trouvé son biographe définitif en la personne du chanoine F. Cournou, auteur d'un *Elie Fréron* remarquable par l'ampleur de l'information, la justesse des vues et l'impartialité (Paris, Quimper, 1922).

6° J. Cruppi, *L'avocat Linguet*, Paris, 1895.

III. — 1° *Sur l'Académie et son envahissement par les philosophes*, se reporter à L. Brunel, *Les philosophes et l'Académie française au XVIII° siècle*, Paris (Hachette), 1884, et A.-René Peter, *Vie secrète de l'Académie française*, t. II et III, Paris (Librairie des Champs-Elysées).

2° *Sur les Salons* : Marmontel, *Mémoires;* Morellet, *Mémoires*, 2 vol.

P. de Ségur, *Le Royaume de la rue Saint-Honoré*, Paris, 1897.

D'Avezac-Lavigne, *La société du baron d'Holbach*, Paris, 1875.

O. d'Haussonville, *Le salon de Mme du Deffand*, Paris.

— *Le salon de Mlle de Lespinasse*, Paris.

— *Le salon de Mme Necker*, Paris, 1882.

C. Photiadès, *La reine des Lanturelus* (Marie-Thérèse Geoffrin, marquise de la Ferté-Imbault), Paris (Plon), 1927.

H. Buffenoir. *La Maréchale de Luxembourg*, Paris (Emile-Paul), 1924.

L. Perey et G. Maugras, *La jeunesse de Mme d'Epinay*, Paris, 1882.

Le *ménage Suard*, qui a joué un rôle important dans le monde des lettres de cette époque, a fait l'objet d'un certain nombre de travaux, dont voici quelques-uns : Garat, *Mémoires historiques sur le XVIII° siècle*, 2 vol., Paris, 1820; Mme Cavaignac, *Mémoires d'une inconnue*, Paris, 1894; R. Doumic, *Madame Suard et Condorcet*, dans la *Revue des Deux-Mondes*, 15 oct. et 15 nov. 1911, 1er janvier 1912; J. Bertaut, *Egéries du XVIII° siècle*, Paris.

Il conviendra de lire aussi les *Notices* très importantes dont G. Lanson fait précéder les extraits de son *Choix de lettres du XVIII° siècle*, Paris (Hachette).

3° *Sur les journaux* : E. Hatin, *Bibliographie de la presse*, 1 vol., et *Histoire de la presse en France*, 7 vol.

G. Dumas, *Histoire du Journal de Trévoux*, Paris (Boivin), 1936.

Le Père P.-C. Sommervogel, *Table méthodique des Mémoires de Trévoux*, Paris (Aug. Durand), 1864.

4° *Sur la Franc-Maçonnerie*, outre les ouvrages cités par M. Daniel Mornet, lire :

B. Fay, *La Franc-Maçonnerie et la révolution intellectuelle du XVIII° siècle*, qui assigne à cette société secrète un rôle dans la préparation de la Révolution,

et, dans un esprit opposé :

C. Prioulet, dont *La Franc-Maçonnerie et les lis* expose les raisons pour lesquelles elle n'a aucune responsabilité directe dans cet événement capital.

CHAPITRE VIII : *BUFFON*

I. *Editions.* — La meilleure édition est celle de DE LANESSAN, Paris (Le Vasseur). PICARD a édité les *Epoques de la nature,* Paris (Garnier). — P. BONNEFOUS a donné, chez Colin, des *Pages choisies de Buffon.*

II. *Etudes.* — 1° *Sur l'homme :* HÉRAULT DE SÉCHELLES, *Voyage à Montbard,* Paris, 1785. — Em. MONTÉGUT, *Souvenirs de Bourgogne,* Paris, 1874. — O. D'HAUSSONVILLE, *Le salon de Mme Necker,* Paris, 1882. — DESNOIRETERRES, *Epicuriens et lettrés au XVIII° siècle,* Paris, 1888. — On trouvera en outre quelques renseignements dans R. PETER, *Vie secrète de l'Académie française,* t. III.

2° *Sur le savant et le philosophe :* CUVIER, *Rapport historique sur les Sciences naturelles,* Paris, 1810; FLOURENS, *Histoire des travaux et des idées de Buffon,* Paris, 1884; F. HÉMON, *Eloge de Buffon,* Paris 1878; N. MICHAUT, *Eloge de Buffon,* Paris, 1878; E. PERRIER, *La philosophie zoologique avant Darwin,* Paris, 1884; L. ROULE, *Buffon et la description de la nature,* Paris (Flammarion), s. d.

3° *Sur le* Discours sur le style, voir les *Notices* des éditions HÉMON (Delagrave), NOLLET (Hachette), NICOLAS (Garnier), NOËL (Belin); F. HÉMON, *Cours de Littérature : Buffon;* VILLEMAIN, *Tableau de la Littérature française au XVIII° siècle,* t. II.

4° *Sur l'écrivain :* FLOURENS, *Manuscrits de Buffon,* Paris, 1859; DE BARANTE, *Tableau de la Littérature française au XVIII° siècle.*

5° *Sur l'homme, l'œuvre et l'écrivain :* SAINTE-BEUVE, *Causeries du Lundi,* t. IV, X et XVI.

6° *Sur le milieu et l'époque :* Th. FOISSET, *Le Président de Brosses,* 1842; Em. DE BROGLIE, *Les portefeuilles du Président Bouhier,* 1896; D. MORNET, *Les sciences de la nature au XVIII° siècle,* Paris, 1911, et *La pensée française au XVIII° siècle,* Paris (ces deux derniers ouvrages chez Colin).

CHAPITRE IX : *VERS LE ROMANTISME*

On se reportera aux ouvrages des contemporains dont des citations ont été données et l'on ajoutera les études suivantes : D. MORNET, *Histoire de la clarté française,* Paris, 1929, livre à la fois substantiel et vivant; P. VAN TIEGHEM, *Le préromantisme,* ouvrage d'une érudition abondante, où sont étudiées spécialement les influences nordiques, et *L'Année littéraire comme intermédiaire en France des littératures étrangères,* Paris (Rieder), 1924 et 1917; P. MOREAU, *Le Classicisme des romantiques,* Paris (Plon), 1932, qui s'ouvre par une étude ingénieuse et fine du mouvement préromantique; L. REYNAUD, *Le romantisme,* Paris (Colin), 1926, un peu systématique, mais riche d'idées et de faits; E. ESTÈVE, *Etudes de littérature préromantique,* Paris (Champion), 1923; H. JACOUBET, *Le genre troubadour et les origines françaises du romantisme,* Paris (Belles-Lettres), 1929; A. MONGLOND, *Histoire intérieure du préromantisme,* déjà citée; A. CHÉREL, *La prose poétique française,* Paris (Artisan du livre), 1940; H. POTEZ, *L'Elégie en France*

456   DE CANDIDE A ATALA

avant le romantisme, Paris (Calmann-Lévy), 1898; J. Texte, *J.-J. Rousseau et les origines du cosmopolitisme littéraire*, Paris (Hachette), 1895.

CHAPITRE X : *LA POÉSIE DE 1750 A 1789*

A. — *Poètes secondaires.*

I. *Editions.* — Les œuvres ont depuis un certain nombre d'années cessé d'être éditées. Cependant la librairie Garnier a publié une *Anthologie poétique du XVIII° siècle*, en un volume, les *Œuvres* de Gilbert, avec notice de Ch. Nodier, *L'Art d'aimer*, de Gentil-Bernard, accompagné d'Extraits d'autres poètes érotiques (Bertin, Léonard, Dorat, Pezay). Les *Fables* de Florian se trouvent encore chez Garnier et Hatier (*Classiques pour tous*), les *Œuvres choisies* de Parny à la Librairie Garnier et à la Société des Editions Michaut.

II. *Etudes générales.* — E. Faguet, *Histoire de la poésie française*, t. VIII, IX et XI, Paris (Boivin), suite d'études détachées d'une chronologie assez curieuse, pleines d'érudition, de finesse et de goût. Parny n'est pas au nombre des auteurs étudiés.
H. Potez, *L'élégie en France depuis Parny jusqu'à Lamartine*, Paris, 1898, ouvrage d'une information vaste et méticuleuse, d'un style rapide et coloré.

III. *Etudes particulières.* — Sainte-Beuve, *Causeries du Lundi*, t. III (Florian), IV (Rulhière), V (Lebrun), VIII (Bernis, trois articles), XV (Parny).
G. Desnoireterres, *Les cours galantes*, 4 vol., Paris, 1859-1864; et *Le chevalier Dorat et les poètes légers au XVIII° siècle.*

B. — *André Chénier.*

I. *Edition des œuvres.* — De son vivant, Chénier n'a publié que l'*Ode au Jeu de paume* et l'*Hymne aux Suisses de Châteauvieux*. Peu de temps après sa mort, la *Décade philosophique* du 20 Nivôse an III publiait par les soins de Marie-Joseph *La jeune captive*. Puis ce fut le tour de *La jeune Tarentine*. Il fallut attendre jusqu'en 1819 pour qu'une édition de ses œuvres fût procurée par H. de Latouche. Elle était très fautive. Sainte-Beuve se mit un moment à la tâche, mais recula devant les difficultés. En 1862 enfin, Becq de Fouquières publia chez Charpentier la première grande édition critique des œuvres du poète. Il la revit et la corrigea en 1872 et la compléta, en 1875, par des documents nouveaux. L'année précédente, le propre neveu du poète, Gabriel-Louis de Chénier, avait édité les œuvres de son oncle, mais avec tant d'arbitraire qu'à part quelques passages, l'édition est bien inférieure à celle de Becq de Fouquières. Depuis, L. Dimoff a donné une édition nouvelle (Delagrave), qui est considérée comme l'édition définitive.
Signalons toutefois l'édition Moland (1879) — et celle d'André Bellessort, 2 vol., Paris (Garnier). L. Moland a aussi édité les œuvres en prose, Paris (Garnier).

II. *Etudes.* — E. Faguet, *Le XVIII° siècle* (Boivin), et *Histoire de la poésie française*, citée ci-dessus, t. X; André Chénier (Collection des Grands Ecrivains Français).

L. Bertrand, *La fin du classicisme et le retour à l'antique*, Paris, 1897.
P. Glachant, *André Chénier critique et critiqué*, Paris, 1902.
C.-A. Fusil, *La poésie scientifique en France de 1750 à nos jours*, Paris, 1917.
P. van Tieghem, *Ossian en France*, 2 vol., Paris (Rieder), t. I.
Haraszty, *La poésie d'André Chénier*, 1892.
Sainte-Beuve, *Tableau de la littérature française au XVIIIᵉ siècle; Portraits littéraires*, t. I; *Portraits contemporains*, II; *Causeries du Lundi*, IV; *Nouveaux Lundis*, V.
E. Egger, *L'Hellénisme en France*, t. II.
P. Albert, *La Littérature française au XIXᵉ siècle*, I.
A. France, *La Vie littéraire*, I (1888), et II (1890).
F. Brunetière, *L'Evolution de la poésie lyrique au XIXᵉ siècle; L'Evolution des genres*.
G. Venzac, *Jeux d'ombre et de lumière sur la jeunesse d'André Chénier*, 4ᵉ édit., Paris (Gallimard).

CHAPITRE XI : *LA PROSE DE 1750 à 1789*.

I *Editions*. — 1° *Bernardin de Saint-Pierre*. Les rééditions de *Paul et Virginie* pullulent. Celle de la Librairie Garnier a l'avantage de faire suivre ce petit roman de *La Chaumière indienne*.

2° Chez Garnier aussi, on trouvera des éditions des *Liaisons dangereuses* de Laclos, et du *Faublas* de Louvet.

3° La Société des éditions L. Michaut a donné une édition en 3 vol. du *Monsieur Nicolas* de Retif; une réédition des *Nuits révolutionnaires* et de la *Vie de mon Père* (sous le titre *Le village*) a été donnée par Fr. Funck-Brentano (A. Fayard).

4° Le *Discours sur l'Université de la langue française*, de Rivarol, figure dans la liste des *Classiques pour tous* (Librairie Hatier).

II. *Etudes*. — 1° Sur l'abbé Millot, éditeur de l'*Histoire littéraire des troubadours*, voir F. Baldensperger, *Etudes d'histoire littéraire*, Paris (Hachette), 1908.

2° Sur le comte de Tressan et le genre troubadour, se reporter au même ouvrage et à H. Jacoubet, *Le comte de Tressan*, Paris, et *Le genre troubadour et les origines françaises du romantisme*, Paris (Belles-Lettres), 1929.

3° Sur la critique, cf. Ch.-M. Desgranges, *Geoffroy et la critique littéraire sous l'Empire*, Paris. — Chanoine Cornou, *Elie Fréron*, Paris (Champion), 1922.

4° Sur le roman, les ouvrages d'A. Lebreton : *Le roman au XVIIIᵉ siècle* et *Le roman au XIXᵉ siècle* sont des études assez poussées et fort élégamment écrites.

Fr. Funck-Brentano, *Restif de la Bretonne*, Paris.

L. Béclard, *L'Amérique et le rêve exotique dans la littérature française du XVIIᵉ et XVIIIᵉ siècle*, Paris (Hachette), 1913.

E. Dard, *Le général Choderlos de Laclos, auteur des Liaisons dangereuses*, Paris (Perrin), 3ᵉ éd., 1936.

F. Caussy, *Laclos*, Paris (*Mercure de France*), 1905.

S. Lenel, *Marmontel*, Paris (Hachette), 1902.

On consultera aussi le grand ouvrage de P. Trahard, *La sensibilité française au XVIIIᵉ siècle* (tome IV) et le volume d'H. d'Alméras, *Paul et Virginie*, Paris (Malfère), 1937.

5° *Sur les moralistes*, cf. And. LEBRETON, *Rivarol*, Paris (Hachette), 1895.
M. PELLISSON, *Chamfort*, Paris (Lecène), 1895.

CHAPITRE XII : *LE THÉÂTRE DE 1750 A 1789*

I. *Editions.* — 1° *Tragédie.* — Les principales tragédies de Voltaire (*Zaïre, Mérope*) sont encore fréquemment rééditées et se trouvent facilement chez Hatier, Hachette, Larousse, de Gigord, etc. Les tragiques secondaires (Saurin, de Belloy, Marmontel, La Harpe) sont représentés dans la vieille collection théâtrale de l'éditeur Dentu.
2° *Comédie.* — a) *Le Théâtre du XVIIIᵉ siècle*, en 2 vol., de Garnier contient quelques-unes des principales comédies secondaires du temps.
b) La même Librairie a publié le *Théâtre de Beaumarchais* et celui de Florian. Dans les *Œuvres choisies* de Diderot, au tome II, se trouve *Le Fils naturel* (accompagné de *La pièce et le prologue* et du *Paradoxe sur le comédien*).
c) Chez Hatier, *Le philosophe sans le savoir* et *La gageure imprévue* de Sedaine, le *Barbier de Séville* de Beaumarchais et le *Bourru bienfaisant* de Goldoni figurent dans les *Classiques pour tous*. Le *Mariage de Figaro* est sans cesse réédité.

II. *Etudes générales.* — L. DUBECH et P. D'ESPEZEL, *Histoire du théâtre*, 5 volumes (t. V); — Eug. LINTILHAC, *La comédie au XVIIIᵉ siècle* (dans l'*Histoire du théâtre*, t. IV), Paris (Flammarion), 1908; ouvrage précieux d'une documentation étonnamment riche, contenant des extraits de comédiens parfois bien oubliés, et écrit avec une spirituelle aisance; — G. LANSON, *Esquisse d'une histoire de la tragédie française*, Paris, 1927 (Champion); — F. GAIFFE, *Le drame au XVIIIᵉ siècle*, Paris (Colin), 1913; — F. BRUNETIÈRE, *Les Etapes du théâtre français*, Paris (Hachette); — L. PETIT DE JULLEVILLE, *Histoire du théâtre français*, Paris (Colin); excellent résumé, d'une information très large et précise, et agréablement écrit.

III. *Etudes particulières.* — 1° H. LION, *La tragédie de Voltaire*, Paris; — 2° E. LINTILHAC, *Beaumarchais et ses œuvres*, Paris (Hachette). 1887. — 3° And. HALLAYS, *Beaumarchais*, Paris (*Collection des Grands Ecrivains Français*); — 4° H. GILLOT, *Diderot*, Paris (Courville), 1937; — 5° L. BÉCLARD, *Sébastien Mercier*. — 6° F. GAIFFE, *Le Mariage de Figaro*, Paris (Malfère), 1928; — 7° H. DE CURZON, *La musique* (dans *Bibliothèque Française : La Musique*), Paris (Plon); s. d.; — 8° E. BOYSSE, *Journal de Papillon de la Ferté*, Paris (Ollendorff), 1887; ouvrage curieux, qui renseigne sur les rapports des Gentilshommes de la Chambre et des Théâtres soumis à leur contrôle.

CHAPITRE XIII : *LA LITTÉRATURE FRANÇAISE*
SOUS LA RÉVOLUTION ET LE DIRECTOIRE

I. *L'éloquence.* — 1° *Editions.* — MIRABEAU, *Œuvres oratoires*, 2 vol., Paris, 1819. — BARNAVE, *Discours* (édition Béranger, 1843). — VERGNIAUD, GUADET et GENSONNÉ, *Œuvres* (édition Vermorel), 1866.

2° Des recueils d'*Extraits* assez nombreux ont été publiés. Voici les principaux :

A. CHABRIER, *Les orateurs politiques de la France des origines à 1830* (Hachette), 1905.

J. REINACH, *Le Conciones français*, Paris (Delagrave).

3° *Etudes.* — A. AULARD, *Les orateurs de la Constituante*, Paris, 1882; — *Les orateurs de la Législative et de la Convention*, 2 vol., Paris, 1886; — *L'éloquence parlementaire pendant la Révolution française.*

MARON, *Histoire Littéraire de la Révolution*, 2 vol.

4° *Etudes particulières.* — DE LOMÉNIE, *Les Mirabeau;* — E. ROUSSE, *Mirabeau*, Paris (Hachette; Collection des *Grands Ecrivains Français*), 1891; — Alf. MÉZIÈRES, *Vie de Mirabeau*, 1898; — SAINTE-BEUVE, *Causeries du Lundi*, IV; — H. VAN LEISEN, *Mirabeau et la Révolution royale*, Paris (Grasset), 7e éd., 1926; — SAINTE-BEUVE, *Causeries du Lundi*, II (Barnave); — VATEL, *Vergniaud*, 2 vol., 1861; — LAMARTINE, *Histoire des Girondins*, 1847; — GUADET, *Les Girondins*, 2 vol., 1861; — Docteur ROBINET, *Le procès des Dantonistes*, 1875; — HAMEL, *Histoire de Robespierre.*

II. *Le journalisme.* — DESPOIS, *Œuvres de Camille Desmoulins*, 3 vol., 1886; — Napoléon BERNARDIN, *Morceaux choisis du XVIIIᵉ siècle;* — G. LANSON, *Choix de lettres du XVIIIᵉ siècle*, Paris (Hachette); — E. HATIN, *Histoire politique et littéraire de la presse en France* (1859-1861); — Ed. FLEURY, *C. Desmoulins et Roch Mercandier*, 2 vol. 1852. — J. CLARETIE, *Camille Desmoulins, Lucile Desmoulins, étude sur les Dantonistes.*

III. *Mémoires.* — *Editions :* Cl PERROUD, *Lettres de Mme Roland*, 1780-1793, 2 vol., Paris, 1902; — *Lettres de Mme Roland*, nouvelle série, 1767-1780, 2 vol., Paris, 1913-1915; — *Mémoires de Mme Roland*, 2 vol., Paris, 1915.

IV. *La philosophie.* — 1° *Textes.* — Les *Ruines* de Volney ont été rééditées par la Librairie Garnier, dans un volume où se trouvent aussi *La Loi naturelle* et l'*Histoire de Samuel.*

L'*Esquisse* de Condorcet a été publiée par STEINHEIL, Paris, 1900.

2° *Etude générale.* — F. PICAVET, *Les idéologues*, Paris, 1891.

3° *Etudes particulières.* — a) *Sur Condorcet :* SAINTE-BEUVE, *Causeries du Lundi*, III; — CHARMA, *Condorcet, sa vie et ses œuvres*, Paris, 1863; — M. GILLET, *L'utopie de Condorcet*, Paris, 1883; — Docteur ROBINET, *Condorcet, sa vie et son œuvre*, Paris, 1895; — L. CAHEN, *Condorcet et la Révolution française*, Paris, 1904; — ALENGRY, *Condorcet guide de la Révolution*, Paris, 1904; — F. VIAL, *Les grands éducateurs : Condorcet et l'éducation démocratique*, Paris.

b) *Sur Mme de Condorcet :* A. GUILLOIS, *Madame de Condorcet*, Paris, 1896; — G. STENGER, *La société française pendant le Consulat*, I.

c) *Sur Mme Helvétius :* A. GUILLOIS, *Le salon de Mme Helvétius*, Paris, 1894; — J. BERTAUT, *Egéries du XVIIIᵉ siècle*, ouvrage déjà cité.

V. *La poésie.* — E. FAGUET, *Histoire de la poésie française*, XI; — P. VAN TIEGHEM, *Ossian en France*, 2 vol., Paris (Rieder); — H. JACOUBET, *Le genre troubadour et les origines du Romantisme français*, Paris (Belles-Lettres), 1929; — F. BALDENSPERGER, *Etudes d'histoire littéraire*, Paris (Hachette), 1907; — H. POTEZ, *L'Elégie en France avant le Romantisme*, Paris (Calmann-Lévy), 1898; — G. STENGER, *La société française sous le Consulat*, IV, Paris (Perrin), 1905 (surtout anecdotique).

VI. *Le Théâtre.* — 1° *Textes.* — Chez Garnier, deux éditions de COL-
LIN D'HARLEVILLE, une de L. Moland, l'autre, un peu plus fournie, de
Geoffroy et Allouard; — une édition de Picard.
2° *Etudes générales.* — Cf. le chapitre précédent. Ajouter : H. WELS-
CHINGER, *Le Théâtre de la Révolution,* Paris (Charavay), 1891; —
M. ALBERT, *Les Théâtres des Boulevards,* Paris (Boivin); — L. ALLARD,
La Comédie de mœurs en France au XIX° siècle, Paris (Hachette), 1923;
— ESTÈVE, *Etudes préromantiques* (sur Guilbert de Pixérécourt), Paris;
A. PITOU, *Les origines du mélodrame* (dans *Revue d'Histoire littéraire
de la France,* 1910); — P. GINISTY, *Le Mélodrame* (édit. M. Michaud);
F. GAIFFE, *Le Drame au XVIII° siècle;* — Ch. MONSELET, *Les Oubliés
et les Dédaignés,* Paris (Poulet-Malassis), 1859; — Mme DUSSANE,
Sociétaire de la Comédie-Française, *La Célimène de Thermidor : Louise
Contat;* — Gilb. STENGER, *La Société française pendant le Consulat,*
(renferme des renseignements intéressants sur les auteurs et les artistes);
H. LUCAS, *Histoire du Théâtre-Français,* II, Paris (Jung-Treudel), 1862.
L'ouvrage d'ETIENNE et MORTAINVILLE, *Histoire du Théâtre-Français,*
Paris, 1802, peut encore rendre des services.

TABLE DES MATIÈRES

———

LISTE DES ILLUSTRATIONS